Bearbeiter:
Ken Farø

Redaktion:
Kerstin Klingelhöffer, Eike Kronshage

Ergänzende Hinweise, für die wir jederzeit dankbar s
bitten wir zu richten an:
Langenscheidt Verlag, Postfach 40 11 20, 80711 Mün
redaktion.wb@langenscheidt.de

Druck: Mercedes-Druck, Berlin
Bindung: Stein + Lehmann, Berlin
Printed in Germany
ISBN 978-3-468-18103-0

Langenscheidt
Universal-Wörterbuch
Dänisch

Dänisch – Deutsch
Deutsch – Dänisch

Herausgegeben von der
Langenscheidt-Redaktion

Langenscheidt

Berlin · München · Wien · Zürich · New York

Inhaltsverzeichnis – Inholdsfortegnelse

Hinweise für die Benutzer
Brugervejledning

Die Tilde (~) ersetzt entweder das ganze Stichwort oder den vor dem Strich (|) stehenden Teil davon, z.B.:

Tilden (~) angiver gentagelse af opslagsordet eller den del af det, som står foran stregen (|), f.eks.:

adgang Zutritt *m*, Eintritt *m*; **~ *forbudt*** (= ***adgang forbudt***) kein Zutritt
ab *adv Ursprung* fra; *weg* bort; *nach unten* ned; **~ *und zu*** (= ***ab und zu***) af og til
mach|bar mulig; **~en** (= ***machen***) *tun* gøre; *erledigen, herstellen* lave

In Wendungen (***kursiv***) steht die Tilde für das Stichwort direkt davor, auch wenn dieses seinerseits tildiert ist:

I vendinger (***kursiverede***) står tilden for stikordet umiddelbart før, også selv om dette selv har tilde.

til|flugt ...; **~fælde** ...; ***for alle ~s*** (= ***tilfældes***) ...;

Die Tilde mit Kreis (2) zeigt den Wechsel von Groß- in Kleinschreibung oder umgekehrt an, z.B.:

Tilden med ring (2) anvendes, når ordets begyndelsesbogstav skal ændres fra lille til stort eller omvendt, f.eks.:

Dank *m* tak; **2bar** (= **dankbar**) taknemmelig
tysk deutsch; **2land** (= **Tyskland**) Deutschland *n*

Das grammatische Geschlecht ist bei den deutschen Substantiven folgendermaßen angegeben:
m (= Maskulinum, männlich), *f* (= Femininum, weiblich) und *n* (= Neutrum, sächlich); der Plural ist durch *pl* gekennzeichnet.

De tyske substantivers køn angives ved
m (= maskulinum, hankøn), *f* (= femininum, hunkøn) og *n* (= neutrum, intetkøn); flertal angives ved *pl* (= pluralis).

Hinter dänischen Substantiven steht nur *n* für Neutrum. Wo kein Geschlecht angegeben ist, ist das Wort „gemeinsamen Geschlechts“ (= ***fælleskøn***).

Hinter den dänischen Substantiven steht in runden Klammern die Pluralendung, z.B.:
bølge (*-r*): **bølger** = Wellen
bånd (=): **bånd** = Bänder

Ved danske substantiver angives intetkøn ved *n*. Da dansk kun har fælleskøn, er det ikke nødvendigt at angive dette direkte.

Hier eine Liste der wichtigsten dänischen Wortendungen mit den entsprechenden deutschen Übersetzungen. Sie werden im Dänischen wie im Deutschen an den Wortstamm gehängt. Auf diese Weise können die Benutzer des Wörterbuchs auch Wörter, die aus Platzgründen nicht im Wörterverzeichnis enthalten sind, selbst übersetzen:

Her en liste over de vigtigste danske endelser med deres tilsvarende tyske oversættelser. De føjes både på dansk og tysk til ordenes stamme. På denne måde kan brugeren selv i nogle tilfælde oversætte ord, som ordbogen ikke medtager:

-agtig	-haft	-isk	-isch
-dom	-tum	-isme	-ismus
-dømme *n*	-tum	-lig	-ig, -lich
-else	-ung	-løs	-los
-ende	-end	-mager	-macher
-ere	-ieren	-ning	-ung
-eri *n*	-erei	-sk	-isch
-hed	-heit, -keit	-skab	-schaft
-i	-ie, -ei	-som	-sam
-inde	-in	-vis	-weise
-ing	-ung	-ør	-eur(in), -or(in)

Im dänischen Alphabet stehen die Buchstaben æ, ø, å am Schluss, d. h. nach z.

I det tyske alfabet står ä, ö og ü ikke efter z, men bliver behandlet under a, o og u.

Die Aussprache des Dänischen
Danske udtaleregler

1. Lange Vokale haben in der Lautschrift zwei Punkte hinter dem betreffenden Buchstaben, z.B. aː, iː, oː usw. Alle übrigen Vokale sind kurz auszusprechen.
2. Das **Betonungszeichen** ['] steht vor der betonten Silbe: **a'dresse** [a-] Adresse *f.*
3. Buchstaben, unter (oder über) denen ein Punkt steht, werden nicht ausgesprochen: **anḍen, billiġe**.
4. Der Knacklaut (**Stoßton**), im Stichwort durch [,] nach dem betroffenen Buchstaben markiert (**afmel,de**), ist ein deutlicher Stimmabsatz, wie er im Deutschen auch zu hören ist: **ver,eisen, Post,amt, Fall,obst**. Er dient der lautlichen Unterscheidung von Wörtern und ist in der Lautschrift als [ˀ] angegeben: also **mord** [moˀʀ] Mord *im Unterschied zu* **mor** [moːʀ] Mutter.
5. In der Endsilbe ist ***e*** meist nicht deutlich zu hören, sondern ist ein heller [ə] bzw. nach ***r*** oder Stoßton dunkler [ɔ] Murmellaut wie ***e*** im deutschen Wort **bitte**.

Vokale

[a]	sehr hell und sehr kurz, fast wie kurzes, offenes **ä**, etwa wie engl. c**a**t.
[ɑ]	offenes **a**, wie in V**a**ter.
[e]	geschlossenes **e**, wie in **E**sel.
[ɛ]	meist Buchstabe **æ**: offenes **e**, wie in n**e**tt, f**ä**llen.
[ə]	Murmellaut, wie in bitt**e**.
[i]	geschlossenes **i**, wie in **i**hr.
[j]	kurzes **i**, wie **j** im Deutschen, z.B. in Bo**j**e.
[o]	geschlossenes **o**, wie in **O**fen
[å]	meist halboffenes **o**, etwa wie engl. b**oa**t.
[ɔ]	sehr kurzes, offenes **o**, wie in **o**ffen.
[u]	geschlossenes **u**, wie in d**u**.
[ŭ]	kurzes, offenes **u**, wie in M**u**tter oder engl. w**e**ll.
[y]	geschlossenes **ü**, wie in f**ü**r.
[ø]	Buchstabe **ø**: geschlossenes **ö**, wie in b**ö**se.
[œ]	kurzes, offenes **ö**, wie in **ö**ffnen.
[ɔ̈]	hinteres, offenes **ö**, wie in frz. b**eu**rre.

Konsonanten

[b, f, h, j, k, l, m, n, p, t] entsprechen etwa den deutschen Lauten.
[d, g, r] sind am Wortende bzw. in den Silben **-lig, -mand, -ere** oft nicht zu hören, vgl. 3.
[ð] kurzer stimmhafter Lispellaut, wie **th** im englischen wea**th**er.
[ŋ] wie **ng** in si**ng**en.
[ʀ] Zäpfchen-**r** wie im Hochdeutschen, wie in **r**ein.
[s] stimmloses **s**, wie in Wa**ss**er.
[v] wie **w** in **W**asser.

Abkürzungen – Forkortelser

a auch, også
A Akkusativ, akkusativ
Abk Abkürzung, forkortelse
adj Adjektiv, adjektiv
adv Adverb, adverbium
Agr Landwirtschaft, landbrug
Anat Anatomie, anatomi
Arch Architektur, arkitektur
Bio Biologie, biologi
Bot Botanik, botanik
bsd besonders, især
bzw beziehungsweise, henholdsvis
Chem Chemie, kemi
conj Konjunktion, konjunktion
D Dativ, dativ
dän. dänisch, dansk
dem pron Demonstrativpronomen, demonstrativt pronomen
dt. deutsch, tysk
EDV elektronische Datenverarbeitung, edb
e-e eine
El Elektrizität, elektricitet
e-m einem
e-n einen
e-r einer
Esb Eisenbahn, jernbane
etc etcetera, und so weiter, og så videre
etw etwas, noget
f feminin, hunkøn
F *umgangssprachlich*, uformelt
fig bildlich, im übertragenen Sinn, overført
Flugw Flugwesen, flyvning
Fot Fotografie, fotografi
G Genitiv, genetiv
Gastr Kochkunst, madlavning
Geo Geographie, geografi
Ggs Gegensatz, modsætning
Gr Grammatik, grammatik
Hdl Handel, Wirtschaft, økonomi
hist historisch, historisk

imperf Imperfekt, Präteritum, datid
inf Infinitiv, navnemåde
int Interjektion, Ausruf, udråbsord
j-m jemandem, nogen
j-n jemanden, nogen
Jur Jura, retsvidenskab
KFZ Kraftfahrwesen, bilsprog
komp komparativ, komparativ
m maskulin, hankøn
Mar Schifffahrt, skibsfart
Math Mathematik, matematik
Med Medizin, medicin
Mil Militär, militær
neg! negativ, beleidigend, fornærmende
ngt noget, etwas
od oder, eller
pers pron Personalpronomen, personligt pronomen
pl Plural, flertal
Pol Politik, politik
poss pron Possessivpronomen, possessivt pronomen
p/p Partizip Perfekt, perfektum participium
präp Präposition, præposition
präs Präsens, præsens
pron Pronomen, pronomen
Psych Psychologie, psykologi
Rel Religion, religion
rel pron Relativpronomen, relativt pronomen
sg Singular, ental
s-n seinen
su Substantiv, navneord
Tech Technik, teknisk sprog
Tel Fernmeldewesen, telefonvæsen
Tex Textilien, tekstil
Thea Theater, teater
TV Fernsehen, tv
u und, og
usw und so weiter, og så videre
V vulgär, vulgært
vgl. vergleiche, jævnfør
v/i intransitives Verb, intransitivt verbum
v/t transitives Verb, transitivt verbum
z. B. zum Beispiel, for eksempel
Zo Zoologie, zoologi

® *eingetragene Marke (in beiden Sprachen)*
- *1. ohne Präposition zu verwenden*
2. nur in Zusammensetzungen gebraucht
→ *siehe, vergleiche*
(=) *dän. Pluralform wie Singular, ohne eigene Endung*

Dänisch – deutsches Wörterverzeichnis

A

A, a [a?] *n*: ~ **7** [a] *Sport* 7 beide; ***3 frimærker ~ 4 kr.*** 3 Briefmarken zu 4 Kronen; ***et stort ~*** ein großes A
A-38 [a?-] *etwa* Dickmilch *f*
abe ['a:bə] Affe *m*; ***~ efter*** nachäffen
abonne|ment [-'maŋ] *n* Abo(nnement) *n*; ***tegne ~ på*** etw abonnieren; **~re**: ***~ på*** [-'ne?ɔ] abonnieren
aborre ['ɑ-] Barsch *m*
a'bort [a-] *Med* Abtreibung *f*; ***få en ~*** abtreiben (lassen)
A-brev *etwa* Standardbrief *m*, *schneller und teurer als ein B-brev*
abri'ko,s [ɑ-] Aprikose *f*
absolut [-'lud] durchaus
abstinenser *pl* Entzugserscheinungen *pl*
accent [ɑg'saŋ] Akzent *m*
accept Zustimmung *f*
ad entlang, (hin)durch, nach; ***~!*** pfui!, igitt!
adamsæble *n* Adamsapfel *m*
adel ['a?ðəl] Adel *m*
adfæ,rd ['að-] Verhalten *n*
adgang, ['að-] Zutritt, Eintritt *m*; ***~ forbudt*** kein Zutritt; ***gratis ~*** Eintritt frei
ad'junkt [að-] *etwa Gymnasium* Studienrat *m*, Studienrätin *f*; *Hochschule* Assistent(in) *m(f)*, Assistenzprofessor(in) *m(f)*
adly,de ['að-] gehorchen
adop't|e,re [a-] adoptieren; **~i,vbar,n** *n* Adoptivkind *n*
a'dresse [a-] Adresse *f*; **~re** [-'se?ɔ] adressieren (***til*** an)
adskille ['aðsgel?ə] trennen; ***~ sig fra*** sich unterscheiden von; **~lse** Trennung *f*
ad'skillig,e mehrere
advar|e ['aðvɑ?ɔ] warnen (***mod, imod*** vor); **~sel** [-vɑ?səl] *(-sler)* Warnung *f*; **~selsblink** Warnblinkanlage *f*; **~selsskilt** *n* Warnschild *m*; **~selstrekant** Warndreieck *n*
adven,t ['að-] Advent *m*; ***anden søndag i ~*** zweiter Advent
ad'ver,bium [að-] *n (-bier)* Adverb *n*
advokat [aðvo'ka?d] Anwalt *m*, Anwältin *f*
ae [a:ə] streicheln
af [a], [a?] aus; ab; von; vor (*Ursache*); ***en ven ~ min far*** ein Freund meines Vaters; ***~ med*** los; ***nogle ~ dagene*** ei-

nige der Tage; ~ ***og til*** ab und zu; ~ ***sig selv*** von selbst

AF (*Arbejdsformidling*) AA (*Arbeitsamt*)

afbalanceret ['ɑŭ-] ausgewogen

afbestil|l,e ['ɑŭ-] abbestellen; **~lingsrejse** (-*r*) Last-Minute-Reise *f*

afbeta,le ['ɑŭ-] abzahlen; ~ ***på en bil*** ein Auto abzahlen

afbetaling Ratenzahlung, Teilzahlung *f*

afblege ['ɑŭblɑj?ə] bleichen

afbrudt ['ɑŭ-] abgebrochen, unterbrochen; aus

afbry,de ['ɑŭ-] abbrechen, unterbrechen; ausschalten; **~lse** (-*r*) Unterbrechung *f*; **~r** (-*e*) Schalter *m*

afbrød ['ɑŭ-] *imperf* brach ab, unterbrach; schaltete aus

afbud ['ɑŭbuð] *n* (=) Absage *f*; ***melde*** ~ absagen

afd. (*afdeling*) Abt. (*Abteilung*)

afdanket ['ɑŭ-] abgetakelt

afdansningsbal ['ɑŭ-] Abschlussball *m einer Tanzschule*

afde,ling ['ɑŭ-] Abteilung; *Med* Station *f*; **~schef** Abteilungsleiter *m*

afdrag ['ɑŭdrɑ?ŭ] *n* (=) Rate *f*; ***på*** ~ in Raten

afdø,d ['ɑŭ-] verstorben

affal,d ['ɑŭ-] *n* Müll *m*; **~sskakt** Müllschlucker *m*; **~sspand**, Mülleimer *m*

affjedring ['ɑŭ-] Federung *f*

affy,re ['ɑŭ-] abschießen

affære [af-] (Liebes-)Verhältnis *n*; Angelegenheit *f*; ***tage*** ~ eingreifen

affø,ring Stuhlgang *m*; ***hård*** ~ Verstopfung *f*; **~smiddel** *n* Abführmittel *n*

afg. (*afgang*) Abf. (*Abfahrt*)

afgang, ['ɑŭ-] (-*e*) Abfahrt *f*, Abflug, Abgang *m*; **~sbevis** *n* Abgangszeugnis *n*; **~seksamen** Abschlussprüfung *f*; **~stid** Abfahrtszeit, Abflugzeit *f*

afgift ['ɑŭ-] Gebühr *f*; **~sfri** gebührenfrei, abgabenfrei

afgjo,rt ['ɑŭ-] *adj* entschieden; *adv* absolut, durchaus

afgrun,d ['ɑŭ-] Abgrund, Schlund *m*

afgræn,s|e ['ɑŭ-] abgrenzen; **~ning** Abgrenzung *f*

afgrøde ['ɑŭgʀœːðə] (-*r*) (Ernte-)Ertrag *m*

afgø,re ['ɑŭ-] entscheiden; **~lse** (-*r*) Entscheidung *f*; **~nde** entscheidend

afgå ['ɑŭgå?] abfahren

afhand,ling Abhandlung *f*, Aufsatz *m*

afhen,te abholen

afhol,d|e ['ɑŭ-] abhalten (***fra*** von); **~smand** Abstinenzler(in) *m*(*f*)

afhæng,|e ['ɑŭ-] abhängen (***af*** von); **~ig** [-'hɛŋ?i] abhängig (***af*** von); **~ighe,d** Abhängigkeit *f*

afhø,re ['ɑŭ-] vernehmen

afise ['ɑŭisə] enteisen

afkal,d ['ɑŭ-]: ***give ~ på*** verzichten auf
afkalke ['ɑŭ-] entkalken
afkast *n* Gewinn, Verdienst *m*
afkla,ret zuversichtlich, ruhig
afkræftet ['ɑŭ-] entkräftet, erschöpft
afkø,l|e ['ɑŭ-] (ab)kühlen; **~ing** Abkühlung *f*
aflang, ['ɑŭ-] länglich
aflaste ['ɑŭ-] entlasten
aflastning Entlastung *f*
afle've,r|e ['ɑŭ-] abliefern, hergeben, zurückgeben; **~ing** Ablieferung *f*; *Sport* Abgabe *f*
af|ly,se ['ɑŭ-] absagen; **~ly,sning** Absage *f*; Ausfall *m*
aflytte [-y-] abhören
aflægger ['ɑŭlɛgɔ] Ableger, Steckling *m*
aflæ,se ablesen
aflø,b ['ɑŭ-] *n* (=) Abfluss *m*; **~srør** (=) *n* Abflussrohr *n*
aflø,se ['ɑŭ-] ablösen
aflåselig [ɑŭ'lå?səli] verschließbar
afmatning *Hdl* Rückgang *m*, Rezession *f*
afmel,de ['ɑŭ-] abmelden
af|monte,re ['ɑŭ-] abmontieren; **~må,le** (ab)messen; **~nazificering** Entnazifizierung *f*
afpillet ['ɑŭ-] viel zu dünn
afpres|ning ['ɑŭpʀɑsneŋ] Erpressung *f*; **~prøve** erproben, testen; **~se** erpressen
afpudsning ['ɑŭpusneŋ]: ***den sidste ~*** der letzte Schliff
afregn|e ['ɑŭʀɑj?nə] abrechnen; **~ing** Abrechnung *f*
af|rejse ['ɑŭ-] (*-r*) Abreise *f*; **~ri,me** *Kühlschrank* abtauen; **~run,de** abrunden
afs. (*afsender*) Abs. (*Absender*)
afsats *Arch*, *Geo* Absatz *m*
afsen,de ['ɑŭ-] absenden, abschicken; **~lse** Verladung *f*; Versand *m*; **~r** (*-e*) Absender(in) *m*(*f*)
afsi,des ['ɑŭ-] abgelegen; abseits; **~liggende** entlegen
afskaffe ['ɑŭ-] abschaffen; **~lse** Abschaffung *f*
afsked ['ɑŭsge?ð] Abschied *m*; ***tage ~ med*** sich verabschieden von; **~ige** entlassen; **~igelse** (*-r*) Entlassung *f*; **~sfest** Abschiedsfeier *f*
afskri|ft ['ɑŭ-] Abschrift *f*; **~ve** abschreiben
afskrække ['ɑŭ-] abschrecken
afsky, ['ɑŭ-] Abscheu *m*; **~elig** [-'sgy?əli] abscheulich, scheußlich
'afskå,r|ne ['ɑŭ-]: ***~ blomster*** *pl* Schnittblumen *pl*
afsla,g ['ɑŭ-] *n* (=) Ablehnung *f*; ***få ~*** nicht angenommen werden
afslappet ['ɑŭ-] entspannt, locker
afslut|ning ['ɑŭ-] Abschluss *m*; **~ningsvis** zum (Ab-) Schluss; **~te** abschließen, beenden
afslø,r|e ['ɑŭ-] enthüllen, entlarven; **~ing** Enthüllung *f*

afslå, ['ɑŭ-] ablehnen
afsnit ['ɑŭ-] *n* (=) Abschnitt *m*, Absatz *m*
afso,ne ['ɑŭ-]: ~ ***straffen*** eine (die) Strafe verbüßen
afspejle ['ɑŭ-] widerspiegeln, reflektieren
afspo,r|e ['ɑŭ-] entgleisen; **~ing** Entgleisung *f*
afspænding ['ɑŭ-] Entspannung
afspærr,|e ['ɑŭ-] absperren; **~ing** Absperrung, Sperre *f*
af|stam,ning ['ɑŭ-] Abstammung *f*; **~stan,d** (-*e*) Entfernung *f*; Abstand *m*; **~stem,-ning** Abstimmung *f*
afstikker [-sdegɔ] (-*e*) Abstecher *m* (***til*** nach, in)
afstive ['ɑŭ-] abstützen
afstraffelse ['ɑŭ-] Bestrafung *f*
afsyre ['ɑŭ-] ablaugen
afta,g|e ['ɑŭ-] abnehmen; **~elig** [ɑŭ'taˀəli] abnehmbar
afta,ger (-*e*) Abnehmer *m*
aftale ['ɑŭtaˀlə] vereinbaren; *su* [-taːlə] (-*r*) Vereinbarung *f*; ***efter~*** nach Vereinbarung; ***have en ~*** verabredet sein
aften ['ɑfdən] Abend *m*; ***god ~!*** guten Abend!; ***hver ~*** jeden Abend; ***i~*** heute Abend; ***i (går) aftes*** gestern Abend; ***i morgen ~*** morgen Abend; ***om ~en*** abends; ***spise til ~*** zu Abend essen; ***tak for i ~!*** *etwa* vielen Dank für den schönen Abend!; ***vedaftensbordet*** beim Abendessen
aftensmad Abendbrot; Abendessen *n*
aftershave Aftershave *n*
aftjene ['ɑŭ-] ableisten (***sin værnepligt*** den Wehrdienst)
aftrækker *Waffen* Abzug; Drücker *m*
afveje ['ɑŭvɑjˀə] abwiegen
afveksl|ende ['ɑŭ-] variiert, abwechslungsreich; **~ing** Abwechslung *f*; ***til en ~*** zur Abwechslung
afven,te abwarten, erwarten
afvi,ge ['ɑŭ-] abweichen (***fra*** von); **~lse** (-*r*) Abweichung *f*
af|vikle ['ɑŭ-] abwickeln; **~vi,-se** abweisen; **~viser** *Kfz* Abbiegeschild *n*, Wegweiser *m*
afvæ,bne entwaffnen
agerhøne ['aˀɔ-] (-*høns*) Rebhuhn *n*
agern ['aˀɔn] *n* (=) Eichel *f* (*a Anat*)
aggressiv ['agrɑsiˀv] aggressiv
agn [ɑŭˀn] Köder *m*
agt: ***tage sig i ~*** auf der Hut sein; **~else** Achtung *f*
agter *Mar* achtern
agterdæk (=) *n* Achterdeck *n*
-agtig [-'ɑgdi] -haft, -ähnlich
agurk [a'guʀg] Gurke *f*; ***gå ~*** ausflippen, **~esala,t** Gurkensalat *m*; **~etid** Sommerloch *n*, Saure-Gurken-Zeit *f*
A-indkomst [aˀ-] *regelmäßiges Bruttoeinkommen*
ajle ['ɑjlə] Jauche *f*
ajour auf dem Laufenden
aka'de,miker [a-] (-*e*) Akade-

miker(in) *m(f)*
a-kasse [aʔ-]: ***være medlem af en ~*** *etwa* eine Arbeitslosenversicherung haben
akkompagnement [akɔmpanjə'mɑŋ] *n Mus* Begleitung *f*
a'kkord [a-] Akkord *m*; **~arbej,de** *n* Akkordarbeit *f*
'akkurat genau, präzise; ***lige~*** gerade noch
akrobat [-'baʔd] Akrobat(in) *m(f)*
aks *n* (=) Ähre *f*
akse Achse *f*
aksel Achse *f*; **~brud** ['-bʀuð] *n* Achsenbruch *m*
akt *Thea* Akt *m*; Akte *f*
aktie ['ɑgsjə] (*-r*) Aktie *f*; **~selska,b** *n* Aktiengesellschaft *f*
aktion [ɑg'sjoʔn] Aktion *f*; **~'æ,r** Aktionär(in) *m(f)*
'akti,v aktiv; **~i'te,t** Aktivität *f*
aktu'el, aktuell
akva|planing Aquaplaning *n*; **~'rel,** (*-ler*) Aquarell *n*; **~rium** *n* (*-rier*) Aquarium *n*
al [alʔ], ***al,t*** *n*, ***alle*** *pl* all(e, -s); ***~le sammen*** alle; ***~t for*** allzu; ***i~t*** insgesamt; ***frem for~t*** vor allem
alarm [a'lɑʔm] Alarm *m* (***slå*** schlagen); **~'e,re** alarmieren
albue ['a-] (*-r*) Ellbogen *m*
al'de,les: ***~ ikke*** keinesfalls
alder ['alʔɔ] (Lebens)Alter *n*; **~dom** Alter *n*; **~domshjem** *n* (=) Altenheim *n*
'aldriġ nie; ***~ mere*** nie wieder
alene [a'leːnə] allein
alfa: ***det er ~ og omega*** das ist das A und das O
alfa'be,t [a-] *n* Alphabet *n*; **~isk** alphabetisch
alfons [al'fɔŋs] Zuhälter *m*
alge ['aljə] (*-r*) Alge *f*
alibi [ali'biʔ] *n* Alibi *n*
alkohol ['a-] Alkohol *m*; **~fri,** alkoholfrei; **~hol,dig** alkoholisch; **~procent** Alkoholgehalt *m*
'alle *pl* alle; ***~ sammen*** alle; → ***al***
allé [a'leʔ] (*alleer*) Allee *f*
allehelgen *etwa* Allerheiligen, Allerseelen
allerede [a-] schon
a'ller,gisk [a-] allergisch (***over for*** gegen)
a'lliġevel [a-] dennoch, doch
alm. (*almindelig*) gew. (*gewöhnlich*)
alme,n ['a-] allgemein; **~dannelse** Allgemeinbildung *f*; **~nyttiġ** gemeinnützig
almindelig [al'menʔəli] allgemein, gewöhnlich
almindelighe,d: ***i ~*** im Allgemeinen
Alperne ['albɔnə] *pl* (die) Alpen
alrum ['alʀåʔm] *n etwa* Wohnküche *f*
alsi,diġ ['a-] vielseitig
al,t *n* all(es); ***~ for*** allzu; ***i~*** insgesamt; ***frem for~*** vor allem; → ***al***
altan [al'taʔn] *größerer* Balkon *m*; **~kasse** (*-r*) Blumen-

kasten *m*
alter ['aldɔ] (*altre*) *n* Altar *m*; ***gå til ~s*** zum Abendmahl gehen; **~gang** Abendmahl *n*
al'ternativ, alternativ
'altertavle [aldɔ-] Altarbild *n*
altid ['al'ti'ð] immer
alting ['al'teŋ'] alles
altmuligmand ['al'mu:liman'] Mädchen *n* für alles
altså ['al'sɔ] also
aluminiumsfolie Alufolie *f*
alvor ['alvɔ'] Ernst *m*; ***for ~*** im Ernst; erst recht
alvorlig [-'vɔ'li] ernst(haft), ernstlich
amagerhylde [ɑmɑ'ɔ-] *kleines* Wandregal *n*; Setzkasten *m*
amagermad *Art Sandwich aus jeweils einer Scheibe Schwarz- und Weißbrot*
ama'tø,r Amateur(in) *m(f)*
a.m.b.a. (*aktieselskab med begrænset ansvar*) GmbH (*Gesellschaft mit beschränkter Haftung*)
ambassad|e [-'sa:ðə] (*-r*) Botschaft *f*; **~ør** [-sa'dø'ʀ] Botschafter(in) *m(f)*
ambulance [-'lɑŋsə] Ambulanz *f*
A-menneske *n* Frühaufsteher(in) *m(f)*
ameri'ka,nsk [ɑ-] amerikanisch
amme stillen; *su* Amme *f*
ammuni'tio,n Munition *f*
am'pul, (*-ler*) Ampulle *f*
amt [ɑm'd] *n etwa* Landkreis *m*
anar'ki, [a-] *n* Anarchie *f*
anbefa,l|e ['an-] empfehlen; **~elsesværdig** empfehlenswert; **~et** *Brief* (per) Einschreiben; **~ing** Empfehlung *f*; Empfehlungsschreiben *n*; ***på hans ~*** auf seine Empfehlung hin
anbring,e ['an-] anbringen
anciennitet [ɑŋsini'te'd] Dienstalter *n*
and [an'] (*ænder*) Ente *f*; ***Anders*** ♀ Donald Duck
andagt ['an-] Andacht *f*
Andeby ['anəby'] Entenhausen
ande,l ['an-] (*-e*) Anteil *m*; **~sforening** Genossenschaft *f*; **~slejlighed** Genossenschaftswohnung *f*; **~sselska,b** *n* Genossenschaft *f*
anden ['a-] (*n* ***andet***; *pl* ***andre***) andere(r, -s); ***en ~ en*** jemand anders; ***på den ~ 'side*** (***af***) jenseits; ***en eller ~*** irgendjemand; ***på en eller ~ måde*** irgendwie; ***den ~*** der zweite, Zweite; → ***andet***
ande|ngenerationsindvandrer *neg!* Einwanderer der zweiten Generation *m*; **~nklasses** *Bahn* zweiter Klasse
anderledes [-le'ðəs] anders
andet *n* andere(s); ***alt ~*** alles Übrige; ***blandt ~*** unter anderem; ***et eller ~*** irgendetwas; ***for det ~*** zweitens; → ***anden***
andetsteds ['anəðsdeðs] an-

derswo
andre *pl* andere; → **anden**
ane ['aːnə] ahnen; (**jeg**) **~r det ikke!** keine Ahnung!
anelse ['aːnəlsə] (*-r*) Ahnung *f*; **bange ~r** ein ungutes Gefühl
anerken,de ['an-] anerkennen (**som** als); **~lse** (*-r*) Anerkennung *f*
anfal,d ['an-] *n* (=) Anfall *m* (**af** von)
anfø,r|e ['an-] anführen; **~er** (*-e*) Anführer(in) *m*(*f*); **~selstegn** *n* (=) Anführungszeichen *n*
ang. (*angående*) betr. (*betreffend*)
angi,ve ['an-] angeben (**som** als); *Jur* anzeigen
angre,b ['an-] *n* (=) Angriff *m*
angri,be ['an-] angreifen; **~r** (*-e*) Angreifer *m*; *Sport* Stürmer *m*
angst [ɑŋˀsd] Angst *f* (**for** vor)
angå ['angåˀ] angehen, betreffen; **~ende** betreffs, bezüglich
anhol,de ['an-] verhaften, festnehmen (**for** wegen); **~lse** (*-r*) Verhaftung *f*
anhænger ['an-] *Kfz* Anhänger *m*
ank. (*ankomst*) Ank. (*Ankunft*)
anke ['ɑŋgə] *Jur* Einspruch einlegen (**dommen** gegen das Urteil); *su* Berufung *f*, Einspruch *m*; **~instan,s** Beschwerdeinstanz *f*
ankel ['ɑŋˀgəl] (*-kler*) Knöchel *m*
anker *n* (*-kre*) Anker *m*; **kaste ~** Anker werfen
anklage ['an-] anklagen; verklagen (**for** wegen); *su* (*-r*) Anklage *f*; **~ ngn** *Jur* gegen j-n klagen; **den ~de** Angeklagte(r) *m*/*f*; **~myndighe,d** Staatsanwaltschaft *f*; **~r** (*-e*) Kläger, Staatsanwalt *m*, Staatsanwältin *f*
ankomm,e ['an-] ankommen (**til** in)
ankom,st ['an-] Ankunft *f*; **~hal** Ankunftshalle *f*; **~tid** Ankunftszeit *f*
ankre ['ɑŋgʀɔ]: **~ op** vor Anker gehen
anledning ['anleðˀneŋ] Anlass *m*; **i ~ af** aus Anlass (+ G); **i samme ~** gleichzeitig
anlæ,g ['an-] *n* (=) Anlage *f*; Bau *m*; Grünanlage *f*; **have ~ for** disponiert sein für
anlægge anlegen, bauen
anlø,be ['an-] anlaufen
anløbsbro, ['an-] Anlegebrücke *f*
anmassende ['an-] anmaßend
anmel,de ['an-] anmelden, anzeigen; besprechen; **~lse** (*-r*) Anmeldung *f*; Anzeige *f*; Besprechung *f*
anmo,de ['an-] ersuchen, bitten (**om** um)
annonce Anzeige *f* (**indrykke** aufgeben)

annu'lle,re [a-] annullieren
anonym [ano'nyˀm] anonym
anorak [-'ʀɑg] (*-ker*) Anorak *m*
anretning ['an-] *Gastr* Gericht *n*, Mahlzeit *f*; Vorbereitung *f*
anrette anrichten
anse, ['an-] ansehen (*for* als); **~else** Ansehen *n*; **~s**: **~** *for* gelten als; **~t** angesehen
'ansigt [-segd] *n* Gesicht *n*; *lave* **~**(*er*) Grimassen schneiden; **~sløftning** Facelifting *n*; Liften *n*
an'sjo,s [an-] Sardelle *f*
anskaffe ['an-] anschaffen; **~lse** (*-r*) Anschaffung *f*
anskuel|ig [-'sguˀəli] anschaulich; **~se** (*-r*) Anschauung *f*
an|slå, ['an-] veranschlagen (*til* mit); **~spændt** angespannt; **~stal,t** [-sdald] Anstalt *f*
anstreng,e ['an-] anstrengen (*sig* sich); **~lse** (*-r*) Anstrengung *f*; **~nde** anstrengend
an'stæn,dig [an-] anständig
ansvar [-svɑˀ] *n* Verantwortung *f*; Haftung *f*; *drage til* **~** zur Verantwortung ziehen; *på eget* **~** auf eigene Gefahr; **~lig** [-'svɑˀli] verantwortlich (*for* für)
ansvarsforsikring Haftpflichtversicherung *f*
ansætte ['an-] anstellen; *Arbeiter* einstellen; **~lse** Einstellung *f*
ansø,g|e ['an-]: **~** *om* beantragen; sich bewerben um; **~er** (*-e*) Antragsteller; Bewerber *m*; **~ning** Antrag *m*; Bewerbung *f*
antal ['a-] *n* Anzahl *f*
antaste ansprechen; belästigen
an'tik [a-] antik; **~ken** (die) Antike *f*; **~variat** *n* Antiquariat *n*; **~varisk** [-'kvɑˀ-] antiquarisch
antyd|e [-tyˀðə] andeuten; **~ning** Anzeichen *n*; Andeutung *f* (*komme med* machen)
antæn,de ['an-] anzünden; **~s** sich entzünden
anven,de ['an-] an-, verwenden; **~lse** Anwendung *f*; Verwendung *f*
anvi,s|e ['an-] anweisen; überweisen; **~ning** Anweisung *f*; Überweisung *f*
apo'te,k *n* Apotheke *f*
a'ppel, [a-] (*-ler*) Appell *m*; *Jur* Berufung *f*
appelsin [ɑbəl'siˀn] Apfelsine *f*; **~hud**, Orangenhaut *f*; **~juice** Orangensaft *m*
appetit [ɑbə'tid] Appetit *m*; **~løshe,d** Appetitlosigkeit *f*; **~vækker** *fig* Appetithäppchen *n*
april [a'pʀiˀl] April *m*; *i* **~** im April
ar [ɑˀ] *n* (=) Narbe *f*
arbejde ['ɑbɑjˀdə] arbeiten; *su n* Arbeit *f*; **~r** (*-e*) Arbeiter(in) *m*(*f*)

arbejds|formidling [-fɔ'mi-ð'leŋ] Arbeitsamt *n*; **~gi,ver** (*-e*) Arbeitgeber(in) *m* (*f*); **~lø,s** arbeitslos; **~løshe,d** Arbeitslosigkeit *f*; **~løshedskasse**: ***være medlem af en ~*** *etwa* sozial- *od* arbeitslosenversichert sein; **~løshedsunderstøttelse** Arbeitslosenunterstützung *f*; **~plads** Arbeitsplatz *m*; **~ti,d** Arbeitszeit *f*; **~tilladelse** [-tela'ðəlsə] Arbeitserlaubnis *f*; **~ulykke** Betriebsunfall *m*
argu'men,t *n* Argument *n*; **~'e,re** argumentieren
arie ['ɑ'jə] (*-r*) Arie *f*
ark *n* (=) (Papier-)Bogen *m*; ***Noahs*** ♀ Arche Noah *f*
arkføder *EDV* Papierschacht *m*
arkitekt [ɑki'tɛgd] Architekt(in) *m*(*f*); **~ur** [-'tu'ʀ] Architektur *f*
ar'ki,v *n* Archiv *n*
arm [ɑ'm] (*-e*) Arm *m*; **~bøjning** Liegestütz *m*; **~bånd** *n* Armband *n*; **~båndsur** *n* Armbanduhr *f*; **~hule** Achselhöhle *f*; **~læn** *n* (=) Lehne
arrang|ement [ɑʀɑŋsjəmɑŋ] *n* Veranstaltung *f*; **~ere** [-'sje'ɔ]; **~'ør** Veranstalter *m*
a'rrest Arrest *m*, Gefängnis *n*; **~e,re** [-'sdeɔ] verhaften; **~ering** Verhaftung *f*
arrig ['ɑ'i] gereizt
arrogan|ce [-'gɑŋsə] Arroganz *f*; **~t** [-'gan'd] arrogant
art [ɑ'd] Art *f*
ar'tikel (*-kler*) Artikel *m*, Aufsatz *m*
arti'skok (*-ker*) Artischocke *f*
arv [ɑ'ŭ] Erbe *n*; **~e** ['ɑ:ŭə] erben; **~elig** erblich; **~ing** Erbe *m*, Erbin *f*
asie ['a'sjə] (*-r*) *etwa* Senfgurke *f*
aske ['a-] Asche *f*; **~bæger** *n* Aschenbecher *m*
asparges [as'bɑ's] Spargel *m*
assuran'dør, Versicherungsvertreter *m*
asters ['a-] (=) Aster *f*
astma ['a-] Asthma *n*
asyl [a'sy'l] *n* Asyl *n*; ***søge (om) ~*** um Asyl bitten; **~ansøger** Asylbewerber(in) *m*(*f*)
at [ad], [ɔ] dass; zu + *inf*; ***jeg synes, ~ han er pæn*** ich finde, dass er gut aussieht; ***det glæder os ~ møde jer*** es freut uns euch zu treffen
At'lan,terha,vet [a-] (der) Atlantik *m*
atlas ['a-] *n* (=) Atlas *m*
at'le,t [a-] Athlet(in) *m*(*f*); **~ik** [-'ig]; **~isk** athletisch
atmos'fære [a-] Atmosphäre *f*
atom|energi, [a'to'm-] Kernkraft *f*; **~kraftværk** *n* Kernkraftwerk; **~vå'ben** *pl* Atomwaffen *pl*
att. (*attention*) z.H. (*zu Händen*)
atten ['adən] achtzehn; **~de** achtzehnte(r)

attentat [adən'ta?d] *n* Attentat *n*
a'ttest [a-] Attest, Zeugnis *n*, Bescheinigung *f*; **~'e,re** bescheinigen
auditorium *n* (*-rier*) Hörsaal *m*
au'gust August *m*; ***i* ~** im August
auktion [ɑŭg'sjo?n] Versteigerung *f*; ***komme på* ~** versteigert werden
'autocamper Campingbus *m*
auto|'gra,f Autogramm *n*; **~'ma,t** Automat *m*; **~'matisk** automatisch
'auto|værksted *n Kfz* Werkstatt *f*; **~værn** *n* (=) Leitplanke *f*
avanceret [avɑŋ'se?ɔð] anspruchsvoll, modern; ***~ søgning** Internet* erweiterte Suche
avis [a'vi?s] Zeitung *f*; **~overskrift** Schlagzeile *f*
avle ['ɑŭlə] züchten; erzeugen

B

B, b [be?] *n*: ***et stort* ~** ein großes B
baby ['bɛjbi] Säugling *m*, Baby *n*
bacille [ba'silə] (*-r*) Bazillus *m*
back [bɑg] (*-s*) *Sport* Verteidiger *m*
bacon ['bɛjkɔn] geräucherter Speck, Bacon *m*
bad [bað] *n* (*-e*) Bad *n*; ***med (uden)* ~** mit (ohne) Bad
bade ['ba:ðə] baden; **~bukser** *pl* Badehose *f*; **~dragt** Badeanzug *m*; **~dyr** *n* Schwimmtier *n*; **~hætte** Badekappe *f*; **~håndklæde** *n* Badetuch *n*; **~kar** *n* Badewanne *f*; **~kåbe** Bademantel *m*; **~land** *n* Erlebnisbad *n*, Badezentrum *n*; **~sted** *n* Badeort *m*; **~værelse** *n* Badezimmer *n*
bag [ba?] hinter
bagage [ba'ga:sjə] Gepäck *n*; **~bærer** (*-e*) Gepäckträger *m*; **~rum** *n* Kofferraum *m*
bagatel [bɑga'tɛl?] (*-ler*) Kleinigkeit *f*
bag|del ['bɑŭde?l] (*-e*) Gesäß *n*; **~dør** Hintertür *f*
bage ['ba:ə] backen; ***~ på*** anmachen
'ba,ġefter [-a-] hinterher; nachher
'baġeovn [-a-] Backofen *m*
baġer [-a-] (*-e*) Bäcker *m*
baġeri, *n* Bäckerei *f*
'ba,ġ|est [-a-] *adj* hinter…, hinterst…; *adv* ganz hinten; **~fra,** von hinten
bag|grund ['bɑŭ-] Hintergrund *m*; **~gård** Hinterhof *m*; **~hjul** *n* Hinterrad *n*; **~hoved** [-ho:əð] *n* Hinterkopf *m*; **~hus** *n* Hinterhaus *n*; **~lomme** Gesäßtasche *f*; **~lys** *n* Schlusslicht *n*; **~læn,s**

rückwärts; **~mand** Hintermann *m*
bagom ['baʔ'ɔmʔ] hinten herum
bagpå ['baʔ-] hinten
bag|side ['bɑŭ-] Rückseite *f*; *fig* Kehrseite *f*; **~slag** *n* Rückschlag *m*; **~sæde** *n* Rücksitz; Soziussitz *m*; **~ta,le** verleumden
bagtil ['baʔtel] nach hinten
bag|ud ['baʔuðʔ] (nach) hinten; ***være ~*** *fig* zurückbleiben; **~ved** hinten; **~ven,dt** ['bɑŭ-] verkehrt; **~værelse** *n* Hinterzimmer *n*
bagværk ['bɑŭ-] *n* Gebäck *n*
'baj,er F Bier *n*
bakgear ['bɑggiʔʀ] *n* Rückwärtsgang *m*
'bakke¹ (*-r*) Tablett *n*; Hügel *m*; ***op ad ~*** bergauf; ***ned ad ~*** bergab
'bakke² *v/i* rückwärts fahren
'Bakken *Vergnügungspark in Klampenborg bei Kopenhagen*
'bakket hügelig
bakspejl ['bɑgsbɑjʔl] *n* Rückspiegel *m*
bal [balʔ] *n* (*-ler*) Ball (*Fest*) *m*
balance [ba'lɑŋsə] Balance *f*; ***miste ~n*** aus der Balance kommen
balancere [balɑŋ'seʔɔ] balancieren
balje ['baljə] (*-r*) Kübel *m*
balkon [bal'kɔŋ] Balkon *m*; *Thea* Rang *m*
ballade [ba'la:ðə] Krach, Streit *m*
ba'llet [ba-] (*-ter*) Ballett *n*
'bambusskud *n* (=) *etwa* Bambussprossen *pl*
'bamse (*-r*) Teddybär *m*
banan [ba'naʔn] Banane *f*
ban'dage [ban-] (*-r*) Bandage *f*, Binde *f*
bande¹ ['bandə] (*-r*) Bande *f*
bande² ['banə] fluchen
bane ['ba:nə] (*-r*) Bahn *f*; Spielfeld *n*; ***~ sig vej*** sich e-n Weg bahnen; ***bringe ngt på ~*** *fig* etw anschneiden; ***fri ~*** freie Fahrt
banegård Bahnhof *m*
'bange ängstlich; ***jeg er ~*** ich habe Angst (***for*** vor)
'bangebuks Angsthase *m*
ban,k *Hdl* Bank *f*; **~anvi,sning** Bankanweisung *f*
'banke klopfen; ***~ på*** (an)klopfen
'bank|konto Bankkonto *n*; **~mand** Bankbeamte(r) *m*, Bankbeamtin *f*; **~o(spil)** *n* Bingo; **~røver** Bankräuber *m*
ba,r¹ bloß, nackt; kahl
ba,r² Bar *f*; ***sidde (oppe) i ~en*** an der Bar sitzen
ba'rak (*-ker*) Baracke *f*
bar'be,r|blad *n* Rasierklinge *f*; **~e** (aus)rasieren; **~ing** Rasur *f*; **~kniv** Rasiermesser *n*; **~maskine** Rasierapparat *m*
bare ['bɑ:ɔ] nur, bloß; ***~ hun kommer!*** ich hoffe, dass sie kommt!
'barfodet [-foʔðəd] barfuß

bark *Bot* Rinde *f*
bar,m (*-e*) Busen *m*
bar,n [bɑn-] *n* (*børn*) Kind *n*; **~'agtig̣** kindisch; **~dom,** Kindheit *f*; **~domshjem** *n* Elternhaus *n*
'barne|bar,n *n* (*børnebørn*) Enkel(in) *m(f)*; **~dåb** Taufe *f*; **~pige** Babysitter(in) *m(f)*; **~vogn** Kinderwagen *m*
'barn|lig̣ kindlich; **~lø,s** kinderlos
bar,nsbe,n: ***fra ~*** seit der Kindheit
baro'me,ter *n* (*-metre*) Barometer *n*
'barre (*-r*) Barren *m*
barrikade [-'ka:ðə] (*-r*) Barrikade *f*; **~re** [-ka'deˀɔ] (***sig*** sich) verbarrikadieren
barsel: ***på*** (*od* ***under***) **~** im Mutter- *od* Vaterschaftsurlaub; **~sorlov** Mutter- *od* Vaterschaftsurlaub *m*
barsk *Zeit* hart; *Wetter* rau; *Person* schroff, barsch
bar|stol Barhocker *m*; **~tender** [-tɛndɔ] Barkeeper *m*
bas [bas] (*-ser*) Bass *m*
baskerhue ['ba-] Baskenmütze *f*
ba'su,n [ba-] Posaune *f*
batte'ri, [ba-] *n* Batterie *f*
B-brev *n* Billigbrief (*langsamer als ein A-brev*)
bear'bej,de bearbeiten; **~lse** Bearbeitung *f*
bearnaise(sovs) Sauce *f* béarnaise
be'bo,er (*-e*) Bewohner(in) *m(f)*
bebrejde [be'bʀɑjˀdə] vorwerfen; **~ *ngn ngt*** j-m etw vorwerfen; **~lse** (*-r*) Vorwurf *m*
be'bygge [-y-] bebauen; **~lse** (*-r*) Siedlung *f*
bed [beð] *n* (*-e*) Beet *n*
bede [beˀ] bitten; beten; ***jeg vil gerne ~ om en øl!*** ich hätte gerne ein Bier!
bedemand ['be:ðəmanˀ] (*-mænd*) Leichenbestatter *m*
bedrag [be'dʀɑˀŭ] *n* (=) Betrug *m*; Täuschung *f*; **~e** betrügen; täuschen; **~er** (*-e*) Betrüger(in) *m(f)*; **~eri** [bedʀɑ:ŭɔ'ʀiˀ] *n* Betrug *m*
bedre ['bɛðʀə] besser; ***~ og ~*** immer besser; ***så meget desto ~*** umso besser
be'drift Tat *f*; *Anlage* Betrieb *m*
'bedring Besserung *f*; ***god ~!*** gute Besserung!
be'drø,vet [-œ-] traurig
bed̦st der (die, das) Beste; am besten; ***den første den ~e*** der erste Beste
'bed̦ste|far (*-fædre*) Großvater *m*; **~forældre** *pl* Großeltern *pl*; **~mor** (*-mødre*) Großmutter *f*
be'dømm,e beurteilen; begutachten; *Entfernung* schätzen; **~lse** (*-r*) Beurteilung *f*
be'dø,ve betäuben; **~lse** (*-r*) Betäubung *f*

be'dår,ende wunderschön, charmant
be'fa,l|e [-a-] befehlen; gebieten; **~ing** Befehl *m*
be'fin,de: **~ *sig*** sich befinden
be'fol,kning Bevölkerung *f*
be'fri, befreien; erlösen; **~else** (*-r*) Befreiung *f*
Befrielsen *Tag der Befreiung Dänemarks von der dt. Besatzung (5. Mai 1945)*
be'frugtning Befruchtung *f*
be'fær,det belebt; *Straße* befahren
be'ga,ve|lse [-a-] (*-r*) Begabung *f*; **~t** begabt
begejstr|e [-'gɑj?sdʀɔ] begeistern; **~ing** Begeisterung *f*
begge beide; **~ *to*** alle beide; ***på ~ sider*** beiderseits
be'gi,ve: **~ *sig derhen*** dorthin gehen; **~nhed** Ereignis *n*
be'grave [begʀɑ?ŭə] begraben; vergraben; **~lse** (*-r*) Beerdigung *f*
be'gre,b *n* Begriff *m*
be'gri,be begreifen
be'grun,de begründen; **~lse** (*-r*) Begründung *f*
be'græn,s|e begrenzen; beschränken; **~ning** Begrenzung *f*; Beschränkung *f*
be'gyn,de anfangen, beginnen; **~lse** (*-r*) Anfang *m*; **~r** Anfänger(in) *m*(*f*)
be'gæ,r *n* Begierde *f*; **~lig** (be)gierig (***efter*** auf, nach); **~lighed** Habsucht *f*
be'gå, begehen, verüben
be'ha,ġ [-a-]: ***efter ~*** nach Belieben; **~e** gefallen; **~eliġ** angenehm
be'han,dl|e [-a-] behandeln; **~ing** Behandlung *f*
be'herske beherrschen; **~lse** Beherrschung *f*
be'hjæl,peliġ behilflich (***med*** mit, bei)
be'hol,d: ***i god ~*** wohlbehalten; **~e** behalten; **~er** (*-e*) Behälter *m*
be'hov [-hɔŭ] *n* (=) Bedarf *m* (***for*** an)
be'hø,ve brauchen, bedürfen
behåret haarig, behaart
bek. (*bekendtgørelse*) Bekanntmachung *f*
be'ken,de bekennen
be'ken,dt bekannt; *su* (*-e*) Bekannte *m*/*f*; ***som ~*** bekanntlich; **~gø,re** bekannt machen; **~gø,relse** (*-r*) (offizielle) Bekanntmachung; Kundgebung *f*; **~ska,b** *n* Bekanntschaft *f*
be'kla,ġe [-a-] bedauern; beklagen; **~ *sig*** sich beschweren; **~liġ** bedauerlich; **~lse** (*-r*) Bedauern *n*; Beschwerde *f*
be'kræfte bestätigen; **~lse** (*-r*) Bestätigung *f*
be'kvem, [-ɛ-] bequem
be'kym,r|e kümmern; **~et** besorgt; ***være ~*** sich Sorgen machen (***for*** um); **~ing** Sorge *f*
be'lagt belegt
be'last|e [-a-] belasten; **~ning**

Belastung *f*
belejlig [be'lɑj?li] gelegen, günstig
be'liggen|de gelegen; **~he,d** Lage *f*
be'ly,se beleuchten; *Fot* belichten
be'ly,sning Beleuchtung *f*; **~stid** [-'tið?] Belichtungszeit *f*; **~svæsen** *etwa* Elektrizitätsgesellschaft *f*
be'lægning Belag *m*
be'lø,b *n* (=) Betrag *m*
be'lønn,|e belohnen; **~ing** Belohnung *f*
be'mærke bemerken; wahrnehmen; ***gøre sig*** **~*t*** sich bemerkbar machen
be'mærkelsesvær,dig bemerkenswert
be'mærkning Bemerkung *f*
be,n *n* (=) Bein *n*; Knochen *m*; Gräte *f*; **~brud** ['ben-] *n* Beinbruch *m*; **~ende**: ***i ~n*** am Fußende; **~fri** knochenlos, grätenlos
be'nytte benutzen
ben'zi,n [-s-] Benzin *n*; **~dunk** Benzinkanister *m*; **~tank** (*-e*) Tankstelle *f*; Benzintank *m*
be'nægte verneinen
be'nå,d|e begnadigen; **~ning** Begnadigung *f*
beredskab *n* Bereitschaft *f*
Beredskabsstyrelsen *etwa Amt für Zivilschutz*, *vgl. Technisches Hilfswerk*
beredt [be'ʀa?d] bereit
beregn|e [be'ʀɑj?nə] berechnen; **~ing** Berechnung *f*; ***uden ~*** umsonst
be'rej,st viel gereist
be'ret|ning Bericht *m*; **~te** berichten
be'rettige berechtigen (***til*** zu)
be'ro,: ***stille i ~*** auf sich beruhen lassen
be'ro,lige beruhigen; **~nde** beruhigend
be'ru,set (leicht) betrunken
be'rygtet verrufen
be'røm|melse Ruhm *m*; **~t** berühmt
be'rø,re [-ø-] berühren
be'rø,ve [-œ-] berauben
be'sat [-a-] besessen; besetzt
besejre [be'sɑj?ʀɔ] besiegen
besidde [be'sið?ə] besitzen; **~lse** (*-r*) Besitz *m*
be'sin,delse: ***komme til ~*** wieder vernünftig werden; wieder zur Besinnung kommen
be,sk [-e-] herb
be'ska,dige [-a-] beschädigen; **~lse** Beschädigung *f*
be'skaffenhed Qualität, Art *f*
be'skat|ning Besteuerung *f*; **~te** [-a-] besteuern
besked [be'sge?ð] Nachricht *f* (***til*** für); **~en** bescheiden
be'skidt [-i-] dreckig
beskikket: **~ *forsvarer*** Pflichtverteidiger *m*
be'skri,ve beschreiben
be'skyl,d|e [-y-] beschuldigen (***for tyveri*** des Diebstahls); **~ning** Beschuldigung *f*
be'skytte (be)schützen (***i-mod, mod*** vor); **~lse** Schutz

m; **~lsesbriller** *pl* Schutzbrille *f*; **~r** (*-e*) Beschützer(in) *m*(*f*)
be'skæfti,ge beschäftigen; **~lse** Beschäftigung *f*
be'skæ,re beschneiden
be'sla,ġ [-a-] *n* Beschlag *m*; ***lægge~ på*** in Anspruch nehmen; **~lægge** [be'slaŭlɛgə] beschlagnahmen
be'slutning Entschluss *m* (***træffe*** fassen)
be'slut|som, entschlossen; **~somhed** Entschlossenheit *f*; **~te** beschließen
be'spa,relse (*-r*) Ersparnis *f*
be'stan,d [-a-] Bestand *m*; **~de,l** (*-e*) Bestandteil *m*
be'stemm,e bestimmen; **~ *sig til*** sich entscheiden für; **~lsessted** *n* Bestimmungsort *m*
be'stem,t bestimmt
be'sti,ġe *Berg* besteigen
be'stik *n* (=) Besteck *n*; **~ke** bestechen; **~kelse** Bestechung *f*
be'still,|e bestellen; tun; **~ing** Bestellung *f*
be'stjæ,le bestehlen
bestride [be'sdʀiˀðə] bestreiten
be'stræ,be: **~ *sig på at*** sich bemühen, zu
be'sty,re vorstehen, verwalten; **~lse** (*-r*) Vorstand; Aufsichtsrat *m*
be'sva,re beantworten
be'svi,me in Ohnmacht fallen; **~t** ohnmächtig
be'svæ,r Mühe *f*; **~liġ** lästig; beschwerlich
be'syn,derliġ [-sø-] sonderbar
be'sæt|ning *Mannschaft* Besatzung *f*, Crew *f*; **~te** besetzen; **~telse** Besatzung *f*
Besættelsen *dt. Besetzung Dänemarks* (*1940 - 1945*)
be'sø,ġ *n* (=) Besuch *m*; ***på~*** zu Besuch; **~e** besuchen; **~ende** Besucher(in) *m*(*f*)
be'ta,ġet [-a-] fasziniert (***af*** von)
be'ta,l|e [-a-] (be)zahlen; **~ing** (Be)Zahlung *f*; **~ingsmiddel** *n* Zahlungsmittel *n*; **~ingsvilkå,r** *pl* Zahlungsbedingungen *pl*
betegne [be'tɑjˀnə] bezeichnen (***som*** als); **~lse** (*-r*) Bezeichnung *f*
be'ting,else (*-r*) Bedingung *f*
be'tje,ne bedienen; betätigen
be'tjen,t (*-e*) Polizist(in) *m*(*f*)
be'to,n|e betonen; **~ing** Betonung *f*
be'tragte betrachten (***som*** als)
be'tragtning: ***taġe i~*** berücksichtigen
be'tro,et anvertraut
be'træk *n* (=) Bezug *m*
be'ty,d|e bedeuten, heißen; **~eliġ** beträchtlich; **~ning** Bedeutung *f*
be'tæn,d|else Entzündung *f*; **~t** entzündet
betænk|e [be'tɛŋˀgə] bedenken; **~elig** bedenklich;

~som nett; liebenswürdig
be'un,dr|e bewundern; **~ings-værdiġ** bewundernswert
be'va,re bewahren
bevidne [be'við?nə] bezeugen
bevidst [be'vesd] bewusst; **~lø,s** bewusstlos
bevilge [be'vil?jə] bewilligen
be'virke [-i-] bewirken
be'vi,s *n* Beweis *m* (***på*** für); **~e** beweisen
be'vogte bewachen
be'væ,bnet bewaffnet
be'væ,ġe bewegen; **~lse** (*-r*) Bewegung *f*
be'værtning Kneipe *f*
B-film Film *m* minderer Qualität; B-Movie *n*
bi [bi?] Biene *f*; **~avler** ['bi-] (*-e*) Imker *m*
'bibehol,de beibehalten
'bi,b|el (*-ler*) Bibel *f*; **~elsk** biblisch
'bibeskæftiġelse Nebenbeschäftigung *f*
bid [bið] *n* (=) Biss *m*; (*-der*) Bissen *m*
bide ['bi:ðə] beißen
bidrag ['bidʀɑ?ŭ] *n* (=) Beitrag *m*; Spende *f*; **~e** beitragen (***til*** zu)
bidsk [bi-] bissig
'bifa,ġ *n* Nebenfach *n*
'bifald *n* (=) Beifall *m*
bifortjeneste ['bifɔtjɛ?nəsdə] (*-r*) Nebenverdienst *m*
bil [bi?l] Auto *n*; ***have ~*** ein Auto besitzen
'bila,ġ *n* (=) Anhang *m*; ***som~*** in der Anlage
'bil|dæk *n* Autoreifen *m*; **~færge** Autofähre *f*
bi'list [-i-] Autofahrer(in) *m(f)*
billard ['bilijɑ?d] *n* Billard *n*
bille ['bi-] (*-r*) Käfer *m*
billede ['beləðə] *n* (*-r*) Bild *n*
billedhugger ['beləð-] (*-e*) Bildhauer *m*
billet [bi'lɛd] (*-ter*) Ticket *n*; **~kon'trol,** Fahrkartenkontrolle *f*; **~luge** *n* Kartenschalter *m*; *Thea* Kasse *f*; **~pri,s** Fahr-, Eintrittspreis *m*
billig ['bi-] billig, preiswert; **~bog** Taschenbuch *n*
billiġe ['bi-] billigen
'bil|udlej,ning Autovermietung *f*; **~udstyr** *n* Autozubehör *n*; **~ulykke** *n* Autounfall *m*; **~værksted** *n* [-sdɛð] *Kfz* Werkstatt *f*
bin,d *n* (=) Binde *f*; *Buch* Band *m*
'binde binden; **~ *op*** aufbinden; **~ord** *n* Bindewort *n*; **~streg** Bindestrich *m*
'binding Bindung *f*; **~særk** *n* Fachwerk *n*
B-indkomst *Einkommen wie Honorare, das man selbst versteuern muss*
bio'gra,f Kino *n*
birk [bi-] (*-e*) Birke *f*
birkes ['bi-] *n* (=) Mohn *m*
bisidder ['biseð?ɔ] (*-e*) Beisitzer *m*; Schöffe *m*
biskop ['bi-] (*-per*) Bischof *m*

bisma,ġ ['bi-] Beigeschmack *m* (***af*** von)
'**bispedømme** *n* (*-r*) Bistum *n*
bisse ['bi-] (*-r*) Strolch *m*
bistade ['bisda:ðə] *n* (*-r*) Bienenstock *m*
bistands|hjælp Sozialhilfe *f*; ***være på ~*** Sozialhilfe empfangen; **~klient** Sozialhilfeempfänger(in) *m*(*f*)
'**bistik** *n* (=) Bienenstich *m*
'**bistå**, ['bi-] beistehen
'**bisæt|ning** Nebensatz *m*; **~telse** ['bi-] (*-r*) Beisetzung *f*
bitter ['bedɔ] bitter (*a fig*)
bittesmå ['bidəsmå?] winzig, klitzeklein
'**bivirkning** [-viʀg-] Nebenwirkung *f*
bjerg [bja?ŭ] *n* (*-e*) Berg *m*; **~besti,ġer** ['bjaŭ-] (*-e*) Bergsteiger(in) *m*(*f*); **~kæde** Gebirgskette *f*; **~ri,ġ** gebirgig; **~ryg** Bergrücken *m*
bjæffe kläffen
bjælde (*-r*) Kuhglocke *f*
bjælke (*-r*) Balken *m*
bjærge ['bjɛʀŭə] bergen
bjørn [bjɔ̈ʀ?n] (*-e*) Bär *m*
bl.a. (*blandt andet*) u.a. (*unter anderem*)
blad [blað] *n* (*-e*) Blatt *n*; Zeitung *f*
blade ['bla:ðə] blättern
blaffe per Anhalter fahren; **~r** (*-e*) Anhalter(in) *m*(*f*)
bla'me,re [-a-] blamieren
blande [-a-] mischen, vermengen; ***~ sig*** (***i ngt***) sich (in etw) einmischen
blandt [blan?d] unter; zwischen; ***~ andet*** unter anderem
blank [blɑŋ?g] blank; leer
blan'ket (*-ter*) Formular *n*
ble [ble?] Windel *f*
bleg [blɑj?] blass; **~ne** erblassen
blev (*imperf* → ***blive***) blieb; wurde
blevet geblieben; geworden; worden
blid [bli?ð] sanft; zart
blik¹ *n* (*-ke*) Blick *m*
blik² *n* Blech *n*; **~dåse** Blechdose *f*, Konserve *f*; **~kensla,ġer** (*-e*) Installateur *m*
blin,d blind; ***~ vej*** Sackgasse *f*; ***i ~e*** blindlings; **~tarm** Blinddarm *m*
blink|e blinzeln; blinken; **~lys** *n* Blinklicht *n*
'**blitz(ly,s)** *n* Blitz(licht) *n*
blive ['bli:ə] bleiben; werden; ***hvor meget ~r det?*** wie viel macht das?; ***hvor ~r han af?*** wo bleibt er?
blod [blo?ð] *n* Blut *n*; **~donor** ['bloð-] Blutspender(in) *m*(*f*); **~forgiftning** Blutvergiftung *f*
blodig ['blo:ði] blutig
blod|mangel ['bloð-] Blutarmut *f*; **~omløb** *n* Blutkreislauf *m*; **~prop** Blutgerinsel *n*; **~prøve** Blutprobe *f* (***tage*** nehmen; ***på*** bei, von); **~pølse** Blutwurst *f*; **~standsende** blutstillend; **~tab** *n* Blutverlust *m*;

~transfusio̩n Bluttransfusion *f*
blod|tryk Blutdruck *m*; ***forhøjet ~*** Bluthochdruck *m*; **~type** Blutgruppe *f*; **~åre** Ader *f*
blok [blɔg] (*-ke*) Block *m*; **~bogstav** *n* Blockbuchstabe *m*
blo'ke̩re blockieren
'blomkå̩l Blumenkohl *m*
'blomme (*-r*) Pflaume *f*
blom̩st Blume *f*; **~erbuket** [žblɔmsdɔ-] Blumenstrauß *m*; **~erhandel** Blumengeschäft *n*
blomstre blühen; **~t** *Muster* geblümt
blomstring Blüte *f*
blon̩d blond
blonde (*-r*) *Kleidung* Spitze *f*
blot [blåd] bloß
blotte entblößen; **~r** F Exhibitionist *m*
blufærdig [-'faʀˀdi] schamhaft
blus *n* (=) Feuer *n*; Flamme *f*; ***på lavt ~*** auf Sparflamme
'bluse (*-r*) Bluse *f*
blusse ['blusə] lodern; erröten
bly [blyˀ] *n* Blei *n*
blyant ['blyanˀd] Bleistift *m*
bly|fri ['bly-] bleifrei; **~holdig** [-hɔlˀdi] bleihaltig
blæk *n* Tinte *f*; **~sprutte** (*-r*) Tintenfisch *m*
'blænde *Fot* Blende *f*; *v/t* blenden (*a fig*); **~ *ned*** *Kfz* abblenden
'blændfri̩ blendfrei
blære ['blɛ:ɔ] (*-r*) Blase *f* (*a Anat*); **~røv** F Angeber(in) *m*(*f*), Prahlhans *m*
blæse ['blɛ:sə] blasen, wehen; **~bælg** Blasebalg *m*; **~nde** windig
blæst Wind *m*
blød [bløˀð] weich, sanft; ***lægge i ~*** einweichen
bløde ['blø:ðə] bluten
blød|gøre ['bløðgöˀɔ] erweichen; **~kogt** weich gekocht
blødning ['bløð-] Blutung *f*
blå [blåˀ] blau
blå|bær ['blɔ-] *n* Blaubeere *f*; **~lig** bläulich; **~musling** *etwa* Pfahlmuscheln *fpl*; **~skimmelost** Blauschimmelkäse *m*
BNP *n* (*bruttonationalprodukt*) BSP (*Bruttosozialprodukt n*)
bo [boˀ] wohnen
'boble¹ (*-r*) Blase *f*
'boble² sprudeln; brodeln
bod [boˀð] *Hdl* Bude *f*
bodega (Stamm)Kneipe *f*
bofællesskab *n* Wohngemeinschaft *f*
bog [båŭˀ] (*bøger*) Buch *n*; **~finke** (*-r*) Buchfink *m*; **~føre** (ver)buchen; **~han̩del** Buchhandlung *f*; **~holder** (*-e*) Buchhalter(in) *m*(*f*); **~hylde** Bücherbrett *n*; **~mærke** *n* Lesezeichen *n*; **~reol** Bücherregal *n*
bogstav ['bågsdaˀŭ] *n* Buchstabe *m*; **~elig** [-'sdaˀŭəli] buchstäblich, wörtlich

bog|trykker ['båŭtʀœgɔ] (*-e*) Buchdrucker *m*; **~udlån** *n* Buchverleih *m*
boks (*-e*) Safe *m*, Schließfach *n*
'**bokse** boxen; **~kamp** Boxkampf *m*; **~r** (*-e*) Boxer *m*
bold [bɔlˀd] (*-e*) Ball *m*
bolig ['boːli] Wohnung *f*; **~anvisning** Wohnungsvermittlung *f*; **~karré** [-kɑʀaˀ] Wohnblock *m*; **~kvarter** *n* Wohnviertel *n*; **~sikring** *n etwa* Wohngeld *n*
'**bolle¹** (*-r*) Brötchen *n*; *Gastr* Kloß *m*
'**bolle²** F bumsen, vögeln
'**bol,sje** *n* (*-r*) Bonbon *n*
bol,t (*-e*) Bolzen *m*
bom [båmˀ] (*-me*) Schlagbaum *m*; *Esb* Schranke *f*
bombe ['bå-] (*-r*) Bombe *f*
bomuld ['bɔmulˀ] Baumwolle *f*; **~sstof** *n* Baumwollstoff *m*
bonde ['bånə] (*bønder*) Bauer *m*, Bäuerin *f*; **~gård** Bauernhof *m*; **~kone** Bäuerin *f*; **~røv** *neg!* Bauer *m*
bon,dsk [bå-] bäuerlich
bone ['boːnə] bohnern; **~voks** *n* Bohnerwachs *n*
booke ['buːgə] buchen
'**bopæ,l** Wohnsitz *m*
bo'r *n* (=) Bohrer *m*
bord [boˀʀ] *n* (*-e*) Tisch *m*; ***dække*** **~** den Tisch decken; ***gå om*** **~** an Bord gehen
bordtennis ['boʀ-] Tischtennis *n*
bore ['boːɔ] bohren; **~maskine** Bohrmaschine *f*
borg [bɔʀˀŭ] (*-e*) Burg *f*
borger ['bɔŭɔ] (*-e*) Bürger *m*; **~krig** Bürgerkrieg *m*; **~lig** bürgerlich; **~ *vielse*** standesamtliche Trauung *f*
borgmester [bɔŭ'mεsdɔ] Bürgermeister *m*
born'holmerur *n* Standuhr *f*
bort¹ fort, weg
bort² [bɔˀd] Borte *f*
'**borte** fort, weg
'**bort|fal,de** wegfallen, ausfallen; **~forklaring** Ausrede *f*; **~fø,re** entführen; **~gang,** *fig* Hinscheiden *n*; **~lodd,e** verlosen; **~lø,ben** weggelaufen; **~rej,st** verreist
'**bortse,t**: **~ *fra*** abgesehen von
bo|sat, **~siddende** ['boseðənə] wohnhaft
bosætte: **~ *sig*** sich niederlassen
bouillonterning [bul'jɔŋ-] Brühwürfel *m*
bov [bɔŭˀ] (*-e*) Bug *m*
boykotte ['bɔjkɔdə] boykottieren
brag [brɑˀŭ] *n* (=) Krach *m*
brak brach; *Wasser* brackig
bran,d (*-e*) Brand *m*, Feuer *n*; **~alarm** ['bʀɑn-] Feuermelder *m*; **~bil** Feuerwehrauto *n*; **~dam** Feuerlöschteich *m*
'**brander** F (Alkohol-)Rausch *m*
brand|farlig feuergefährlich; **~mand** Feuerwehrmann *m*; *Zo* Feuerqualle *f*; **~sprøjte**

Feuerspritze *f*, Löschgerät *n*; **~station** Feuerwehrhaus *n*; **~sår** *n* Brandwunde *f*; **~væsen** *n* Feuerwehr *f*

bra,s *n* Ramsch, Plunder *m*

brase ['brɑːsə]: **~ *samm,en*** aufeinander prallen

brasekartofler ['bʀɑːsə-] *pl* Bratkartoffeln

brat [bʀɑd] jäh

bred [bʀað] (*-der*) Ufer *n*; *adj* breit

bredde ['bʀaˀdə] (*-r*) Breite *f*; **~grad** Breitengrad *m*

brede ['bʀaːðə]: **~ *sig*** sich ausbreiten; *Bot* wuchern; **~ *ud*** ausbreiten

bregne ['bʀɑjnə] (*-r*) Farn *m*

bremse bremsen; *su* (*-r*) Bremse *f* (*a Zo*); **~lys** Bremslicht *n*; **~længde** Bremsweg *m*

brev [bʀaˀŭ] *n* (*-e*) Brief *m*; **~kasse** ['bʀaŭ-] Briefkasten *m*; **~kursus** *n* Fernstudium *n*; **~papir** *n* Briefpapier *n*; **~vægt** Briefwaage *f*

brik (*-ker*) (Spiel-)Stein *m*

'**briller** *pl* Brille *f*; ***et par* ~** eine Brille

'**bringe** bringen

brin,t Wasserstoff *m*

'**brise** (*-r*) Brise *f*

bro [broˀ] Brücke *f*; **~afgift** Brückenmaut *f*, Brückengebühr *f*

brochure [bʀo'sjyːɔ] (*-r*) Broschüre *f*

brod [bʀɔð] (*-de*) Stachel *m*

broder → ***bror***

bro'de,r|e [bʀo-] sticken; **~'ri,** *n* Stickerei *f*

broget ['bʀåːŭəð] bunt

brok *n Med* Bruch *m*; **~bind** *n* Bruchband *n*

bro|lagt ['bʀo-] gepflastert; **~lægge** pflastern

bromatolog [-loˀ] Lebensmittelkundler *m*

'**brombær** [-å-] *n* (=) Brombeere *f*

bronce ['bʀɔŋsə] Bronze *f*

bror (*brødre*) Bruder *m*

broste,n ['bʀo-] Pflasterstein *m*

brud[1] [bʀuð] *n* (=) Bruch *m*

brud[2] [bʀuˀð] (*-e*) Braut *f*

brude|kjole ['bʀuːðə-] Brautkleid *n*; **~par** *n* Brautpaar *n*

brudgom ['bʀuðgɔmˀ] (*-me*) Bräutigam *m*

brud|sikker ['bʀuð-] bruchsicher; **~stykke** *n* Bruchstück *n*

brug [bʀuˀ] Gebrauch *m*; ***have* ~ *for*** brauchen, benötigen; ***klar til* ~** gebrauchsfertig; **~bar** ['bʀuːbɑˀ] brauchbar

bruge ['bʀuːə] gebrauchen, verwenden; **~r** (*-e*) Benutzer(in) *m*(*f*)

'**brugsanvi,sning** Gebrauchsanweisung *f*

'**brugtbi,l** Gebrauchtwagen *m*

'**brum|basse** F Hummel *f*; **~me** brummen, grollen

brummen: ***i* ~** F im Knast

brun [bʀuˀn] braun; **~e** ['bʀuːnə] bräunen; anbraten

brun|kage *Art Weihnachtskeks mit Zimt und Ingwer*; *etwa* Lebkuchen *m*; **~kål** glasierter Weißkohl *m*
brunst [brånˀsd]: *i* **~** in der Brunst, Paarungszeit; **~ig** ['brånsdi] brünstig
brunsviger *Hefekuchen mit Butterkruste*
bruse ['bʀu:sə] brausen, rauschen; duschen; **~ *op*** aufbrausen (*a fig*)
bruse|bad *n* Dusche *f*; ***tage* ~** duschen
bruser (*-e*) Brause *f*; Dusche *f*
brusk [-u-] Knorpel *m*
brutto brutto; **~nationalprodukt** *n* Bruttosozialprodukt *n*
Bru'xelles Brüssel *n*
bryde ['bʀy:ðə] brechen; **~ *in,d*** einbrechen; **~ *op*** aufbrechen; **~ *sig om ngt*** etw mögen
bryde|kam,p ['bʀy:ðə-] Ringkampf *m*; **~r** (*-e*) Ringer *m*
brydning ['bʀyðneŋ] *Sport* Ringen *n*; Brechung *f*
'brygge [-œ-] brauen; **~'ri,** *n* Brauerei *f*; **~rs** *n* Waschküche *f*
bryllup ['bʀœlɔb] *n* (*-per*) Hochzeit *f*; **~srejse** Hochzeitsreise *f*
brysk [-y-] brüsk, schroff
bryst ['brœsd] *n* Brust *f*; **~holder** (*-e*) Büstenhalter *m*; **~kasse** Brustkorb *m*; **~lomme** Brusttasche *f*; **~svømning** Brustschwimmen *n*; **~vorte** Brustwarze *f*
'bræġe meckern, blöken
'bræk *n* F Einbruch *m*; Kotze *f*; **~jern** *n* Brecheisen *n*
'brække (zer)brechen; **~ *sig*** sich erbrechen; F kotzen
brækmiddel *n* Brechmittel *n*
'brænd|ba,r brennbar; **~e** (ver)brennen; *su n* Brennholz *n*; **~enælde** Brennnessel *f*; **~eovn** Ofen *m bsd für Holz*; **~evin** Schnaps, Branntwein *m*; **~ing** Brandung *f*; **~punkt** *n* Brennpunkt *m*
'brænd,sel (=) *n* Brennholz *n*; Brennstoff *m*; **~solie** Heizöl *n*
'brændstof *n* Brennstoff *m*
bræt *n* (*brædder*) Brett *n*; **~sejlads** Surfen *n*
brød [bʀœˀð] *n* (=) Brot *n*; **~rister** ['bʀœð-] (*-e*) Toaster *m*; **~skorpe** Brotrinde *f*
brø,k [-œ-] *Math* Bruch *m*; **'~de,l** Bruchteil *m*
brø,l [-œ-] *n* (=) Gebrüll *n*; **~e** ['bʀœ:lə] brüllen
brønd [bʀönˀ] (*-e*) Brunnen *m*; **~karse** Brunnenkresse *f*
bud [buð] *n* (*-e*) Bote *m*, Botin *f*; Gebot *n*
budding ['buðeŋ] Pudding *m*
budskab ['buðsgaˀb] *n* Botschaft *f*
bue ['bu:ə] (*-r*) Bogen *m*; *v/i* biegen; **~skydning** Bogenschießen *n*
buffet [by'fe] Büfett *n*
bughule ['buhu:lə] Bauch-

höhle *f*
bug'se,re [bug-] bugsieren
bugt [bågd] Bucht *f*; **~e: ~ sig** sich winden
buk[1] [båg] (*-ke*) *Zo* Bock *m*
buk[2] *n* (=) Bückling *m*
bu'ket (*-ter*) (Blumen-)Strauß *m*
'bukke [bågə] biegen; sich verbeugen; **~ *under*** (***for ngt*** etw) unterliegen
bukselomme Hosentasche *f*; ***kende ngt som sin egen ~*** etw wie seine Westentasche kennen
'bukser *pl* Hose *f*; ***et par ~*** eine Hose
bul,der ['bu-] *n* Gepolter *n*
'buldre [-u-] poltern
bule[1] ['bu:lə] (*-r*) Beule *f*
bule[2] F Kneipe *f*
bum,s [båms] Pickel; Penner *m*; **~et** [-səð] pickelig; pennerhaft
bun,d Boden, Grund *m*; ***være på bar ~*** *fig* im Dunkeln tappen; **~fal,d** ['bån-] *n* Bodensatz *m*
bun,dt *n* Bündel, Bund *n*, Haufen *m*
'bunke (*-r*) Haufen *m*
bur [bu?ʀ] *n* (*-e*) Käfig *m*
burde sollen; müssen; ***vi ~ stoppe nu*** wir sollten jetzt aufhören
bus (*-ser*) Bus *m*; ***køre i ~*** mit dem Bus fahren; **~chauffør** Busfahrer *m*
busk (*-e*) Busch, Strauch *m*; **~ads** [bu'sga?s] *n* Gebüsch *n*
buskort *n* Sammelfahrschein *m für den Bus*
bussemand Popel *m*
'busstoppested *n* Bushaltestelle *f*
bu'tik (*-ker*) Laden *m*; **~svindue** *n* Schaufenster *n*
butterfly ['bɔdɔflɑ:j] (=) Fliege *f* (*Querbinder*)
buttet ['bu-] mollig, vollschlank
by [by?] Stadt *f*
byde ['by:ðə] (an)bieten; **~form** Befehlsform *f*, Imperativ *m*
'byde,l Stadtteil *m*
bydreng, ['by-] Laufbursche *m*
byg [byg] Gerste *f*
byge ['by:ə] (*-r*) (Regen-)Schauer *m*
bygge ['bygə] bauen; **~marked** *n* Baumarkt *m*; **~plads** Baustelle *f*
bygkorn ['bygko?ʀn] *n Med* Gerstenkorn *n*
bygning ['byg-] Bau *m*, Gebäude *n*; **~stilsy,n** *n* Baupolizei *f*
byld [byl?] *Med* Geschwür *n*
byl,t [by-] Bündel *n*
by|mæssig ['by-] städtisch; **~planlægning** Stadtplanung *f*
byrde ['by-] (*-r*) Last, Bürde *f*
byrundfar,t [by-] Stadtrundfahrt *f*
byråd [-ʀå?ð] *n* Stadtrat *m*
bytning ['by-] (Aus)Tausch *m*

bytte ['by-] (um)tauschen; *su n* Tausch *m*; Beute *f*; ***en ~r*** F ein neues Exemplar
byttepenge *pl* Wechselgeld *n*
bytur Bummel *m*
bz'er Hausbesetzer *m*
'bæġer *n* (*-gre*) Becher *m*
bæk (*-ke*) (kleiner) Bach *m*
bækken *n Mus, Anat* Becken *n*
bælg[1] [bɛlˀj] (*-e*) Balg *m*
bælg[2] Schote *f*; **~frugt** ['bɛlj-] Hülsenfrucht *f*; **'~'mørk** stockdunkel
bælle saufen, *viel od schnell* trinken
'bælte *n* (*-r*) Gürtel *m*
'bænˌdeloˌrm *Med* Bandwurm *m*
bænˌk (*-e*) (Sitz)Bank *f*
bær *n* (=) Beere *f*
bære ['baːɔ] tragen; **~evne** Tragfähigkeit *f*; **~pose** Tüte *f*
bæˌst *n* Narr, Idiot *m*
'bæˌver (*-e*) Biber *m*
bøddel ['bøðˀəl] (*bødler*) Henker *m*
bøde ['bœːðə] büßen; *su* (*-r*) Geldstrafe *f*
bøf [bøf] (*bøffer*) Steak; Hacksteak *n*
bøffel ['bø-] (*bøfler*) Büffel *m*
bøfsandwich Hamburger *m* (*meistens ohne Salat*)
bøg [bøˀ] (*-e*) Buche *f*
bøger ['bøˀjɔ] Bücher *pl*
bøje ['bɔjə] biegen; **~lig** biegsam
bøjle ['bɔjlə] (*-r*) Bügel *m*
bølge ['bøljə] (*-r*) Welle *f*; **~blik** *n* Wellblech *n*; **~bryder** (*-e*) Wellenbrecher *m*; **~længde** Wellenlänge *f*; ***være på ~*** *fig* die gleiche Wellenlänge haben
bølgepap *n* Wellpappe *f*
bølle ['bø-] (*-r*) Rowdy, Strolch *m*; **~hat** *leichter* Stoffhut *m*
bøn [bœnˀ] (*-ner*) Bitte *f*; Gebet *n*
bønˌder Bauern *pl*
bønfalˌde ['bœn-] (an)flehen
bønne (*-r*) Bohne *f*
bør [-ö-] muss; soll(te)
børne|bidrag ['bɔ̈ʀnə-] *n* Alimente *pl*; **~billet** Kinderfahrschein *m*; **~have** Kindergarten *m*; **~haveklasse** *eine Art* Vorschulkindergarten *m*; **~hjem** *n* Kinderheim *n*; **~lammelse** Kinderlähmung *f*; **~lokker** böser Onkel; **~rabat** Kinderermäßigung *f*; **~sang** Kinderlied *n*; **~tøj** *n* Kinderkleidung *f*; **~værelse** *n* Kinderzimmer *n*; **~værn** *n* Jugendfürsorge *f*
bøˌrs [bø-] Börse *f*
børste [-ö-] bürsten; *su* (*-r*) Bürste *f*; ***~ af*** abbürsten
bøsse ['bø-] (*-r*) Büchse *f*, Flinte *f*; Schwuler *m*; *adj* schwul
bøvs [bœŭˀs] Rülpser *m*; **~e** rülpsen
båd [båˀð] (*-e*) Boot, Schiff *n*
både ['båːðə]: ***~ … og*** sowohl … als auch; **~skur** *n* Boots-

haus *n*
bål [bå?l] *n* (=) Feuer *n*; ***tænde ~*** ein Feuer machen
bånd [bɔn?] *n* (=) Band *n*, Leine *f*; **~opta,ger** ['bɔn-] (*-e*) Kassettendeck *n*; Kassettenrekorder *m*
båre ['bɔ:ɔ] (*-r*) Bahre *f*; **~buket** Trauerkranz *m*
bås [bå?s] (*-e*) (*Stall*) Box *f*; ***sætte i ~*** *fig* einordnen

C

C, c [se?] *n*: ***et stort ~*** ein großes C
ca'fe, [ka-] (*cafeer*) Bistro *n*, Café *n*; ***~ au lait*** Milchkaffee *m*; **~teria** [-'te?ʀja] *n* Cafeteria *f*, Selbstbedienungsrestaurant *n*
camou'fl|age [kamu'fla:sjə] Tarnung *f*; **~e,re** tarnen
cam'p|e,re [kɑm-] kampieren; **~ingvogn** ['kambeŋ-] Wohnwagen *m*, Campingwagen *m*; **~ist** [-'pisd] Camper *m*
cancer [kan?sɔ] *Med* Krebs *m*
cand. *dänischer Akademiker nach Abschluss des Studiums* (*z.B. ~ med.*)
candyfloss Zuckerwatte *f*
cd-afspiller CD-Player *m*
cd-rom-drev *n* CD-ROM--Laufwerk *n*
celle ['sɛ-] (*-r*) Zelle *f*
ce'men,t [se-] Zement *m*
cen'su,r [sɛn-] Zensur *f*
cent (Euro-)Cent *m* (*Münze*)
centerforward [sɛndɔ'fɔ:vɑ?d] (*-s*) Mittelstürmer *m*
centi'me,ter [sɛn-] (=) Zentimeter *m*
cen'tra,l [sɛn-] Zentrale *f*; **~varme** Zentralheizung *f*
centrum ['sɛn-] *n* (*centrer*) Zentrum *n*
ceremo'ni, [se-] Zeremonie *f*
ce'rut [se-] (*-ter*) *Art* Zigarillo *m*
champagne [sjɑm'panjə] Sekt *m*
charme ['sjɑ:mə] Charme *m*
charmetrold *niedliches, charmantes Kind*
chartek *n* Klarsichthülle *f für Papiere*
charterrejse [tjɑ:dɔ-] Pauschalreise *f*
chassis [sja'si?] *n* Fahrgestell *n*
chatol [sja'tɔl?] *n* (*-ler*) Sekretär *m* (*Möbel*)
chauffør [sjo'fø?ʀ] Fahrer *m*, Chauffeur *m*
check [sjɛg] (*-s*) Scheck *m*; **~hæfte** *n* Scheckheft *n*
chef [sjɛ?f] Chef *m*, Chefin *f*
chik [sjig] schick
chikanere [sjika'ne?ɔ] schikanieren, ärgern, demütigen
chok [sjɔg] *n* (=) Schock *m*; **~ere** [-'ke?ɔ] schockieren

chokolade [sjogo'la:ðə] (*-r*) Schokolade *f*; ***fyldt~*** Praline *f*
ciffer ['sifɔ] *n* (*-fre*) Ziffer *f*
ci'ga,r [si-] Zigarre *f*; **~et** [siga'ʀɑd] (*-ter*) Zigarette *f*; **~etskod** [-sgɔð] *n* (=) Zigarettenstummel *m*
cirkel ['siʀgəl] (*-kler*) Kreis *m*; **~for,met** kreisförmig
cirkus ['siʀgus] *n* (*-ser*) Zirkus *m*
citat [si'taˀd] *n* Zitat *n*; **~'tionstegn** *n* Anführungszeichen *n*
ci'te,re [si-] zitieren
ci'tro,n [si-] Zitrone *f*; **~vand** Zitronenlimonade *f*
ci'vi,l [si-] zivil; **~ingeniø,r** Diplomingenieur(in) *m(f)*
civili'se,ret [si-] zivilisiert
clips [klebs] (=) Büroklammer *f*
cocktailpølse Miniwurst *f*
computer [kɔm'pju:dɔ] Computer *m*; **~styret** computergesteuert
CPR-nummer *n 10-stellige persönliche Identifikationsnummer, die jeder dän. Staatsbürger hat*
crawle ['kʀɔ:lə] *Sport* kraulen
creme [kʀaˀm] (*-r*) Creme *f*
curler ['kœ:lɔ] (*-e*) Lockenwickler *m*
cv [se'veˀ] *n* (*curriculum vitae*) *schriftlicher* Lebenslauf *m*
cykel ['sygəl] (*-kler*) Fahrrad *n*; **~løb** *n* Radrennen *n*; **~rytter** (Rad)Rennfahrer *m*; **~sti** Radweg *m*
cykl|e ['syglə] Rad fahren; **~ist** [-'lisd] Radfahrer(in) *m(f)*
cylinder [sy'lenˀdɔ] (*-dre*) Zylinder *m*; **~vo'lumen** Hubraum *m*

D

D, d [deˀ] *n*: ***et stort~*** ein großes D
d. → ***den, død***
da [da] *cj* als, da; *adv* da, dann; denn; doch
daddel ['daðˀəl] (*-dler*) Dattel *f*
dag [daˀ] (*-e*) Tag *m*; ***i~*** heute; ***om ~en*** tagsüber
dagblad ['dɑŭ-] *n* Tageszeitung *f*
dagevis ['da:əviˀs]: ***i ~*** tagelang
daginstitution Kita *f* (*Kindertagesstätte*)
dagl. (*daglig*) tägl. (*täglich*)
dagliġ ['dɑŭ-] täglich; **~da,ġ** Alltag *m*; **~da,ġs** alltäglich; **~stue** Wohnzimmer *n*
dagpenge *pl* Arbeitslosengeld *n*
dagsly,s ['dɑŭs-] *n* Tageslicht *n*
dal [daˀl] (*-e*) Tal *n*

dale ['da:lə] sinken; (langsam) fallen
dam,¹ (*-me*) Teich *m*
dam,² *Spiel* Dame *f*
dame ['da:mə] (*-r*) Frau; Dame *f*; **~blad** *n* Frauenzeitschrift *f*; **~undertøj** *n* Damenunterwäsche *f*
dam,p (*-e*) Dampf *m*; **~e** ['dɑmbə] dampfen; *Gastr* dünsten; **~ski,b** *n* Dampfschiff *n*
dankort *n dän. Chipkarte zum Bezahlen und Geldabheben*; **~terminal** *Registriergerät für die dankort (an der Kasse)*
danne ['da-] bilden
Dannebrog *n dän. Fahne (weißes Kreuz auf rotem Grund)*
danne|lse Bildung *f*; **~t** gebildet
dan,s [da-] (*-e*) Tanz *m*; **~e** ['dansə] tanzen; **~er** (*-e*) Tänzer(in) *m(f)*
dan,sk [da-] dänisch, Dänisch; ***på*** **~** auf Dänisch; **~er** [dansgə] (*-e*) Däne *m*, Dänin *f*; **~hed** dänische Gesinnung; **~top** *dänische Schlagermusik*
dase ['da:sə] faulenzen
data ['da:ta] *pl* Daten; Personalien *pl*; **~base** Datenbank *f*
da'te,re [da-] datieren
dati,d ['da-] Vergangenheit(sform) *f*
dato ['da:to] Datum *n*
datter [-a-] (*døtre*) Tochter *f*
dav [dɑŭʔ]: **~!** guten Tag!
davs ['dɑŭʔs]: **~!** Tag!, hallo!, guten Tag!
davæ,rende ['da-] damalig
de [di] *pl* sie *pl*; ♀ *Anrede* Sie; → *Info im Anhang*
de'bat [-at] (*-ter*) Debatte *f*
december [de'sɛmʔbɔ] Dezember *m*
degn [dɑjʔn] (*-e*) Küster *m*
dej [dɑjʔ] Teig *m*
dejlig ['dɑjli] schön
del [deʔl] (*-e*) Teil *m* (***af*** von); **~e** ['de:lə] teilen
deling ['de:leŋ] Teilung *f*; *Mil* Zug *m*
de,ls: **~ ... ~** teils ... teils
'delta,ge teilnehmen (***i*** an); **~lse** Teilnahme *f*; **~r** (*-e*) Teilnehmer(in) *m(f)*
'deltidsarbejde *n* Teilzeitarbeit *f*
'delvi,s teilweise
dem [dɛm] *pl* sie; ihnen; ♀ *Anrede* Sie; Ihnen; → *Info im Anhang*
demokra'ti, *n* Demokratie *f*
den [dɛnʔ], ***det*** [de] *n* der, die, das; **~ *er*** (***jo***) **~!** genau (so ist es)!; **~, *som*** wer
'den,gang, damals
'denne, ***dette*** *n* diese(r), dieses; ***disse*** *pl* diese *pl*
depo'ne,re hinterlegen
de'po,situm *n* Kaution *f* (***lægge*** stellen)
der [deʔʀ] *adv* da, dort; [dɑ] *rel* der, die, das; **~ *findes*** es gibt; **~'af**, daraus, davon; **~efter** danach

deres ['dɛːʀs] ihr; ♀ *Anrede* Ihr; → *Info im Anhang*
'de,r|for deshalb; **~fra,** von dort; **~hen,** dahin
derhjemme [dɑ'jɛmə] zuhause
'de,r|iblandt darunter; **~imo,d** dagegen; **~ved** dadurch
des [des] desto
Des [dis]: ***være ~ med*** siezen
des|'uden außerdem; **~'være** leider
det [de] es; das; → ***den***; ***~ er mig*** ich bin es
detailhan,del [de'tɑjl-] Einzelhandel *m*
de'talje [-a-] (*-r*) Einzelheit *f*, Detail *n*
dette ['dɛdə] → ***denne***
dgl. (*daglig*) tägl. (*täglich*)
'diame,ter [-a-] (*-tre*) Durchmesser *m*
diarré [dia'ʀaˀ] *Med* Durchfall *m*
dieselolie Dieselöl *n*
dig [dɑj] dich, dir; → ***du***[1]
dige ['diːə] *n* (*-r*) Deich *m*
digt *n* (*-e*) Gedicht *n*; **~e** dichten; **~er** Dichter *m*
dims Dings *n*
di,n, ***dit*** *n*, ***dine*** *pl* dein(e); ***~ idiot!*** du Idiot!
dine *pl* dein(e)
dingle ['deŋlə] baumeln
'direkte direkt; ***~ transmissio,n*** Direktübertragung *f*
direkt|ion [-'sjoˀn] Vorstand *m*; **~ør** [-'tøˀʀ] Direktor *m*
diri'ge,re dirigieren
dirk [diʀg] (*-e*) Dietrich *m*
dis [diˀs] Nebel *m*
discipel [di'sibəl] Jünger *m*
diset ['diːsəð] nebelig
disk (*-e*) Ladentisch *m*
diskettedrev *n* Diskettenlaufwerk *n*
disko'te,k *n* Diskothek *f*; ***gå på ~*** in die Disko gehen
disku'te,re diskutieren
dispo'ne,re verfügen (***over*** über)
disputats *akademische Arbeit über der Doktorarbeit*
disse ['disə] *pl* diese; → ***denne***
distance [di'sdɑŋsə] (*-r*) Distanz *f*, Entfernung *f*
distra'he,re ablenken (***fra*** von)
distrikt [di'sdʀagd] *n* Bezirk *m*
distræt [di'sdʀaˀd] zerstreut
dit [did] *n* dein; → ***din***; ***~ og dat*** das eine und das andere
di'verse allerlei
divi'dere [-'deˀɔ] dividieren, teilen (***med*** durch)
di'æ,t Diät *f*
djævel ['djɛːvəl] (*-vle*) Teufel *m*
dkr. (*danske kroner*) dkr (*Dänische Kronen*)
dobbelt doppelt, zweifach; **~konfekt** doppelt gemoppelt; **~seng** Doppelbett *n*; **~værelse** *n* Doppelzimmer *n*
doble: ***~ op*** verdoppeln
dog [dɔŭ] jedoch, aber; ***og ~*** es sei denn; vielleicht doch

nicht
'doktor Arzt, Doktor *m*; *dän. Titel doktor (dr.) ist höher als dt. Dr.*; → **ph.d.**
doku'men,t *n* Urkunde *f*; **~mappe** Aktentasche *f*
dom, (*-me*) Urteil *n*
'domkirke [dɔm-] Dom *m*
dommedag Jüngste(r) Tag *m*
dommer (*-e*) Richter *m*; *Sport* Schiedsrichter *m*
'domsto,l Gericht *n*
don'e,re spenden
donkraft ['dån-] (*-e*) Wagenheber *m*
donor Spender(in) *m(f)*
double (*-r*) *Sport* Doppel *n*; ***mixed~*** Mixed *n*
douche [dusj] Dusche *f*
doven ['dɔŭən] faul; *Getränk* abgestanden; **~skab** Faulheit *f*
dr. *etwa* Dr. (→ *doktor*)
dra,b *n* (=) Totschlag *m*; **~smand** Mörder(in) *m(f)*
dragt Tracht *f*; Kostüm *n*
drak trank; → ***drikke***
dranker (*-e*) Säufer *m*
dreje ['dʀɑjə] drehen, (ab)biegen, wenden; **~bog** Drehbuch *n*; **~bænk** Drehbank *f*; **~lig** drehbar
drejning ['dʀɑjneŋ] Drehung *f*
dreng [dʀɑŋ'ʔ] (*-e*) Junge *m*; ***~e!*** F Jungs!; **~estreger** *pl* Lausbubenstreiche *pl*; **~et** jungenhaft
dre'sse,re abrichten, dressieren
drev *n EDV* Laufwerk *n*
dreven ['dʀa:vən] schlau
drift Trieb *m*; Betrieb *m*
drik (*-ke*) Getränk *n*; **~ke** trinken; saufen; **~kelse** Getränke *pl*; **~kepenge** *pl* Trinkgeld *n*; **~kevand** *n* Trinkwasser *n*; **~kevarer** *pl* Getränke *pl*
dril|'agtig neckisch; **'~le** necken
drist|e ['drasdə]: ***~ sig til at*** wagen *od* sich trauen zu; **~ig** kühn, dreist
drive-in-biograf Autokino *n*
driv|hus ['dʀiŭ-] *n* Treibhaus *n*; **'~'våd** pudelnass, klitschnass
dronning Königin *f*
drue ['dʀu:ə] (*-r*) Weintraube *f*; **~sukker** *n* Traubenzucker *m*
druk [dråg] Suff *m*; ***være på ~*** eine Sauftour machen; **~ket** *p/p* getrunken; → ***drikke***
drukne ertrinken; ertränken
dryppe [-œ-] tropfen
drys [-œ-] Streusel *m*
drysse [-œ-] streuen; *Baum* nadeln
dræbe ['dʀa:bə] töten
drø,bel [-œ-] *Anat* Zäpfchen *n*
drøfte [-œ-] besprechen
drøj [dʀɔjʔ] ergiebig; anstrengend
drøm [dʀɔ̈mʔ] (*-me*) Traum *m*; **~me** ['dʀɔ̈mə] träumen (***om*** von); **~meseng** Campingliege *f*
drøne ['dʀœ:nə] dröhnen; ***~ af***

sted losrasen
dråbe ['dʀå:bə] (*-r*) Tropfen *m*
d.s. (*det samme*) das Gleiche
du[1] [du] du; ***sige ~ til*** duzen
du[2] [duˀ] taugen
due ['du:ə] (*-r*) Taube *f*
duft [-å-] (*-e*) Duft *m*; **~e** duften (***af*** nach)
dug[1] [duˀ] (*-e*) Tischtuch *n*
dug[2] [dug] Tau *m*; **~get** ['dugəð] beschlagen
dukke[1]: ***~ op*** auftauchen; '***~ sig*** sich ducken
dukke[2] (*-r*) Puppe *f*; **~hus** Puppenhaus *n*; **~vogn** Puppenwagen *m*
dulme ['du-] lindern
dum [dåmˀ] dumm; **~'dristig̊** [dåm-] tollkühn
dumpe [dåmbə] *Prüfung* durchfallen
dun [duˀn] *n* (=) Daune *f*; Flaumfeder *f*; **~dyne** [du:n-] Daunendecke *f*
dun,k[1] (*-e*) Kanister *m*
dun,k[2] *n* (=) Stoß *m*
dus [dus]: ***drikke ~*** Bruderschaft trinken; ***være ~*** sich duzen
du'si,n [du-] *n* (=) Dutzend *n*
dusk [dusg] (*-e*) Büschel *n*
du'sø,r [dusøˀʀ] (Finder-) Lohn *m* (***udlove*** in Aussicht stellen)
dvale ['dva:lə] tiefer Schlaf; Winterschlaf *m*
dvd-afspiller [deve'deˀɑŭspelɔ] DVD-Player *m*
dvs. (*det vil sige*) d. h. (*das heißt*)
dværg [dvaˀŭ] (*-e*) Zwerg *m*
dyb [dyˀb] tief; *su n* Tiefe *f*
dybde ['dy-] (*-r*) Tiefe *f*
dyb|frosset ['dyb-] tiefgekühlt; **~frost** Tiefkühlkost *f*; **~fryser** Tiefkühltruhe *f*; -fach *n*
dyd [dyˀð] Tugend *f*
dygtig̊ ['dø-] tüchtig, geschickt
dykke ['dø-] (unter)tauchen; **~r** (*-e*) Taucher(in) *m(f)*
dyne ['dy:nə] (*-r*) Deckbett *n*; **~betræk** *n* Bettbezug *m*
dynge ['dø-] *su* (*-r*) Haufen *m*
dyppe ['dø-] (ein)tauchen; **~koger** (*-e*) Tauchsieder *m*
dyr[1] [dyˀʀ] teuer
dyr[2] *n* (=) Tier *n*; **~evær,n** ['dy:ʀ-] *n* Tierschutz *m*
dyrke [dyʀgə] *Acker* bebauen; züchten; sich beschäftigen mit; ***~ sport*** Sport treiben
dyrlæg̊e ['dyʀ -] Tierarzt *m*, Tierärztin *f*
dyse (*-r*) Düse *f*
dysse ['dy-]: ***~ ned*** j-n beruhigen; *Affäre* vertuschen
dyster ['dysdɔ] düster
dytte hupen
dæk *n* (=) Deck *n*; Reifen *m* (*eines Rades*)
dække (be)decken; ***~ til*** zudecken; **~serviet** Set *n*
dækning Deckung *f*
dæmning (Stau-)Damm *m*; Deich *m*
dæmpe dämpfen

dæmring Dämmerung *f*
dø [dø?] sterben (***af*** an, vor)
døbe ['dø:bə] taufen; **~font** [-fɔnd] Taufstein *m*
død [dø?ð] tot, gestorben; *su* Tod *m*
dødelig ['dø:ðə-] sterblich; tödlich
døds|annonce ['døðs-] Todesanzeige *f*; **~attest** Sterbeurkunde *f*; **~offer** *n* (*-ofre*) Todesopfer *n*; **~straf** Todesstrafe *f*
døgn [dɔj?n] *n* (=) Tag *m* (*24 Stunden*); **~**- Tag-und-Nacht-
døgnåbent rund um die Uhr geöffnet
dømme ['dœmə] (ver)urteilen
dør [dö?ʀ] (*-e*) Tür *f*; **~håndtag** ['döʀ-] *n* Türgriff *m*; **~mand** Türsteher *m*; **~måtte** Fußmatte *f*
døv [dø?ŭ] taub; **~stum** ['døŭ-] taubstumm
dåb [då?b] Taufe *f*; **~sattest** Taufschein *m*
dådyr ['dɔ-] *n* Hirsch *m*
'dårlig [dɔ:li] schlecht, übel; ***jeg har det ~t*** mir ist übel, schlecht
dåse ['då:sə] (*-r*) Dose *f*; Büchse *f*; **~mad** Konserven *pl*; **~åbner** (*-e*) Büchsenöffner *m*

E

E, e [e?] *n*: ***et stort~*** ein großes E
ebbe: **~ *ud*** zu Ende gehen
ed [e?ð] Eid *m*; Fluch *m*
edb [ede'be?] EDV *f*
edderkop ['ɛð?ɔ-] (*-per*) Spinne *f*; **~pespind** [-spen?] *n* Spinnennetz *n*
eddike ['eðgə] Essig *m*
efg *etwa* Gewerbeschule (***på*** in der)
efter nach; hinter; gemäß; **~ *at*** nachdem
'efter|abe [-a:-] nachäffen; **~forske** nachforschen; **~følger** (*-e*) Nachfolger(in) *m(f)*; **~'hån,den** allmählich; **~komm,er** (*-e*) Nachkomme *m*; **~krav** *n* Nachnahme *f* (***per*** gegen); **~la,de** hinterlassen; **~li,gne** nachahmen; **~ly,sning** Fahndung *f*; **~løn** Frührente *f* (*ab 60 Jahren*)
'efter|middag Nachmittag *m*; ***om ~en*** nachmittags; **~navn** *n* Familienname *m*; **~nøler** (*-e*) Nachzügler *m*; **~prø,ve** nachprüfen; **~ret** Nachtisch *m*; **~retningstjeneste** Nachrichtendienst *m*; **~send,e** nachsenden; **~skole** *Internatschule von der 8. bis zur 11. Klasse*; **~sma,g** [-a-] Nachgeschmack *m*; **~som** weil; **~sommer** Spätsommer *m*; **~spil** *n* Nachspiel *n*; **~spørgsel** [-sböʀ?səl] *Hdl*

Nachfrage *f* (***på, efter*** nach); **~syn** *n* Kontrolle *f*; **~sø,ġning** Fahndung *f*; **~tragtet** begehrt; **~tryk** *n* Nachdruck *m*; **~'trykkelig** nachdrücklich

'efter|tæn,ksom, nachdenklich; **~uddannelse** Fortbildung *f*; **~virkning** Nachwirkung *f*; **~å,r** *n* Herbst *m*; ***om, til ~et*** im Herbst

eftm. *Abk* → ***eftermiddag***

eg [eˀj] (*-e*) Eiche *f*

ege ['eːjə] (*-r*) Speiche *f*

egen ['ɑjən], ***eget*** *n*, ***egne*** *pl* eigen-

egen|nav,n ['eːjən-] *n* Eigenname *m*; **~ska,b** Eigenschaft *f*; **~tlig** ['eˀəndli] eigentlich; **~vægt** ['ɑjən-] Eigengewicht *n*

egern ['eˀɔn] *n* (=) Eichhörnchen *n*

eġet *n* eigene(r, -s); → ***egen***

egetræ ['eːə-] *n* Eiche *f*

egl. (*egentlig*) eigentlich

egn [ɑjˀn] (*-e*) Gegend *f*

egne[1] ['ɑjnə]: **~ *sig til*** sich eignen für

egne[2] *pl* eigene; → ***egen***

ej [ɑjˀ]: ***om du vil eller ~*** ob du es willst oder nicht; ***gu vil jeg ~!*** zum Teufel nein!

eje ['ɑjə] besitzen; **~fald** *n* Wesfall, Genitiv *m* (***i*** im); **~ndele** ['ɑjən-] *pl* Sachen, Habseligkeiten *pl*

ejendom, (*-me*) Eigentum; Haus *n*; **~smæġler** (*-e*) Grundstücksmakler(in) *m(f)*; **~sskat** *etwa* Grundsteuer *f*

ejer ['ɑjɔ] (*-e*) Besitzer(in) *m(f)*; **~lejliġhe,d** Eigentumswohnung *f*

ejestedord *n* besitzanzeigendes Fürwort, Possessivpronomen *n*

ekko *n* Echo *n*; ***give ~*** echoen

e.Kr. (*efter Kristi fødsel*) n. Chr. (*nach Christi Geburt*)

ek'samen Prüfung *f*, Examen *n*

ek'se,m *n* Ekzem *n*

ek'sem,p|el *n* (*-pler*) Beispiel *n*; ***for ~*** zum Beispiel; **~elvis** beispielsweise; **~lar** [ɛgsɛm'plɑˀ] *n* Exemplar *n*

ekset *Rad* schief

ekskl. (*eksklusive*) exkl. (*exklusive*)

ekspe|'de,re bedienen; **~di'en,t** Verkäufer(in) *m(f)*; **~di'tio,n** Abfertigung, Expedition *f*

eksplo'de,re explodieren

eksport Ausfuhr *f*, Export *m*

eks'presbre,v *n* Eilbrief *m*

'ekstra|numm,er *n* *Druck* Sonderausgabe; *Thea* Zugabe *f*; **~ordi'næ,r** außergewöhnlich

el[1] [ɛl] Elektrizität *f*; Strom *m*

el[2] [ɛlˀ] (*-le*) Erle *f*

el. (*eller*) od. (*oder*)

e.l., el.lign. (*eller lignende*) o.Ä. (*oder Ähnliches*)

ela'sti|k [-a-] (*-ker*) Gummiband *n*; **~kspring** *n* Bungee-Jumping *n*; **~sk** [e'las-]

elastisch
elbil Elektroauto *n*
elektrici'te,t [-si-] Elektrizität *f*; **~sværk** *n* Elektrizitätswerk *n*
e'lektrisk elektrisch
ele'men,t *n* Element *n*; **~byggeri** *n* Fertigbau *m*
e'len,diģ elend, erbärmlich
e'le,v Schüler *m*; Lehrling *m*
elevator [-'vaːtɔ] Fahrstuhl *m*
'el,fenbe,n *n* Elfenbein *n*; **~s-** elfenbeinern
eller ['ɛlɔ] oder; ***enten ... ~*** ['ɛlʔɔ] entweder ... oder; ***hverken ... ~*** weder ... noch
'ell,ers sonst
elletræ Erle *f*
el(le)ve ['ɛlvə] elf
'elle'vil,d total begeistert
elm, elmetræ Ulme *f*
elmåler Elektrizitätszähler *m*
elpanel *n* elektrischer Heizkörper
elske lieben; ***~ med*** schlafen mit; **~r** *m* (*-e*) Liebhaber *m*; **~rinde** *f* Geliebte *f*
em, Dampf *m*
emball|age [-'laːsjə] (*-r*) Verpackung *f*; **~e,re** verpacken
embed|e ['ɛmbeːðə] *n* (*-r*) Amt *n*; **~sman,d** Beamte(r) *m*, Beamtin *f*
emhætte Dunstabzugshaube *f*
emne *n* (*-r*) Thema *n*
emsig einmischend
en [eʔn], ***et*** *n* ein(e); ***ud i et*** einteilig
end als; ***hun er større ~ ham*** sie ist größer als er; auch; ***hvor meget jeg ~ prøver*** wie sehr ich auch versuche
end'da sogar; noch
'ende (be)enden; *su* (*-r*) Ende *n*, Schluss; Hintern *m*; **~fuld** Schläge auf den Hintern (*Strafe*); **~liģ** endlich, endgültig; schließlich; **~lse** (*-r*) Endung *f*; **~lø,s** endlos
end|nu [e'nu] noch; **~'videre** [en-] ferner
ene ['eːnə] allein; ***~ og alene*** einzig und allein; **~barn** *n* Einzelkind *n*; **~bo,er** (*-e*) Einsiedler *m*; **~bær** *n* Wacholder(beere) *m*(*f*)
ener ['e,nɔ] Eins; einzigartige Person *f*; ***slå en ~*** eine Eins würfeln
eneret Allein-, Exklusivrecht *n* (***til, på*** auf)
ener'gi, Energie *f*
enes ['eːnəs] sich vertragen; sich einigen (***om*** auf, über)
eneste ['eːnəsdə] einzig
enestå,ende ['eːnə-] einzigartig
ene|tale ['eːnə-] Monolog *m*; **~værelse** *n* Einzelzimmer *n*
eng [ɛŋʔ] (*-e*) Wiese *f*
en'gang, [en-] einmal; einst; **~s-** ['eːngɑŋs-] einmalig-; Wegwerf-
engangsflaske Einwegflasche *f*
engangsservice Wegwerfbesteck *n*
eng'elsk englisch, Englisch; ***på ~*** auf Englisch; ***~ bøf***

Rumpsteak *n*
'englæn,der (*-e*) Engländer(in) *m(f)*
engroshandel [ɑŋ'gʀo-] Großhandel *m*
enhe,d ['eːn-] Einheit *f*; **~spri,s** Einheitspreis *m*
en'hve,r, et'hve,rt *n* jede(r, -s); jedermann
enig ['eːni] einig; ***blive~*** einig werden (**om** über)
enke (*-r*) Witwe *f*
enkel ['ɛŋˀgəl] einfach; schlicht
enkelt ['ɛnˀgəld] einfach; einzeln; **~billet** einfache Fahrkarte *f*; **~vi,s** einzeln; **~værelse** *n* Einzelzimmer *n*
enkemand Witwer *m*
'enkrone eine (dänische) Krone
enlig ['eːn-] einzeln; allein stehend; ***~ mor*** allein erziehende Mutter
e'nor,m enorm
ens [eˀns] gleich; **'~artet** gleichartig; **'~bety,dende** gleichbedeutend; **'~farvet** einfarbig; **'~formig** eintönig
ensom, ['eːn-] einsam
'e,nsrettet: ***~ (gade)*** Einbahnstraße *f*
ental ['en-] *n* Singular *m*, Einzahl *f*
enten ['ɛndən]: ***~ … el,ler*** entweder … oder
entré [ɑŋ'tʀa] (*entreer*) Flur *m*; Eintritt(sgeld *n*) *m*; **~dør** Wohnungstür *f*
entreprenørvirksomhed [ɑŋtʀɑpʀa'nøˀʀ-] Baufirma *f*
enægget ['enɛˀgəð] eineiig
epide'mi, Seuche *f*
epoke [e'poːgə] (*-r*) Epoche *f*; **~gørende** Epoche machend
er → ***være***
er'fa,r|en *adj* erfahren; **~ing** Erfahrung *f* (***stor*** viel)
er'hver,v *n* (=) Beruf *m*; Gewerbe *n*; **~slivet** *Hdl* die Wirtschaft; Handwerk und Gewerbe; **~søkonomi** Betriebswirtschaft(slehre) *f*
erindring [a'ʀanˀdʀeŋ] Erinnerung *f*; Andenken *n*
er'ken,de erkennen
er'klæ,r|e erklären (***for*** für, zu); **~ing** Erklärung *f*
er'næ,ring Ernährung, Nahrung *f*
erobr|e [e'ʀoˀbʀɔ] erobern; **~ing** Eroberung *f*
er'stat|ning [-a-] Ersatz *m*; Entschädigung *f*; **~te** ersetzen; entschädigen
es *n* (*-ser*) Ass *n*
espalier [esbal'je] *n* Spalier *n*
et *n* ein; → ***en***
etage [e'taːsjə] (*-r*) Stock(-werk *n*) *m*; **~seng** Etagenbett *n*
et'hve,rt *n* jede(s); → ***enhver***
etiket (*-ter*) Etikett *n*, Aufkleber *m*
etnisk [ɛ-] ethnisch; exotisch; ***~ butik*** *etwa* Asienladen *m*
ettal ['edtal] *n* (*-ler*) Eins *f*
etter ['edɔ] Eins *f*; ***slå en ~*** eine Eins würfeln

etværelses: ***en ~*** (***lejlighed***) eine Einzimmerwohnung
etårig ['edɔˀi] einjährig
EU, eu: ***i ~*** in der EU; ***~ borger*** EU-Bürger(in) *m(f)*
euro ['œŭro] Euro *m* (*Währung*)
eurocent [œŭ-] Eurocent *m* (*Münze*)
Europadomstolen [œŭ-] (*der*) Europäische Gerichtshof *m*
Europarlamentet [œŭ-] (das) Europäische Parlament *n*, Europaparlament *n*
europæer [œŭ-] Europäer(in) *m(f)*
europæisk [œŭ-] europäisch; ***Den 2e Union*** die Europäische Union; ***2 retningslinje*** EU-Richtlinie *f*
euro-standard Euronorm *f*
eventy,r ['ɛːvən-] *n* (=) Abenteuer *n*; Märchen *n*; ***~lig*** [-'tyˀʁli] abenteuerlich; märchenhaft
evig ewig
evne ['ɛŭnə] (*-r*) Fähigkeit *f*; ***~svag*** geistig behindert

F

F, f [ɛf] *n*: ***et stort ~*** ein großes F
f. (*født*) geb. (*geboren*)
fabel ['faˀ-] (*-bler*) Fabel *f*; ***~agtig*** fabelhaft
fabrik [fa'bʁag] (*-ker*) Fabrik *f*
facade [fa'saːðə] (*-r*) Fassade *f*
facon [fa'sɔŋ] Form *f*
fad [fað] *n* (*-e*) Schüssel *f*; (Bier)Fass *n*; *adj* [faðˀ] fade, schal
fadder ['faðˀɔ] (*-e*) Pate *m*, Patin *f*
fader [fɑː] (*fædre*) Vater *m*; ***~lig*** ['faːðɔ-] väterlich; ***~vor*** *n* Vaterunser *n*
fadøl ['faðøl] Fassbier *n*
fag [faˀ] *n* (=) Fach *n*; Beruf *m*
Fagbevægelsen [fɑŭ-] (die) Gewerkschaftsbewegung *f*
fag|bog gelbe Seiten *pl*; ***~fore,ning*** Gewerkschaft *f*; ***~lig*** fachlich; ***'~læ,rt*** gelernt; ***'~man,d*** (*-folk*) Fachmann *m*
fakkel (*-kler*) Fackel *f*
fakter *pl* Gesten *pl*, Handzeichen *pl*
faktisk tatsächlich; in der Tat
fak'tur|a Lieferschein *m*; ***~'e,re*** in Rechnung stellen
Falck *dän. Rettungsfirma*; *etwa* Rettungsdienst *m*
fald [falˀ] *n* (=) Fall *m*; ***i ~*** falls
falde fallen; ***~fæ,rdig*** baufällig
faldskær,m (*-e*) Fallschirm *m*; ***~sudspring*** *n* Fallschirmsprung *m*
fal,k (*-e*) Falke *f*

fa'llit Konkurs *m*, Pleite *f*; **~erklæring** *fig* Niederlage *f*
falme ['fa-] verblassen; *fig* verblühen
fal͵sk falsch; **~e penge** *pl* Falschgeld *n*
familie [fa'mi?ljə] *(-r)* Familie *f*; Verwandtschaft *f*; **~medlem͵** *n* Familienangehörige(r) *m/f*; **~pleje** Pflege *f* *(durch eine fremde Familie)*; **~sammenføring** Familienzusammenführung *f*
famle tasten *(**efter** nach)*
'fanđeme: **~!** F zum Teufel!
'Fanđen der Teufel
fandt fand *(imperf →* **finde***)*
fane ['faːnə] *(-r)* Fahne *f*
fange fangen; *su (-r)* Gefangene(r) *m/f*; **~nska͵b** *n* Gefangenschaft *f*
fang͵st Fang *m*
fantasi͵ Fantasie *f*; **~forladt**, **~løs** [-si-] fantasielos
far [fɑː] *(fædre)* Vater *m*; **~ba͵r** (be)fahrbar; **~bro͵r** [fɑ?-] *(-brødre)* Onkel *m väterlicherseits*
far|e fahren; rennen; *su (-r)* Gefahr *f*; **~ vild͵** sich verirren; **~fa͵r** [fɑ?-] Großvater *m väterlicherseits*; **~lig** gefährlich; **~mo͵r** [fɑ?-] Großmutter *f väterlicherseits*
far͵t Fahrt; Geschwindigkeit *f*
far|tøj *n* Fahrzeug *n*; **~van͵d** *n* *(-e)* Fahrwasser *n*
farve färben; *su (-r)* Farbe *f*; **~blin͵d** farbenblind; **~blyan͵t** Buntstift *m*; **~fjernsy͵n** *n* Farbfernsehen *n*; Farbfernseher *m*
far'vel: **~!** auf Wiedersehen!; auf Wiederhören!
farvelade [-'laːðə] Malkasten *m*
'farve|lø͵s farblos; **~optagelse** *(-r)* *Fot* Farbaufnahme *f*; **~ægte** farbecht
farvning Färbung *f*
fa'sa͵n [fa-] Fasan *m*
fascinere|nde [fasi'ne?ɔnə] faszinierend; **~t** fasziniert *(**over** über)*
fast [fasd] fest; **'~ansat** fest angestellt
faste ['faːsdə] fasten; *su* Fasten *n*
fastelavn [fasdə'lɑu̯?n] *etwa* Karneval *m*, Fastnacht *f*; *in Dänemark mit Stockschlagen auf ein Süßigkeiten- oder Geschenkefass gefeiert*; **~sbolle** *Gebäck mit Schokoladen- oder Konfitürefüllung*; **~sris** *n für Kinder geschmücktes Reisigbündel mit Süßigkeiten*
faster ['fasdɔ] *(-tre)* Tante *f väterlicherseits*
fast|gø͵re ['fa-] festmachen, befestigen; **~hol͵đe** festhalten; **~land** [-lan?] *n* Festland *n*; **~slå͵** feststellen
fat [fad]: **få ~ i** *od* **på ~** erwischen
fatning ['fa-] Fassung *f (a El)*
fatte ['fa-] fassen; begreifen
fattig ['fa-] arm; **~dom͵** Armut *f*

favn: ***tage ngn i sin*** ~ j-n in seine Arme nehmen, j-n umarmen
feˌ Fee *f*
feˌ**ber** Fieber *n*; ~**agtig** fieberhaft
fe'briˌ**lsk** fieberhaft
februarˌ Februar *m*; ***i*** ~ im Februar
fed [feˀð] fett; *su* [feð] *n Gastr* Zehe *f*
fedme ['feðmə] Fettsucht *f*
fedt [fed] *n* Fett; Schmalz *n*; '~**et** [fedəð] schmierig; schlüpfrig; geizig; ~**indhold** *n* Fettgehalt *m*; ~**opløselig** fettlöslich; '~**plet** Fettfleck *m*; '~**sugning** [-suːneŋ] Fettabsaugung *f*
fej [fɑjˀ] feige
feje ['fɑjə] fegen, kehren; ~**bakke**, ~**spån** *n* Kehrichtschaufel *f*
fejl [fɑjˀl] Fehler *m*; ***tage*** ~ sich irren; ~'**agtig** [fɑjl-] irrtümlich
'**fejlta**ˌ**ġelse** (-*r*) Irrtum *m*; Versehen *n*
fejre ['fɑjʀɔ] feiern
f.eks. (*for eksempel*) z.B. (*zum Beispiel*)
femˌ fünf; ~**ogtyveøre** *dän. 25-Öre-Münze*; ~**tedel** Fünftel *n*; ~**ten** ['fɛmdən] fünfzehn
'**fe**ˌ**rie** (-*r*) Urlaub *m*; Ferien *pl*; ~**lukket** geschlossen wegen Urlaub; ~**penge** *pl* Urlaubsgeld *n*
fernisering [fɑʀni'seˀʀeŋ] Vernisage *f*
fersken Pfirsich *m*
'**ferskvan**ˌ**d** *n* Süßwasser *n*
fest Fest *n*; Feier, Fete, Party *f*; ~**e** feiern; ~**fyrværkeri** *n bsd großes* Feuerwerk; *fig* etwas Beeindruckendes; ~**lig** festlich; ~**middaġ** Festessen *n*
feta, ~**ost** Feta *m*, Schafskäse *m*
fhv. (*forhenværende*) a.D. (*außer Dienst*)
fiˌ**ber** (-*bre*) Faser *f*
fi'duˌ**s** Trick *m*
fif *n* (=)Trick *m*
figen ['fiːn] Feige *f*
fi'guˌ**r** Figur, Gestalt *f*; ~**syet** maßgeschneidert
fik bekam, erhielt (*imperf* → ***få***)
fiks schick, clever; ~ ***og færdig*** F gebrauchsfertig; ~ ***på fingrene*** fingerfertig
fil [fiˀl] (-*e*) Feile; *EDV* (-*er*) Datei *f*; ~**e** ['fiːlə] feilen
fili'aˌ**l** [-a-] Filiale *f*, Zweigstelle *f*
fili'penˌ**s** *Med* Pickel *m*
filˌ**m** (=) Film *m*; ~**atisere** [filmati'seˀɔ] verfilmen; ~**e** [fi-] filmen; F flirten; ~**festival** Filmfestspiele *pl*; ~**instruktø**ˌ**r** Regisseur(in) *m*(*f*); ~**optaġelse** (-*r*) Filmaufnahme *f*; ~**skuespiller** Filmschauspieler(in) *m*(*f*); '~**stjerne** Filmstar *m*
filˌ**t** *n* Filz *m*; ***af*** ~ *Stoff* aus Filz
filt|er ['filˀdɔ] *n* (-*tre*) Filter *m*; ~**pen** Filzstift *m*; ~**re** ['fildʀɔ]

verfilzen
filtre,re filtrieren, filtern
fims [femˀs] Furz *m*; schlechte Luft; **~e** ['femsə] furzen; **~et** schlecht riechend; F piekfein, stinkvornehm; *Mann* feminin
fin [fiˀn] fein, zart
fi'nan,s|er *pl* Finanzen *pl*; **~å,r** *n* Haushaltsjahr *n*
finde (auf)finden; **~ *sig til rette*** sich zurechtfinden; **~s** existieren; ***der* ~** es gibt
findele ['fiːn-] zerkleinern
findeløn, Finderlohn *m*
fi'né,r Furnier *n*
'fing,er (*-gre*) Finger *m*; **~bøl** *n* (=) Fingerhut *m*
'finger|neg,l Fingernagel *m*; **~nem**, fingerfertig; **~peg** [-pɑjˀ] *n* (=) *fig* Wink *m* (***om, at*** dass); **~vante** Handschuh *m*
finhakket ['fiːn-] fein gehackt
finmasket ['fiːn-] engmaschig
finne (*-r*) ['fenə] Flosse *f*; Finne *f*
finskåren ['fiːn-] fein geschnitten
'fi,ntfølende feinfühlig
finvask Schonwaschgang *m*, Feinwäsche *f*
firbe,n ['fi-] *n* (=) Eidechse *f*
fire ['fiːɔ] vier
Firenze [fi'ʀɑnsə] Florenz
firkan,t ['fi-] Viereck *n*; **~et** viereckig
firkløver Glücksklee *m* (*mit vier Blättern*)
firma ['fi-] *n* Firma *f*
fi,rs achtzig; **~indstyvende** ['fiˀʀsəns-] achtzigste(r)
fisk [fesg] (=) Fisch *m*; **'~e** fischen; angeln; **'~ebe,n** *n* Gräte *f*; **~efrikadelle** Fischfrikadelle *f*; **'~ekort** *n* Fischerkarte *f*, Angelschein *m*; **'~ekrog** Angelhaken *m*; **~er** (*-e*) Fischer; Angler *m*; **'~erbå,d** Fischerboot *n*
fisse Möse *f*
fjantet ['fjandəð] albern
fjed|er ['fjeˀðɔ] (*-re*) *Tech* Feder *f*; **~re** ['fjeðʀɔ] federn
fjend|e ['fje-] (*-r*) Feind *m*; **~ska,b** *n* Feindschaft *f*; **~tlig** feindlich
fje,r (=) Feder *f*; **~bol,d** ['fjeʀ-] Federball *m*
fjerde ['fjɛːɔ] vierte(r); **~de,l** Viertel *n*
fjerkræ ['fjeːʀ-] *n* Geflügel *n*
fjern [fjɑʀˀn] fern, entfernt; **~betjening** Fernbedienung *f*; **~e** ['fjɑʀnə] entfernen, beseitigen; **~kontrol** Fernbedienung *f*
fjern|ly,s ['fjɛʀn-] *n* Fernlicht *n*; **~styring** Fernsteuerung *f*; **~sy,n** *n* Fernsehen *n*; **~sy,nsudsen,delse** Fernsehsendung *f*
fjern|varme ['fjɑʀn-] Fernheizung *f*
Fjernøsten (der) Ferne Osten *m*
'fjol|let albern, blöd; **~,s** *n* Trottel; Dummkopf *m*
fjo,r [-o-]: ***i* ~** voriges Jahr

fjo̩rd [-o-] (*-e*) Förde *f*; Fjord *m*
'fjorten [-o-] vierzehn
fk. (*forkortelse*) Abk. (*Abkürzung*)
f.Kr. (*før Kristus*) v.Chr. (*vor Christi Geburt*)
flabet ['fla:bəð] frech
flad [flaˀð] flach, platt; *su* F Ohrfeige *f*; **~e** ['fla:ðə] (*-r*) Fläche *f*; **~fisk** Plattfisch *m*
flag [flaˀ] *n* (=) Flagge *f*
flage Flocke; Scholle *f*
flagermu̩s ['flɑŭɔ-] Fledermaus *f*
flagre ['flɑŭʀɔ] flattern
flakke: **~ om**(**kring**) umherirren
flamme (*-r*) Flamme *f*
flaske [-a-] (*-r*) Flasche *f*; **~hal̩s** Flaschenhals; *fig* Engpass *m*; **~åbner** (*-e*) Flaschenöffner *m*
fla'tte̩rende schmeichelhaft
flekstid Gleitzeit *f*
flere ['fle:ɔ] mehr; mehrere; **~ og~** immer mehr; **med~** und andere
fler|stemmig ['fleʀ-] mehrstimmig; **~tal** Mehrzahl *f*, Plural *m*; Mehrheit *f* (**i** in der); **~ty̩dig** mehrdeutig
fle̩st [-e-] meist
'flet|ning Zopf *m*; **~te** flechten
flg. (*følgende*) folgend, Folgendes
flimre flimmern
flin̩k nett
flin̩t, **~esten** Feuerstein *m*
flip (*-per*) (Spitze des) Kragen(s) *m*; **~maskine**, **~spil** *n* Flipper *m*
flise ['fli:sə] (*-r*) Fliese; Kachel *f*
flitsbue Flitzebogen *m*
flittig [-i-] fleißig
flod [floˀð] Fluss; **~hest** Nilpferd *n*
flok (*-ke*) Herde *f*; Schar *f*; **~kes** sich scharen (**omkring** um)
'flormelis Puderzucker *m*
flosse fasern; **~t** zerfasert
flot schön, gut aussehend; beeindruckend
flov [flɔŭˀ] verlegen; schal
flue ['flu:ə] (*-r*) Fliege *f*; **~papir** *n* Fliegenfänger *m*; F *Ort* (*bsd Strand*) *mit zu vielen Gästen*; **~smækker** [-smɛgɔ] Fliegenklatsche *f*; F *mobiles Gerät für Zahlung mit* → ***dankort***; **~svam̩p** Fliegenpilz *m*
flugt Flucht *f*; Flug *m*
'flugtbilist Fahrerflüchtige *m/f*
fly [flyˀ] *n* Flugzeug *n*; **~billet** Flugticket *n*
flyde ['fly:ðə] fließen; herumliegen; **~nde** flüssig; fließend
flydt geflossen (*p/p* → ***flyde***)
fly̩gel *n* (*-gler*) *Mus* Flügel *m*
flygt|e [-ø-] fliehen, flüchten; **~ning** (*-e*) Flüchtling *m*
flykapring Flugzeugentführung *f*
flynder [-ø-] (*-e*) Flunder *f*
flyt|ning [-ø-] Umzug *m*; **~te**

umziehen, übersiedeln
flyve [fly:ŭ] fliegen; **~båd** Flugboot *n*; **~maskine** Flugzeug *n*; **~r** F Flugzeug *n*; Flieger, Pilot *m*; **~våben** *n* Luftwaffe *f*; **~ører** *pl* Segelohren *pl*
flyvning ['flyŭneŋ] Fliegen *n*; Flug *m*
flække spalten; *su* Riss *m*; Kaff *n*
flæng,: *i* ~ zufällig, wahllos
flænge zerreißen; *su* Riss *m*
flæsk *n* Speck *m*; Schweinefleisch *n*; '**~esteg**, Schweinebraten *m*; '**~esvæ**,**r** Speckschwarte *f*
flød [flø'ð] floss (*imperf* → ***flyde***)
fløde ['flø:ðə] Sahne *f*; **~bolle** Neger-, Schokokuss *m*; **~kande** Sahnekännchen *n*; **~karamel** Sahnebonbon *n*; **~ost** Streichkäse *m* (*Doppelrahm*)
flødeskum *n* Schlagsahne *f*
flødeskumskage Sahnetörtchen *n*
fløj [flɔj'] (*-e*) Flügel *m*
fløjl [flɔj'l] *n* Samt, Kord *m*; **~sbukser** *pl* Kordhose *f*
fløjte ['flɔjdə] pfeifen; flöten; *su* Pfeife; *Mus* Flöte *f*
flå, häuten; zerfetzen; ~ ***i*** (***døren***) rütteln an (der Tür)
flåd [flɔð] (Angel-)Floß *n*
flåde ['flå:ðə] (*-r*) Flotte *f*
fm. (*formand*) Vors. (*Vorsitzende, Vorsitzender*)
fn., f.n. (*forneden*) u. (*unten*)
FN (*Forenede Nationer*) UNO *f* (*United Nations Organization*)
fnise ['fni:sə] kichern
fnug [fnug] *n* (=) Flocke *f*
fnyse ['fny:sə] schnauben
fo., f.o. (*foroven*) o. (*oben*)
fod [fo'ð] (*fødder*) Fuß *m*; ***til ~s*** zu Fuß; **~balde** ['foð-] (*-r*) Fußballen *m*
fodbold Fußball *m*; **~bane** Fußballfeld *n*; **~hold** *n* Fußballmannschaft *f*
fodboldspiller (*-e*) Fußballspieler(in) *m(f)*
foder ['fo'ðɔ] *n Nahrung* Futter *n*
fodformet [-fɔ:məð] fußgerecht; F politisch korrekt
fodfæste ['foð-]: ***få*** ~ Fuß fassen
fodgænger ['foð-] (*-e*) Fußgänger(in) *m(f)*; **~overgang**, (*-e*) Zebrastreifen *m*
fod|note Fußnote *f*; **~re** ['foð-ʀɔ] füttern; **~spor** *n* Fußspur *f*; **~terapeut** [-pœŭd] Fußpfleger(in) *m(f)*; **~tøj** *n* Schuhwerk *n*
foged ['fo:əð] Gerichtsvollzieher *m*
fol,**d** Falte *f*, Kniff *m*; Gehege *n*; **~e** ['fɔlə] falten
fol,**k** *n* (=) Volk *n*; Leute *pl*
'**folke|bibliotek** *n* Stadtbibliothek *f*; **~kær** sehr populär; **~lig** volksnah, volks-
'**folke|pension** Rente *f*; **~register** *n* Einwohnermeldeamt *n*; **~skole** Volks-, Haupt-

schule *f*; **~styre** *n* Demokratie *f*
Folketinget *n* das dänische Parlament *n*
'folkevise Volkslied *n*
for¹ [foʔʀ] *n* (=) *Tex* Futter *n*
for² [fɔ, fɔʔ] vor, für, um; denn; ~ ***at*** um zu; damit; ~ ***meget*** zu viel
foragt Verachtung *f*; **~e** verachten
'foran [-anʔ] vor; vorn
for'an,dr|e (ver)ändern; **~ing** Änderung *f*
foran'stal,tning Maßnahme *f*
forar'bej,de verarbeiten
forargelse [-'ɑûʔəlsə] Ärgernis *n*
forarget: ***blive*** ~ ***over*** Anstoß nehmen an
for'ban,ḍe [-a-] verfluchen; **~lse** Fluch *m*; **~t** verflucht, verdammt
for'bar,me: ~ ***sig*** sich erbarmen (***over ngt*** *od* ***ngn*** e-r Sache *od* Person)
forbavse [-'bɑûʔsə] in Erstaunen setzen
forbavset erstaunt; ***blive*** ~ staunen
forbedr|e [-'bɛðʔʀɔ] verbessern; **~ing** Verbesserung *f*
forbehol,ḍ *n* (=) Vorbehalt *m*
forbere,de vorbereiten
for'bi, vorbei; vorüber
for'bigå,ende vorübergehend
forbilled|e ['fɔːbeləðə] *n* Vorbild *n*; **~lig** vorbildlich
for'bin,d|e verbinden; **~else** (*-r*) Verbindung *f*; Beziehung *f* (***mellem*** zwischen, ***til*** zu); **~ende**: ***uden*** ~ unverbindlich; **~ing** *Med* Verband *m*; **~ingskasse** Verbandskasten *m*
for'bipasse,rende vorbeigehend, vorbeifahrend etc.; *su* Passant(in) *m(f)*
for'blø,de verbluten
for'bløffet [-bløfəð] verblüfft, verdutzt
'forbogstav *n* Anfangsbuchstabe *m*
for'bru,g *n* Verbrauch *m*; **~e** verbrauchen
for'bry,de|lse (*-r*) Verbrechen *n*; **~r** (*-r*) Verbrecher(in) *m(f)*
for'bræn,d|e verbrennen; **~ing** Verbrennung *f*; **~ingsanstalt** Müllverbrennungsanlage *f*
forbud ['fɔːbuð] *n* (=) Verbot *n*; **~stavle** Verbotsschild *n*; **~t** [-'bud] verboten
'forbun,ḍ *n* (=) Bund; Verband *m*; **~skansler** [-båns-] Bundeskanzler *m*; **~srepublik** Bundesrepublik *f*
for'by,de verbieten
for'bytte vertauschen, verwechseln
for'dam,pe verdampfen
'forde,l (*-e*) Vorteil *m*; ***til*** ~ ***for*** zugunsten von; **~'agtig** [fɔːdel-] vorteilhaft; **~e** [-'deʔlə] verteilen (***mellem*** unter, zwischen)
for'di, weil, da
for'doble verdoppeln
'fordom, (*-me*) Vorurteil *n*

for'dra,ge ausstehen
for'dri,ve vertreiben (***fra*** aus)
fordrukken versoffen
fordummende verblödend
for'dy,bning Vertiefung *f*
for'dy,re verteuern
for'dær,vet verdorben
fordøje [-'dɔjˀə] verdauen; **~lse** Verdauung *f*
for'dømm,e verurteilen
fore|bygge ['fɔːɔ-] vorbeugen; verhüten; **~dra,g** *n* (=) Vortrag *m* (***holde*** halten); **~dragsholder** Vortragende *m/f*, Referent(in) *m(f)*; **~gå** vor sich gehen; **~komm,e** vorkommen; **~kom,st** Vorkommen *n* (***af*** an, von)
fo'rel, (*-ler*) Forelle *f*
for'el,ske: **~ *sig*** sich verlieben
fore|lægge ['fɔːɔ-] vorlegen; **~læ,se** vorlesen; **~læ,sning** Vorlesung *f*; **~lø,big** vorläufig
for'e,n|e vereinigen; **~ing** Verein; Verband *m*
forenkle [-'ɛŋˀglə] vereinfachen
foresat ['fɔːɔ-] Vorgesetzte *m/f*
'foreskrive [-sgʀiˀŭə] vorschreiben
fore|slog schlug vor (*imperf* → ***foreslå***); **~slå** vorschlagen; **~spørgsel** [-sbœʀˀsəl] (*-sler*) Anfrage; Erkundigung *f*; **~still,e** vorstellen; darstellen; **~still,ing** Vorstellung *f*; **~t** ['foːɔð] *Tex* gefüttert
foreta,g|e unternehmen; **~ende** *n* (*-r*) Unternehmen *n*
fore'ta,gsom, unternehmungslustig
foretrække vorziehen, bevorzugen
forevi,se ['fɔːɔ-] vorzeigen; vorführen
for'fald [-alˀ] *n* Verfall *m*; **~e** verfallen; **~sdag**, **~sdato** Verfallsdatum *m*; Fälligkeitstermin *m*
for|'fal,ske [-a-] fälschen; **~'fatning** [-a-] Verfassung *f*; **~'fatter** [-a-] (*-e*) Verfasser(in) (***til ngt*** von); Schriftsteller(in) *m(f)*; **~'fatterskab** *n* (Gesamt)Werk *n*; **~'fjam,sket** verdattert; **~'flytte** versetzen; **'~forde,le** benachteiligen; **'~fra,** von vorn
for|'fremm,e befördern; **~'friskning** Erfrischung *f*; **~'frossen** verfroren; **~frys,ning** Erfrierung *f*; **'~fædre** *pl* Vorfahren *pl*; **~'fæng,elig** eitel; **~'fær,delig** entsetzlich
for|'fær,det entsetzt; **~følge** [-'følˀjə] verfolgen; **~'fø,re** verführen; **~'fø,rende** verführerisch; **'~gaffel** (Fahrrad-)Gabel *m*
for|'gifte [-i-] vergiften; **~glemmigej** [-glɛmˀɑjɑjˀ] Vergissmeinnicht *n*
for|'gre,ne: **~ *sig*** sich gabeln; **~'gre,ning** Abzweigung *f*
for|'gri,be: **~ *sig på*** sich vergreifen an; **'~grun,d** Vorder-

grund *m*; **~'gu,de** vergöttern; **~'gyl,dt** [-y-] vergoldet
for|'gæ,ves vergebens; **~'gå,** vergehen; **'~gå,rs**: *i* ~ vorgestern
for|'hadt [-a-] verhasst; **'~hammer** Vorschlaghammer *m*; **~'han,dle** [-a-] verhandeln; **~'han,dling** [-a-] Verhandlung *f*; **'~have** [-a-] Vorgarten *m*; **'~henvæ,rende** ehemalig; außer Dienst
for|'hin,dre verhindern; **~'hin,dringslø,b** *n* Hindernisrennen *n*; **~'hippet** [-i-] erpicht (*på* auf); **'~hju,l** *n* Vorderrad *n*
'for|hju,lstræk *n* Frontantrieb *m*; **~hol,d** *n* (=) Verhältnis *n*; **~'hol,de**: ~ *sig* sich verhalten; **~holdsord** *n* Verhältniswort *n*, Präposition *f*; **'~holdsre,gel** Maßnahme *f*; **'~holdsvi,s** verhältnismäßig
'for|hæng, *n* (=) Vorhang *m*; **~'høj,e** erhöhen; **~'høj,ning** Erhöhung *f*; Anhöhe *f*; **~'hø,r** *n* (=) Vernehmung *f*; **~'hø,re** vernehmen; ~ *sig om* sich erkundigen nach
for|'hå,bentlig hoffentlich; **~'hå,bning** Hoffnung *f*; **'~hån,d**: *på* ~ im Voraus
forhåndsomtale *Film etc* Vorbesprechung *f*
fork. (*forkortelse*) Abk. (*Abkürzung*)
for'kalkning Verkalkung *f*; **~'kaste** [-a-] verwerfen; **~'ke,rt** falsch, verkehrt
for|'kla,re erklären, erläutern; **~'kla,ring** Erklärung *f* (*på* für); **'~klæde** [-klɛːðə] *n* (-*r*) Schürze *f*; *v/t* [fɔ'klɛˀðə] verkleiden
for'komm,en *adj* verkommen
for'korte (ab)kürzen; **~lse** Abkürzung *f*
for|kundska,ber *pl* Vorkenntnisse *pl*
for|'kæ,le verwöhnen; **'~kærlighed** Vorliebe *f*; **'~kø,bet**: *komme ngn i* ~ j-m zuvorkommen
for'kø,lelse (-*r*) Erkältung *f*; **~sår** *n* Herpes *m*
for'kø,let erkältet; *blive* ~ sich erkälten
'for|kør,selsret Vorfahrt *f*; **~'la,de** [-a-] verlassen; **~'ladt** verlassen (*p/p* → *forlade*)
'for|la,g [-a-] *n* (=) Verlag *m*; **~'lang,e** verlangen; **~'le,den**: ~ (*dag*) neulich; **~legen** [-'lɑjˀən] verlegen; **~'li,g** *n* (=) *Jur* Vergleich *m*; **~'li,ges** sich vertragen; **~'li,s** Schiffbruch *m*; **~'lod** verließ (*imperf* → *forlade*); **~'lo,ren** falsch (*unecht*)
for|'lo,vede Verlobte *m/f*; **'~lo,ver** (-*e*) Trauzeuge *m*; **'~lovet**: *blive* ~ sich verloben
'for|lygte *Kfz* Scheinwerfer *m*; **~'lystelse** (-*r*) Vergnügung *f*; **'~lægger** (-*e*) Verleger(in)

m(f)
for'læng,e verlängern; **~rledning** Verlängerungsschnur *f*
for'læn,s nach vorn, vornüber;
for|'lø,b *n* (=) Verlauf *m*; **~'lø,be** verlaufen
for,m Form, Gestalt *f*
form. (*formiddag*) Vorm. (*Vormittag*)
for'ma,lia *pl* Formalitäten *pl*
formali'te,ter *pl* Formalitäten *pl*
'for|man,d Vorsitzende(r) *m/f*; **~'ma,ne** ermahnen
for'ma,t [-a-] *n* Format *n*
'forme formen, gestalten
'for,mel[1] (*-mler*) Formel *f*
formel[2] [-'mɛl?] förmlich, formell
for'me,ntlig wohl
for'me,re vermehren (***sig*** sich)
'formiddag [-mida?] Vormittag *m*; ***om ~en*** vormittags; **~savis**, **~sblad** *n* Boulevardzeitung *f*
for|midle [-'mið?lə] vermitteln; **~'mil,de** mildern; **~'min,dske** vermindern, verkleinern
'formlø,s formlos
formode [-'mo?ðə] vermuten; **~ntlig** vermutlich
'formue [-muːə] (*-r*) Vermögen *n*; **~nde** [fɔː'mu?ənə] vermögend
formu'la,r Vordruck *m*, Formular *n*
formynderisk [-'møn?-] bevormundend
for'må, vermögen
'formå,l *n* (=) Zweck *m*
'fornav,n *n* (*-e*) Vorname *m*
forneden [-'neːðən] unten
'fornem, vornehm; **~me** [fɔ-'nɛm?ə] empfinden; **~melse** Ahnung *f*, Gefühl *n*; Gespür *n* (***for*** für)
for'nuft Vernunft *f*; **~ig** vernünftig
for'ny, erneuern
for'nær,me beleidigen; **~lse** (*-r*) Beleidigung *f*
fornøjelse [-'nɔj?əlsə] (*-r*) Vergnügen *n*; ***god~!*** viel Vergnügen!
forord ['fɔːo?ʀ] *n* (=) Vorwort *n*
foroven [-'ɔŭən] oben
'forover [-ɔŭ?ɔ] vorüber, nach vorn
for'pagte pachten
for|'pjusket zerzaust; **~plejning** [-'plɑj?neŋ] Verpflegung *f*; **~pligte** [-'plegdə] verpflichten (***til*** zu); **~'pu,stet** außer Atem; **'~rang,** Vorrang *m*
'forrest *adj* vorder-, vorderst-; *adv* (ganz) vorn
forret ['fɔːʀɑd] (*-ter*) Vorspeise *f*
for'retning Geschäft *n*; Laden *m*; **~sbre,v** *n* Geschäftsbrief *m*; **~skvar'te,r** *n* Geschäftsviertel *n*; **~sman,d** Geschäftsmann *m*; **~smæssig** geschäftlich; **~srejse** Geschäftsreise *f*

forrige ['fɔːiˀə] vorig
for'ring,e verringern
forrude ['fɔːʀuːðə] Windschutzscheibe *f*
forræder [fɔ'ʀɛˀðɔ] (*-e*) Verräter *m*; **~i** [fɔʀɛðə'ʀiˀ] *n* Verrat *m*
forråd ['fɔːʀåˀð] *n* (=) Vorrat *m*; **~e** [-'ʀåˀðə] verraten
forrådnelse [fɔ'ʀɔðˀnəlsə] Fäulnis *f*
for'sagt verzagt, kleinlaut
'forsalġ, *n* Vorverkauf *m*
for'sam,l|e versammeln; **~es** sich versammeln; **~ing** Versammlung *f*
for|'se,else (*-r*) Vergehen; Versehen *n*; **~segle** [-'sɑjˀlə] versiegeln; **~'sen,ḍelse** (*-r*) Versand *m*; Sendung *f*; **~'sigtig** vorsichtig; **~'sigtighe,d** Vorsicht *f*; **~'sikre** versichern (***mod*** gegen); **~'sikring** Versicherung *f*; **~sinke** [-'seŋˀgə] verspäten; **~'sin,kelse** (*-r*) Verspätung *f*
forske forschen
'forskel, (*-le*) Unterschied *m*; **~lig** [fɔ'sgɛlˀi] verschieden, unterschiedlich
forsk|er (*-e*) Forscher *m*; **~ning** Forschung *f*
'forskrift [-skʀafd] Vorschrift *f*
for|'skrække *v/t* erschrecken; **~'skrækkelse** (*-r*) Schreck *m*; Schock *m*; **~'skrækket** erschrocken; ***blive ~*** *v/i* erschrecken; **'~skud** *n* (=) Vorschuss *m*; **~'skudt** verschoben; **~'skønn,e** [-œ-] verschönern; **~'skå,ne** verschonen (***for*** von); **'~sla,ġ** *n* (=) Vorschlag *m* (***komme med*** machen); **~'slu,ġen** gefräßig; **~'slå**, ausreichen; **'~sma,ġ** Vorgeschmack *m* (***på*** auf); **~'so,ne** versöhnen; **~'so,ning** Versöhnung *f*; **~'sovet** [-'sɔŭˀəð] verschlafen; **'~spil** [-sbel] *n* Vorspiel *n*; **'~spring** [-sbʀaŋˀ] *n* Vorsprung *m*
'forstad [-sdað] (*-stæder*) Vorort *m*
for'stan,ḍ [-a-] Verstand *m*; **~er** ['fɔːsdanɔ] (*-e*) Vorsteher *m*
'forstavelse Vorsilbe *f*
for|'ste,net versteinert; **~'still,e: *~ sig*** sich verstellen; **~stoppelse** Verstopfung *f*; **~'stoppet** verstopft; **~'strække** verrenken; **~'stu,ve** verstauchen; **~'styrr,e** [-y-] stören; **~'styrr,else** [-y-] (*-r*) Störung *f*; **~'stærke** verstärken; **~'stærkning** Verstärkung *f*; **~'størr,e** vergrößern; **~'stå**, verstehen; **~'stå,elig** verständlich; **~'stå,else** Verständnis *n* (***for*** für); Verständigung *f*
'for|sva,r *n* Verteidigung *f*; **~'sva,re** verteidigen; verantworten; **'~svarslø,s** wehrlos, schutzlos; **~svinde** [-'svenˀə] verschwinden; **~'sy,ne** versehen, versorgen

(*med* mit); **~'sy,ning** Versorgung *f*; Vorrat *m*
'for|sæ,de *n* Vorsitz *m*; Vordersitz *m*; **~'sætlig** absichtlich; **~'sø,ġ** *n* (=) Versuch *m*; **~'sø,ġe** versuchen (***på at*** zu)
for|'sømm,e versäumen, vernachlässigen; schwänzen; **~'søm,t** verwahrlost
for|sørge [-'sɔ̃ʀʔüə] versorgen, unterhalten; **~'sør,ger** (*-e*) Ernährer *m*; **~'så,le** besohlen
for|'ta,ġe [-a-]: **~ *sig*** *Med* vorübergehen; **'~tegn** [-tɑjʔn] *n* Vorzeichen *n*; **~'teg,nelse** (*-r*) Verzeichnis *n*
'forti,d Vergangenheit *f*
for|'ti,e verschweigen; **'~til** vorn(e); **~'tje,ne** verdienen; **~'tje,neste** (*-r*) Verdienst *m*
fortolde [-'tɔlʔə] verzollen
for'tol,ke interpretieren, deuten
'fortov [-tɔŭ] *n* (*-e*) Bürgersteig *m*
'fortrin *n* (=) Vorzug *m*; **~lig** [-'tʀiʔnli] vorzüglich
for'tro,lig vertraut; vertraulich
for|'try,de bereuen; **~'tryll,e** verzaubern; bezaubern; **~'tryll,ende** bezaubernd, zauberhaft; **~træd** [-'tʀað]: ***gøre ngn~*** j-m etwas zuleide tun
for'træng,e verdrängen
'fortsætte fortsetzen; fortfahren
for|tumlet [-'tåmʔləð] schwindelig; verwirrt; **~'tviv,let** verzweifelt; **~tynde** [-'tønʔə] verdünnen; **~'tæll,e** erzählen; **~'tæll,ing** Erzählung *f*; **'~tæppe** *n Thea* Vorhang *m*; **~'tærsket** abgedroschen; **~tørnet** [-'tœʀʔnəð] erzürnt, beleidigt
forud ['fɔːuʔð] voran; (im) Voraus
foruden [-'uːðən] außer; außerdem, noch
'forud|gå,ende vorhergehend, vorherig; **~indta,ġet** voreingenommen; **~sat** vorausgesetzt; **~si,ġe** vorhersagen; **~sætning** Voraussetzung *f*
for|u'lem,pe belästigen; **~ulykke** [-'løgə] verunglücken; **~'un,dret** verwundert; **~'un,dring** Verwunderung *f*; **~u're,ne** verschmutzen; **~u'rettet** gekränkt; **~u'ro,-lige** beunruhigen; **~'val,te** verwalten; **~'val,ter** [-a-] (*-e*) Verwalter *m*; **~'van,dle** [-a-] verwandeln; **~'van,ske** [-a-] entstellen, verdrehen
'forward (*-s*) *Sport* Stürmer *m*
for|vejen [-vɑjʔən]: ***i~*** im Voraus; vorher; **~'veksle** verwechseln (***med*** mit); **~'ven,-te** erwarten; **~'ven,tnings-ful,d** erwartungsvoll; **~'virr,e** [-vi-] verwirren; **~'vri,de** verrenken; **~vrænget** [-'vʀaŋʔəð] ver-

zerrt; **~'vænt** verwöhnt
'forværelse *n* Vorzimmer *n*
for|'værr,e verschlechtern; **~'værr,ing** Verschlechterung *f*; **~ædle** [-'εðˀlə] veredeln; **~'æl,det** veraltet, überholt
for'æl,dre *pl* Eltern *pl*; **~lø,s** elternlos
for|'æ,re schenken; **~'æ,ring** Geschenk *n*; **~'ø,ge** vermehren; erhöhen; steigern; **~'øvrigt** übrigens
forår ['fɔːɔˀ] *n* Frühling *m*
forår'sa,ge verursachen
'foto *n* (*-s*) Foto *n*; (***tage*** machen); **~album** *n* Fotoalbum *n*; **~appara,t** Fotoapparat *m*; **~gra'fe,re** fotografieren; **~gra'fiapparat** Fotoapparat *m*; **~kopi,** Fotokopie *f*
fr. (*fru*) Fr. (*Frau*)
fra von, aus; *adv* ab; ***~ og med i dag*** vom heutigen Tag an; mit sofortiger Wirkung
'frabede [-beˀðə]: ***~ sig*** sich verbitten
'fradrag [-dʀɑˀŭ] *n* (=) *Hdl* Abzug *m*
fraflytte *v/t* fortziehen von, aus
fragt Fracht; Ladung *f*; **'~bre,v** *n* Frachtbrief *m*; **'~gods** *n* Frachtgut *n*; **'~man,d** Fuhrunternehmer *m*
'fraken,de aberkennen, absprechen
'frakke (*-r*) Mantel *m*
fralandsvind *Wind, der seewärts weht*
'fralokke: ***~ ngn ngt*** j-m etw entlocken
fran'ke,re freimachen, frankieren
'Frankrig *n* Frankreich *n*
fran,sk französisch, Französisch; ***på ~*** auf Französisch; **~brø,d** ['fʀɑns-] *n* Weißbrot *n*; **~man,d** ['fʀɑnsg-] Franzose *m*; Französin *f*
'fra|regnet [-ʀɑjˀnəð] abgerechnet; **~rø,ve** *v/t* rauben; **~rå,de** abraten; **~skilt** [-sgelˀd] geschieden; **~sor't-e,re** aussortieren; **~stød,-ende** abstoßend; **~ta,ge** entnehmen; entziehen; **~væ,r** *n* Abwesenheit *f*; **~væ,rende** abwesend
fred [fʀað] Frieden *m*
'fre,dag [-a-] Freitag *m*
fredelig ['fʀaːðə-] friedlich
fredet ['fʀaːðəd]: ***~ bygning*** *n* Gebäude unter Denkmalschutz *m*; ***~ område*** Naturschutzgebiet *n*
fredning ['fʀað-] Schonung *f*; Denkmalschutz *m*
fredsbevarende: ***~ tropper, styrker*** *pl* Friedenstruppen *pl*
fred'somm,elig [fʀað-] friedlich
'freelance freiberuflich
fregne ['fʀɑjnə] Sommersprosse *f*
'frelse retten; erlösen; *su* Heil *n*; Rettung; Erlösung *f*
'Frelse: ***~ns Hæ,r*** *Rel* (die)

Heilsarmee *f*
'frelser Erlöser, Heiland *m*
frem [fʀɑmʔ] hervor; vorwärts; ~ ***for*** vor; ~ ***for alt*** vor allem; '**~ad** voran, vorwärts; **~adstræbende** vorwärts strebend; erfolgreich
'frem|bring,e erzeugen; **~bring,else** (*-r*) Erzeugnis *n*; **~brud** *n* An-, Einbruch *m*
frem'deles: ***og så*** ~ und so weiter
'frem,|efter vorwärts
'frem|fø,re vorführen; vorbringen; **~gang,** Fortschritt *m*; **~gangsmåde** Verfahren *n*; **~gå,** hervorgehen; sich ergeben (***af*** aus); **~herskende** vorherrschend; **~hæ,ve** hervorheben; **~kal,de** hervorrufen; *Fot* entwickeln; **~kom-m,elig** [-'kɔ-] fahrbar; begehbar; **~kom,st** Erscheinung; Entstehung *f*; **~leje** [-lɑjə] untervermieten; *su* Untermiete *f*; **~lægge** vorlegen
'fremme¹ fördern; *su* Förderung *f*
'fremme² vorn; ***ligge*** ~ ausliegen
fremmed ['fʀɑməð] fremd; *su* Fremde(r) *m/f*; **~arbej,der** *neg!* Gastarbeiter *m*; **~ar,tet** fremdartig; **~gjo,rt** [-o-] entfremdet; **~legeme** *n* Fremdkörper *m*; **~o,rd** [-o-] *n* Fremdwort *n*; **~sprog** *n* Fremdsprache *f*
'fremmelig frühreif
'fremm,est: ***først og*** ~ vor allen Dingen, zunächst
'frem,over [-ɔüʔɔ] vornüber; künftig
'frem|ragende [-ʀɑʔüənə] hervorragend; **~skaffe** beschaffen, herbeischaffen; **~skreden** [-sgʀaʔðən] (weit) fortgeschritten; **~skridt** *n* (=) Fortschritt *m*; **~skridtsmand** Reformer *m*; Mitglied *n od* Wähler *m* der → ***Fremskridtspartiet***
Fremskridtspartiet *n etwa dän. Rechtspartei*
frem|skridtsvenlig fortschrittlich; **~skynde** [-sgønʔə] beschleunigen; **~spring** *n* (=) (Fels-)Vorsprung *m*; **~still,e** herstellen; darstellen; **~still,ing** Herstellung; Darstellung *f*; **~stød** *n* Vorstoß *m*; **~stå,ende** vorspringend; **~sy,net** vorausschauend, weitblickend
fremtid ['fʀɑmtiʔð] Zukunft *f*; **~ig** künftig
'frem|to,ning Erscheinung *f*; **~træ,dende** prominent
fri, frei (***for*** von); ~ ***mig for*** lass mich in Ruhe mit; ~ ***til hende*** ihr einen Heiratsantrag machen; **~billet** ['fʀi-] Freikarte *f*; **~da,g** freier Tag *m*
'fri|finde [-fenʔə] *Jur* freisprechen; **~gear** [-giʔʀ] *n* Leerlauf *m*; **~gi,ve** freigeben; freilassen; **~he,d** Freiheit *f*;

~hedskæmper Freiheitskämpfer *m*
frika'delle (*-r*) Frikadelle, Bulette *f*
'fri|kende [-kɛnʔə] freisprechen (***for*** von); **~kvarter** *n* (Schul)Pause *f*; **~luftsbad** *n* Freibad *n*; **~luftsliv** *n* Outdoor-Aktivitäten *pl*; **~løb** *n* Freilauf *m*; **~mærke** *n* (*-r*) Briefmarke *f*
'frinummer: ***trække ~*** nicht zum Wehrdienst eingezogen werden
fri'se,re frisieren, kämmen
frisk frisch; **~e**: ***~ op*** auffrischen
friskole Privatschule *f* (*mit besonderer geistiger Haltung*)
'frispark *n* Freistoß *m* (***dømme*** verhängen, ***sparke*** treten)
frist Frist *f*
Fristaden Christiania; *"Minifreistaat" mitten in Kopenhagen mit Alternativszene*
'friste locken; **~nde** verlockend
frisure [-'syːɔ] (*-r*) Frisur *f*, Haarschnitt *m*
fri'sø,r [-ø-] Friseur(in) *m*(*f*)
'fri|ta,ge befreien, entbinden (***for*** von); **~ti,d** Freizeit *f*; **~tidshjem,** *n* Kita *f*; **~tliggende** frei stehend
fritten F (die) Kita (*Kindertagesstätte*)
fritter *pl* Pommes *pl*
'frivill,ig freiwillig
frodig ['fʀoːði] üppig
frokost ['fʀåkɔsd] (zweites) Frühstück, Mittagessen *n*; **~avis** Boulevardzeitung *f*; **~stue** Kantine *f*
from, fromm
'frossen, **frosset** [-ɔ-] gefroren (*p/p* → ***fryse***)
frost Frost *m*; **'~boks** Gefrierfach *n*; **'~væske** Frostschutzmittel *n*
fro'ttéhåndklæde *n* Frotteetuch *n*
frue ['fʀuːə] (*-r*) Frau *f*
frugt Frucht *f*; Obst *n*; **'~træ,** *n* Obstbaum *m*; **~tærte** Obsttorte *f*
fryde ['fʀyːðə]: ***~ sig*** (***over***) sich weiden (an)
frygt [fʀœgd] Furcht *f* (***for*** vor); **'~e** (be)fürchten; **'~elig** furchtbar, fürchterlich; **~indgydende** Furcht einflößend
fryse ['fʀyːsə] frieren; gefrieren; ***~ ihjel*** erfrieren; ***~ til*** zufrieren; **~punk,t** *n* Gefrierpunkt *m*; **~r** Tiefkühltruhe *f*, Tiefkühlfach *n*
fræk [fʀɑjg] frech; **'~he,d** Frechheit *f*
frø¹ [fʀœʔ] *n* (=) *Bot* Samen *m*
frø² (*-er*) Frosch *m*
'frø,ken [-ø-] (*frk.*) Fräulein *n* (*Frl.*)
frømand *professioneller* Taucher; Kampfschwimmer *m*
frøs ['fʀœʔs] fror (*imperf* → ***fryse***)
fråde ['fʀåːðə] Schaum *m* (*um den Mund*)

fråse ['fRå:sə] schlemmen
fu,gl (-e) Vogel m; **~ebu,r** n Vogelkäfig m; **~eflugt(slinje)** Luftlinie f; **~efrø** pl Vogelfutter n; **~erede** Vogelnest n; **~eskræm,sel** n (-sler) Vogelscheuche f
fugt Feuchtigkeit f; **~e** befeuchten; **~ig** feucht
'ful,d [-u-] voll; betrunken
'fuld|automa,tisk vollautomatisch; **~en,de** vollenden; **~fø,re** vollführen; **~kommen** vollkommen; **~kornsbrød,** n Vollkornbrot n; **~magt** Vollmacht f; **~måne** Vollmond m; **~ska,b** Trunkenheit f; **~skæ,g** n Vollbart m; **~stæn,dig** vollständig; **~tall,ig** vollzählig; **~tid,s** (in) Vollzeit; **~voksen** ausgewachsen; erwachsen
fulgt [fuʔld] gefolgt (p/p → **følge**)
fulgte folgte (imperf → **følge**)
fummelfingret ['fåməlfeŋrəð] ungeschickt
fund [fånʔ] n (=) Fund m
fungere [fåŋ'geʔɔ] tätig sein; funktionieren, fungieren (**som** als)
funktionær [fåŋsjo'nɛʔR] Angestellte(r) m/f; Beamte(r) m, Beamtin f
fup [fåb] n Schwindel m
fure ['fu:ɔ] (-r) Furche; Runzel f
fuske pfuschen, schummeln; schwindeln
f.v.t. (*før vor tidsregning*) v.u.Z. (*vor unserer Zeit*)
fx (*for eksempel*) z.B. (*zum Beispiel*)
fy: **~!** pfui!; **~ for pokker** *od* **fanden!** pfui Teufel!
fyge ['fy:ə] stieben
fyld [fylʔ] n Füllung f
fylde ['fylə] füllen; **~ benzin, på** tanken
fyldepen Füllfederhalter m
fyldig ['fy-] voll, üppig
fyldning ['fy-] (Zahn-)Füllung f
fyl,dt [fy-] gefüllt; **~ chokolade** Pralinen pl
Fyn Fünen, *dän. Insel zwischen Seeland und Jütland*
fyn|bo Bewohner m Fünens; **~sk** aus Fünen
fyr[1] [fyR] (-re) *Bot* Kiefer f
fyr[2] [fyʔR] (-e) Typ; (*Geliebter*) Freund m
fyr[3] [fyʔR] n (=) Heizanlage f; Leuchtturm m
fyraften Feierabend m (**holde** machen)
fyre ['fy:ɔ] heizen; feuern; F **~ en fed** kiffen
fyrfadslys n Teelicht n
fyrre ['fɔ̈:ɔ] vierzig
fyrrenå,l ['fyɔ-] Fichtennadel f
fyrretyvende ['fœ:ɔ-] vierzigste(r)
fyrste ['fy-] (-r) Fürst m; **~lig** fürstlich; **~ndømme** n (-r) Fürstentum n
fyrtårn ['fy-] n Leuchtturm m
fyrværke'ri, ['fy-] n Feuerwerk n

fy'sik Physik *f*
fædrelan,d [fɛðʀɔ-] *n* Vaterland *n*
fægte fechten
fælde fällen; Haarausfall haben; *su* (-*r*) Falle *f*
fælg [fɛʔlj] (-*e*) Felge *f*
'fæll,es gemeinsam, gemeinschaftlich; **~eje** *n* Gütergemeinschaft *f*; **~køn,** *gemeinsames Geschlecht (m/f) in der dän. Grammatik*; **~nævner** gemeinsamer Nenner; **~ska,b** *n* Gemeinschaft *f*; ***i ~*** gemeinsam, zusammen
fænge zünden; *fig* ankommen
'fæng,s|el *n* (-*ler*) Gefängnis *n*; **~elsbetjen,t** Gefängniswärter *m*; **~le** ['fɛŋslə] verhaften
fær,d: ***i ~ med at ...*** dabei, zu...
færdes verkehren
færdig fertig; **~pakket** pauschal-; **~ret** Fertiggericht *n*; **~uddannet** (aus)gelernt; **~vare** Fertigprodukt *n*
'fær,dsel Verkehr *m*; **~slov** Verkehrsordnung *f*; **~spoli'ti,** *n* Verkehrspolizei *f*; **~stavle** Verkehrsschild *n*; **~suhel,d** *n* Verkehrsunfall *m*
færge ['faʀŭə] (-*r*) Fähre *f*
'færre weniger; **~st** die (*od* am) wenigsten
fæ,rt Fährte *f*
Færøerne ['faʀøʔɔnə] *pl* (die) Färöer (Inseln) *pl*
fæstne befestigen
fæstning Festung *f*
fætter (-*tre*) Vetter, Cousin *m*
fødder ['føðʔɔ] Füße (*pl* → ***fod***)
føde ['fø:ðə] gebären; *Tech* speisen; *su* Nahrung *f*; **~by** Geburtsort *m*; **~hjem** *n* Elternhaus *n*; **~klinik** Geburtsklinik *f*; **~varer** *pl* Lebensmittel *pl*
fødsel ['fø-] (-*sler*) Geburt *f*; **~'ar,** Geburtstagskind *n*; **~sattest** Geburtsurkunde *f*; **~sda,g** Geburtstag *m* (***holde*** feiern); **~shjælper** Geburtshelfer(in) *m(f)*
føj: ***~!*** pfui!
føje ['fɔ:jə] fügen; **~lig** gefügig
føl [føl] *n* (=) Fohlen *n*
føle ['fø:lə] fühlen; spüren; **~horn** Fühler *m* (*a fig*); **~lig** merkbar; **~lse** (-*r*) Gefühl *n*; **~lsesladet** emotional; **~lseslø,s** gefühllos; **~san,s** Tastsinn *m*
følge ['føljə] folgen; begleiten; *Kurs* besuchen; *su n* (-*r*) Folge *f*; Gefolge *n*; **~lig** folglich; **~seddel** [-sɛðʔəl] Lieferschein *m*
føljeton *Film etc* Reihe *f*
følsom ['fø:lsɔmʔ] empfindlich; empfindsam
føntørrer ['føntɔ̃:ɔ] Haartrockner *m*; Fön *m*
før [fɔ̃ʔʀ] vor; ehe; vorher, bevor; ***~ eller siden*** *od* ***senere*** früher oder später
førdatid *Gr* Plusquamperfekt

n
føre ['fø:ɔ] führen
fører ['fø:ɔ] (*-e*) Führer; Fahrer *m*; **~bevis** *n* Führerschein *m*; **~hund** Blindenhund *m*
førlighe,d ['førli-] Gelenkigkeit *f*, Beweglichkeit *f*
førnutid *Gr* Perfekt *n*
først [fɔ̈rsd-] erst; zuerst; ***den ~e den bedste*** der Erstbeste; **'~ehjælp** erste Hilfe *f*; **'~eklasses** erstklassig; erster Klasse; **'~eopførelse** Uraufführung *f*
førtidspension Frührente *f* (*aus sozialen od gesundheitlichen Gründen*)
få¹ [få'] *pl* wenige *pl*
få² bekommen; erhalten; kriegen; ***~ ngn fra ngt*** *j-n* von etw abbringen
fåmælt ['fåmɛ'ld] wortkarg

G

G, g [ge'] *n*: ***et stort ~*** ein großes G
gab [ga'b] *n* (=) Rachen *m*; Kluft *f*; Gähnen *n*
gabe ['ga:bə] gähnen; gaffen
gad [gað'] wollte *etc*; mochte *etc*; hatte Lust *etc* (*imperf →* ***gide***)
gade ['ga:ðə] (*-r*) Straße *f*; **~dør** Haustür *f*; **~kryds** *n* Straßenkreuzung *f*; Promenadenmischung *f*; **~lygte** Straßenlaterne *f*
gaffel (*gafler*) Gabel *f*; **~truck** [-trɔg] Gabelstapler *m*
gak, gakgak F plemplem, gaga
gal [ga'l] verrückt; wütend (***på*** auf); ***gå ~t*** schief gehen; ***køre ~t*** einen (Verkehrs-) Unfall haben; sich verfahren
gale ['ga:lə] krähen
galla ['ga-] Gala *f*
galle'ri, [ga-] *n* Galerie *f*
gallupundersøgelse ['ga-] Meinungsumfrage *f*
galskab Wahnsinn *m*
gamachebukser [ga'masjə-] *pl* Leggings *pl*
gammel alt; **~da,gs** altmodisch; **~klog** altklug; **~ost** *sehr pikante Käsesorte*
gane ['ga:nə] (*-r*) Gaumen *m*
gang, (*-e*) Gang *m*; Mal *n*; ***på en ~*** auf einmal; **~bro** Steg *m*
gange multiplizieren; ***to ~ to*** zwei mal zwei; **~tegn** *n* Malzeichen *n*
'gangsti, Gehweg *m*, Bürgersteig *m*
'ganske ['ga-]: ***~ vist*** zwar
ga'ran,t Bürge *m*; **~'e,ret** bestimmt; **~'ibevi,s** *n* Garantieschein *m*
garde'robe (*-r*) Garderobe *f*; ***~ på eget ansvar*** für Garderobe keine Haftung; **~nummer** *n* Garderobenmarke *f*

gar'di,n *n* Gardine *f*; Vorhang *m*
gar,n *n* Garn *n*; Wolle *f*; **~nøgle** *n* (*-r*) Garnknäuel *n*
gartner (*-e*) Gärtner(in) *m(f)*; **~i** [gɑʀdnɔ'ʀiˀ] *n* Gärtnerei *f*
garve|syre Gerbsäure *f*; **~t** hartgesotten; erfahren
gas [gas] Gas *n*; **~appara,t** *n* Gaskocher *m*; **~blus** Gasflamme *f*; **~måler** (*-e*) Gaszähler *m*
gav [gaˀŭ] gab *etc* (*imperf* → ***give***)
gave ['gaːvə] (*-r*) Geschenk *n*; **~kort** *n* Geschenkgutschein *m*
gavl [gɑŭˀl] (*-e*) Giebel *m*
gavmil,d ['gɑŭ-] freigebig, großzügig
gav,n [gɑŭˀn] Nutzen *m*; **~e** nutzen; **~lig** nützlich
gazebind ['gaːsəbenˀ] *n* Mullbinde *f*
gear [giˀʀ] *n* (=) *Tech* Gang *m*; ***skifte ~*** *Auto etc* schalten; **~kasse** Getriebekasten *m*; **~stang,** Schalthebel *m*
gebis *n* (*-ser*) (*künstliches*) Gebiss *n*
gebrokken *Fremdsprache* gebrochen
ge'by,r *n* Gebühr *f*
ged [geˀð] Ziege *f*
gedde ['geːðə] (*-r*) Hecht *m*
gede|buk ['geːðə-] Ziegenbock *m*; **~marked** *n fig* Zirkus *n*
gelé [sje'le] Gelee *n*
gemme verstecken; aufbewahren; **~sted** *n* Versteck *n*
gen- wieder-
genbo *Nachbar* Gegenüber *m*
genbrug Recycling *n*; Wiederverwendung *f*
genbrugs|- Mehrweg-, Recycel-; **~flaske** Mehrwegflasche *f*; **~papir** Recyclingpapier *n*
gener ['sjeːnɔ] (*-r*) Neben-, Nachwirkungen *pl*
gene'ra,l|forsam,ling Hauptversammlung *f*; **~prøve** Generalprobe *f*
gener|e [sje'neˀɔ] belästigen; lästig sein; irritieren; **~t** schüchtern
'gen|fore,ning ['gɛn-] Wiedervereinigung *f*; **~fortæll,e** nacherzählen; **~fæ,rd** *n* (=) Gespenst *n*; **~gi,ve** wiedergeben; **~gi,velse**: ***langsom ~*** Zeitlupe *f*; **~gæl,d** Vergeltung *f* (***som*** als); ***til ~*** im Gegenzug
'genhø,r: ***på ~!*** auf Wiederhören!
'genken,de wieder erkennen
'genly,de widerhallen
gennem ['gɛˀnəm] durch; **~blø,dt** ['gɛnəm-] durchnässt; **~brud** *n* Durchbruch *m*; **~fø,re** durchführen; **~'fø,rlig** durchführbar; **~gang,** Durchgang *m*; **~gri,bende** durchgreifend; **~gå,** durchgehen; durchmachen; **~gå,ende** durchgehend; im Allgemeinen; **~kør,sel** Durchfahrt *f*

gennem|rejse Durchreise *f*; **~ro,de** durchwühlen; **~sigtig** durchsichtig; **~sku,e** durchschauen; **~snit** *n* Durchschnitt *m* (*i* im); **~sy,n** *n* Durchsicht *f*; **~træk** Durchzug *m*

gen|opbygning ['gɛn-] Wiederaufbau *m*; **~opfriske** wieder auffrischen; **~oprette** wiederherstellen; **~part** Kopie *f*

genre ['sjɑŋʀɔ] (*-r*) Gattung, Art *f*

gen|sidig [-si?ði] gegenseitig; **~splejsning** ['ge?n-splɑjsneŋ] Genmanipulation *f*; **~stan,d** (*-e*) Gegenstand *m*; *Menge Alkohol eines Glases Bier oder Wein*; **~stan,dsled** *n* (direktes) Objekt

gensy,n: ***på ~!*** auf Wiedersehen!

gen|ta,ge wiederholen

gen|udsendelse *TV etc* Wiederholung *f*

gen|ve,j (*Weg*) Abkürzung *f*

geor'gine (*-r*) Dahlie *f*

gerning Tat *f*; **~sman,d** Täter *m*

gestus ['gɛ-] (=) Geste *f* (***som*** als)

ge'vin,d *n* (=) Gewinde *n*; ***gå over ~*** übertreiben

ge'vin,st Gewinn *m*

ge'vi,r *n* Geweih *n*

ge'væ,r *n* Gewehr *n*

ghettoblaster Ghettoblaster *m*, *tragbare Musikanlage*

gid [giðʔ] wenn … nur; wäre … bloß

gide ['gi:ðə] mögen; wollen; Lust haben

gidsel ['gis-] *n* (*-sler*) Geisel *f*

gift¹ [gi-] (*-e*) Gift *n*

gift² verheiratet

gifte: ***~ sig*** (ver)heiraten; ***~ sig med ngn*** j-n heiraten

gigt [gi-] Gicht *f*

gik ging *etc* (*imperf* → ***gå***)

gilde ['gi-] *n* (*-r*) Fest *n*

gispe ['gi-] japsen, keuchen

'give geben, schenken; **~r** ['gi:vɔ] (*-e*) Geber(in), Spender(in) *m*(*f*)

gjaldt galt *etc*; gegolten (*imperf*, *p/p* → ***gælde***)

gjorde tat *etc*; machte *etc* (*imperf* → ***gøre***)

gjort getan; gemacht (*p/p* → ***gøre***)

gl. (*gammel*) alt; (*glas*) Gl. (*Glas*)

glad [glað] froh; ***være ~ for*** (sehr) mögen; froh sein (dass)

glarmester Glaser *m*

glas [-a-] *n* (=) Glas *n*; **~ere** [gla'seʔɔ] glasieren; **~skå,r** *n* Glasscherbe *f*

glat [-a-] glatt; **~barberet** glatt rasiert; **~te** glätten

gled glitt *etc* (*imperf* → ***glide***)

gledet geglitten (*p/p* → ***glide***)

glem|me vergessen; verlernen; ***gå i ~(bogen)*** in Vergessenheit geraten; **~som,** vergesslich

glide ['gli:ðə] gleiten, (aus-)

rutschen; **~dør** Schiebetür *f*
glimrende glänzend, ausgezeichnet
glimt *n* Schimmer *m*; ***med et ~ i øjet*** mit einem Augenzwinkern *n*
glimte schimmern, blitzen
glinse glänzen
glip [gleb]: ***gå ~ af*** verpassen; **~pe** fehlschlagen
glo [glo?] glotzen, gaffen
gloende [-o-] glühend
glose ['glo:sə] (*-r*) Vokabel *f*
glubsk [-u-] wild, bissig
glæde ['glɛ:ðə] erfreuen; *j-m* eine Freude machen; ***~ sig*** (***til***) sich freuen (auf); *su* (*-r*) Freude *f*; **~lig** erfreulich; freudig; fröhlich; ***~ jul od påske!*** frohe Weihnachten *od* Ostern!
gløde [gløð?] Glut *f*; **~e** ['glø:ðə] glühen
gn. (*gennem*) durch
gnaske [-a-] knabbern
gnave ['gna:və] nagen, knabbern; **~n** mürrisch; **~r** (*-e*) Nagetier *n*
gned rieb *etc* (*imperf* → ***gnide***)
gnedet gerieben (*p/p* → ***gnide***)
gnid|e ['gni:ðə] rubbeln, reiben; **~ning** Reibung *f*
gnier (*-e*) Geizhals *m*
gnist [-i-] Funke *m*
gnsn. (*gennemsnit*) Durchschnitt
gnsnl. (*gennemsnitlig*) durchschnittlich
gnubbe (hart) reiben
god [go?] gut; **~aften**: ***~!*** guten Abend!; **~ar,tet** ['goð-] gutartig; **~bid** Leckerbissen *m*; **~dag** [go'da?]: ***~!*** guten Tag!; **~ken,de** gutheißen
gods [gos] *n* (*-er*) Gut *n*; **~ejer** (*-e*) Gutsbesitzer *m*
godskri,ve ['goð-] gutschreiben
gods|to,g ['gås-] *n* Güterzug *m*; **~vog,n** Güterwagen *m*
godt gut; wohl; **~gø,re** ersetzen, vergüten; **~gø,relse** (*-r*) Ersatz *m*, Vergütung *f*
godtro,ende ['goð-] gutgläubig
gol,f|bane Golfplatz *m*; **~kugle** Golfball *m*; **~kølle** Golfschläger *m*
grad [gʀɑ?ð] Grad *m*; **~bøj,e** ['gʀɑð-] *Gr* steigern; **~vi,s** allmählich
grammo'fo,nplade Schallplatte *f*
gran Tanne; Fichte *f*; Tannengrün *n*; **~kogle** [-kɔŭlə] (*-r*) Tannenzapfen *m*
grantræ, *n* Tanne; Fichte *f*
grape, grapefrugt ['gʀajb-] Grapefruit *f*
gratin [-'tɛŋ] *Gastr* Auflauf *m*
gra,v [gʀɑŭ?] (*-e*) Grab *n*; Graben *m*; Grube *f*; **~al'vor,lig** [gʀɑŭ-] todernst; **~e** graben; **~emaskine** Bagger *m*; **~hun,d** Dackel *m*; **~høj,** Grabhügel *m*
gravid [-'vi?ð] schwanger; **~itet** [-vidi'te?d] Schwangerschaft *f* (***under*** während)

grav|ko ['gʀɑŭ-] Bagger *m*; **~mæle** *n* (*-r*) Grabmal *n*; **~sted** *n* Grabstätte *f*; **~sten** Grabstein *m*; **~øl** Leichenschmaus *m*
grdl. (*grundlagt*) gegr. (*gegründet*)
greb[1] [-a?-] (*-e*) Mistgabel *f*
greb[2] [-a?-] *n* (=) Griff *m*; **~et** ['gʀa:bəð] ergriffen
gren [-a?-] (*-e*) Zweig, Ast *m*; **~saks** Baumschere *f*
grev|e ['gʀa:və] (*-r*) Graf *m*; **~inde** [gʀaŭ'enə] (*-r*) Gräfin *f*; **~ska,b** *n* Grafschaft *f*
grib (*-be*) Geier *m*
gribe ['gʀi:bə] greifen; fassen, packen; **~ *in,d*** eingreifen
grill, **grillbar** Schnellgaststätte *f*, Schnellimbiss *m*
grim [gʀam?] hässlich
gri'masse (*-r*) Fratze *f*
gri,n [gʀi?n] *n* (=) Lachen, Grinsen *n*; ***gøre ~ med*** verulken, veräppeln; **~'agtig** [gʀin-] komisch, lächerlich; **~e** grinsen, lachen; **~ *ad*** auslachen
gri,s (*-e*) Ferkel; Schwein *n*; **~eri** [gʀisɔ'ʀi?] *n* Schweinerei *f*
grisk [-i-] gierig
gro, *Bot* wachsen
groft *n* grob; **~hakket** grob gehackt
grov [gʀɔŭ?] grob, derb; **~bolle** Vollkornbrötchen *n*; **~brød** *n* Vollkornbrot *n*
gru, Grauen *n*
gruble grübeln
gruful,d grauenvoll
grums [gʀåm?s] *n* Bodensatz *m*; **~et** trübe
grun,d [gʀån?] (*-e*) Grund, Boden *m*; Ursache *f*; **~bog** Grundbuch *n*; **~ejer** Grundbesitzer(in) *m*(*f*)
grundig gründlich
grund|la,g *n* Grundlage *f*; **~lov** Grundgesetz *n*; **~lovsdag** *dän.* Verfassungstag *m* (*5. Juni*); **~lægge** gründen; **~vand** *n* Grundwasser *n*
gruppe (*-r*) Gruppe *f*; **~billede** *n* Gruppenaufnahme *f*; **~formand** Fraktionsvorsitzende *m*/*f*
gru,s *n* Kies *m*; **~e** streuen *gegen Glätte*; **~gang'** ['gʀus-] Kiesweg *m*; **~gra,v** Kiesgrube *f*
grusom, grausam
gryde ['gʀy:ðə] (*-r*) (Koch-) Topf *m*; **~ret** Eintopf *m*; **~ske** Kochlöffel *m*; **~stege** [-sdɑjə] schmoren
gry,n [-y-] *n*/*pl* (=) Graupen; Flocken *pl*; Grieß *m*
grynte [-œ-] grunzen
græde ['gʀɑ:ðə] weinen; **~fær,dig** dem Weinen nahe
Grækenland [gʀa?gən-] *n* Griechenland *n*
græker ['gʀa?gɔ] (*-e*) Grieche *m*, Griechin *f*
grænse grenzen (***til, op til*** an); *su* (*-r*) Grenze *f*; **~lø,s** grenzenlos; **~overgang,** Grenzübergang *m*; **~vagt** Grenzposten *m*

græs *n* Gras *n*; **~enke(man,d)** Strohwitwe(r) *m/f*; **~gang**, Weide *f*; **~hoppe** Heuschrecke *f*
græsk [grɑsg] griechisch
græs|kar *n* (=) Kürbis *m*; **~plæne** (*-r*) Rasen *m*; **~se** grasen, weiden; **~slåmaskine** Rasenmäher *m*; **~strå**, *n* Grashalm *m*
grævling ['graŭleŋ] Dachs *m*
grø,d [-œ-] Brei *m*, Grütze *f*
grøft [-œ-] Graben *m*
grøn [gʀɔ̃nˀ] grün; **~ *bølge*** grüne Welle *f*; **~kå,l** ['gʀɔ̃n-] Grünkohl *m*; **~lig** grünlich
'grønt|handler Gemüsehändler(in) *m(f)*; **~sager** *pl* Gemüse *n*
grøn'ærter [gʀɔ̃n'ɑʀdɔ] *pl* grüne Erbsen *pl*
grå, grau
gråd [gʀåˀð] Weinen *n*
grådig ['gʀå:ði] gierig, gefräßig
gråne ['gʀå:nə] ergrauen
grå|sprængt grau meliert; **~spur,v** Spatz *m*; **~vejr** trübes Wetter
g-streng, **~strusser** *pl* Stringtanga *m*
gu: **~ *vil jeg ej!*** zum Teufel nein!
Gud [guð] Gott *m*; **~ *ske lov!*** Gott sei Dank!
gud|ba,rn *n* Patenkind *n*; **~'domm,elig** göttlich; **~far** Pate *m*; **~'inde** (*-r*) Göttin *f*; **~mor** Patin *f*; **~stjeneste** Gottesdienst *m* (***gå til*** besuchen)
guf [gåf] Süßigkeiten *pl*; *farbige Eiweiß-Zucker-Masse*; ***det er ~!*** F ist das lecker!
guitar ['gi-] Gitarre *f*
gu,l gelb
guld [gul] *n* Gold *n*; **~bryllup** *n* goldene Hochzeit *f*; **~smed** Goldschmied *m*; Libelle *f*; **~øl** *Starkbier (über 5 % Alkohol)*
gulero,d (*-rødder*) Möhre *f*
gulne ['gulnə] vergilben
gulv [gål] *n* (*-e*) ['-və] Fußboden *m*; **~klud** Scheuerlappen *m*; **~skrubbe** [-sgråbə] (*-r*) Schrubber *m*; **~tæppe** *n* Teppich *m*
gummi|bå,d Schlauchboot *n*; **~knippel** Gummiknüppel *m*; **~støvle** Gummistiefel *m*; **~så,l** Gummisohle *f*
gunstig günstig
gurgle ['guʀlə] gurgeln
gusten fahl, blass
gyde ['gy:ðə] (*-r*) Gasse *f*
gyl,den ['gy-] Gulden *m*; *adj* golden
gyldig ['gy-] gültig; **~he,d** Gültigkeit *f*
gyl,p [gy-] Hosenschlitz *m*
gymnasieelev Gymnasiast(in) *m(f)*
gym'nast [gy-] Turner(in) *m(f)*; **~ik** [-na'sdig] Gymnastik *f*, Turnen *n*; ***gøre*~** turnen; **~iksa,l** Turnhalle *f*
gynge ['gøŋə] schaukeln; *su* (*-r*) Schaukel *f*; **~hest** Schaukelpferd *n*

gy,s *n* (=) Schau(d)er *m*; **~e** ['gyːsə] schaudern; **~er** (*-e*) Horrorfilm *m*, Horrorgeschichte *f*
gækkebrev *n geschmückter Brief, den man zu Ostern bekommt, und dessen Absender man raten soll*
gæld [gɛlˀ] Schulden *pl*
gælde ['gɛlə] gelten
'gæl,dsbevi,s *n* Schuldschein *m*
'gælle (*-r*) Kieme *f*
gængs [gɛŋˀs] üblich
gæ,r Hefe *f*; **~de** *n* kleiner Wall; **~dej,** ['gaʀ-] Hefeteig *m*
gær|e ['gaːɔ] gären; **~ing** Gärung *f*
gæ,rkage Hefekuchen *m*
gæs Gänse (*pl* → **gås**)
gæst Gast *m*; **~espil** *n* Gastspiel *n*; **~eværelse** *n* Gästezimmer *n*; **~fri,** gastlich, gastfrei
gætte raten; **~ri,** *n* Rätselraten *n*, Mutmaßungen *pl*

gø [gøˀ] bellen
gød|e ['gøːðə] düngen; **~ning** Dünger *m*
gø,en [-ø-] Gebell *n*
gøg [gøˀ] (*-e*) Kuckuck *m*
gøgl [gɔjˀl] *n* Rummel; *fig* Zirkus *m*; **~er** ['gɔjlɔ] (*-e*) Gaukler *m*
gøre ['gɔ̈ːɔ] machen, tun
gå [gåˀ] gehen, laufen; vergehen; **~ *af,*** abgehen; abdanken; **~ *ud fra*** ausgehen von
gåben ['gåˀbeˀn]: ***på ~*** F zu Fuß
gåde ['gåːðə] (*-r*) Rätsel *n*; **~ful,d** rätselhaft
gå'på,mod, Draufgängertum *n*; Initiative *f*
går [gɔˀ]: ***i ~*** gestern
gå,rd (*-e*) Hof *m*; **~man,d** ['gɔː-] Hofbesitzer(in) *m(f)*
gås [gåˀs] (*gæs*) Gans *f*; **~egang,** ['gåːsə-] Gänsemarsch *m*; **~ehu,d** Gänsehaut *f*; **~eøjne** *pl* Gänsefüßchen *pl*

H

H, h [håˀ] *n*: ***et stort ~*** ein großes H
HA *etwa* BWL
ha'bit [ha-] (*-ter*) Anzug *m*
had [hað] *n* Hass *m*; **~e** ['haːðə] hassen
Haderslev ['haˀðɔsleŭ] Hadersleben
HA'er *jemand, der* → **HA** *studiert* (*hat*); *etwa* BWLer(in) *m(f)*
hage ['haːə] (*-r*) Kinn *n*; (*Problem*) Haken *m*; **~kors** *n* Hakenkreuz *n*
hagesmæk (*-ke*) Lätzchen *n*
hagl [haŭˀl] *n* (=) Hagel *m*; *Jagd* Schrot *n*; **~byge** ['haŭl-] Hagelschauer *m*;

~gevær Schrotflinte *f*
haj [hɑj?] Haifisch *m*; **~tænder** *pl Kfz* (*gezähnter*) Vorfahrt-Achten-Balken *m*
hak *n* (=) Kerbe, Scharte *f*; **~ke** hacken; *Gastr* durchdrehen; **~kebøf** deutsches Beefsteak *n*; **~kekød** *n* Hackfleisch *n*
hal [hal?] (*-ler*) Halle *f*
hale ['ha:lə] (*-r*) Schwanz *m*; **~tudse** [-tusə] Kaulquappe *f*
halfback (*-s*) Mittelfeldspieler *m*
ha'lløj *n* Rummel *m*; **~!** he!; hallo!
hal,m [ha-] Halm *m*; **~strå** *n* Strohhalm *m*
hals [ha?ls] (*-e*) Hals *m*; **~betæn,delse** [hals-] Halsentzündung *f*; **~bran,d** Sodbrennen *n*; **~bån,d** *n* Halsband *n*; **~kæde** Halskette *f*; **~tørklæde** *n* Halstuch *n*, Schal *m*
halte ['haldə] hinken
halv [hal?] halb; **~'anden** [hal-] anderthalb; **~da,gs** halbtägig; **~de,l** Hälfte *f*; **~ere** [hal've?ɔ] halbieren; **~'fem,s** neunzig; **~'fjerds** [-fjaʀs] siebzig; **~gammel** ältlich; **~kugle** Halbkugel *f*; **~leg** Halbzeit *f*; **~måne** Halbmond *m*; **~pension** Halbpension *f*; **~t** [hal?d] halb; zur Hälfte
halv|tid halbtags; ***være på ~***, ***arbejde ~s*** halbtags arbeiten; **~'treds** fünfzig; **~'tredsøre** *dän. 50-Öre-Münze*
halv|vej,en: ***på ~*** auf halbem Weg; **~ø,** Halbinsel *f*; **~å,r** *n* Halbjahr *n*
ham[1] [hɑm?]: ***skifte ~*** sich häuten
ham[2] [hɑm] ihm; ihn; seiner; ***~ dér!*** der da!
hamburgerryg ['hɑmbɔ?ʀœg] *etwa* Kasseler (Rippenspeer) *m*
hammer (*-re*) Hammer *m*
ham,p Hanf *m*
hamre hämmern
hamstre hamstern
han[1] [han] (*-ner*) Männchen *n*
han[2] er
han,del ['ha-] Handel *m*; **~saftale** Handelsabkommen *n*; **~shøjskole** Wirtschaftshochschule *f*; **~sskole** Handelsschule *f*
handicap *n Med* Behinderung *f*; Handicap *n*; **~pet** *Med* behindert
handle ['ha-] handeln; einkaufen; **~nde** Händler(in) *m*(*f*)
handling ['ha-] Handlung, Tat *f*
handske ['ha-] (*-r*) Handschuh *m*; **~rum** *n* Handschuhfach *n*
handy ['ha:ndi] handlich
hane ['ha:nə] (*-r*) Hahn *m* (*a Gerät*)
hang[1] [hɑŋ?] Neigung *f* (***til*** zu)
hang[2] [hɑŋ?] hing *etc* (*imperf* → ***hænge***)

hangarski,b ['haŋgaʔ-] *n* Flugzeugträger *m*
hank [haŋʔg] (*-e*) Henkel *m*
han|kat *Zo* Kater *m*; **~køn**, *Gr* männliches Geschlecht
hans [ha-] sein(e)
harddisk Festplatte *f*
hare ['hɑːɑ] (*-r*) Hase *m*; **~skå,r** *n* Hasenscharte *f*
harm|e Entrüstung *f*; **~lø,s** harmlos
harpe (*-r*) Harfe *f*
harpiks *n* Harz *n*
harsk ranzig
hasar'de,ret [ha-] gewagt
hasselnød, ['ha-] Haselnuss *f*
hast [ha-] Eile *f*
'haste (sich be)eilen; **~r!** *Brief* eilt!
hastighe,d Geschwindigkeit *f*; **~sbegræn,sning** Geschwindigkeitsbegrenzung *f*
hat [had] (*-te*) Hut *m*; ***høj~*** Zylinder *m*
hav [haŭ] *n* (*-e*) Meer *n*; See *f*
hawaiiskjorte Hawaiihemd *n*
havbun,d Meeresgrund *m*
havde hatte *etc* (*imperf* → ***have***)
have¹ [haʔ] haben; ***hvordan ha,r han det?*** wie geht es ihm?
have² ['haːvə] (*-t*) Garten *m*; **~låge** [-låːŭə] Gartentür *f*; **~redska,b** ['-ʀað-] *n* Gartengerät *n*; **~slange** Gartenschlauch *m*
hav|frue ['haŭ-] Meerjungfrau *f*; **~luft** Seeluft *f*
havn [haŭʔn] (*-e*) Hafen *m*; **~e** ['haŭnə] landen; **~evæ,sen** *n* Hafenamt *n*
havoverflade Meeresspiegel *m*
havre ['haŭʀɔ] Hafer *m*; **~gry,n** *pl* Haferflocken *pl*; **~grød** [-grøʔð] Haferbrei *m*
havsnø,d ['haŭs-] Seenot *f*
havørn Seeadler *m*
heade [hɛdə] *Fußball* köpfen
he'bra,isk Hebräisch; ***det er~ for mig*** *etwa* F ich verstehe nur Bahnhof
hed¹ [heʔð] heiß
hed² [heʔð] hieß *etc* (*imperf* → ***hedde***)
hedde ['heːðə] heißen
hede¹ ['heːðə] (*-r*) Heide *f*
hede² ['heːðə] Hitze *f*; **~bølge** Hitzewelle *f*; **~sla,g** *n* Hitzschlag *m*
hedning ['heð-] Heide *m*
hedvi,n ['heð-] Likörwein *m*, *etwa Sherry*
hegn [hajʔn] *n* (=) Zaun *m*
hej: ***~!*** [haj] hallo!, grüß dich!; ***~ ~!*** tschüs!, ciao!
hejsa ['hajsa]: ***~!*** hallo!, grüß dich!
hejse ['haj-] hissen; winden
heks (*-e*) Hexe *f*; **~eskud** *n* Hexenschuss *m*
hel [heʔl] ganz; voll
helaftensfilm abendfüllender Film *m*
helbred ['hɛlbʀað] *n* Gesundheit *f*; **~e** [-bʀaʔðə] heilen; **~elig** [-'bʀaʔðəli] heilbar; **-'~else** [-bʀaʔðəlsə] Heilung, Genesung *f*

held [hɛl?] *n* Glück *n*; Erfolg *m*; **~ig** ['hɛldi] glücklich; günstig; **~igvi's** glücklicherweise

hele[1] ['he:lə]: ***det ~*** alles; ***et ~*** ein Ganzes

hele[2] heilen

helgen ['hɛljən] Heilige(r) *m/f*

helhe,d ['he:l-] Ganzheit, Gesamtheit *f*; **~sindtryk** *n* Gesamteindruck *m*

helle (*-r*) Verkehrsinsel *f*

hell,er: ***~ ikke*** auch nicht

hellere lieber

hellig heilig; **~da,g** Feiertag *m*; **~tre'konger** Dreikönigstag *m*

Helligån,den der Heilige Geist

helpensio,n ['hel-] Vollpension *f*

helse|butik Reformhaus *n*; Bioladen *m*; **~kost** Reform-, Biokost *f*

helsilke reine Seide *f*

hel,st [hɛlsd] am liebsten; ***nå,r som ~*** zu jeder Zeit

hel,t (*-e*) Held *m*, Heldin *f*

helul,d ['he:l-] reine Wolle *f*

helvede ['hɛlvəðə] *n* Hölle *f*; **~s** Höllen-

helårshus *n das ganze Jahr bewohnbares Haus*

hemmelig heimlich; **~he,d** Geheimnis *n*; **~hedsful,d** geheimnisvoll; **~hol,de** verheimlichen

hems [hɛ?ms] Hochbett *n*

hen [hɛn?] her; hin; ***~ ad gaden*** die Straße entlang; **~ad** ['hɛnað] gegen

henblik: ***med ~ på*** im Hinblick auf

hende ['hɛnə] sie; ihr; ihrer; ***~ dér!*** die da!

hengi,ven ergeben; anhänglich; **~he,d** Zuneigung *f*

'henhol,d: ***i ~ til*** in Bezug auf; **'~svi,s** beziehungsweise

'hen,|imo,d gegen, an; **'~kogt** eingemacht

henne hin; ***~ bag*** hinter; ***~ ved*** an; bei

'hen|rejse Hinreise *f*; **~rette** hinrichten; **~rettelse** (*-r*) Hinrichtung *f*; **~'ri,vende** reizend; **~rykt** [-Rœgd] entzückt (***over*** von); **~'se,ende** (*-r*) Hinsicht *f*; **~sigt** Absicht *f*; Zweck *m*; **~sigtsmæssig** zweckmäßig; **~sy,n** *n* Rücksicht *f*

'hensyns|fald *Gr* Dativ *m*; **~ful,d** rücksichtsvoll; **~led** *n* indirektes Objekt; Dativobjekt *n*; **~lø,s** rücksichtslos

hente holen

'hen|tyde anspielen (***til*** auf); **~ty,dning** Anspielung *f*; ***~vende sig til*** sich wenden an; **~v(en,delse** (*-r*) Hinwendung *f*; Kontakt *m*

'henvi,se hinweisen (***til*** auf)

'henvi,sning Hinweis; Verweis *m*

heppe *Sport* anfeuern

her [he?R] hier; **~a,f** hieraus, hiervon; **~efter** hiernach, künftig; **~fra,** von hier;

~hen, hierher; **~henne** hier; **~iblan,dt** hierunter; **~imo,d** dagegen
herlig herrlich
her|med ['hɛˀʀ-] hiermit; anbei; **~ned** herunter
herre (*-r*) Herr *m*; **~dømme** [-dœmə] *n* (*-r*) Herrschaft; Gewalt *f*; **~gård** Landsitz *m*; Gut; Schloss *n*
herska,b *n* Herrschaft *f*; **~elig** [-'sgaˀbəli] herrschaftlich; **~slejlighed** *elegante Wohnung in Altbau*
herske herrschen
her|til ['heˀʀ-] bis hierher; hierzu; **~ud,ov,er** darüber hinaus; **~ved** hierbei, hierdurch
hest (*-e*) Pferd *n*; **~ehale** Pferdeschwanz *m* (*Frisur*); **~ekræfter** *pl* Pferdestärke *f*; **~epærer** *pl* Pferdeäpfel *pl*; **~esko** Hufeisen *n*; **~evogn** Pferdewagen *m*; **~evæddeløb** *n* Pferderennen *n*
hev zog *etc*, zerrte *etc* (*imperf* → ***hive***)
hf ['hɔˀ'ɛf] (*højere forberedelseseksamen*) *etwa* Abitur *n* auf dem zweiten Bildungsweg; ***tage en*** *od* ***læse~*** das hf besuchen; **~'er** hf-Schüler(in) *m*(*f*)
hh (*højere handelseksamen*) Handelsschulabitur *n*
hhv (*henholdsvis*) bzw. (*beziehungsweise*)
hi, *n Zo* Winterlager *n*
hids|e [hi-]: ***~e sig op*** sich erregen; **~ig** jähzornig; **~ighed** Jähzorn *m*
hidtidig ['hiðˀtiːði] bisherig-
hidtil ['hiðˀ-] bisher
hikke Schluckauf haben; *su* Schluckauf *m*
hilse ['hi-] grüßen; ***hils din kone!*** grüß mir deine Frau!
hilsen Gruß *m*; ***kærlig~*** liebe Grüße; ***med venlig ~*** mit freundlichen Grüßen
himmel|fartsda,g Himmelfahrtstag *m*; **~legeme** *n* Himmelskörper *m*; **~sk** himmlisch
himstregims Dingsbums *n*
hin'anden [hi-] einander
hindbær *n* (=) Himbeere *f*
hinde (*-r*) Haut *f*, Häutchen *n*
hindr|e (ver)hindern; **~ing** Hindernis *n*
hingst [heŋˀsd] (*-e*) Hengst *m*
hinke hinken, lahmen; **~rude** Haus *n im Himmel- und Höllespiel*; **~sten** Hüpfstein *m*; *pl* F dicke Brille
hinsides jenseits
hipo *Mitglied der 1944 von der dt. Besatzung eingerichteten dän. Hilfspolizei*
hist [hisd]: ***~ og her*** hier und dort
hi'sto,rie (*-r*) Geschichte *f*
hit: ***~ med den*** *od* ***det!*** her damit!
hitte|bar,n ['hi-] *n* Findelkind *n*; **~gods** *n* Fundsachen *pl*; **~godskonto,r** *n* Fundbüro *n*
hive ziehen, zerren (*i* an)
hjalp half *etc* (*imperf* → ***hjæl-***

pe)

hjel,m (*-e*) Helm *m*

hjem, *n* (=) Heim, Haus *n*; *adv* nach Hause; **~ad** [-að] heimwärts; **~kom,st** ['jɛm-] Heimkehr *f*; **~kundskab** Hauswirtschaftslehre *f*; **~lig** heimisch; **~lø,s** obdachlos

hjem,me zu Hause; **~arbejde** *n* Heimarbeit *f*; **~bag** [-baˀ] *n* Selbstgebackenes; **~banekamp** Heimspiel *n*; **~fra**, von zu Hause; **~gående** nicht berufstätig; **~hjælp** Pflegedienst *m*; **~lavet** selbst gemacht; **~side** Homepage *f*; **~sko** *pl* Hausschuhe *pl*

hjem,me|styre *n* Selbstverwaltung *f Grönlands und der Färöer*; **~tysker** *Deutscher, der in* → ***Sønderjylland*** *wohnt*

hjem,mevideo (Amateur-) Heimvideo *n*

Hjem,meværnet *Freiwilligen-Heer für den dän. Heimatschutz*

hjem|rejse Heimfahrt *f*; **~stavn** [-sdɑŭˀn] Heimat *f*; **~tur** Heimfahrt *f*; **~ve**, Heimweh *n*; **~vej**, Heimweg *m*

hjerne (*-r*) Gehirn *n*; **~blødning** Gehirnblutung *f*; **~død** gehirntot; F schwachsinnig; **~rystelse** (*-r*) Gehirnerschütterung *f*

hjerte *n* (*-r*) Herz *n*; **~banken** Herzklopfen *n*; **~fejl** Herzfehler *m*; **~'kar-sygdom** Herz-Kreizlauf-Erkrankung *f*; **~lig** herzlich; **~lø,s** herzlos; **~r** *sg Karte* Herz; **~skæ,rende** herzzerreißend; **~tilfælde** *n* Herzanfall *m*

hjort (*-e*) Hirsch *m*

hjul [juˀl] *n* (=) Rad *n*; **~be,net** ['juːl-] O-beinig; **~kapsel** Radkappe *f*

hjulpet ['jålbəð] geholfen (*p/p* → ***hjælpe***)

hjulspor *n* Wagenspur *m*

hjæl,p Hilfe *f*; **~e** ['jɛlbə] helfen; **~emidd,el** *n* Hilfsmittel *n*; **~er** (*-e*) Helfer(in) *m*(*f*); Gehilfe *m*, Gehilfin *f*; **~eudsagnsord**, **~everbum** *n* Hilfszeitwort, Hilfsverb *n*; **~som**, hilfsbereit

hjørne ['jœːʀnə] *n* (*-r*) Ecke *f*; **~spark** *n* Eckstoß *m*; **~tand** Eckzahn *m*

hk (*hestekræfter*) PS (*Pferdestärken*)

HK *dän. Gewerkschaft für Handel und Büro*

hk'er *bei* → ***HK*** *organisierte Person*

H.K.H. (*Hendes od Hans Kongelige Højhed*) Ihre *od* Seine Königliche Hoheit, *Titel für Prinzen und Prinzessinnen*

H.M. (*Hendes/Hans Majestæt*) Ihre *od* Seine Majestät, *Titel für den Regenten*

hof [hɔf] *n* (*-fer*) Hof *m*; **~chef** *etwa* Hofmarschall *m*; **~leverandør** Hoflieferant *m*

hofte (*-r*) Hüfte *f*; **~holder** (*-e*) Hüfthalter *m*

hold [hɔlˀ] *n* (=) Halt *m*; Abteilung *f*; *Sport* Mannschaft *f*; **~ba͵r** ['hɔl-] haltbar; **~barhedsdato** Haltbarkeitsdatum *n*
holde halten; **~ *ud*** aushalten
holde|plads Haltestelle *f*; (Taxi-)Stand *m*; **~pun͵kt** *n* Anhaltspunkt *m*
hold'kæft-bolsje *n* F *sehr großes Bonbon*
holdning Haltung *f*; Verhalten *n*
hol͵dt: **~!** halt!; ***gøre* ~** Halt machen
hollan͵dsk [-a-] holländisch, Holländisch
honning Honig *m*
hop *n* (=) Sprung *m*
hoppe¹ hüpfen
hoppe² (*-r*) Stute *f*
horisont [hɔʀi'sɔnˀd] Horizont *m*
horn [hoʀn] *n* (=) Horn *n*; Hupe *f*; **~fisk** Hornhecht *m*; **~hinde** [-henə] Hornhaut *f des Auges*
hos [hås] bei; an
hospice ['hɔspis] *n* (Sterbe-)Hospiz *n*
hospi'ta͵l [hå-] *n* Krankenhaus *n*
hoste ['hoːsdə] husten; *su* Husten *m*
ho'telværelse *n* Hotelzimmer *n*
housewarming *n* Einweihungsparty *f*
hov¹ [hɔŭˀ] (*-e*) Huf *m*
hov² [håŭ]: **~!** huch!
hoved ['hoːəð] *n* Kopf *m*; **~banegå͵rd** Hauptbahnhof *m*; **~dø͵r** Haustür *f*; **~eftersy͵n** *n* Generalüberholung *f*; **~gade** Hauptstraße *f*; **~indgang͵** Haupteingang *m*; **~kort** *n* Lohnsteuerkarte *beim Hauptarbeitgeber*; **~nøgle** Hauptschlüssel *m*; **~pine** [-piːnə] Kopfschmerzen *pl*; **~pude** Kopfkissen *n*; **~rengø͵ring** Großreinemachen *n*; **~'sa͵gelig** hauptsächlich; **~spring͵** *n* Kopfsprung *m* (***springe*** machen); **~stad** [-sdað] (*-stæder*) Hauptstadt *f*; **~sætning** Hauptsatz *m*; **~telefo͵n** Kopfhörer *m*; **~vej͵** Hauptverkehrsstraße *f*
hoven ['hɔŭən] eingebildet
ho've͵re [ho-] *neg!* triumphieren
hov'mo͵dig [hɔŭ-] hochmütig
hovsa: **~!** hoppla!; huch!
hr. (*herre*) Hr. (*Herr*)
htx *etwa technische Gymnasialausbildung*
hud [huˀð] Haut *f*; ***hård* ~** Hornhaut *f*, Schwielen *pl*; **~afskra͵bning** Hautabschürfung *f*; **~lø͵s** wund; **~o͵rm** *Med* Mitesser *m*
hue ['huːə] (*-r*) (warme) Mütze *f*
hug¹ [håg] *n* (=) Hieb *m*
hug² [hug]: ***sidde på* ~** hocken, sich kauern
hugge hauen; hacken; klauen
hugo͵rm (Kreuz)Otter *f*

hu'komm,else (-*r*) Gedächtnis *n*; **~sta,b** *n* Gedächtnisschwund *m*
hul [hu?l] hohl; *su* [hål] *n* (-*ler*) Loch *n*; Lücke *f*
hule ['hu:lə] (-*r*) Höhle *f*
hulke ['hu-] schluchzen
hulle lochen; **~maskine** Locher *m*
hulning ['hu:l-] Vertiefung *f*
hulrum ['hu:lråm?] *n* Hohlraum *m*
'hul,ter: **~ *til bul,ter*** durcheinander
humani'ora Geisteswissenschaften *pl*
humle Hopfen *m*; **~bi,** Hummel *f*
'humor Humor *m*
humpe hinken; humpeln
hu'mø,r *n* Laune *f*
hun[1] [hun] (-*ner*) Weibchen *n*
hun[2] [hun] sie; die
hund [hun?] (-*e*) Hund *m*; ***røde ~e*** Röteln *pl*; **~egalska,b** *n* Tollwut *f*; **~ehvalp** [-val?b] (-*e*) Welpe *m*; **~ekiks** Hundekuchen *m*; **~etegn** *n* Hundemarke *f*; **~eve,jr** *n* Hundewetter *n*
hundrede ['hu-] hundert; *su n* (-*r*) Hundert *n*; **~kronenseddel** Hundertkronenschein *m*; **~vi,s**: ***i ~*** zu Hunderten
hung,ersnø,d Hungersnot *f*
'hun|hun,d Hündin *f*; **~køn** *n Gr* weibliches Geschlecht *n*; **~stik** *n* (Leitungs)Buchse *f*
hurtig schnell; **~båd** *schnell fahrendes Flug- od Tragflächenboot*; **~tog** *n* Schnellzug *m*
hu,s *n* (-*e*) Haus *n*; **'~behov**: ***til ~*** für den Hausgebrauch; **~blas** Gelatine *f*; **~dy,r** *n* Haustier *n*
huse ['hu:sə] beherbergen
hus|ejer ['hus-] Hausbesitzer *m*; **~hol,dning** Haushalt *m*
huske ['hu-] sich erinnern; **~seddel** Notizzettel *m*; **~spil** *n* Memory® *n*
hus|leje ['hus-] (-*r*) Miete *f*; **~lig** häuslich; **~ly,** *n* Unterkunft *f*; **~mandssted** *n* bäuerlicher Kleinbetrieb *m*; **~mor** Hausfrau *f*
hustru ['hu-] Ehefrau *f*
hvad [vað] was; wie; welcher; **~ *behager?*** [vɑbe'hɑ?] wie bitte?
hval [va?l] Wal *m*
hvede ['ve:ðə] Weizen *m*; **~brødsdage** *pl* Flitterwochen *pl*; **~øl** *n* Weißbier; Hefeweizen *n*
hvem [vɛm?] wer; welcher; **~ *som helst*** jeder
hveps (-*e*) Wespe *f*; **~ebo** *n*, **~erede** Wespennest *n*
hver [va?ʀ] jeder; **'~da,g** Alltag *m*; **~dags-**, **~dagsagtig** alltäglich
hverken: **~ ... *ell,er*** weder … noch
hvid [við?] weiß
hvide ['vi:ðə] (-*r*) Eiweiß *n*; **~varer** *pl*: ***hårde ~*** Haushaltsgroßgeräte *pl*
hvidløg, ['við-] Knoblauch *m*

hvidt|e ['vi-] tünchen, weißen; **~øl** *n etwa* Light-Bier *n*
hvidvi,n Weißwein *m*
hvi,l *n* (=) Rast, Pause *f*; **~e** ['viːlə] ruhen; *su* Ruhe, Rast *f*; **~ested** *n* Ruhestätte *f*
hvilken ['vel-] welcher; was
hvine ['viːnə] kreischen
hvir,v|el ['vi-] *(-ler)* Wirbel; Strudel *m*; **~le** ['viʀŭlə] wirbeln
hvis [ves] wenn, falls; wessen, dessen
hviske flüstern
hvisle ['vi-] zischen
hvor [vɔˀ] wo; [vɔ] wie; **~ meget?** wie viel?; **~af** ['vɔˀ'aˀ] woraus; wovon; **~'dan** wie; **~efter** wonach; **~for** warum, weshalb; **~imo,d** wogegen; während; **~'nå,r** wann; **~på,** worauf; **~ved** wobei; wodurch; **~'vidt** inwiefern, ob
hvælving Wölbung *f*, Gewölbe *n*
hvæse ['vɛːsə] zischen; *Zo* fauchen
hy,ben [-y-] *n* (=) Hagebutte *f*
hybridnet *n etwa* Kabelnetz *n*; ***have*** **~** *etwa* Kabelanschluss *m* haben
hygge [-y-] *etwa* Gemütlichkeit *f*; *v/t* **~** **(*sig*)** es gemütlich haben; F Sex haben; **~lig** gemütlich
hygiejnebin,d [-'ɑjnə-] *n* Damenbinde *f*
hykle [-y-] heucheln; **~'ri,** *n* Heuchelei *f*
hyl Schrei *m*; Geheul *n*
hyl,d [-y-] (=) Holunder; Flieder *m*
hylde [-y-] *(-r)* Bord, Regal (-brett) *n*
hyldeblomstsaft Holunderblütensaft *m*
hyl,dest [-y-] Huldigung *f*
hyle ['hyːlə] heulen
hyl,ster [-y-] *n (-stre)* Hülle *f*
hynde ['hønə] *(-r)* Polster, Kissen *n*
hyppig [-y-] häufig
hyrevog,n ['hyːɔ-] Taxi *n*
hytte [-y-] *(-r)* Hütte *f*; **~ost** Hüttenkäse *m*
hæder ['hɛˀðɔ] Ruhm *m*, Ehre *f*; **~lig** ehrlich; nicht schlecht
hædre ['hɛðʀɔ] ehren
hæfte heften; *su n (-r)* Heft *n*; Haft *f*; **~plaster** *n* Heftpflaster *n*
hæk *(-ke)* Hecke *f*; **~kelø,b** *n* Hürdenlauf *m*; **~kesaks** Heckenschere *f*
hækle häkeln; **~nål** Häkelnadel *f*
hæ,l *(-e)* Ferse *f*, Hacken *m*; (Schuh)Absatz *m*
hæld|e sich neigen; gießen; **~ning** *Fläche* Neigung *f*
hæler ['hɛːlɔ] *(-e)* Hehler *m*; **~i** [-'ʀiˀ] *n* Hehlerei *f*
hæm|me hemmen; **~met** gehemmt; **~ning** Hemmung *f*
hændelse *(-r)* Ereignis *n*
hænder Hände (*pl* → ***hånd***)
hænge hängen (***på*** an); **~køje** Hängematte *f*; **~lå,s** Vorhängeschloss *n*

hæng|sel *n* (*-sler*) Scharnier *n*
hæ|r (*-e*) Heer *n*
hærde (ab)härten
hærge ['haʀüə] verwüsten
hærværk ['haʀ-] *n* Sachbeschädigung *f*
hæ|s heiser; **~he|d** Heiserkeit *f*
hæslig hässlich
hætte (*-r*) Kapuze; Kappe *f*
hævde ['hɛüdə] behaupten
hæve ['hɛːvə] (er)heben; *Geld* abheben; *Med* (an-)schwellen; **~kort** *n* Bankkarte *f*; **~lse** Schwellung *f*
hævn [hɛüˀn] Rache *f*; **~e** ['hɛünə] rächen
hø [høˀ] *n* Heu *n*; **~fe|ber** ['hø-] Heuschnupfen *m*
høflig [høf-] höflich; **~hed** Höflichkeit *f*
hø|g (*-e*) Habicht *m*
høj [hɔjˀ] (*-e*) Hügel *m*; *adj* hoch; laut; groß
højde ['hɔjˀdə] (*-r*) Höhe *f*; **~dra|g** *n* Höhenzug *m*; **~pun|kt** *n* Höhepunkt *m*; **~spring|** *n* Hochsprung *m*
'**højesteret** das oberste Gericht
høj|gravid ['hɔj-] hochschwanger; **~halset** *Tex* hochgeschlossen; **~hæ|lede: ~ sko** *pl* Stöckelschuhe *pl*; **~kant: på ~** hochkant
højre ['hɔjʀɔ] recht-; ***til ~*** (nach) rechts; **~drejning** Rechtsabbiegung *f*; *Pol* Rechtsruck *m*; **~fløjen** die Rechte; **~hånd|et** rechtshändig; **~sving|** *n* Rechtskurve *f*
høj|røstet ['hɔj-] laut; **~skole** *etwa* Volkshochschule *f*; **≗skolesangbogen** *dän. National-Liederbuch*; **~spænding** Hochspannung *f*; **~sæson** Hochsaison *f*
høj|st höchst, äußerst; höchstens
høj|taler ['hɔj-] (*-e*) Lautsprecher *m*; **~ti|d** Fest *n*; **~'ti|delig** feierlich; **~tryk** *n* Hochdruck *m*; **~vande** *n* Hochwasser *n*
høkerbajer F *Bier, das nicht in einer Kneipe gekauft wurde*
høne ['hœːnə] (*-r*) Huhn *n*, Henne *f*
høns [hœnˀs] *pl* Hühner *pl*; **~ehu|s** ['hœnsə-] *n* Hühnerstall *m*; **~ekødsuppe** Hühnersuppe *f*
hør [høʀ] Flachs *m*
høre ['høːɔ] hören; ***~ efter*** zuhören, hinhören; ***~ på*** anhören, zuhören; **~hæmmet** hörbehindert; **~lse**, **~sans** Gehör *n*; **~vidde** [-viˀdəl] Hörweite *f*
høst [hø-] Ernte *f*
høstak ['hø-] (*-ke*) Heuschober *m*; F Strubbelkopf *m*
høste ['hø-] ernten
høty|v ['hø-] Heugabel *f*
høvding ['hœüdeŋ] (*-e*) Häuptling *m*
høvl [hœüˀl] (*-e*) Hobel *m*; **~e** ['hœülə] hobeln
håb [håˀb] *n* Hoffnung *f* (**om**

auf); **~e** ['hå:bə] hoffen (***på, at*** darauf, dass); **~eful,d** hoffnungsvoll; **~lø,s** hoffnungslos
hån [hå?n] Hohn *m*
hån,d [hɔ-] (*hænder*) Hand *f*; **~arbej,de** ['hɔn-] *n* Handarbeit *f*; **~bagage** Handgepäck *n*; **~bajer** F Flaschenbier *n*; **~bo,g** Handbuch *n*
hånd|fast handfest; **~flade** Handfläche *f*; **~'gri,belig** handgreiflich; greifbar; **~hæ,ve** handhaben; **~jer,n** *pl* Handschellen *pl*; **~klæde** *n* Handtuch *n*; **~led** *n* Handgelenk *n*; **~mad** belegtes Brot *n*; **~skrift** Handschrift *f*; **~sving,** *n Tech* Kurbel *f*; **~sæbe** Toilettenseife *f*; **~tag** [-ta?] *n* (=) Handgriff, Henkel *m*
hånd'te,re handhaben, hantieren
hånd|tryk *n* Händedruck *m*; **~vask** [-va-] (*-e*) Waschbecken *n*; **~værk** *n* Handwerk *n*; **~værker** (*-e*) Handwerker *m*
hån|e ['hå:nə] (ver)höhnen; **~lig** höhnisch
hår [hɔ?] *n* (=) Haar *n*; **~børste** ['hɔ:-] Haarbürste *f*
hård [hɔ?] hart; schwer; streng
hård|fø,r [hɔ:-] abgehärtet; **~he,d** Härte *f*; **~hændet** grob; **~kogt** hart gekocht; *fig* hartgesotten
håret ['hɔ:əð] haarig
hår|fi,n ['hɔ:-] haarscharf; **~fjerningsmidd,el** *n* Enthaarungsmittel *n*; **~klemme** (*-r*) Haarklemme *f*; **~nålesving,** *n* Haarnadelkurve *f*; **~rej,sende** haarsträubend; **~tab** [-ta?b] *n* Haarausfall *m*; **~top** Schopf *m*; **~tørrer** (*-e*) Haartrockner *m*; **~vækst** Haarwuchs *m*

I

I[1], i [i?] *n*: ***et stort*~** ein großes I
I[2] [i] *pers pron* ihr
i [i] in; an; zu; **~ *aften*** heute Abend; **~ (*går*) *aftes*** gestern Abend; **~, *og for sig*** im Grunde, eigentlich; **~ *og med at*** weil; wenn
i'agtta,ge beobachten; **~r** Beobachter(in) *m(f)* (***af*** von)
i'al,t insgesamt
ibenholt *n* Eibenholz *n*
iberegnet ['ibeʀɑj?nəð]: ***alt*~** alles inbegriffen, pauschal
ibid. (*ibidem*) ebd. (*ebenda*)
'i,d, *u* id-kort *n etwa* Personalausweis *m*
idé, (*ideer*) Idee *f*; **~mand** Initiator *m*
identifice,re ['-se-] identifizieren (***som*** als)
identi'te,tskort *n* Personalausweis *m*

i'det indem, als
idræt ['idʀɑd] Sport *m*; **~sfore,ning** Sportverein *m*; **~shal** Sporthalle *f*; **~spark** Stadion *n*
if. (*ifølge*) infolge; lt. (*laut*); gem. (*gemäß*)
ifølge [i'føljə] infolge, laut, nach
i'gang,sætter Firmengründer; Projektant; Initiator *m*
i'gen wieder; **~ *og* ~** immer wieder
i'genn,em durch; hindurch
ignorere [ino'ʀaʔɔ] ignorieren, übersehen
ih: **~!** ach!, oh!; aber, doch; **~ *hvor er det ærgerligt!*** das ist aber ärgerlich!
iht. (*i henhold til*) lt. (*laut*)
i'hær,dig ausdauernd, energisch
ikke ['egə] nicht
ikkeryger Nichtraucher(in) *m(f)*
ild [ilʔ] Feuer *n*; ***undskyld, har du~?*** Verzeihung, haben Sie (*od* hast du) Feuer?
ilde|befindende *n* Anfall *m* von Übelkeit; **~bran,d** Brand *m*, Feuer *n*; **~lugtende** übel riechend
ildeset: ***rygning er~*** Rauchen ist unerwünscht
ild|fast ['i-] feuerfest; **~rager** (*-e*) Schürhaken *m*; **~sjæl** energischer Idealist; **~slukker** (*-e*) Feuerlöscher *m*; **~spåsættelse** Brandstiftung *f*
ilt [ilʔd] Sauerstoff *m*; **~appara,t** *n* Sauerstoffgerät *n*; **~svind** *n* Sauerstoffarmut *f in Gewässern*
i'mell,em zwischen; unter
i'men,s während; währenddessen
imidlertid [i'miðʔlɔtiʔð] jedoch; aber
immu,nforsvar *n* Immunsystem *n*
imod [i'moʔð] gegen; *adv* zuwider
impo'ne,rende beeindruckend, imposant
import Import *m*, Einfuhr *f* (***af*** von, G)
imprægneret [-pʀan'eʔɔð] imprägniert
im'pul,s Anregung *f*; Impuls *m*
imøde [i'mø:ðə] entgegen; **~gå,** entgegentreten, widerlegen; **~komm,e** entgegenkommen; **~komm,ende** zuvorkommend
incitament *n* Ansporn, Anstoß *m* (***til*** zu)
ind [inʔ] herein, hinein; ***kom~*** komm(en Sie) rein!
'ind,ad [-að] nach innen; **~ven,dt** in sich gekehrt
'indb (*indbyggere*) Einw. (*Einwohner*); (*indbundet*) geb. (*gebunden*)
'ind|befattet inbegriffen; **~berette** berichten; **~beta,lingskort** *n* Zahlkarte *f*; **~bil,dsk** [-bi-] eingebildet; **~blan,de** einmischen; **~blik** *n* Einblick *m* (***give*** gewäh-

ren); **~bo**, *n* Hausrat *m*
'ind|bring,ende einträglich; **~brud** [-bʀuð] *n* (=) Einbruch *m*; **~brudsty,v** (*-e*) Einbrecher *m*; **~budt** eingeladen (*p/p* → ***indbyde***)
'ind|byde [-by?ðə] einladen (***til*** zu); **~by,delse** Einladung *f*; **~bygger** (*-e*) Einwohner *m*; **~byr,des** gegenseitig, untereinander; **~bød**, lud ein *etc* (*imperf* → ***indbyde***)
'ind|de,le einteilen, gliedern; **~drage** [-dʀɑ?ŭə] einziehen; **~drog** zog ein *etc* (*imperf* → ***inddrage***)
inde ['inə] drinnen; **~bæ,re** zur Folge haben; bedeuten; **~bå,ret** zur Folge gehabt; bedeutet (*p/p* → ***indebære***); **~fra**, von innen
inde|haver (*-e*) Inhaber(in) *m(f)*; **~hol,de** enthalten
inden bis; ehe, bevor; **~by,s:** ***~samtale*** Ortsgespräch *n*; **~dø,rs-** Innen-; **~dørsarki'tekt** Innenarchitekt *m*
inden|for drinnen; im Haus; **~lan,dsk** inländisch; einheimisch; **~rigshan,del** Binnenhandel *m*; **~rigsministe,rium** *n* Innenministerium *n*; **~rigspolitik** Innenpolitik *f*
inderl|ig innig; **~omme** Innentasche *f*
in,derst innerst-
inde|sluttet *Person* verschlossen; **~spærr,et** eingesperrt;
~stå,ende *n* Guthaben *n*
ind|fal,d [-a-] *n* Einfall *m*; **~faldsvej** Zufahrtsweg (***til*** nach) *m*; **~fatning** [-a-] Einfassung *f*; **~fly,delse** Einfluss *m* (***på*** auf); **~flytning** Einzug *m*
ind|forstå,et einverstanden (***med*** mit); nur für Eingeweihte; **~fødsret** Staatsbürgerschaft *f*; **~fø,dt** eingeboren, einheimisch; **~fø,relse** Einführung *f*; **~fø,rsel** Einfuhr *f* (***af*** von)
ind|gang, (*-e*) Eingang *m*; **~gre,b** *n* Eingriff *m*; **~hegning** [-hɑj?neŋ] Einzäunung *f*; **~hen,te** einholen; **~hol,d** *n* Inhalt; Gehalt *m*; **~holdsforteg,nelse** Inhaltsverzeichnis *n*
indian summer *etwa* Altweibersommer *m*
indigneret [indi'ne?ɔd] entrüstet
indimellem dazwischen; ab und zu
'indirekte indirekt
individ [indi'vi?ð] *n* Individuum *n*
'ind|kal,de einberufen; *Mil* einziehen; **~kal,delse** (*-r*) Einberufung *f*; **~kast** *n* Einwurf *m*, Einwerfen *n*; **~kom,st** Einkommen *n*; **~komstskat** Einkommensteuer *f*; **~kvarte,re** unterbringen
'indkø,b *n* (=) Einkauf *m*; **~scenter** *n* (*-centre*) Ein-

kaufszentrum *n*; **~spri,s** Einkaufspreis *m*; **~svogn** Einkaufswagen *m*
'indkør,sel (*-sler*) Einfahrt *f*
ind|lan,d *n* Inland *n*; **~lede** [-le?ðə] einleiten; **~ledningsvis** zur Einleitung; **~leve,re** einliefern; *Brief* aufgeben; **~logere** [-'sje?ɔ] unterbringen; **~ly,sende** einleuchtend; **~læ,g** *n* (=) Einlage *f* (*a Med*); Beitrag *m*; **~lø,se** einlösen; **~mad** [-mað] Eingeweide *n*; **~mel,de** anmelden (*i* in)
'ind|pakning Verpackung *f*; **~pakningspapi,r** *n* Packpapier *n*; **~ramm,e** einrahmen
indre *n* Innere(s); *adj* innere; ***det ~ marked*** *n* der EU-Binnenmarkt *m*
'ind|registre,re eintragen; *Kfz* zulassen; **~rejsetilla,delse** Einreiseerlaubnis *f*; **~retning** Einrichtung; Vorrichtung *f*
'ind|rette einrichten (***som*** als); **~rykke** aufgeben (***en annonce*** eine Anzeige); **~rømme** [-ʀɔ̈m?ə] einräumen; zugeben; **~rømm,else** (*-r*) Zugeständnis *n*
'ind|sam,le einsammeln; **~sat** (*-te*) Häftling *m*; **~sats** [-a-] Einsatz *m*; Leistung *f*; **~se,** einsehen; **~sej,ling** *Mar* Einfahrt *f*; **~si,gelse** (*-r*) Einspruch *m* (***gøre*** erheben); **~sigt** [-segd] Einsicht *f*; **~slag** *n* (=) Bericht *m* (***om*** über); Einlage *f*
'ind|skrænke [-sgʀɑjŋ?gə] einschränken; beschränken; **~skud** *n* (Spar-)Einlage *f*; Depositen *pl*; **~sky,delse** (*-r*) Einfall *m*, plötzliche Idee *f*; **~skærpe** einschärfen; **~spill,e** einspielen; *Film* drehen; **~spist** (leicht) korrupt; **~sprøj,tning** Einspritzung; Spritze *f*; **~still,e** einstellen; **~'still,elig** verstellbar; **~still,ing** Einstellung *f*; **~sø,** Binnensee *m*; **~så** sah ein *etc* (*imperf* → ***indse***)
ind,til bis, bis an
indtryk *n* (=) Eindruck *m* (***få*** bekommen, ***af*** von, G); **~træden** [-tra?ðən] Eintritt *m*; **~tægt** Einkommen *n*
indu'stri, Industrie *f*; **~område** *n* Industrie-, Gewerbegebiet *n*
ind|van,dre einwandern; **~vandrer** Einwanderer *m*; **~ven,de** einwenden; **~ven,dig** innerlich; inner-; **~ven,ding** Einwand *m* (***mod*** gegen); **~vie** einweihen
ind|viklet kompliziert; **~vil,ge, ~vill,ige** einwilligen (*i* in); **~volde** *pl* Eingeweide *pl*; **~vortes** *Med* innerlich, inner-; **~ædt** verbissen
influ'enza [-sa] Grippe *f*
infor'me,re informieren
ingefæ,r Ingwer *m*
ingen ['eŋən] kein; niemand
ingeniør [eŋsje'nø?ʀ] Ingenieur(in) *m*(*f*)

'ingen'lunde keineswegs
ingenmandslan,d *n* Niemandsland *n*
'ingen'ting, nichts
ingredi'en,ser *pl* Zutaten *pl*
'inhale,re [-a-] inhalieren
initia'ti,v [-a-] *n* Initiative (***tage*** ergreifen); Anregung *f*; **~rig,** unternehmungslustig; **~tager** Initiator *m* (***til*** G)
injurier *pl Jur* Verleumdung *f*
inkar'ne,ret eingefleischt
inkassere [-kase'ɔ] (ein)kassieren
in'kognito unerkannt
innerwing ['enɔveŋ] *Sport* Innenstürmer *m*
insi'ste,re: **~ *på*** bestehen auf, dringen auf
inspek'tø,r Inspektor(in) *m(f)*
in'stan,s [-a-] Instanz *f*
in'struks Vorschrift *f*
instru'men,t *n* Instrument *n*; **~bræt** *n* Armaturenbrett *n*
intelli'gen,s Intelligenz *f*
in'ten,s ausgiebig, intensiv
'intensivafdeling Intensivstation *f*
inte'resse (*-r*) Interesse *n* (***for, i*** für, an); **~ret** interessiert (***i*** an)
internet: ***gå på ~tet*** ins Internet gehen; **~adgang, ~forbindelse** Internetanschluss *m*
intet ['endəd] nichts; **~anende** [-a-] nichts ahnend, ahnungslos; **~køn,** *n* sächliche(s) Geschlecht; **~sigende** nichts sagend
introdu|cere [-'seˀɔ] einführen; vorstellen; **~ktion** [-dug'sjoˀn] Einführung *f* (***til*** in)
invalid [-'liˀð] invalide; **~pensionist** *jemand, der wegen Arbeitsuntauglichkeit eine Rente bezieht*
inven'ta,r *n* Inventar *n*, Einrichtung *f*
inve'ste,re investieren
invit|ation [-'sjoˀn] Einladung *f* (***til*** zu); **~ere** [-'teˀɔ] einladen (***til*** zu)
ir [iˀʀ] Grünspan *m*
i'rettesætte zurechtweisen, tadeln; **~lse** (*-r*) Rüge *f*, Verweis *m*
i'ro,nisk ironisch
irri't|a,bel reizbar; **~ation** [-ta'sjoˀn] Reizung *f*; Gereiztheit *f*; **~ere** [-'teˀɔ] reizen; **~e'ret** gereizt
i,rsk irisch
i,s Eis *n*; **~afkø,let** ['is-] eisgekühlt
i'scenesættelse (*-r*) Inszenierung *f*
isen|kram *n* Eisenwaren *pl*; F (solide) Maschinen, Geräte; **~kræmmer** (*-e*) Eisenwarenhändler *m*
iset eisglatt
is|flage ['is-] Eisscholle *f*; **~fri,** eisfrei
is|kol,d ['is-] eiskalt; **~la,g** *n* Eisdecke *f*
islæn,ding (*-e*) Isländer *m*
iso'le,re isolieren

ispind ['ispen?] Eis am Stiel
israeler [isʀɑ'e?lɔ] (*-e*) Israeli(n) *m(f)*
isse ['i-] Scheitel *m*
issla͵g *n* Glatteis *n*
i'stan͵dsætte [-a-] instand setzen
istap (*-pe*) Eiszapfen *m*
is|terning Eiswürfel *m*; **~tid** Eiszeit *f*
istf. (*i stedet for*) statt
isvaffel Eiswaffel *f*
i'sæ͵r besonders; **hve͵r~** jeder für sich
itali'e͵nsk italienisch, Italienisch (**på** auf)
i'tu͵: gå ~ kaputtgehen
i͵v|er Eifer *m*; **~rig** ['iŭʀi] eifrig
i'værksætte bewerkstelligen; **~r** Firmengründer *m*; Projektant *m*
iøjnefal͵dende [i'ɔjnə-] auffällig
i'ørefal͵dende leicht verständlich; angenehm, schön (*zu hören*)

J

ja [ja] ja; **~ tak!** ja bitte!
jader [ja:ðɔ] *pl* V Möpse *pl*
jage ['ja:ə] jagen
jagt [-ɑ-] Jagd *f*; **gå på ~** auf die Jagd gehen; **~tegn** [-tɑj?n] *n* Jagdschein *m*
jakke (*-r*) Jacke *f*, Sakko *m*; **~sæt** *n* Anzug *m*
jalousi¹ [sjalu'si?] Eifersucht *f*
jalousi² *n* Rollladen *m*
jaloux [sja'lu] eifersüchtig (**på** auf)
jamen (ja,) aber
jamre jammern (**over** über)
Janteloven ['jandəlå?vən] *missgünstige Kleinstadt-Mentalität* (*A. Sandemose*)
januar ['ja-] Januar (**i, til** im)
ja'pa͵nsk [ja-] japanisch (**på** auf)
ja'vel [ja-] jawohl
jeg [jɑj, jɑ] ich
jer [jaʀ] euch; **'~es** euer
jer͵n *n* (=) Eisen *n*; V Besen, Bolzen *m*; V Ständer *m*
jern|alder ['jaʀnal?ɔ] Eisenzeit *f*; **~bane** Eisenbahn *f*; **~baneoverskær͵ing** Bahnübergang *m*; **~bryllup** *n* steinerne Hochzeit (*70 Jahre*)
jet|fly͵ *n* Düsenflugzeug *n*; **~jager** (*-e*) Düsenjäger *m*
jf. (*jævnfør*) vgl. (*vergleiche*)
jnr. (*journalnummer*) Az (*Aktenzeichen*)
jo [jo] ja; **det er ~ Hans!** das ist ja Hans!; [jo]; **nej! – ~!** nein! - doch!; **~** [jåŭ?] **... desto** je ... desto
job [djɔb] *n* (=) Job *m*, Arbeit *f*; **~be** jobben; **~skabelse** Arbeitsbeschaffung *f*; **~tilbud** *n* Stellenangebot *n*

jod [joˀð] *n* Jod *n*
joke [djåūg] F Scherz *m*
jokke latschen
jomfru ['jɔ-] Jungfrau *f*; **~elig** [-'fʀuˀəli] jungfräulich; **~olie** Jungfernöl *n*; **~rejse** Jungfernfahrt *f*
jord [joˀʀ] Erde *f*; Boden *m*; **~-og-be'tonarbejder** Tiefbauarbeiter *m*; **~bun,d** ['joʀ-] Erdboden *m*
jordbær *n* Erdbeere *f*
jordbærsyltetøj *n* Erdbeerkonfitüre *f*
jordemoder ['jo:ʀmoʀ] Hebamme *f*
jordforbin,de ['joʀ-] *Tech* erden; **~lse** Erdung *f*; F Realitätssinn *m*
jordisk ['joʀ-] irdisch
jord|klode ['joʀklo:ðə] Erdball *m*; **~nød** (*-der*) Erdnuss *f*; **~nøddesmør** *n* Erdnussbutter *f*; **~omrejse** Weltreise *f*; **~skred** [-sgʀað] *n* (=) Erdrutsch *m*; **~skæl,v** *n* (=) Erdbeben *n*; **~slå,et** stockfleckig
jourhavende [sjuʀ-] vom Dienst
journa'l|ist [sjuʀ-] Journalist(in) *m(f)*; **~numm,er** [sjuʀ'naˀl-] *n* Aktenzeichen *n*
jubi'læum *n* (*-læer*) Jubiläum *n*
juble jubeln
ju'hu: **~!** (*bsd Kinder*) hurra!
juice [dju:s] Fruchtsaft(getränk *n*) *m*
jul [juˀl] Weihnachten *n*; ***til* ~** zu Weihnachten; ***glædelig* ~** frohe Weihnachten; ***holde* ~** Weihnachten feiern; **~e** *Weihnachten vorbereiten*; *es zu Weihnachten gemütlich haben*
juleaften ['ju:lə-] Heiligabend *m*
julefrokost *Art Weihnachtsessen mit vielen kleinen Gerichten in der Weihnachtszeit am Arbeitsplatz oder in der Familie, mit Schnaps und Bier*
julekalen,der Adventskalender *m*; *TV Adventsprogramm in 24 Folgen*
juleman,d Weihnachtsmann *m*
julesalat Chicoree *m*
juletræ, *n* Weihnachtsbaum *m* (***pynte*** schmücken)
juleøl *n süßes*, *leichtes* Weihnachtsbier
juli Juli; ***i* ~, *til* ~** im Juli
jungle ['djåŋlə] (*-r*) Dschungel *m*
juni Juni; ***i* ~, *til* ~** im Juni
juridisk [ju'ʀiˀðisg] juristisch, rechtlich
ju'ste,re eichen; ein wenig ändern
ju'stits Justiz *f*
jyde *Einwohner Jütlands*
Jylland *n* Jütland *n*, *dänische Halbinsel nördlich von Schleswig-Holstein*
jysk jütländisch
jæger ['jɛ:ɔ] (*-e*) Jäger *m*; **~soldat** *dän. Elitesoldat*

jævn [jɛˀŭn] eben; einfach, schlicht; **~aldrende** ['jɛŭn-] gleichaltrig; *su* Altersgenosse *m*
jævn|e ['jɛŭnə] ebnen; schlichten; *Gastr* einkochen; **~døgn** *n* Tagundnachtgleiche *f*; **~fø͵re** vergleichen; **~lig** ['jɛŭn-] häufig; öfter(s); **~strøm͵** Gleichstrom *m*
jøde ['jøːðə] (*-r*) Jude *m*; Jüdin *f*

K

K, k [kåˀ] *n*: ***et stort~*** ein großes K
kabaret [kɑbɑ'ʀa] Kabarett *n*
ka͵bel [-a-] (*-bler*) Kabel *n*
kaffe Kaffee *m*; **~bar** *kleine* Cafeteria *f*; **~fløde** Kaffeesahne *f* (*13 %*); **~grums** *n* Kaffeesatz *m*; **~kop** Kaffeetasse *f*; **~stel͵** *n* Kaffeeservice *n*
kage ['kaːə] (*-r*) Kuchen *m*
kagemand *großer Kuchen, der wie ein Mann geformt ist, meistens mit Süßigkeiten, und der zu Kindergeburtstagen gegessen wird*
kagerulle (*-r*) Nudelholz *n*
ka'hyt [ka-] (*-ter*) Kajüte, Kabine *f*
kaj [kɑjˀ] Kai *m*
kajak [ka'jɑg] (*-ker*) Kajak *m* (***ro, sejle i*** fahren)
ka'kao [ka-] Kakao *m*; **~mælk** Schokomilch *f*
kakkel (*kakler*) Kachel *m*; **~ov͵n** (Kachel-)Ofen *m*
kalde ['ka-] rufen; nennen
kaleche *Kfz etc* Verdeck *m*
ka'len͵der [ka-] (*-e*) Kalender *m*
kalke ['kalgə] tünchen
kal'ke͵rpapi͵r [ka-] *n* Kohlepapier *n*
kalkmaleri͵ [ka-] *n etwa* Fresko *n in dän. Kirchen*
kal'ku͵n [ka-] Pute *f*, Puter *m*
kalv [kalˀv] (*-e*) Kalb *n*
kalveknæ͵et ['kalvə-] X-beinig
kalvesteg͵ Kalbsbraten *m*
kam͵ (*-me*) Kamm *m*
ka͵mera ['ka-] *n* Kamera *f*
kamm͵er (*kamre*) *n* Kammer *f*
kamme'ra͵t Kamerad(in) *m(f)*; **~ska͵b** *n* Kameradschaft *f*
kam͵p (*-e*) Kampf *m*; Spiel *n*
kamuflage Tarnung *f*
kamuflere tarnen
kan [kanˀ] kann *etc* (*präs* → ***kunne***)
ka'na͵l [ka-] Kanal *m*
ka'na͵riefu͵gl [ka-] Kanarienvogel *m*
kande ['ka-] (*-r*) Kanne *f*
kandidat Kandidat (***til*** für); M.A. (*Magister Artium*)
kane [kaːnə] (*-r*) Schlitten *m*; F Bett *n*
ka'ne͵l [ka-] Zimt *m*

ka'ni,n [ka-] Kaninchen *n*
kano ['ka:no] Kanu *n* (***sejle, ro i*** fahren)
ka'no,n [ka-] Kanone *f*; **~!** F toll!, dufte!; **~slag** *n* Böller *m*
kan,t [ka-] Kante *f*; Rand *m*
kantarel [kanta'ʀɑlˀ] (*-ler*) Pfifferling *m*
kantet [-a-] eckig
kantste,n [-a-] Bordstein *m*
kanyle (*-r*) Kanüle *f*
ka'o,tisk [ka-] chaotisch
kap: ***om ~*** um die Wette
kapacitet [kapasi'teˀd] Kapazität *f*
ka'pel, [ka-] *n* (*-ler*) Kapelle; Leichenhalle *f*
ka,pers [-a-] *pl* Kapern *pl*
ka'pitel [ka-] *n* (*-pitler*) Kapitel *n*
kapløb,b *n* Wettlauf *m*
kapsejla,ds Segelregatta *f*
kapsel (*-sler*) Kapsel *f*
kaptajn [-'tɑjˀn] Kapitän(in) *m(f)*; *Mil* Hauptmann *m*
kar *n* (=) Fass; Gefäß *n*; Wanne *f*
ka'raffel (*-fler*) Karaffe *f*
karak'te,r Charakter *m*; Note; Zensur *f*; **~blad** *n* Zeugnis *n*; **~skuespiller** Charakterdarsteller(in) *m(f)*
kara'me,l Karamellbonbon *n*; **~rand** Karamellpudding *m*
karan'tæne (*-r*) Quarantäne *f*
karbad *n* Vollbad *n*; Badewanne *f*
karbo'nade paniertes Hacksteak *n*
karbu'rator Vergaser *m*
kardemomme Kardamom *m*
ka're,t Kutsche *f*
karklud, Spültuch *n*
karl [kaˀl] (*-e*) Kerl *m*
karm Fensterbrett *n*
kar'nap (*-per*) Erker *m*
karneval [-valˀ] *n* (*-ler*) Karneval *m*, Fastnacht *f*; *in Dänemark mit Stockschlagen auf ein Süßigkeiten- oder Geschenkefass gefeiert*
karpe (*-r*) Karpfen *m*
karré [kɑ'ʀaˀ] (*karreer*) (Häuser-)Block *m*
karrysild ['kɑ:i-] Curry-Heringssalat *m*
karse Kresse *f*; **~hår** *n* Bürstenschnitt *m*; **~klippet** mit Bürstenschnitt
kar'toffel (*-fler*) Kartoffel *f*; **~mo,s** Kartoffelbrei *m*
karto'te,k *n* Kartei *f*; **~skort** *n* Karteikarte *f*
ka'sket [ka-] (*-ter*) Schirmmütze; Cap *f*
kaskoforsikring *Kfz* Haftpflichtversicherung *f*
kasse [-a-] (*-r*) Kasten *m*; Kiste; Kasse *f*; **~apparat** *n* (Registrier-)Kasse *f*
ka'sse,re [ka-] kassieren; wegwerfen; **~r** (*-e*) Kassierer(in) *m(f)*
kassettebånd *n Mus* Kassette *f*; **~optager** Kassettenrekorder *m*
kast [kasd] *n* (=) Wurf *m*
kastanie [ka'sdanjə] (*-r*) Kastanie *f*

kaste [-a-] werfen; ~ ***op*** sich übergeben
kat [kad] (*-te*) Katze *f*; Kater *m*; ***slå ~ten af tønden*** *mit Schlägern eine Tonne zertrümmern, bis Süßigkeiten o.Ä. herausfallen (dän. Fastnachtsbrauch)*
kato'l|ik [ka-] (*-ker*) Katholik(in) *m(f)*; **~sk** [-'toˀlsg] katholisch
kattekilling [-a-] Kätzchen *n*
kaution [-'sjoˀn] Bürgschaft *f*; **~ere** [-sjo'neˀɔ] bürgen; **~ist** [-sjo'nisd] Bürge *m*
kava'le,rgang [ka-] F *etwa* Brustansatz *m*, Dekolleté *n*
ked [keˀð]: ***være ~ af det*** traurig sein (***af*** über); **~e** ['keːðə] langweilen (***sig*** sich)
kedel ['keːðəl] (*-dler*) Kessel *m*; **~dragt** Monteuranzug *m*
kedelig ['keːðə-] langweilig
kedsomhe,d ['keð-] Langeweile *f*
kegle ['kɑjlə] (*-r*) Kegel *m*
kejser (*-e*) Kaiser *m*; **~inde** [-'enə] (*-r*) Kaiserin *f*; **~snit** *n* Kaiserschnitt *m*; ***blive taget ved ~*** mit Kaiserschnitt entbunden werden
kejt|et ['kɑjdəð] linkisch, ungeschickt; **~hån,det** linkshändig; *etwa* mit zwei linken Händen
ke'mi, Chemie *f*; **~'ka,lie** Chemikalie *f*
kende kennen; wissen; erkennen; **~lse** (*-r*) *Jur* Spruch *m*; **~ord** *n Gr* Artikel *m*; **~r** (*-e*) Kenner(in) *m(f)*; **~teg,n** *n* Kennzeichen, Merkmal *n*
kendings|bogstav, **~mærke** *n Kfz* (Auto-)Kennzeichen *n*
ken,dsgerning Tatsache *f*
kendska,b *n* Kenntnis *f* (***til*** von)
ken,dt bekannt; **~e** *etwa* Prominente *pl*, Promis *pl*
kera'mik Keramik *f*
kerne (*-r*) Kern *m*; **~hu,s** *n* Kerngehäuse *n*; **'~'sun,d** kerngesund; **~vå,ben** *pl* Kernwaffen *pl*
ketsjer (*-e*) *Sport* Schläger *m*, Racket *n*
Kgs. (*Kongens*) kgl. (*königlich*), Königs-
kigge [-i-] gucken, schauen
kikkert [-i-] Fernrohr, Fernglas *n*
kiks (=) süßer *od* salziger Keks *m*; Biskuit *n*; *n* F Fehler *m*
kilde¹ [-i-] (*-r*) Quelle *f*
kilde² kitzeln; **~n** kitzlig; *fig* heikel
kilde|skat Lohnsteuer *f*; **~vand** *n* Quellwasser *n*
kile ['kiːlə] (*-r*) Keil *m*
killing ['ki-] Kätzchen *n*
kilo *n* (=) Kilo *n*; **~gram,** *n* Kilogramm *n*; **~'me,ter** Kilometer *m*
ki,m *n* (=) Keim *m*
kime ['kiːmə] läuten; klingeln
kin,d Wange *f*; **~ben,** *n* Jochbein *n*; **~tan,d** Backenzahn *m*
ki'ne|sertråd *sehr reißfester* Zwirn *m*; **~sisk** chinesisch

ki'ni,n Chinin *n*
kiosk [ki'ɔsg] Kiosk *m*
kirke [-i-] (*-r*) Kirche *f*
kirkegå,rd Friedhof *m*
kiro'praktor Chiropraktiker(in) *m(f)*
kirsebær [-i-] *n* Kirsche *f*
kirtel [-i-] (*-tler*) Drüse *f*
kirurg [ki'RURʔ] Chirurg(in) *m(f)*
kiste ['kiːsdə] (*-r*) Sarg *m*; Truhe *f*
kjole ['kjoːlə] (*-r*) Kleid *n*; ~ ***og hvidt*** Frack *m*
kl. (*klasse*) Kl. (*Klasse*); (*klokken*) Uhr
kladde ['klaːðə] (*-r*) Kladde *f*
klage ['klaːə] klagen; sich beschweren; *su* (*-r*) Klage, Beschwerde *f*
klam, nasskalt; unappetitlich; fies
klamre: ~ ***sig til*** sich klammern an
klap (*-per*) Klappe *f*; **~bo,rd** *n* Klapptisch *m*
klaphat *Hut mit Stoffhändchen zum Klatschen; typische Länderspielausrüstung dän. Fußballfans*; F Idiot *m*
klappe (Beifall) klatschen; *liebkosend* klopfen; ***klap i!*** halt die Klappe!
klapre klappern
klapsalve Beifallssturm *m*
klapsto,l Klappstuhl *m*
klapvog,n zusammenklappbarer offener Kinderwagen
kla,r klar; bereit
klare ['klɑːɑ] schaffen; ~ ***op*** *Wetter* (sich) aufklären
klargø,re bereit machen; klären; klarmachen
klarhe,d Klarheit *f*
klase ['klaːsə] (*-r*) Traube *f*; Büschel *n*
klaske [-a-] *v/t* klatschen (*auf etw*)
-klasses -klassig; ***første~*** erstklassig
klassisk [-a-] klassisch
klat [-a-] (*-ter*) Klecks *m*; **~kage** Pfannkuchen *m* (*aus Milchreis*)
klatre [-a-] klettern; ~ ***op*** (***ned***) hinauf- (herunter)klettern
klatvask Kleinwäsche *f*
klau'su,l Klausel *f*
kla've,r [-a-] *n* Klavier *n*
klejne ['klɑjnə] *schleifenförmiges Schmalzgebäck zu Weihnachten*
klejnsmed Schlosser(in) *m(f)*
klem,: ***på*** ~ halb offen, angelehnt
klemme klemmen; *su* (*-r*) (Wäsche-)Klammer; Klemme *f*
klike (*-r*) Clique *f*, Freundeskreis *m*
klikke: ~ ***på*** *EDV* anklicken
klima *n* Klima *n*
klimaanlæ,g *n* Klimaanlage *f*
kli'nik (*-ker*) Klinik *f*; **~assistent** (Zahn-)Arzthelfer(in) *m(f)*
klin,t Steilküste *f*
klipklapper *pl* Flip-Flops *pl*
klipning Haarschneiden *n*
klippe[1] schneiden, scheren

klippe² (*-r*) Felsen *m*; **~kort** *n* Mehrfahrtenkarte *f*
klister [-i-] *n* Kleister *m*
klisterbånd *n* Klebeband *n*
klistermærke *n* Sticker *m*
klistre [-i-] kleben, kleistern
klit [klid] (*-ter*) Düne *f*; F Kitzler *m*
klo, (*kløer*) Klaue, Kralle *f*
kloa'ke,ring Kanalisation *f*
klode [-ðə] Erdball *m*
klods Klotz *m*; ***på~*** auf Pump; **~et** ungeschickt; klobig
klog [klåů?] klug; **~ska,b** ['klåů-] Klugheit *f*
klokke (*-r*) Glocke; Klingel *f*; ***hvad er ~n?*** wie viel Uhr ist es?
klokkeblomst Glockenblume *f*
klokkeklar sonnenklar
klokkeslæt *n* *präziser* Zeitpunkt
klo,r Chlor *n*
kloster ['klɔsdɔ] *n* (*-tre*) Kloster *n*
klov [klɔů?] (*-e*) Klaue *f*
klovn [klɔů?n] Clown *m*
klub (*-ber*) Klub *m*; **~værelse** *n* Zimmer *n eines Miethauses*
klud [kluð?] (*-e*) Aufwischlappen
kludetæppe *n* Patchworkteppich *m*; *fig* Mosaik
kludre ['kluðʀɔ]: ***~ i det*** pfuschen
klukke [-u-] glucken
klumme Kolumne *f*
klum,p Klumpen; Kloß *m*
klunker *pl* F (*Hoden*) Eier *pl*
kluntet ungeschickt; klobig
klynge [-ø-] (*-r*) Haufen *m*
klynke ['kløŋgə] winseln, wimmern; *neg!* klagen
klæb|e ['klɛ:bə] kleben; **~rig** klebrig
klæde ['klɛ:ðə] kleiden, stehen; **~skab** *n* Kleiderschrank *m*
klæġ, klebrig; nicht fertig gebacken
klø [klø?] jucken; *su* Prügel; Schläge *pl* (*a fig*)
kløe ['klø:ə] Juckreiz *m*
kløer *pl* Klauen; Krallen (→ ***klo***)
kløft [-ø-] Kluft *f*
klø,r (=) *Kartenspiel* Kreuz *n*
kløve ['klø:ŭə] spalten
klø,ver (*-e*) Klee *m*
km/t (*kilometer i timen*) km/st (*Kilometer pro Stunde*)
knaġe¹ [kna:ə] (*-r*) (Kleider-)Haken *m*
knaġe² knarren
knald [-al?] *n* (=) Knall *m*; V Fick *m*; **~e** ['knalə] knallen; V ficken
knall,ert [-a-] Moped; Knallbonbon *n*
knap¹ knapp; kaum
knap² (*-per*) Knopf *m*; **~hul** *n* Knopfloch *n*; **~pe** (*i*, zu)-knöpfen; ***~ op*** aufknöpfen
knappenå,l Stecknadel *f*
kna,s *n* F Süßigkeiten; Probleme *pl*
knase ['kna:sə] knirschen
'knas'tør, knochentrocken (*a fig*)

kne,b *n* (=) Kniff *m*
kneben ['kne:bən] knapp; eng
kneppe V ficken, vögeln
knibe[1] ['kni:bə] Verlegenheit; Klemme *f*
knibe[2] kneifen; **~ *sammen*** zusammenkneifen
knibtang ['kniŭtɑŋ?] Kneifzange *f*
knippel (*-pler*) Knüppel *m*
knipse knipsen, zupfen
knirke [-i-] knarren
knitre [-i-] knistern, prasseln
kni,v (*-e*) Messer *n*
kno, (Finger-)Knöchel *m*; **~fedt** F viel Kraft
knogle ['knɔŭlə] (*-r*) Knochen *m*
knokle schuften
knol,d (*-e*) Knolle *f*
knop [knɔb] (*-per*) Knospe *f*
knsp. (*knivspids*) Msp. (*Messerspitze*)
knude ['knu:ðə] (*-r*) Knoten *m*
knudret knorrig, knotig
knurhår *n* Schnurrhaar *n*
knurre [-o-] knurren; murren
knus [-u?-] *n* (=) Umarmung *f*; **~, *Lea*** *im Brief* liebe Grüße, Lea; ***give ngn et* ~** j-n umarmen
knuse ['knu:sə] zerquetschen; umarmen
knytnæve [-y-] (*-r*) (geballte) Faust *f*
knytte [-y-] knüpfen
knæ, *n* (=) Knie *n*; **~bukser** *pl* Kniehose *f*; **~bøjning** ['knɛ-] Kniebeuge *f*
knægt (*-e*) Bursche *m*; *Karte* Bube *m*
knæk *n* (=) Knacks; Knick *m*; **~brø,d** *n* Knäckebrot *n*; **~ke** knicken, knacken; **~pølse** Knackwurst *f*
knæle ['knɛ:lə] knien
knæ|skal, (*-ler*) Kniescheibe *f*; **~strømper** *pl* Kniestrümpfe *pl*
ko, (*køer*) Kuh *f*
kobber ['kɔŭ?ɔ] *n* Kupfer *n*
kobberbryllup *n 12 ½. Jahrestag der Hochzeit, Petersilienhochzeit*
kobberstik *n* Kupferstich *m*
koben, *n* (=) Brechstange *f*
kobl|e koppeln, kuppeln; **~ing** Kupplung *f* (***slippe*** loslassen)
ko,fanger (*-e*) Stoßstange *f*
kogalskab Rinderwahnsinn *m*
koge ['kå:ŭə] kochen
kogebog Kochbuch *n*
kogevask Kochwäsche *f*
kogle ['kɔŭlə] (*-r*) *Bot* Zapfen *m*
kok (*-ke*) Koch *m*, Köchin *f*
kokasse (*-er*) Kuhfladen *m*
kokosbolle Schokokuss *m* mit Kokosraspeln
kokosnød, Kokosnuss *f*
koks [kɔgs] *pl* Koks *m*
kolbe (*-r*) Kolben *m*
kolbøtte (*-r*) Purzelbaum *m*
kol,d kalt; **~'blo,dig** [kɔl-] kaltblütig; **~skå,l** *süße Buttermilch-Kaltschale mit Zitrone und Zwieback*; **~sved**

Angstschweiß *m*
ko'llega Kollege *m*, Kollegin *f*
ko'lle,gium *n* (*-gier*) Studentenwohnheim *n*
'kollektiv *n* Wohngemeinschaft *f*; *adj* kollektiv
kolon ['koːlɔn] *n* Doppelpunkt *m*
kolonihave Schrebergarten *m*
kolonihavehus Sommerhäuschen *n* (*im Schrebergarten*)
ko'me,die (*-r*) Komödie *f*
kom'fu,r *n* Herd *m*; ***elektrisk~*** Elektroherd *m*
ko,misk komisch
komma *n* Komma *n*; **~tering** Kommasetzung *f*
komme kommen, gelangen, geraten; ***~ sig*** sich erholen; ***~ til*** drankommen
kommen Kümmel *m*
kommode [ko'moːðə] (*-r*) Kommode *f*
ko'mmune [ko-] (*-r*) Gemeinde *f*; **~farvet** *neg! Haar* mittelblond, hellbraun
kommu'nisme Kommunismus *m*
kompa're,re *Gr* steigern
kom'pas [-as] *n* (*-ser*) Kompass *m*
kompeten|ce [-'tɑŋsə] (*-r*) Kompetenz, Zuständigkeit *f*; **~t** [-'tɛnˀd] zuständig, befugt; kompetent
kom'plet komplett
kompliment [-'mɑŋ] Kompliment *n*
kompo'ne,re komponieren
kompostbunke Komposthaufen *m*
kom'pot Kompott *n*
kom'sammen F kleine Party; Gesellschaft *f*
koncen'tre,re [-sən-] konzentrieren
koncert [-'saʀd] Konzert *n*; ***gå til ~*** ins Konzert gehen
kondi *Sport* Kondition *f*
kondiløb *n* Lauftraining *n*
kondisko *pl* Laufschuhe *pl*
kon'ditor Konditor *m*; **~i** [-didɔ'ʀiˀ] *n* Café *n*, Konditorei *f*
kond'om, *n* Kondom *n*
konduk'tø,r Schaffner(in) *m*(*f*)
kone ['koːnə] (*-r*) Ehefrau; *neg!* Frau *f*
konferenc|e [-'ʀɑŋsə] (*-r*) Konferenz *f*; **~ier** [-'sje] Moderator(in) *m*(*f*)
konfirm|ation [-'sjoˀn] Konfirmation *f*; **~ere** [-'meˀɔ] einsegnen
konfi'ske,re konfiszieren
konge ['kɔŋə] (*-r*) König *m*
kongehus *n* Königshaus *n*
kongelig königlich
kon'gres (*-ser*) Kongress *m*, Tagung *f*
konklu'de,re schließen, (schluss)folgern
konkurrence [-'ʀɑŋsə] (*-r*) Konkurrenz *f*; Wettbewerb *m*; **~evne** Wettbewerbsfähigkeit *f*
kon'servati,v konservativ
kon'serves Konserven *pl*
konsta'te,re feststellen

konstru'eˌre konstruieren
konsulent [-su'lεnˀd] Berater(in) *m(f)*
konsultation [-'sjoˀn] (ärztliche) Beratung *f*; **~stiˌd** Sprechstunde *f*; **~værelse** *n* Sprechzimmer *n*
kon'takt *El* Schalter; Kontakt *m*; Fühlung *f*
kon'tanˌt bar; direkt; **~er** *pl* Bargeld *n*; **~hjælp** Sozialhilfe *f*; **~hjælpsmodtager** Sozialhilfeempfänger(in) *m(f)*
kontin'genˌt *n* Mitgliedsbeitrag *m*
konto Konto *n*
kontor [kån'toˀʀ] *n* Büro *n*
konto|udskrift, **~udtog** [-uð-tåˀŭ] *n* Kontoauszug *m*
kon'trakt Vertrag *m*; **~mæssig** vertraglich
kon'trolˌ (*-ler*) Kontrolle *f*; **~lere** [-tʀo'leˀʀɔ] kontrollieren, nachsehen
konversation [-'sjosˀn] Unterhaltung *f*, Konversation *f*
konvo'lut (*-ter*) (Brief-)Umschlag *m*
kop [kɔb] (*-per*) Tasse *f*; ***et par ~per*** F Tasse und Untertasse
koparret pockennarbig
ko'piˌ Kopie *f*; **~maskine** Kopierer *m*
kopper *pl* Pocken *pl*
kor [koˀʀ] *n* (=) Chor *m*
ko'ralˌ (*-ler*) Koralle *f*
kordegn ['koˀʀdɑjˀn] (*-e*) Küster *m*
korend(e) [ko'ʀanˀə] (*-r*) Korinthe *f*
kork Kork *m*
korn [koˀʀn] *n* (=) Korn; Getreide *n*; **~et** ['koʀnəð] körnig
korpu'lenˌt beleibt
korrespondance [-'dɑŋsə] (*-r*) Korrespondenz *f*
korridor [-'doˀɔ] Korridor *m*
korri'geˌre korrigieren
kors *n* (=) *Rel* Kreuz *n*
korse: **~ *sig*** sich bekreuzigen (*a fig*)
korsfæstelse Kreuzigung *f*
kort¹ *n* (=) Karte *f*
kort² kurz; **~fristet** kurzfristig; **~heˌd** Kürze *f*; **~slutning** Kurzschluss *m*; **~syˌnet** *fig* kurzsichtig
korttelefon Kartentelefon *n*
kortvarig [-vɑˀi] von kurzer Dauer
kosmeto'loˌġ Kosmetiker(in) *m(f)*
kost¹ [kåsd] (*-e*) Besen *m*
kost² [kɔsd] Kost *f*
kostskole Internatschule *f*
kote'let (*-ter*) Kotelett *n*
koøje ['koˀɔjə] *n* (*-r*) Bullauge *n*
kr. (*kroner*) *dän. Währung* Krone(n)
krabbe (*-r*) (Strand)Krabbe *f*
kradse kratzen; **~r** (*-e*) *Brot mit Senf, Ketchup, Zwiebeln u.a.*
kraft (*kræfter*) Kraft; Wucht *f*; **'~'edeme …** [-eðemə]: **~! …** verdammt noch mal!; **~esløs** kraftlos; **~ig** kräftig
krage ['kʀɑːŭə] (*-r*) Krähe *f*;

ude hvor ~rne vender wo sich Fuchs und Hase gute Nacht sagen; *etwa* weit entfernt

krak *n* (=) *Hdl* Börsencrash *m*; **~ke** krachen; *Kurs* einbrechen

kramˌ *n* Umarmung *f*; (solide) Sachen *pl*

kramme knüllen; (ab)knutschen

kramp'agtig krampfhaft

krampe (*-r*) Krampf *m*; ***gå i ~*** einen Krampf bekommen

kraˌn Kran *m*

kraˌni|ebrud [-bʀuð] *n* Schädelbruch *m*; **~um** *n* (*-nier*) Schädel *m*

kranˌs (*-e*) Kranz *m*; **~ekage** *Ringkuchen aus Marzipan* (*v.a. zu Silvester*)

kraˌnvogˌn Abschleppwagen *m*

kras *Geschmack* stark, unangenehm; extrem

krat *n* (=) Gebüsch, Gestrüpp *n*

krav [kʀɑˀŭ] *n* (=) Anspruch *m* (**på** auf); Forderung *f* (**om** nach)

krave ['kʀɑːŭə] (*-r*) Kragen *m*

kravle [-ɑŭ-] krabbeln; **~gåˌrd** Laufgitter *n*; **~nisse** *Weihnachtsmännchen aus Karton an Wand oder Zaun als Dekoration*

krea'tuˌr *n* Rind; Vieh *n*

krebinet paniertes Hacksteak

krebs [-ɑ-] (=) *Zo* Krebs *m*

kre'dit (*-ter*) Kredit *m*; **~or** ['kʀaditɔ] Gläubiger *m*

kreds [kʀaˀs] (*-e*) Kreis *m*; **~løˌb** ['kʀaːs-] *n* Kreislauf *m*

krible [-i-] kribbeln

'krid'hvid kreideweiß

kridt [-id] *n* Kreide *f*

kriˌg (*-e*) Krieg *m*; **~sfange** ['kʀis-] Kriegsgefangene *m/f f*; **~skiˌb** *n* Kriegsschiff *n*

krikke (*-r*) Gaul *m*

krimi'naˌl|betjent Kriminalbeamte *m*, Kriminalbeamtin *f*; **~politiˌ** *n* Kriminalpolizei *f*

krimi'nelˌ kriminell

krimskrams *n* Gekritzel *n*

kringle (*-r*) *Kuchen aus Hefe- od Blätterteig, der wie ein Knoten aussieht*

krist|elig ['kʀasdəli] christlich; **~en** (*kristne*) Christ(in) *m(f)*

kri'tik Kritik *f*; **'~er** (*-e*) Kritiker(in) *m(f)*

kriti|'seˌre kritisieren; **'~sk** kritisch

kro Krug *m*; *mst gepflegtes* Traditionsgasthaus *n*

krog [kʀåˀŭ] (*-e*) Haken *m*; Ecke *f*; **~et** ['kʀåːŭəð] krumm

kroko'dille (*-r*) Krokodil *n*; **~skind** *n* Krokodilleder *n*

krone ['kʀoːnə] krönen; *su* (*-r*) Krone *f* (*a dän. Währung*)

kronhjort ['kʀoːnjɔːd] Rothirsch *m*

kron'ik *längerer Zeitungsbeitrag (eines Nicht-Journalisten) im Feuilleton, häufig zu*

einem aktuellen Thema
kronrage *Kopf* glatt rasieren
krop (*-pe*) Körper; Rumpf *m*; **~svisitation** [-'sjo?n] Leibesvisitation *f*
krudt [-ud] *n* (Schieß)Pulver *n*
krukke (*-r*) Krug, Topf *m*; F affektierter Mensch; **~t** eingebildet
krum, krumm; **~bøjet** ['kRåm-] gekrümmt
krumme (*-r*) Krümel *m*
krum|ning Krümmung *f*; **~tap** (*-per*) Kurbel *f*; **~tapaksel** Kurbelwelle *f*
kru,s *n* (=) Krug, Humpen *m*
kruset ['kRu:səð] kraus
kry,b *n* (=) Kriechtier *n*
krybbe [-y-] (*-r*) Krippe *f*
krybe ['kRy:bə] kriechen; *Tex* einlaufen; **~spo,r** *n* Kriechspur *f*
krybskytte [-skødə] (*-r*) Wilddieb *m*
krydder ['kryðɔ] *trockenes süß-würziges Brötchen*; **~bolle** *weiches süß-würziges Brötchen*; **~i** [kryðɔ'Ri?] *n* Gewürz *n*
krydre ['kRyðRɔ] würzen; **~t** würzig
kryds [-y-] *n* (=) Kreuz *n*; *Weg* Kreuzung *f*; **~e** kreuzen; **~ af** abhaken; **~finé,r** *n* Sperrholz *n*; **~og'tværs**, **~ord** *n* Kreuzworträtsel *n*; **~togt** *n* Kreuzfahrt *f*
krykke [-œ-] (*-r*) Krücke *f*
krympe [-œ-] *Tex* einlaufen, eingehen
kry'stal, [-y-] *n* (*-ler*) Kristall *m*
kryster [-y-] (*-e*) Feigling *m*
kræft *Med* Krebs *m*
kræmmer|hu,s *n kleine spitze* Tüte *f für Süßigkeiten*; *v.a. Weihnachtsdekoration*; **~marked** *n etwa* Flohmarkt *m*
kræsen ['kRa:sən] wählerisch (*a neg!*)
kræve ['kRa:və] fordern, verlangen; **~nde** anspruchsvoll
krøb kroch *etc* (*imperf* → *krybe*)
krøbet gekrochen (*p/p* → *krybe*)
krøbling [-œ-] Krüppel *m*
krølfri, [-œ-] knitterfrei
krølle [-œ-] zerknittern; *su* (*-r*) Locke *f*; **~jern** *n* Lockenstab *m*; **~t** lockig; zerknittert
kuffert ['kå-] Koffer *m*; *neg!* Wampe *f*
kugle ['ku:lə] (*-r*) Kugel; Murmel *f*; **~leje** *n* (*-r*) Kugellager *n*; **~pen**, Kugelschreiber *m*
ku'jo,n Feigling *m*
kul [kål] *n* (=) Kohle *f*
kuld [kul?] *n* (=) *Zo* Wurf *m*; *Jungtiere* Brut *f*
kulde [-u-] Kälte *f*; **~gy,sning** Frösteln *n*
kuldioxid Kohlendioxid *n*
kuldskæ,r [-u-] kälteempfindlich
kulegra,ve ['ku:lə-] umgraben; *fig* auf den Grund gehen
kuling starker Wind

kulmine ['kål-] Kohlengrube *f*
kulmule Seehecht *m*
ˌkulˌsort rabenschwarz
kulsyre Kohlensäure *f*
kul'tuˌr Kultur *f*; **~ministeˌrium** *n* Kultusministerium *n*
ku'løˌr [-ø-] Farbe *f*; **~t** bunt, farbig
kumme ['kå-] (*-r*) Becken *n*; **~fryser** Gefriertruhe *f*
kun nur, bloß
kunde (*-r*) Kunde *m*, Kundin *f*; ***~n har altid ret*** der Kunde ist König; **~service** [-sœːvis] Kundendienst *m*
kundskaˌber *pl* Kenntnisse *pl*
kunne [-u-] *inf* können; *imperf* konnte *etc*
kunst [kånˀsd] Kunst *f*; **~gødning** Kunstdünger *m*; **~ig** künstlich; **~ner** (*-e*) Künstler(in) *m(f)*; **~skøjteløˌb** *n* Eiskunstlauf *m*
kup [kub] *n* (=) Putsch *m*; (*Bank*) Überfall *m*; F Schnäppchen *n*
ku'péˌ [ku-] (*kupeer*) *Esb* Abteil *n*
ku'reˌre heilen
kuˌrs *Hdl*, *Richtung* Kurs *m*
kuˌrsted *n* Kurort *m*
kursus *n* (*kurser*) Kursus, Lehrgang *m* (*i* für); ***være på ~*** einen Kurs besuchen
kurˌv [ku-] (*-e*) Korb *m*
kurve (*-r*) Kurve *f*; **~stoˌl** Korbsessel *m*
ku'sine (*-r*) Kusine *f*
kusse V Möse, Fotze *f*
ku'vert Briefumschlag *m*; Gedeck *n*
kva'draˌt *n* Quadrat *n*
kvajebajer F *Bier, das man zahlt, weil man einen Fehler begangen hat*
kvali'teˌt [-a-] Qualität, Güte *f*
kvalme [-a-] Übelkeit *f*, Brechreiz *m*
kvark Quark *m*
kvart Viertel *n*; **~al** [kvɑ'taˀl] *n* Vierteljahr *n*; **~er** [-'teˀʀ] (=) *n* Viertelstunde *f*; Viertel *n*; **~finale** Viertelfinale *f*
kvarts Quarz *m*
kvas [kvaˀs] *n* Reisig *n*
kvase zerquetschen
kvidre ['kviðʀɔ] zwitschern; **~n** Gezwitscher *n*
kvik flink; intelligent; **~ke**: ***~ op*** munter machen *od* werden; **~sølv** *n* Quecksilber *n*
kvinde (*-r*) Frau *f*; **~lig** weiblich
kvist[1] (*-e*) *dünner* Zweig *m*
kvist[2] Mansarde *f*; **~værelse** *n* Dachzimmer *n*
kvit los, quitt; ***~ og frit*** umsonst; **~te** F aufgeben; **~'teˌring** Quittung *f*
kvt. (*kvartal*) Quartal, Vierteljahr *n*
kvæˌg *n* Vieh *n*; **~avl** ['kvɛː-ɑŭˀl] Viehzucht *f*
kvække quaken
kvæle ['kvɛːlə] ersticken, erwürgen; **~rtag** *n* Würgegriff *m*
kvælstof *n* Stickstoff *m*
kværu'lanˌt Nörgler(in) *m(f)*
kvæste *bei Unfall* (stark) ver-

letzen; **~lse** (*-r*) Verletzung *f*
kykeliky, kykliky: **~!** *Hahn* kikeriki!
kyle ['ky:lə] schleudern
kylling [-y-] Küken *n*; *Gastr* Hühnchen *n*; F Feigling *m*
ky,nisk zynisch
kys [køs] *n* (=) Kuss *m*; **~se** küssen
kyst [køsd] Küste *f*
kæbe ['kɛ:bə] (*-r*) *Anat* Kiefer *m*; **~stød** *n* Kinnhaken *m*
kæde ['kɛ:ðə] (*-r*) Kette *f*; **~ryġer** (*-e*) Kettenraucher(in) *m*(*f*)
kæft Maul *n*; V Fresse *f*
kæk keck
kælder (*-dre*) Keller *m*
kæle ['kɛ:lə]: **~ for** streicheln; **~dyr** *n* (=) Haustier *n*; **~navn** *n* Kosename *m*
kæl,k (*-e*) Rodelschlitten *m*; **~e** rodeln
kælling *neg!* Weib *n*
kæmpe¹ kämpfen (**for** um)
kæmpe² (*-r*) Riese *m*, Riesin *f*; **~mæ,ssig**, **'~'stor** riesig
kæntre kentern
kæp (*-pe*) Stock *m*; **~hest** Steckenpferd *n*; **~høj**, übermütig, frech
kæ,r lieb; **~e Hans** lieber Hans
kæreste ['ka:ɔsdə] (*-r*) *Beziehung* Freund(in) *m*(*f*); **~bre,v** *n* Liebesbrief *m*; **~sor,g** Liebeskummer *m*
kærlig liebevoll, zärtlich; **~ hilsen** liebe Grüße; **~he,d** Liebe *f* (**til** zu)
kærnemæl,k Buttermilch *f*
kærtegn ['kaʀtɑj?n] *n* Liebkosung *f*
kø, (Warte)Schlange *f*; Billardstock *m*; **stå i ~** Schlange stehen
køb [kø?b] *n* (=) Kauf *m*; **oven i ~et** obendrein
købe ['kø:bə] kaufen; **~ ind** einkaufen
København [-'hɑŭ?n] Kopenhagen *n*
køber ['kø:bɔ] (*-e*) Käufer(in) *m*(*f*)
købman,d [-ø-] Kaufmann *m*; **~sbutik** *etwa* Tante-Emma-Laden *m*
købstad [-ø-] mittelgroße Provinzstadt
kød [køð] *n* Fleisch *n*; **~be,n** *n* Knochen *m*; **~bolle** Fleischkloß *m*
kødhakker Fleischwolf *m*
køje [kɔjə] (*-r*) Koje *f*; **~seng**, Etagenbett *n*
køkken [-ø-] *n* Küche *f*; **~have** Gemüsegarten *m*
kø,l (*-e*) *Mar* Kiel *m*
køle ['kø:lə] kühlen; **~ ned** abkühlen
kølervæske ['kø:lɔ-] Kühlwasser *n*
køleska,b *n* Kühlschrank *m*
kølig ['kø:li] kühl; *fig* frostig
kølle [-ø-] (*-r*) Keule *f*; Schläger *m*
køn¹ [kœn?] *n* (=) Geschlecht *n*
køn² hübsch
køn,s|sygdom *Med* Geschlechtskrankheit *f*

køre ['kø:ɔ] fahren; ~ ***over*** überfahren; **~bane** Fahrbahn *f*; **~kort** *n* Führerschein *m*; **~lærer** Fahrlehrer(in) *m(f)*; **~pla,n** Fahrplan *m*; **~prøve** Fahrprüfung *f*; **~stol** Rollstuhl *m*; **~syg** reisekrank; **~tøj** *n* Kraftfahrzeug *n*
kør,sel Fahrt *f*; Fahren *n*; **~sretning** Fahrtrichtung *f*
kåd [kå'ð] leichtsinnig; ausgelassen
kål [kå'l] Kohl *m*
kåre ['kɔ:ɔ] (er)wählen

L

L, l [ɛl] *n*: ***et stort*** ~ ein großes L
lab (*-ber*) Tatze *f*
lad [la'ð] träge, faul
lade[1] ['la:ðə] (*-r*) Scheune *f*
lade[2] ['la:ðə] lassen; ~ ***som om*** tun, als ob
lade[3] ['la:ðə] laden
ladning ['lað-] Ladung *f*
lag [la'] *n* (=) Schicht *f*; **~de,lt** ['lɑŭ-] geschichtet
lage: ***i*** ~ eingelegt
la,ġen [-a-] *n* (*-gner*) Laken *n*
la,ġer [-a-] *n* (*-gre*) Lager *n*; **~øl** *n* Lagerbier *n*
lagkaġe ['lɑŭ-] Torte *f*
lagre ['la:ʀɔ] lagern; *EDV* speichern
lak Lack *m*; **~ere** [lɑ'ke'ɔ] lackieren
la'krids [la-] Lakritze *f*; **~konfekt** *bunte Lakritz-Bonbons pl*
laks (=) Lachs *m*
lam,[1] *n* (=) Lamm *n*
lam,[2] lahm, gelähmt; **~me** ['lɑmə] lähmen; lahm legen; **~melse** (*-r*) Lähmung *f*
lammeskind *n* Lammfell *n*
lampe (*-r*) Lampe *f*
lamslå,et sprachlos
land [lan'] *n* (*-e*) Land *n*; **~bo'højskole** landwirtschaftliche Hochschule; **~bru,ġ** ['lan-] *n* (=) Landwirtschaft *f*; **~brød** *n großes Weizenbrot*
lande [-a-] landen
landevej, [-a-] Landstraße *f*; **~slø,b** *n* Straßenrennen *n*
landgangsbro *Mar* Gangway *f*
landing [-a-] Landung *f*; **~sbane** Landebahn *f*
land|kort [-a-] *n* Landkarte *f*; **~lig** [-a-] ländlich; **~man,d** ['la-] Landwirt *m*; Bauer *m*, Bäuerin *f*; **~måler** Vermessungsingenieur *m*
lan,ds|by, [-a-] Dorf *n*; **~dækkende** landesweit; **~hol,d** *n* Nationalmannschaft *f*
landska,b [-a-] *n* Landschaft *f*
lan,ds|kam,p ['la-] Länderspiel *n*; **~man,d** Landsmann *m*; **~plan**: ***på*** ~ auf Landes-,

nationaler Ebene; **~sted** [-a-] *n* Landhaus *n*; **~styre** *n Regionalregierung auf Grönland und den Färöern*; **~træner** Nationaltrainer *m*
lang [lɑŋ?] lang, weit
lang|bol,d ['lɑŋ-] Schlagball *m*; **~bølge** Langwelle *f*; **~elandsk** *von der Insel Langeland*; **~elænder** *Bewohner der Insel Langeland*; **~fing,er** Mittelfinger *m*; **~'fre,dag** Karfreitag *m*; **~rend** Langlauf *m*
lang,s: **~ *med*** entlang, längs
lang|sigtet langfristig; **~som,** langsam; **~sy,net** weitsichtig
lang,t weit; **~ *fra*** bei weitem (nicht)
langturschauffør *LKW* Fernfahrer *m*
langva,rig langwierig
lap (*-per*) Lappen, Flicken *m*; **~pe** flicken; **~pegrej** *n Fahrrad* Flickzeug *n*
large großzügig; *Tex* groß
lar,m Lärm *m*
larve (*-r*) Raupe *f*; **~fødder** *pl* Raupenketten *pl*
laserprinter Laserdrucker *m*
laset ['la:sәð] zerlumpt
lasket ziemlich fett
last [la-] Last *f*; Laster *m*; **~bi,l** Lastwagen *m*; **~e** laden
la'ti,n [la-] *n* Latein *n*
latter [-a-] Gelächter *n*; **~lig** lächerlich
laurbær ['lɑŭ?ʀ-] (=) Lorbeer *m*; **~blad** *n* Lorbeerblatt *n*
lav [la?ŭ] niedrig, flach, tief
lavalder: ***over den kriminelle*** **~** strafmündig; ***over den seksuelle*** **~** volljährig
lave ['la:ŭә] machen, tun
lavkonjunktur ['lɑŭ-] Rezession *f*
lavmålet: ***under*** **~** sehr schlecht
lav|prisbutik (*-ker*) Discountgeschäft *n*; **~tryk** *n Wetter* Tief(druckgebiet) *n*; **~vande** *n* Ebbe *f*
le,[1] Sense *f*
le,[2] lachen (***ad*** über)
led[1] [le?ð] gemein
led[2] litt *etc* (*imperf* → ***lide***)
led[3] [leð] *n* (=) Gelenk, Glied *n*; ***af~*** verrenkt; **~degigt** Gelenkrheumatismus *m*; **~de,lt** gegliedert
lede[1] ['le:ðә] Überdruss, Ekel *m* (***ved*** an)
lede[2] leiten; suchen (***efter*** nach); **~lse** (*-r*) Leitung, Führung *f*; **~r** (*-e*) Leiter(in), Führer(in) *m*(*f*)
ledig ['le:ði] frei, offen; **~hed** Arbeitslosigkeit *f*
ledning ['leð-] Leitung *f*
leg [lɑj?] (*-e*) Spiel *n*
legat *n* Stipendium *n*
lege ['lɑ:jә] spielen; **~plads** Spielplatz *m*; **~tøj** *n* Spielzeug *n*
legitim|ation [-'sjo?n] Ausweis *m*; **~ere** [-'me?ɔ]: **~ *sig*** sich ausweisen
leje[1] ['lɑjә] *n* (*-r*) Stufe *f*; *Tech* Lager *n*
leje[2] ['lɑjә] mieten; *su* (*-r*)

Miete *f*; **~kontrakt**, **~mål** *n* Mietvertrag *m*; **~r** (*-e*) Mieter(in) *m(f)*
lejl. (*lejlighed*) Whg. (*Wohnung*)
lejlighe,d Wohnung; Gelegenheit *f*; **~svi,s** gelegentlich
lejr [lɑj'ɔ] (*-e*) Lager *n*; **~skole** Landheimaufenthalt *m*
lektiehjæl,p ['lɛgsjə-] *Schule* Nachhilfe *f*
lektier *pl* Hausaufgaben, Schularbeiten *pl*; ***have ~ for*** *Hausaufgaben* aufhaben
lektor *etwa fest angestellter Lehrer am Gymnasium oder Dozent an der Universität*
lem[1] [lɛm'] Luke *f*
lem[2] *n* Glied, Penis *m*; **~læste** verstümmeln; **~mer** *pl* Gliedmaßen *pl*
lempelse (*-r*) Erleichterung *f*
ler [le'ʀ] *n* Lehm, Ton *m*
lesbisk *su* Lesbierin, Lesbe *f*
let leicht; ***have ~ ved*** keine Schwierigkeiten haben mit; **~fordær,velig** leicht verderblich; **~fordøj,elig** leicht verdaulich; **~mælk** fettarme Milch (1,5%); **~sindig** [-'sen'di] leichtsinnig; **~'sin,dighe,d** Leichtsinn *m*
lette *v/it* helfen; *Flug* abheben
lev. (*levering*; *leveres etc*) Lieferung; lieferbar; wird geliefert *etc*
leve ['le:ŭə] leben; **~dygtig** lebensfähig; **~nde** lebendig; lebhaft; **~omkostninger** *pl* Lebenshaltungskosten *pl*
le,ver (*-e*) Leber *f*
lever|ance [levə'ʀɑŋsə] (*-r*) Lieferung *f*; **~andør** [-ʀɑn'dø'ʀ] Lieferant *m*; **~e** [le''ve'ɔ] liefern; **~ing** [le-'ve'ʀeŋ] Lieferung *f*
le,verpostej, Leberpastete *f*
leve|standard ['le:və-] Lebensstandard *m*; **~vej**, Beruf *m*
levne ['lɛŭnə] übrig lassen; nicht aufessen
levnedsmiddelkontrol Lebensmittelkontrolle *f*
lgd. (*længde*) Länge
licens [-sɛn's] Rundfunkgebühr *f*; Lizenz *f*
lide ['li:ðə] leiden (***af*** an); ***kunne ~*** mögen; **~lse** (*-r*) Leiden *n*
lidenska,b ['li:ðən-] Leidenschaft *f*; **~elig** [-'ska'bəli] leidenschaftlich
liderlig V geil, erregt
lidt (ein) wenig, etwas; ***~ efter~*** nach und nach; ***om ~*** in Kürze; in wenigen Minuten
li,g[1]: ~ (***med***) gleich
li,g[2] *n* (=) Leiche *f*; **~brænding** ['li:-] Einäscherung *f*
lige ['li:ə] gleich; gerade; ***uden ~*** ohnegleichen; ***~ frem*** geradeaus; **~frem**, ehrlich, direkt; *adv* geradezu, sogar; **~glad**, **~gyl,dig** gleichgültig, egal; **~still,ing** Gleichberechtigung *f*; **~til** einfach; **~vægt** Gleichgewicht *n*; **~vægtig** ausgeglichen

ligge, ~**ned** liegen; ~**sto,l** Liegestuhl *m*; ~**vogn** Liegewagen *m*
lighed ['li:he?ð] Gleichheit; Ähnlichkeit *f*; ~**stegn** *n* Gleichheitszeichen *n*
lighter ['lɑjdɔ] (*-e*) Feuerzeug *n*
ligkiste ['li:-] (*-r*) Sarg *m*
lign. (*lignende*) ähnlich
ligne ['li:nə] gleichen, ähneln; ~**nde** ähnlich
ligning ['li:-] Gleichung *f*
ligto,rn ['li:-] Hühnerauge *n*
li'kø,r Likör *m*
lilje (*-r*) Lilie *f*; ~**konval,** (*-ler*) Maiglöckchen *n*
lille [-i-] klein; '~'**bitte** winzig; ~**bror** kleiner(er) Bruder
Lillebælt *n Geo* kleine(r) Belt *m*
lille|finger kleine(r) Finger; '~**jule'aften** der Abend des 23. Dezember; ~**skole** *Privatschule mit wenig Schülern*; ~**søster** kleine(re) Schwester; ~**tå** kleine Zehe *f*
li,m Leim *m*
lin,detræ *n* Lindenbaum *m*
lindre lindern, mildern
linje (*-r*) Linie *f*; Zeile *f*; ~**fag** *n* (Schul-) Hauptfach *n*
linned ['lenəð] *n* Leinen *n*; Wäsche *f*
liste[1] (*-r*) Leiste; Liste *f*
liste[2] schleichen
listig schlau
liter (=) Liter *m*
litte|ra'tu,r Literatur *f*; ~**ræ,r** literarisch
liv [li?ŭ] *n* (=) Leben *n*; Leib *m*; ~'**agtig** [liŭ-] wirklichkeitstreu; ~**garde** (Leib-) Garde *f*; ~**lig** lebhaft; ~**moder**, ~**mor** [-mo:ʀ] Gebärmutter *f*; ~**rem,** Gürtel *m*; ~**redder** Rettungsschwimmer(in) *m(f)*; ~**ret** Leibgericht *n*
livs|fare ['liŭs-] Lebensgefahr *f*; ~**farlig** lebensgefährlich; ~**teg,n** *n* Lebenszeichen *n*; ~**ti,d** *Strafe* lebenslänglich; ~**va,rig** lebenslänglich
livvagt [liŭ-] Leibwächter, Bodyguard *m*
livvidde [liŭ-] Taillenweite *f*
Ll. (*lille*) *in Otrsnamen* Kl. (*Klein*)
lo [lo?] lachte *etc* (*imperf* → **le**)
lod[1] [lɔð] *n* (*-der*) Lot *n*
lod[2] Los *n*; ***trække***~ losen (***om*** um)
lod[3] [lo?ð] ließ *etc* (*imperf* → ***lade***)
lodde ['lɔðə] loten; löten
lodret ['lɔð-] senkrecht
lods [lo?s] Lotse *m*
lod|sedd,el ['lɔð-] (Lotterie-)Los *n*; ~**trækning** Auslosung *f*; Losziehung *f*
loft *n* Dachboden *m*; (Zimmer-)Decke *f*
logerende [lo'sje?ɔnə] (=) Untermieter *m*
logi|k [lo'gig] Logik *f*; ~**sk** ['lo?gisg] logisch
logre [lɔŭʀɔ] wedeln
lok (*-ker*) Locke *f*
lok. (*lokal*) App. (*Appart-*

ment); (*lokale*) Zi. (*Zimmer*)
lo'ka,l örtlich
lo'kale [-a-] *n* (*-er*) Raum *m*
lokke locken, reizen; **~mad** Köder *m*
lokomo'ti,v *n* Lokomotive *f*
lokum *n* F (Plumps)Klo *n*
lollik (*-ker*), **lollænder** (*-e*) *Einwohner der Insel Lolland*
lomme (*-r*) Tasche *f*; **~kni,v** Taschenmesser *n*; **~lygte** Taschenlampe *f*; **~lærke** Flachmann *m*; **~penge** *pl* Taschengeld *n*; **~regner** Taschenrechner *m*; **~ty,v** Taschendieb *m*; **~tørklæde** *n* Taschentuch *n*
loppe (*-r*) Floh *m*; **~marked** *n* Flohmarkt *m*
lo,rt F Scheiße *f*; Scheißkerl *m*
losse *Mar* abladen; **~plads** Müllhalde *f*
lotte'ri, *n* Lotterie *f*
lov [lɔŭ] (*-e*) Gesetz *n*; ***få ~*** (***til at***) die Erlaubnis bekommen (zu); ***give ~ til at*** erlauben zu
love ['lå:ŭə] versprechen; **~nḍe** viel versprechend
lov|gi,vning ['lɔŭ-] Gesetzgebung *f*; **~lig** erlaubt; *adv* ziemlich
lud [luˀð] Lauge *f*; **~behandle** ablaugen
luder *n* Hure *f*, Nutte *f*
ludo *n* Mensch-ärgere-dich--nicht *n*
luft Luft *f*; **~e:** **~ *ud*** lüften
luft|forure,ning Luftverschmutzung *f*; **~hav,n** Flughafen *m*; **~madras** Luftmatratze *f*; **~pudebå,d** Luftkissenboot *n*; **~syġ,** luftkrank; **~tryk** *n* Luftdruck *m*; **~tæt** luftdicht; **~veje** *pl* Atemwege *pl*
luge[1] ['lu:ə] (*-r*) Luke *f*
luge[2] jäten; **~ *ud*** aufräumen (*fig*)
lugt (*-e*) Geruch *m*; **~e** riechen (***af*** nach); **~esan,s** Geruchssinn *m*; **~fri,** geruchlos
lukke schließen, zumachen; **~ti,d** Geschäftsschluss *m*
lukning Verschluss *m*; Schließen *n*
luksus Luxus *m*
lummer ['låmˀɔ] schwül
lum,sk hinterlistig
lu,n lau; recht warm
lune[1] ['lu:nə] (*-r*) Laune *f*; Humor *m*
lune[2] (an)wärmen
lunge (*-r*) Lunge *f*; **~betæn,-ḍelse** Lungenentzündung *f*
lunken lauwarm
lunte[1] (*-r*) Lunte *f*
lunte[2] trotten
lup (*-per*) Lupe *f*
lu,r (=) Nickerchen *n*; ***ligge på ~*** auf der Lauer liegen
lure ['lu:ɔ] lauern; lauschen
lurvet [-u-] schäbig
lu,s (=) Laus *f*
lussing [-u-] Ohrfeige *f*
ly [lyˀ] *n* Schutz *m* (***for*** gegen)
lyd [lyˀð] (*-e*) Laut; Schall *m*; **~bølge** [-bøljə] Schallwelle *f*; **~bån,ḍ** *n* Tonband *n*; **~dæmper** (*-e*) Schalldämpfer *m*

lyde ['ly:ðə] ertönen; lauten; klingen
lyd|høˌr ['lyð-] offen, aufgeschlossen (***over for*** gegenüber); **~kort** *n* Soundkarte *f*; **~løˌs** lautlos; **~potte** Auspufftopf *m*; **~spor** *n* Soundtrack *m*; Filmmusik *f*; **~styrke** Lautstärke *f*
lydig ['ly:ði] gehorsam
lydt [ly-] *Haus etc* hellhörig
lydtæt ['lyð-] schalldicht
lygte (*-r*) Laterne *f*; *Kfz* Scheinwerfer *m*; **~pæl** Laternenpfahl *m*
lykke ['løgə] Glück *n*; **~hjul** *n* Glücksrad *n* (*a TV*); **~lig** glücklich; **~s** gelingen
lykønˌsk|e ['løg-] beglückwünschen (***med*** zu); **~ning** Glückwunsch *m*
lyˌn *n* (=) Blitz *m*; **~e** ['ly:nə] blitzen
lyng [løŋ'] Heidekraut *n*
lyn|låˌs ['ly:n-] Reißverschluss *m*; **~nedslaġ** Blitzschlag *m*; **~toˌg** *n* D-Zug *m*
lyˌs *n* (=) Licht *n*; Kerze *f*; *adj* hell; licht; heiter; **~billede** ['lys-] *n* Dia *n*
lyse ['ly:sə] leuchten; ['lysə-] **~blå** hellblau; **~krone** Kronleuchter *m*; **~slukker** Löschhütchen *n*; Spielverderber *m*; **~staġe** (*-r*) Kerzenhalter *m*
lyshåret blond
lyske [-y-] *Anat* Leiste *f*
lyskurˌv [-y-] Ampel *f*
lysne [-y-] hell werden
lysnet *n* (Strom)Netz *m*
lysning ['lysneŋ] Lichtung *f*
lys|regulering Ampelanlage *f*; **~reklame** Leuchtreklame *f*; **~stofrøˌr** *n* Leuchtstoffröhre *f*
lyst [løsd] Lust *f* (***til*** auf); **~båˌd** Jacht *f*; **~fisker** Sportangler *m*; **~huˌs** *n* Laube *f*
lystre [-y-] gehorchen
lysvågen ['lys'vå:ŭən] hellwach
lytte [-y-] lauschen, horchen; **~r** (*-e*) *Radio* Hörer(in) *m*(*f*)
lyv [lyŭ'] *n* Lüge *f*; gelogen; **~e** ['ly:ŭə] lügen
læˌ *n* Schutz *m* (*vor Wetter*) (***for*** gegen)
læbe ['lɛ:bə] (*-r*) Lippe *f*; **~pomade** Fettstift *m für die Lippen*; **~stift** Lippenstift *m*
læder ['lɛ'ðə] *n* Leder *n*
læˌg¹ (*-ge*) Wade *f*
læˌg² *n* (=) *Tex* Falte *f*
læge ['lɛ:ə] (*-r*) Arzt *m*, Ärztin *f*; **~attest**, **~erklæring** ärztliches Zeugnis; **~middˌel** *n* Arznei *f*; **~sekretær** Arzthelfer(in) *m*(*f*); **~vagt** Notarzt *m*, Notärztin *f*; **~videnskab** Medizin *f* (*als Wissenschaft*)
lægge legen; **~ *op*** *Tex* kürzer machen
læˌġmanˌd Laie *m*
lækker lecker; sexy; **~sulten**: ***være ~*** Lust auf etw Süßes haben
læne ['lɛ:nə] lehnen (***op ad*** an); **~stoˌl** Sessel *m*

længde ['lɛŋˀdə] (*-r*) Länge *f*; **~spring**, *n* Weitsprung *m*
længe (*-r*) *Arch* Flügel *m*; *adv* lange
længes sich sehnen (***efter*** nach)
læng,sel (*-sler*) Sehnsucht *f* (***efter*** nach); **~sful,d** sehnsüchtig
læng,st längst; am längsten
lænke fesseln (***til*** an); *su* (*-r*) Fessel *f*
lærd [laˀʀd] gelehrt
lærdom, ['laɔ-] Wissen *n*
lære ['la:ɔ] lernen; lehren; *su* Lehre *f*; **~nem**, gelehrig; **~r** (*-e*) Lehrer(in) *m*(*f*); **~ri,g** lehrreich
lærk (*-e*) Lärche *f*
lærke (*-r*) Lerche *f*
lærling (*-e*) Lehrling *m*
lærred ['la:ɔð] *n* Leinwand *f*; Leinen *n*
læs *n* Ladung *f*; *Person* Fettwanst *m*
læse ['lɛ:sə] lesen; studieren; ~ ***op*** vorlesen; fürs Examen studieren; **~hest** Bücherwurm *m*; **~lig** lesbar, leserlich; **~r** (*-e*) Leser *m*
læskedrik Erfrischungsgetränk *n*; Softdrink *m*
læspe lispeln
læsse *Waren* laden
lø,b *n* (=) Lauf *m*; Rennen *n*
løbe ['lø:bə] laufen, rennen; **~hju,l** *n* Roller *m*; **~r** (*-e*) Läufer *m* (*a Schach*); **~træne** Lauftraining machen, joggen
lødig ['lø:ði] gediegen
løfte[1] [-ø-] heben
løfte[2] [-ø-] *n* (*-r*) Versprechen *n*
løg [lɔjˀ] *n* (=) Zwiebel *f*
løgn [lɔjˀn] (*-e*) Lüge *f*; **~'agtig** [lɔjn-] lügenhaft, verlogen
løj log *etc* (*imperf* → ***lyve***)
løje ['lɔjə]: ~ ***a,f*** abflauen
løjet gelogen (*p/p* → ***lyve***)
løjtnant [-nanˀd] Leutnant *m*
løkke [-ø-] (*-r*) Schlinge *f*
løn [lœnˀ] Lohn *m*; Gehalt *n*; **~forhøj,else** Lohnerhöhung *f*; '**~modta,ger** (*-e*) Lohn-, Gehaltsempfänger *m*
lønninger [-œ-] *pl* Löhne *pl*
lørdag ['lɔ̈:ʀda] Samstag *m*
løs [løˀs] lose, locker; **~e** ['lø:sə] lösen, losmachen; **~lade** ['løslaˀðə] *Häftling* entlassen
løsn|e [-ø-] lösen, lockern; **~ing** ['lø:s-] Lösung *f*
løs|ri,ve ['løs-] losreißen; **~salg**: ***i*** ~ im Handel; **~sluppen** [-slåbən] ausgelassen, wild
lø,v *n* Laub *n*
løve (*-r*) Löwe *m*
lå lag *etc* (*imperf* → ***ligge***)
lådden ['lɔðən] behaart
låg [låˀŭ] *n* (=) Deckel *m*
låge ['lå:ŭə] (*-r*) Gartentor *n*; *kleine* Tür *f*
lån [låˀn] *n* (=) Darlehen *n*; ***tak for ~!*** mit bestem Dank zurück!; ***til ~s*** leihweise; **~e**

['lå:nə] leihen; **~er** Entleiher(in); Benutzer(in); Leser(in) *m(f)*
lår [lɔˀ] *n* (=) Schenkel *m*
lås [låˀs] (*-e*) *Tür* Schloss *n*; Verschluss *m*; **~e** ['lå:sə] verschließen, abschließen; **~esmed** *Tür* Schlosser *m*

M

M, m [ɛm] *n*: ***et stort*** **~** ein großes M
mad [mað] Essen *n*; ***lave*** **~** kochen
maddike ['maðˀegə] (*-r*) Made *f*
made ['ma:ðə] füttern
mad|la,vning ['mað-] Kochen *n*; **~olie** Speiseöl *n*; **~opskrift** Kochrezept *n*; **~pakke** Pausenbrot *n*
ma'dras [ma-] (*-ser*) Matratze *f*
madro Ruhe *f* während des Essens
magasin [-'siˀn] *n* Magazin *n*
mageliġ ['ma:əli] bequem
ma,ġer [-a-] mager; dünn
magt [mɑgd] Macht *f*; **~e** bewältigen; **~eslø,s** machtlos
maj, Mai *m* (***i, til*** im)
maj,s Mais *m*
Makedonien Mazedonien
makke: **~** ***ret*** sich fügen; funktionieren
makker Kollege *m*, Kollegin *f*; Mitspieler(in) *m(f)*
ma'krel, (*-ler*) Makrele *f*
maks. (*maksimum, maksimal*) max. (*maximal*)
maksi'ma,l maximal
male ['ma:lə] malen; mahlen; **~r** (*-e*) Maler(in), Anstreicher(in) *m(f)*; **~'ri,** *n* Gemälde *n*; **~rkun,st** Malerei *f*
maling ['ma:leŋ] Farbe *f*; Anstrich *m*; Anstreichen *n*
malke [-a-] melken
malplace,ret unpassend
mand [manˀ] (*mænd*) Mann *m*; Ehemann *m*
man,daġ [-a-] Montag *m*; ***blå*** **~** *Montag, an dem die Konfirmanden feiern*
man,del [-a-] (*-dler*) Mandel *f*; **~gave** *kleines Geschenk für den Finder beim Essen von* → ***risalamande***
mandiġ maskulin
mandliġ [-a-] männlich
mandska,b [-a-] *n* Mannschaft *f*
mange ['mɑŋə] viel, viele; **~dobbelt** vielfach
mang,el (*-gler*) Mangel *m* (***på*** an); **~ful,d** mangelhaft
mangeå,riġ langjährig
mangle fehlen; mangeln
manicure [-'ky:ɔ] Maniküre *f*
manke Mähne *f* (*a fig*)
manøvre [ma'nøʀɔ] (*-r*) Manöver *n*
m.a.o. (*med andre ord*) in anderen Worten

maosko® *pl dünne chinesische Hausschuhe*
mappe (*-r*) Mappe; Aktentasche *f*
march [mɑːsj] Marsch *m*
marcipan [mɑːsi'paˀn] Marzipan *n*
mareridt [-rid] *n* Albtraum *m*
mariehøne Marienkäfer *m*
mark Feld *n*; Acker *m*
marked *n* Markt; Jahrmarkt *m*; **~sføring** Vermarktung *f*
mar'ke,re markieren
marmelade [-'laːðə] Marmelade *f*
marsvi,n *n* Meerschweinchen *n*; *Mar* Tümmler *m* (*Delfin*)
marts März *m*; ***i ~, til ~*** im März
marty,r Märtyrer(in) *m*(*f*)
mar,v *Anat* Mark *n*
mas [maˀs] *n* Mühe *f*; **~e** ['maːsə] quetschen
maske [-a-] (*-r*) Masche; Maske *f*
ma'ske,re [ma-] maskieren
maskin|e [må'sgiːnə] (*-r*) Maschine *f*; **~gevæ,r** *n* Maschinengewehr *n*
ma'skot [ma-] (*-ter*) Maskottchen *n*
massage [ma'saːsjə] Massage *f*; **~klinik** Massageinstitut *n*, Massagesalon *m*
masse [-a-] (*-r*) Masse; Menge *f*; **~r**: ***~ af*** Unmengen von; **~re** [-'se,-] massieren
massevi,s [-a-]: ***i ~*** massenhaft
mat [mad] matt
matado,r Monopoly®
material|e [matʀi'aːlə] *n* (*-r*) Material *n*; **~ist** [-'lisd] Drogist(in) *m*(*f*)
ma'te,rie [ma-] Eiter *m*
ma'tro,s [ma-] Matrose *m*
mave ['maːŭə] (*-r*) Magen; Bauch *m*; **~dans** Bauchtanz *m*; **~pine** Magenschmerzen *pl*; **~syre** Magensaft *m*; **~så,r** *n* Magengeschwür *n*
mayonnaise [majo'nɛːsə] (*-r*) Majonäse *f*
maza'ri,nkage *Kuchen aus Mandelteig*
MB (*mellembølge*) Mittelwelle *f*
md. (*måned*) M. (*Monat*); (*mand*) Mann
mdl. (*månedlig*) mtl. (*monatlich*); (*mandlig*) männl. (*männlich*)
mdr. (*måneder*) Monate
mdtl. (*mundtlig*) mdl. (*mündlich*)
med [mɛð] mit
med|arbej,der ['mɛð-] Mitarbeiter(in) *m*(*f*); **~bestem-m,else** Mitbestimmung *f*; **~bring,e** mitbringen; **~d.** (*meddelelse*) Mitteilung *f*; **~de,le** mitteilen
medens [mɛnˀs] während
med|fø,dt angeboren; **~følelse** Mitgefühl *n*; **~føre** zur Folge haben; **~hjæl,per** (*-e*) Gehilfe *m*; **~hø,r** *Tel* Mithören *n*, Freisprechen *n*
medicin [-'siˀn] Medizin, Arznei *f*

me'dister, **~pølse** [-i-] *etwa* dicke Bratwurst
medlem ['mɛðlɛm?] *n* (*-mer*) Mitglied *n*
med|'li,denhe,d [mɛð-] Mitleid *n*; **~'mindre** es sei denn; **~regnet** [-ʀɑj?nəð] einschließlich; **~ta,get** mitgenommen; **~vind** [-ven?] Rückenwind *m*
meget ['mɑjəð] viel; sehr
mejeri [mɑjɔ'ri?] *n* Molkerei *f*
mejetærsker ['mɑjətaʀskɔ] Mähdrescher *m*
mejse (*-r*) Meise *f*
meka'ni|k Mechanik *f*; **~sk** [me'ka?nisg] mechanisch
me,l *n* Mehl *n*
melde melden, anzeigen
melding Meldung *f*
mellem ['mɛl?əm] zwischen; unter; **~bølge** ['mɛləm-] Mittelwelle *f*; **~gulv** [-gål] *n* Zwerchfell *n*; **~landing** [-a-] Zwischenlandung *f*; **~mad** *Butterbrot zwischen den Hauptmahlzeiten*; **~navn** *n* zweiter Familienname; Muttername; **~rum**, *n* Zwischenraum *m*
mell,emst- mittler-
mellem|stor mittelgroß; **~tiden**: *i* **~** in der Zwischenzeit; **~ørebetændelse** Mittelohrentzündung *f*
Mellemøsten (der) Nahe Osten *m*
melo'di, Melodie *f*
me'lo,n Melone *f*
men[1] [mɛn] aber; sondern
men[2] [me?n] (bleibende) Verletzungen, Schäden *pl*
mene ['meːnə] meinen; denken
menig gemein; *su* Soldat *m* niederen Ranges
menighe,d ['meːni-] *Rel* Gemeinde *f*
mening ['meːneŋ] Meinung *f*; Sinn *m*; **~slø,s** sinnlos; **~småling** Meinungsumfrage *f*
menneske (*-r*) *n* Mensch *m*; **~lig** menschlich; **~lighe,d** Menschlichkeit *f*; **~rettigheder** *pl* Menschenrechte *pl*; **~tom**, menschenleer
mens [mɛn?s] während
menstrua'tio,nsbind Monatsbinde *f*
menu Menü *n* (*a EDV*)
mere ['meːɔ] mehr; ***med~*** und anderes mehr; ***~ og ~*** immer mehr
merkonom Diplomkaufmann *m*, Diplomkauffrau *f*
mer,udgift Mehrausgabe *f*
mest [me?sd] meist; am meisten; ***for det ~e*** meistens
mest|er (*-re*) Meister *m*; **~erlig** meisterhaft; **~erska,b** *n* Meisterschaft *f*; **~re** meistern
me'tal [-al] *n* (*-ler*) Metall *n*
me,ter (=) Meter *n*; ***ikke en~*** F kein bisschen
metode [-'toːðə] (*-r*) Methode *f*
metro U-Bahn *f*
mf. (*midtfor*) *Thea etc* Mitte

MF, MF'er Mitglied des → ***Folketing***
mfl. (*med flere*) u.a. (*und andere*)
mhp. (*med henblik på*) im Hinblick auf
mht. (*med hensyn til*) was … betrifft
midaldrende ['miðalʔʀɔnə] mittleren Alters; ***en~ kvinde*** eine Frau mittleren Alters
middag ['meda] Mittag *m*; Essen *n*; **~smad** warme Mahlzeit *f*
middel ['miðʔəl] *n* (*-ler*) Mittel *n*
Middelhavet (das) Mittelmeer *n*
middelmå,diġ mittelmäßig
mide Milbe *f*
midlerti,diġ ['miðʔlɔ-] vorläufig
midnat ['miðnad] Mitternacht *f*
midṭ mitten; **~e** Mitte *f*
midṭerlinje Mittellinie *f*
midṭerst- mittler-
midṭerstribe Mittelstreifen *m*
midtfor (in der) Mitte
midtpunk,t *n* Zentrum *n*
midtvejs halb fertig
mig [mɑj] mich; mir; meiner
mikro(bølge)ovn Mikrowellenherd *m*
mikse mischen, mixen
mi,l (=) Meile *f* (*früher etwa 7,5 km*)
Mi'lano Mailand
mil,ḍ mild, sanft; **~ne** ['milnə] mildern
mili'tæ,r *n* Militär *n*; **~nægter** (*-e*) Wehrdienstverweigerer *m*; **~tjeneste** Wehrdienst *m*
mil'jø *n* Umwelt *f*; **~beskyttelse** Umweltschutz *m*; **~venlig** umweltfreundlich
milli'o,nbøf *Hackfleisch in brauner Soße*
mil,t [mi-] Milz *f*
mi,n, ***mit*** [mi-] *n*, ***mine*** ['mi:nə] *pl* mein(e)
minḍe *n* (*-r*) Andenken *n*; erinnern (***om*** an); **~højti,deliġhe,d** Gedenkfeier *f*; **~s** gedenken; sich erinnern
minḍesmærke *n* Denkmal *n*
minḍevær,diġ denkwürdig
mindre kleiner; weniger; **~tal** *n* Minderheit *f*; **~vær,diġ** minderwertig; **~væ,rdskompleks** *n* Minderwertigkeitskomplex *m*; **~å,riġ** minderjährig
minḍske mindern
min,ḍst (der *etc*) Mindest(e); *adv* mindestens
mine ['mi:nə] (*-r*) Miene *f*; *Mil* Mine *f*; *pron* meine(n); → ***min***; **~drift** Bergbau *m*
mine'ra,lvan,ḍ *n* Mineralwasser *n*
minimælk® *fettarme Milch (unter 0,5 %)*
mi'nister [mi-] (*-tre*) Minister(in) *m*(*f*)
mink [meŋʔg] (=) Nerz *m*
minori'te,t Minorität, Minderheit *f*
min'san,ḍten [min-] wahrhaftig

mi'nut *n* (*-ter*) Minute *f*
mis|bill,iġe ['mi-] missbilligen; **~bru,ġ** *n* Missbrauch *m*; **~dann,else** Missbildung *f*; **~forstå,** missverstehen; **~han,dle** misshandeln; **~ly,d** Missklang *m*; '**~lykkes** misslingen
misse [-i-]: **~ *med øjnene*** *gegen das Licht* blinzeln
mistanke ['mis-] Verdacht *m* (***om, at*** dass)
miste verlieren
mistelten [-i-] (=) Mistel *f*
mis|tillid ['misteli?ð] Misstrauen *n*; **~tro,** Misstrauen *n*; **~tro,isk** misstrauisch; **~tænke** [-tɛŋ?gə] verdächtigen (***for at*** zu); **~'tæn,keliġ** verdächtig; **~'tæn,ksom,** misstrauisch; **~tæn,kt** verdächtig; **~unde** [-'ån?ə] beneiden; **~'un,deliġ** neidisch (***på*** auf); **~'un,delsesvær,diġ** beneidenswert; **~vi,sende** irreführend
mit mein, meine *etc*; → ***min***
m/k (*mand/kvinde*) männlich/weiblich
m.m. (*med mere*) u.a.m. (*und anderes mehr*)
mobi,l Handy *n*
mobili'se,ring Mobilisierung, Mobilmachung *f*
mo,biltelefon Handy *n*
mod¹ [mo?ð] *n* Mut *m*
mod² gegen, wider; **~'by,deliġ** widerlich
mode ['mo:ðə] (*-r*) Mode *f*
mo'del, (*-ler*) Modell *n*; **~lere** [-də'le?ɔ] modellieren
moden ['mo?ðən] reif; **~he,d** Reife *f*
modeopvi,sning ['mo:ðə-] Modenschau *f*
mode'r|a,t gemäßigt; **~ere** [-'ʀa?ɔ] mäßigen
moder|liġ ['mo:ðɔ-] mütterlich; **~mærke** *n* Muttermal *n*
mo'derne modern; modisch
modersmå,l ['mo:ðɔs-] *n* Muttersprache *f*
mod|gang, Missgeschick *n*; **~gift** [-i-] Gegengift *n*; **~haġe** Widerhaken *m*
modig ['mo:ði] mutig
mod|ly,s ['moð-] *n* Gegenlicht *n*; **~lø,s** mutlos
modne(s) ['moðnə(s)] reifen
mod|pa,rt ['moð-] Gegner *m*; **~sat** [-sad] entgegengesetzt; **~si,ġe** widersprechen; **~si,ġelse** (*-r*) Widerspruch *m*; **~stan,d** Widerstand *m* (***gøre*** leisten); **~stander** (*-e*) Gegner *m*; **~standsdygtiġ** widerstandsfähig; **~stræ,bende** widerstrebend; **~stå,** widerstehen; **~sætning** Gegensatz *m* (***zu*** til); **~ta,ge** empfangen, annehmen; **~ta,ġelse** Empfang *m*; **~ta,ġer** (*-e*) Empfänger(in) *m(f)*; **~vilje** Widerwille *m* (***mod*** gegen); **~villiġ** [-vi?l-] widerwillig; **~vin,d** Gegenwind *m*; **~vægt** Gegengewicht *n*
mol, Moll *n*
molboagtig ['målbo?ɑgti] F

dämlich, schwachsinnig
moms [mɔmˀs] Mehrwertsteuer *f*
mon [mån] ob; ~ ***dog?*** wohl kaum!
monar'ki, *n* Monarchie *f*
mont|age [-'taːsjə] (*-r*) Montage *f*; **~re** Vitrine *f*; **~ør** [-'tøˀʀ] Monteur *m*
moppe Mop *m*
mopset mürrisch
mor [moʀ] (*mødre*) Mutter *f*; ♀ ***Danmark*** *Dänemark als Muttergestalt*
mo'ra,l Moral *f*; **~sk** moralisch
morbror ['moˀbroʀ] Onkel *m* (*mütterlicherseits*)
mord [moˀʀ] *n* (=) Mord *m*; **~er** ['moʀdɔ] (*-e*) Mörder(in) *m*(*f*)
more ['moːɔ]: ~ ***sig*** sich amüsieren
morfar ['mɔˀfɑː] Großvater *m* (*mütterlicherseits*)
mor'fi,n Morphium *n*
morgen [mɔːən] Morgen *m*; **~mad** Frühstück *n*; **~man,d** Frühaufsteher(in) *m*(*f*); **~sko**, *pl* Hausschuhe *pl*
morges ['mɔːəs]: ***i*** ~ heute Morgen
mormor ['mɔˀmoʀ] Großmutter *f* (*mütterlicherseits*)
morsom ['moʀsɔmˀ] lustig, amüsant
mos[1] [moˀs] Mus *n*
mos[2] [mås] *n* (*-ser*) Moos *n*
mose[1] ['moːsə] (*-r*) Moor *n*
mose[2] quetschen
mo'ske, (*-skeer*) Moschee *f*
moster (*-tre*) Tante *f* (*mütterlicherseits*)
motherboard *n* Hauptplatine *f*
motion [mo'sjoˀn] *Sport* Bewegung *f*; **~'e,re** *Sport* trainieren
motor|cykel Motorrad *n*; **~hjel,m** Motorhaube *f*; **~køretøj** *n* Kraftfahrzeug *n*; **~tra'fikvej**, Schnellstraße *f*; **~vej**, Autobahn *f*
movieboks Videogerät *n* (*im Verleih*)
m/u (*med/uden*) mit/ohne
mudder ['muðˀɔ] *n* Schlamm *m*
mug *Bot* Schimmel *m*
mug|gen verschimmelt; *Person* sauer; **~ne** verschimmeln
muldvarp [-u-] (*-e*) Maulwurf *m*; **~eskud** *n* Maulwurfshügel *m*
mule ['muːlə] (*-r*) Maul *n*
mulig ['muːli] möglich; **~gø,re** ermöglichen; **~he,d** Möglichkeit *f* (***for at*** zu); **~vi,s** möglicherweise
mumle murmeln; **~n** Gemurmel *n*
mun,d (*-e*) Mund *m*
munde: ~ ***ud i*** münden in
mund|ful,d (*-e*) Happen *m*; **~ing** Mündung *f*; **~kur,v** Maulkorb *m*; **~stykke** *n* Mundstück *n*; Düse *f*; **~tlig** mündlich; **~van,d** *n* Mundwasser *n*; **~vi,g** (*-e*) Mund-

winkel *m*
munk [måŋˀg] (*-e*) Mönch *m*
mu,r (*-e*) Mauer *f*; **~e** ['muːɔ] mauern; **~er** (*-e*) Maurer *m*
mu,s (=) Maus *f*; **~efælde** ['musə-] Mausefalle *f*
mu'sik Musik *f*; **~alsk** [-'kaˀlsg] musikalisch
mus'ka,tvin Muskateller *m*
muskel [-u-] (*-kler*) Muskel *m*
musling [-u-] Muschel *f*
mut [mud] verdrossen
m.v. (*med videre*) u.a. (*und andere*)
m.v.h. (*med venlig hilsen*) MfG (*mit freundlichen Grüßen*)
myg [myg] (=) Mücke *f*
myldre [-y-] wimmeln (***af*** von); **~ti,d** Hauptverkehrszeit *f*
myndig respekteinflößend; volljährig; **~he,d** Volljährigkeit *f*; Behörde *f*; Autorität *f*
myrde [-y-] ermorden
myre ['myːɔ] (*-r*) Ameise *f*; **~tue** Ameisenhaufen *m*
mægle ['mɛːlə] vermitteln; **~r** Vermittler; Makler(in) *m(f)*
mægtig mächtig
mæl,k Milch *f*; **~ebøtte** *Bot* Löwenzahn *m*
mænd, *pl* Männer (→ ***mand***)
mængde ['mɛŋˀdə] (*-r*) Menge *f*
mærke merken, spüren; *su n* (*-r*) Marke *f*, Zeichen *n*; ***lægge ~ til*** bemerken; **~lig** merkwürdig
mærk'vær,dig merkwürdig
mæslinger *pl* Masern *pl*
mæt satt
mø,bler *pl* Möbel *pl*
møb'le,re möblieren
mødding ['møðeŋ] Misthaufen *m*
møde ['møːðə] begegnen, treffen; erscheinen; *su n* (*-r*) Begegnung; Sitzung *f* (***holde*** haben); **~s** sich treffen; **~sted** *n* Treffpunkt *m*
mødre ['møðʀɔ] *pl* Mütter (→ ***mor, moder***)
møg [mɔj] *n* Mist *m*
møj'somm,elig [mɔj-] mühsam
møl [møl] *n* (=) Motte *f*
mølle [-ø-] (*-r*) Mühle *f*; **~r** (*-e*) Müller(in) *m(f)*
møn,st|er [-ø-] *n* (*-re*) Muster *n*; **~ergyldig** mustergültig; **~ret** gemustert
mønt [mønˀd] Münze *f*; **~fo,d** Währung *f*; **~indkast** *n* Geldeinwurf *m*; **~vaskeri** *n* Waschsalon *m*
mø,r [mø-] mürbe; morsch; gar; **~brad** [-bʀɑd] Filet *n*
mørk [mɔ̃ʀg] dunkel, finster; **~e** *n* Dunkelheit *f*; **~ekam-m,er** *n* Dunkelkammer *f*; **~eræd**: ***være ~*** Angst vor Dunkelheit haben
mørtel Mörtel *m*
møtrik [-ø-] (*-ker*) (Schrauben)Mutter *f*
må darf; muss *etc* (→ ***måtte***); ***på ~, og få,*** aufs Geratewohl
måde ['måːðə] (*-r*) Art, Weise *f*; ***på en*** (***eller anden***) ~ auf

(irgend)eine Weise; **~hol,dende** maßvoll
måge ['må:ŭə] (-*r*) Möwe *f*
må,l *n* (=) Maß; Ziel; *Sport* Tor *n*; **~bevidst** ['må:l-] zielbewusst; **~e** ['må:lə] messen; **~ebån,d** *n* Maßband *n*; **~er** (-*e*) *El* Zähler *m*; **~estok** Maßstab *m*
målløs ['mɔlø?s] sprachlos
mål|man,d ['må:l-] Torwart *m*; Torwärtin *f*; **~sno,r** Zielband *n*
måltid ['mɔlti?ð] *n* Mahlzeit *f*
måne ['må:nə] (-*r*) Mond *m*; F beginnende Glatze (am Hinterkopf)
måned ['må:nəð] Monat *m*; **~lig** monatlich
måne|formørkelse (-*r*) Mondfinsternis *f*; **~skin** [-sgen?] *n* Mondschein *m*
mår [mɔ?] Marder *m*
må'ske, [må-] vielleicht
måtte[1] (-*r*) Matte *f*, (Fuß-)Abtreter *m*; F (viel) Brusthaar *n*; V Muschi *f*
måtte[2] dürfen; müssen

N

N, n [ɛn] *n*: ***et stort ~*** ein großes N
nabo ['na:bo] Nachbar *m*; **~laġ,**, **~skab** *n* Nachbarschaft *f*
nadver ['nɑðʀɔ] Abendmahl *n*
nakke Nacken *m*; *v/t* F killen, erledigen
napoleonskage *Butterkuchen mit Schlagsahne, Himbeerkonfitüre und Glasur*
nappe zwicken; nehmen; klauen
na,r (-*re*) Narr *m*; **~'agtiġ** [nɑ-] närrisch
narko Drogen *pl*
narko'ma,n Drogenabhängige(r) *m/f*
narre narren; **~sut** [-sud] Schnuller *m*
nasse schmarotzen (***på*** bei)
nat [nad] (*nætter*) Nacht *f*; ***i ~*** gestern/heute Nacht; ***om ~ten*** nachts; ***blive ~ten over*** übernachten; **~bord** *n* Nachttisch *m*; **~hol,d** *n* Nachtschicht *f*
nation [na'sjo?n] Nation *f*; **~'a,l** [-a-] national; **~ali'te,t** Staatsangehörigkeit *f*; **~alprodukt** *n* Sozialprodukt *n*; **~alsang** Nationalhymne *f*; **~'a,løkonomi,** Volkswirtschaft *f*
natlæge Notarzt *m*, Notärztin *f*
natte|frost [-a-] Nachtfrost *m*; **~rav,n** Nachteule *f* (*fig*); **~søvn** Schlaf *m* (*in der Nacht*)
nattøj *n* Schlafanzug *m*
na'tu,r [na-] Natur *f*; **~fa,ġ** *n* Naturkunde *f*; **~liġ**, **~liġvi,s**

natürlich; **~lov** Naturgesetz *n*; **~videnska,b** Naturwissenschaft *f*
nav [naŭ] *n* (=) Nabe *f*
navle ['naŭlə] (*-r*) Nabel *m*
navn [naŭˀn] *n* (*-e*) Name *m*; **~eform** Nennform *f*; Infinitiv *m* (**i** in der; im); **~emåde** → ***navneform***; **~eord** *n* Hauptwort *n*; Substantiv *n*; **~liġ** ['naŭn-] namentlich
ndf. (*nedenfor*) u. (*unten*)
ned [neˀð] nieder, herab, hinab; **~ad** herunter, hinab; abwärts, nach unten
ned|ar,ve ['neð-] vererben; **~brudt** [-ud] gebrochen (*fig*); **~bø,r** Niederschlag *m*
nede ['neːðə] unten; F down; **~fra,** von unten
nedenfor ['neːðənfɔ] unterhalb; unten
neder|de,l ['neðɔ-] *Tex* Rock *m*; **~la,ġ** *n* (=) Niederlage *f* (***lide*** erleiden)
nederst ['neˀðɔsd] unterste(r, -s)
ned|gang, ['neð-] Niedergang *m*; **~kom,st** Niederkunft *f*; **~kørsel** Abfahrt(srampe) *f*; **~la,dende** herablassend; **~lægge** niederlegen; **~løbsrør** *n* Fallrohr *n*
ned|ring,et ['neð-] dekolletiert; **~ri,ve** niederreißen; **~ruste** abrüsten; **~sat** [-a-] ermäßigt; **~skæring** *Hdl* Kürzung *f*; **~slå,et** niedergeschlagen (*fig*); **~sætte** ermäßigen; **~sættende** abschätzig; **~trykt** bedrückt; **~vær,-diġende** herabwürdigend
neg [neˀj] *n* (=) Garbe *f*
negerbolle [neːɔ-] Negerkuss *m*
negl [najˀl] (*-e*) *Anat* Nagel *m*
negle|børste ['najlə-] Nagelbürste *f*; **~fi,l** Nagelfeile *f*; **~lak** Nagellack *m*; **~saks** Nagelschere *f*
nej [najˀ] nein
neje ['najə] knicksen, sich verneigen
nellike ['nelˀigə] (*-r*) Nelke *f*
nem, leicht, einfach
nemliġ nämlich; und zwar; **~!** genau!
nerve (*-r*) Nerv *m*; **~pirr,ende** nervenaufreibend; **~sammenbrud** *n* Nervenzusammenbruch *m*; **~vrag** [-vʀaˀŭ] *n* Nervenbündel *n*
ner'vø,s nervös
net *n* (=) Netz *n* (*a EDV*); **~hinde** [-henə] Netzhaut *f*; **~kort** *n Fahrkarte für das ganze Verkehrsnetz*
netop *adv* eben, gerade
neu'tra,l [nœŭ-] neutral
New Zealand *n* Neuseeland *n*
ne'vø [ne-] Neffe *m*
ni, neun
niche ['nisjə] (*-r*) Nische *f*
niece [ni'ɛːsə] (*-r*) Nichte *f*
ni,ende neunte(r, -s); **~del** Neuntel *n*
nikke nicken; *Sport* köpfen
niks F nein
nips *pl* Nippsachen *pl*
nisse (*-r*) Heinzel-, Weih-

nachtsmännchen *n*, Kobold *m*; **~hue** Zipfelmütze *f*; **~øl** *süßes, dunkles Weihnachtsbier*
nital *n* (*-ler*) Neun *f*
nitte [-i-] nieten; *su* (*-r*) Niete *f*; Niet *m*
nitten ['ne-] neunzehn
nive kneifen
node ['no:ðə] (*-r*) *Mus* Note *f*
nogen ['no:ən] jemand; **~lunde** [-lånə] einigermaßen; **~sinde** jemals
noget ['nå:əð] *n* etwas; ***ikke ~*** nichts
nogle ['no:lə] *pl* einige
nok genug; wohl, schon
nord [no'ʀ] nördlich; Norden *m*; **~fra**, aus dem Norden; **~liġ** ['noʀ-] nördlich; **~mand** Norweger(in) *m(f)*; **~på** Richtung, im Norden
Nordsøen (die) Nordsee *f*
nordøst [noʀ'œsd] nordost
Norge *n* Norwegen *n*
nosser *pl* F (*Hoden*) Eier *pl*; Mumm *m*
notater *pl* Notizen *pl* (***tage*** machen)
no'te,re notieren, vermerken
no'tits Notiz *f*
no'vem,ber November *m*; ***i ~, til ~*** im November
nu nun, jetzt; ***~ og da*** ab und zu
nuance [ny'ɑŋsə] (*-r*) Nuance *f*, Farbton *m*
nudansk *n* Gegenwartsdänisch *n*, modernes Dänisch *n*
nu'dis|me Freikörperkultur *f*;
~strand FKK-Strand *m*
nul *n* (*-ler*) Null *f*; **~!** F nein!
numm,er *n* (*numre*) Nummer *f*; **~plade** Nummernschild *n*
numse Po *m*
nusse schmusen
nutid ['nutið'] Gegenwart *f*; **~iġ** gegenwärtig
nutilda,ġs heutzutage
nuvæ,rende jetzig
ny, neu; ***i ~ og næ*** ab und zu; **~begyn,der** ['ny-] (*-e*) Anfänger(in) *m(f)*; **~bygger** (*-e*) Siedler(in) *m(f)*; **~bygning** Neubau *m*; **~dansker** Einwanderer(in) *m(f)* in Dänemark
nyde ['ny:ðə] genießen; **~liġ** niedlich, nett; **~lse** (*-r*) Genuss *m*
'ny|fø,dt neugeboren; **~gift** neu vermählt; **~he,d** Neuigkeit; Neuheit *f*; **~hedsbrev** *n* Newsletter *m*; **~hedsbureau** *n* Presseagentur *f*; **~lagt** *Ei* frisch
nylig ['ny:li] neulich
nylonstrømper *pl* Nylonstrümpfe *pl*
ny|malet frisch gestrichen; **~måne** Neumond *m*
nynne summen
nyre ['ny:ɔ] (*-r*) Niere *f*
nyse ['ny:sə] niesen
nysgerr,iġ ['nys-] neugierig; **~he,d** Neugier *f*
nytte nützen; *su* Nutzen *m*; **~have** Nutzgarten *m*; **~slø,s** zwecklos
nyttiġ nützlich

nytå͵r *n* Neujahr *n*; Silvester *m*; **godt ~!** Prosit Neujahr!; **~saften** Silvester(abend) *n*(*m*); **~sforsæt** *n* Neujahrsversprechen *n*
næ͵b *n* (=) Schnabel *m*
nægte verneinen, leugnen; verweigern; **~lse** (*-r*) Verneinung; Verweigerung; Negation *f*; **~r** *Mil* Zivi(ldienstleistender) *m*
nælde (*-r*) Nessel *f*
nænne: ***ikke ~ at*** nicht übers Herz bringen, zu
næppe kaum
næ͵r nahe; eng; beinahe; **~billede** *n* Nahaufnahme *f*
nærende nahrhaft
nær|gå͵ende zudringlich, anzüglich; **~he͵d** Nähe *f*
nærig ['naʀi] geizig
næring ['naʀeŋ] Nahrung *f*; **~smidd͵el** *n* Nahrungsmittel *n*; **~sværdi͵** Nährwert *m*
nær|liggende nahe gelegen; nahe liegend (*fig*); **~ly͵s** *n* Abblendlicht *n*
nærme: ***~ sig*** sich nähern; **~re** näher; **~st** nächste(r, -s); am nächsten
nær|radio Regionalradio *n*; **~sy͵net** ['naʀ-] kurzsichtig; **~væ͵r** Anwesenheit *f*
næs *n* spitze Landzunge
næse ['nɛːsə] (*-r*) Nase *f*; **~bo͵r** *n* Nasenloch *n*; **~horn** [-hoʔʀn] *n* (=) Nashorn *n*
næste nächste; **~kærlighe͵d** Nächstenliebe *f*
næsten fast, beinahe
næstsidst vorletzte(r, -s)
nætter *pl* Nächte (→ ***nat***)
næve ['nɛːvə] (*-r*) Faust *f*; **~nyttig** geschäftig; aufdringlich
nævn [nɛŭʔn] *n* (=) (behördl.) Ausschuss *m*
nævne nennen; **~vær͵dig** nennenswert
nød[1] [nøʔð] (*-der*) Nuss *f*
nød[2] Not *f*; ***med ~ og næppe*** gerade noch
nød[3] genoss *etc* (*imperf* → ***nyde***)
nødbremse ['nøð-] Notbremse *f* (***trække i*** ziehen)
nøddeknækker ['nøːðə-] (*-e*) Nussknacker *m*
nødig ['nœːði] ungern
nød|landing ['nøð-] Notlandung *f*; **~rå͵b** *n* Notruf *m*; **~situatio͵n** Notlage *f*
nødstilfælde ['nøðs-] *n* Notfall *m*
nød|'ven͵dig notwendig, nötig; **~ven͵dighe͵d** Notwendigkeit *f*; **~værge** [-vaʀŭə] *n* Notwehr *f*
nøgen ['nɔjən] nackt
nøgle ['nɔjlə] (*-r*) Schlüssel *m*; *Garn* Knäuel *m*; **~be͵n** *n* Schlüsselbein *n*; **~hul** *n* Schlüsselloch *n*
nøj'agtig [nɔj-] genau; pünktlich; **~he͵d** Genauigkeit *f*
nøje ['nɔjə] genau
nøjes ['nɔjəs]: ***~ med*** sich begnügen mit
nøs [nøʔs] nieste *etc* (*imperf*

→ ***nyse***)
nå¹ [nå?] erreichen; reichen; gelangen
nå² [nɔ] na, nun; (ach) so
nåde ['nå:ðə] Gnade *f*
nå,l [nå-] (*-e*) Nadel *f*; **~træ,** ['nå:lə-] *n* Nadelbaum *m*
når [nɔ?] wenn

O

O, o [o?] *n*: ***et stort ~*** ein großes O
o. (*omkring*) ungefähr
o.a. (*og andre, og andet*) u.a. (*und andere, und anderes*)
o.h. (*over havets overflade*) ü.d.M. (*über dem Meeresspiegel*)
o.l., o.lign. (*og lignende*) u.Ä. (*und Ähnliches*)
ocean [ose'a?n] *n* Ozean *m*
odde [ɔ:ðə] (*-r*) Landzunge, Landspitze *f*
odder ['ɔð?ɔ] (*-e*) Otter *m*
offentlig öffentlich; **~gø,re** veröffentlichen; **~gø,relse** Veröffentlichung *f*; **~he,d** Öffentlichkeit *f*
offer *n* (*ofre*) Opfer *n* (***for*** von)
officer [-'se?ʀ] Offizier *m*
officiel [ɔfi'sjɛl?] amtlich, offiziell
ofl. (*og flere*) u.a. (*und andere*)
ofre opfern (***til*** j-m)
ofte oft, häufig
og [ɔŭ, ɔ] und; **~så** ['ɔs(ə)] auch; ***ikke ~?*** nicht (wahr)?
okse (*-r*) Ochse *m*; **~halesuppe** Ochsenschwanzsuppe *f*; **~kød** *n* Rindfleisch *n*; **~steg** [-sdɑ?j] Rinderbraten *m*
ok'to,ber [og-] Oktober *m* (***i, til*** im)
OL [o?ɛl] *n* (die) Olympischen Spiele *pl*
'oldboyshold, *n* Altherrenmannschaft *f*
olde|bar,n *n* Urenkel(in) *m(f)*; **~far** Urgroßvater *m*; **~mor** Urgroßmutter *f*
olding (*-e*) Greis *m*, Greisin *f*
oldti,d Altertum *n*; **~skundskab** klassische Altertumskunde *f*
olie ['oljə] Öl *n*; **~fyr** Ölheizungskessel *m*; **~kridt** *n* Fettstift *m für die Lippen*
oli,ven (=) Olive *f*; **~olie** Olivenöl *n*
om [ɔm] ob; wenn; falls; [ɔm?] um
o.m.a. (*og mange andre*; *og meget andet*) u.v.a. (*und viele andere*); u.v.m. (*und vieles mehr*)
ombestemme ['ɔm-]: ***~ sig*** sich umentscheiden
ombudsmand ['ɔm-] *Pol* Ombudsmann *m* (*für Bürgerbeschwerden*)
om|dann,e [-a-] umbilden; **~drej,ning** Umdrehung *f*; **~dømme** *n* Ruf (*Renommee*) *m*; **~egn** [-ɑj?n] Umge-

bung *f*; **~fang**, *n* Umfang *m*; Ausmaß *n*; '**~fatte** umfassen; **~fav,ne** umarmen; **~fav,nelse** (*-r*) Umarmung *f*

om|gang, Umgang *m*; Verkehr *m*; (*Bier*) Runde *f*; ***i denne ~*** dieses Mal; ***i første ~*** zunächst; **~gi,velser** *pl* Umgebung *f*; **~gå,ende** sofort; **~'hyggelig** [-y-] sorgfältig; **~kamp** Wiederholungsspiel *n*; **~klæd,ningsrum**, *n* Umkleideraum *m*; **~kostninger** *pl* Kosten *pl*

om|kr. (*omkring*) ungefähr; **~kre,ds** Umkreis *m*; **~'kring**, um; um … herum; etwa; **~'kul,d**: ***falde ~*** umfallen; **~kvæd**, *n* Refrain *m*; **~kørsel** [-kø'ʀ-] (*-kørsler*) Umleitung *f*; **~lø,b** *n* Umlauf *m*

omme: ~ ***bag***(***ved***) hinter; hinten

om|reg,ningsku,rs Umrechnungskurs *m*; **~rids** [-i-] *n* Umriss *m*; '**~ringe** [-ʀaŋ'ə] umstellen; **~ryste** *Inhalt* schütteln; **~råde** *n* (*-r*) Gebiet *n*; **~rådenumm,er** *n* Vorwahlnummer *f*; **~sagnsled** [-saŭ'nsleð] *n* Prädikativ *n*; **~sider** [-'si:ðɔ] endlich; **~'skiftelig** [-i-] unbeständig

om|sorg [-sɔ'ŭ] Pflege, Fürsorge *f*; **~sorgsful,d** [-sɔ'ŭs-] fürsorglich, liebevoll; **~sti,gning** Umsteigen *n*; '**~stridt** [-id] umstritten; **~'stæn,delig** umständlich; **~'stæn,dighe,d** Umstand *m*; **~sætning** Umsatz *m*

om|tale [-ta:lə] Erwähnung *f*; *v/t* [-ta'lə] erwähnen; **~tanke** Umsicht *f*; **~tr.**, **~'tren,t** ungefähr; **~vej**, Umweg *m*

om|ven,dt umgekehrt; **~vi,sning** *Museum* Führung *f*; **~vælt,ning** Umwälzung *f*, Umsturz *m*

ond [ån'] böse, gemein; ***gøre ~t*** wehtun; ***det gør mig ~t*** es tut mir Leid

ond|ar,tet ['ån-] *Krankheit* bösartig; **~ska,b** Bosheit *f*; Böse *n*; **~skabsful,d** gemein

onkel ['åŋ'-] (*-kler*) Onkel *m*

on,sda,g ['å-] (*-e*) Mittwoch *m* (***om, på*** *am*)

op [ɔb] auf, herauf, nach oben, hoch; ***det er ~ til dig*** das entscheidest du; **~ad** ['ɔbað] aufwärts, nach oben, empor; **~bakning** Hilfe *f*; Rückhalt *m*; **~beva,re** ['ɔb-] aufbewahren; **~bygge** [-y-] aufbauen; **~bygning** Aufbau *m*; **~dage** [-'da'ə] entdecken; **~de,le** aufteilen

op|dra,ge erziehen; **~dra,gelse** Erziehung *f*; **~dri,ve** auftreiben; **~dræt** *n* Zucht *f*; **~drætte** züchten; **~dyrke** [-y-] anbauen

opefter aufwärts

opera ['o'-] Oper *f*; **~sanger** Opernsänger(in) *m*(*f*)

oper|ation [obəʀa'sjo'n] Operation *f*; **~ere** [-'ʀa'ɔ]

operieren
op|fandt erfand *etc* (*imperf* → *opfinde*); **~fatte** auffassen (*som* als); **~finde** [-fen?ə] erfinden; **~'fin,dsom**, erfinderisch; **~for,dre** auffordern (*til* zu); **~fun,det** erfunden (*p/p* → *opfinde*); **~fyl,de** [-y-] erfüllen; **~fø,re** aufführen; errichten; **~** *sig* sich benehmen; **~fø,relse** (*-r*) Aufführung *f*; **~førsel** Benehmen *n*
op|g., **~gang**, (*-e*) Treppenhaus *n*; **~gav**, gab auf *etc* (*imperf* → *opgive*); **~gave** [-gaːvə] Aufgabe *f*; **~gi,ve** aufgeben; angeben; **~gør** [-gö?ʀ] *n* (=) Auseinandersetzung *f* (*mellem* zwischen); **~havsman,d** [-haūs-] Urheber(in) *m(f)*; **~hidset** aufgeregt; erregt
ophol,d *n* (=) Aufenthalt *m*
ophol,de: **~** *sig* sich aufhalten
ophol,d|ssted *n* Aufenthaltsort *m*; **~sstue** Wohnzimmer *n*; **~stilla,delse** Aufenthaltsgenehmigung *f*
op|hugge verschrotten; **~hæ,ve** aufheben (*annullieren*); **~hø,re** aufhören
opinionsundersøgelse Meinungsumfrage *f*
opkald, *n* Anruf *m*
op|kast *n* Erbrochene(s) *n*; **~kastning** Erbrechen *n*; **~kla,re** aufklären; **~kræ,ve** erheben, einnehmen; **~kræ,vning** Nachnahme *f*; *Geld* Einzug *m*; **~kvikkende** [-i-] *Gastr* belebend; **~kørsel** Auffahrt *f*
op|lade [-la?ðə] aufladen; **~la,g** *n* (=) Auflage *f*; **~lagt** aufgelegt (*fig*) (*til* zu); nahe liegend (*fig*); **~le,ve** erleben; **~le,velse** (*-r*) Erlebnis *n*; **~lukker** (Flaschen)Öffner *m*; **~ly,se** erleuchten, informieren (*om* über); **~ly,sende** aufschlussreich; **~ly,sning** Beleuchtung; Auskunft; Information (*om* über); Aufklärung *f*; **~ly,sningstid** *Epoche* Aufklärung *f*; **~læg** *n Vortrag* Referat *n*; Vorschlag *m*; **~læser** Nachrichtensprecher(in) *m(f)*; **~lø,se** auflösen; **~'lø,selig** lösbar; löslich; **~lø,sning** Auflösung *f*; **~magasine,re** *Möbel etc* lagern; **~mun,tre** aufmuntern; ermuntern (*til* zu); **~'mærksom**, aufmerksam; **~nå**, erreichen; **~pakning** Gepäck *n*; **~pe** oben, auf; **~** *sig* sich ins Zeug legen; **~pefra** von oben
op|r. (*oprindelig*) urspr. (*ursprünglich*); **~rethol,de** aufrechterhalten; **~rette** errichten; gründen; **~'rigtig** aufrichtig; **~'rindelig** [-'ʀan?əli] ursprünglich; **~rin,delse** Ursprung *m*; **~rydning** [-ʀyð?neŋ] Aufräumung *f*; **~rør** [-ʀö?ʀ] *n* (=) Aufruhr *m*; **~sagde** [-sa?ə] kündigte,

bestellte ab *etc* (*imperf* → ***opsige***); **~sam,le** aufsammeln; **~sat** [-sad]: **~ på** erpicht auf; **~siġ,e** kündigen; abbestellen; **~siġ,else** (*-r*) Kündigung; Abbestellung *f*; **~sigt** Aufsehen *n* (***vække*** erregen); **~skrift** *Gastr* Rezept *n*; **~sla,ġ** *n* (=) Anschlag; Aufschlag *m*

op|sla,ġstavle Pinnwand *f*; schwarzes Brett *n*; **~slå,** aufschlagen, anschlagen; **~spa,ring** Ersparnisse *pl*; **~spo,re** aufspüren; **~'stand,else** Auferstehung; Erregung *f*; **~stem,t** gut gelaunt; **~stoppernæse** Stupsnase *f*; **~stød** [-øð] *n* (=) Aufstoßen *n*; **~stå,** entstehen; **~sving,** *n* (=) Aufschwung *m*; **~svulmet** [-svul?məð] geschwollen; **~sy,n** *n* Aufsicht *f* (***holde*** führen); **~sy,nsman,d** Aufseher(in) *m(f)*

opta,ġe ['ɔb-] aufnehmen; *Film* drehen; belegen; beschäftigen; **~lse** (*-r*) Aufnahme *f*; **~lsesprøve** Aufnahmeprüfung *f*; **~t** besetzt, beschäftigt

op|takt Auftakt *m* (***til*** zu); **~tog** [-tåŭ] *n* (=) (Um)Zug *m*; *v/t* [-to?] nahm auf *etc* (*imperf* → ***optage***); **~trapning** Steigerung *f*; **~trin** *n* (=) Szene *f*; Ereignis *n*; **~træ,de** auftreten (***som*** als)

op|trækker (*-e*) Flaschenöffner *m*; **~trådte** trat auf *etc* (*imperf* → ***optræde***); **~tøjer** [-tɔj?ɔ] *pl* Krawalle *pl*; **~var,me** aufwärmen; heizen; **~varmning(sband** *n*) *Mus* Vorgruppe *f*; **~var,te** bewirten

opvask Abwasch *m*; **~emaskine** Geschirrspülmaschine *f*; **~emidd,el** *n* Spülmittel *n*

op|vi,sning Vorführung *f*; **~vokse** aufwachsen; **~vækst** Heranwachsen *n*

ord [o?ʀ] *n* (=) Wort *n*; **~blind,** legasthenisch; **~bog** ['oʀbå?ŭ] Wörterbuch *n*

or,den Ordnung; Reihenfolge *f*; Orden *m*; ***det er i ~!*** kein Problem!

ord|forråd ['oʀfɔːʀå?ð] *n* Wortschatz *m*; **~fører** [-føːɔ] (*-e*) Sprecher(in) *m(f)*

ordi'ne,re *Med* verschreiben

ordkløveri ['oʀ-] Wortklauberei, Haarspalterei *f*

ordne ordnen, regeln

or,dre (*-r*) Befehl *m*; Bestellung *f*, **~numm,er** *n* Bestellnummer *f*

ord|ret ['oʀ-] wortgetreu; **~sprog** [-sbʀå?ŭ] *n* (=) Sprichwort *n*; **~styrer** [-sdyːɔ] (*-e*) Moderartor(in) *m(f)*

organisme [-nismə] (*-r*) Organismus *m*

orien'te,re orientieren (***sig efter ngn*** sich an j-m)

orke [ɔːgə] schaffen; können

or'kester *n* (*-tre*) Orchester *n*

orlov ['ɔːlɔŭ] Urlaub *m*
orm [oˀʀm] (*-e*) Wurm *m*; **~stukken** wurmstichig
orne ['ɔːnə] (*-r*) Eber *m*
os¹ [ɔs] uns
os² [oˀs] Qualm *m*; **~e** ['oːsə] qualmen; F sich umschauen (*in Geschäft etc*)
ost [åsd] (*-e*) Käse *m*; **~ehøvl** Käsehobel *m*; **~eklokke** Käseglocke *f*; **~emad** [-mað] Käsebrot *n*
osv. (*og så videre*) usw. (und so weiter)
otte ['åːdə] acht; **~nde** ['ɔdənə] achte-; **~ndede,l** Achtel *n*; **~tal** *n* (*-ler*) Acht *f*
oven ['ɔːŭən] oben; **~for** oben; **~fra,** von oben; **~ly,s** *n* Oberlicht *n*; **~nævnt** früher erwähnt; **~på,** oben(auf); ***være*** **~** gut gelaunt sein; es gut haben
over ['ɔŭˀɔ] über; hinüber; vorüber; **~ *for*** gegenüber; **~'al,t** überall
over|anstreng,e ['ɔŭɔ-]: **~ *sig*** sich überanstrengen; **~arbej,de** *n* Überstunden *pl*; **~bevi,se** überzeugen; **~'bæ,rende** nachsichtig; **~de,l** Oberteil *n*; **'~dre,ven** übertrieben; **'~dri,ve** übertreiben; **'~døv,e** übertönen; **~'då,diġ** üppig; **~'e,nskom,st** Abkommen *n*, Vereinbarung *f* (***mellem*** zwischen); **~'e,nsstemm,else** (*-r*) Übereinstimmung *f* (***med*** mit)
over|fal,d [-a-] *n* Überfall *m* (***på*** auf); **'~fal,de** überfallen; **~far,t** Überfahrt *f*; **~flade** [-flaːðə] Oberfläche *f*; **~fladisk** [-aˀ-] oberflächlich; **~flo,d** Überfluss *m*; **~'flø,diġ** überflüssig; **~for** *adv* gegenüber; **~'fø,lsom,** allergisch (***over for*** gegen); **'~fø,re** überführen; übertragen (***på, til*** auf)
over|gang, ['ɔŭɔ-] Übergang *m*; **~gangsal,der** Wechseljahre *pl*; **~gi,ve**: **~ *sig*** *Mil* sich ergeben; **'~gå,** übertreffen; passieren; **'~hale** [-aˀ-] überholen; **~hol,de** einhalten; **~hoved** *n* Oberhaupt *n*; **~'hovedet** überhaupt; **'~hø,re** überhören; **'~hånd**: ***tage*** **~** überhand nehmen; **'~i,let** übereilt, voreilig; **~kanten**: ***det er i*** **~** das ist etwas zu viel; **~klasse** Oberschicht *f*; **'~komm,e** bewältigen; **~'komm,eliġ** machbar; **~krop** Oberkörper *m*
'over|la,de ['ɔŭɔ-] überlassen (***til ngn*** j-m); **~legen** [-leˀən] *adj* überlegen; **~le,ve** überleben; **~læbe** Oberlippe *f*; **~læge** Oberarzt *m*, Oberärztin *f*; **'~ma,le** übermalen; **'~man,de** überwältigen; **~mo,diġ** übermütig; **~'morgen**: ***i*~** übermorgen; **'~natte** [-a-] übernachten (***hos*** bei); **~ord,net** vorgesetzt; generell; **~rakte** überreichte *etc*

(*imperf* → ***overrække***); '**~raske** überraschen; '**~risle** [-i-] besprengen; '**~række** überreichen

'**over|s.** (*oversætter*) Übersetzer *m*; (*oversat*) übersetzt; '**~satte** übersetzte *etc* (*imperf* → ***oversætte***); '**~se**ˌ übersehen; **~sigt** Übersicht *f*; Überblick *m* (***over*** über); **~skrift** Überschrift; Schlagzeile *f*; **~skud** *n* Überschuss *m* (***af*** an); '**~sku**ˌ**e** überblicken; **~'sku**ˌ**elig** absehbar; übersichtlich; **~skydende** überschüssig; '**~sky**ˌ**et** bewölkt; **~skæ**ˌ**g** *n* Schnurrbart *m*; '**~sti**ˌ**ge** übersteigen; '**~stå**ˌ überstehen; '**~svømm**ˌ**e** überschwemmen; **~sygeplejerske** Oberschwester *f*; '**~sætte** übersetzen (***til*** in); '**~sættelse** (*-r*) Übersetzung *f*; '**~så**ˌ übersah *etc* (*imperf* → ***overse***)

over|taˌ**ge** ['ɔŭɔ-] übernehmen; '**~ta**ˌ**le** überreden (***til*** zu); '**~tog** übernahm *etc* (*imperf* → ***overtage***); **~tro**ˌ Aberglaube *m*; '**~træ**ˌ**de** überschreiten; *Jur* verletzen; '**~trække** überziehen (*a Konto*); **~tøj** *n* Mantel *m* (*a* Halstuch, Hut etc); '**~veje** [-vɑjˀə] überlegen (***om*** ob); '**~vejelse** (*-r*) Überlegung *f*; '**~vurde**ˌ**re** überschätzen; **~vægt** Übergewicht *n* (***af*** an); '**~vældende** überwältigend; '**~våge** [-våˀŭə] überwachen

ovn [ɔŭˀn] (*-e*) Ofen *m*; **~fast** feuerfest

ovre ['ɔŭʀɔ] vorüber; **~ *ved*** (drüben) an, bei

ozonlag [o'soˀnlaˀ] *n* Ozonschicht *f*

P

P, p [peˀ] *n*: ***et stort ~*** ein großes P

p.b.v (*på bestyrelsens vegne*) i.A.d.V. (*im Auftrag des Vorstandes*)

paddehat ['paːdəhad] Pilz *m*

padle ['paðlə] paddeln

paf verdutzt, sprachlos

pagt Pakt; Bund *m*

pakke packen; *su* (*-r*) Paket *n*; **~ *ud*** auspacken; **~løsning** Pauschallösung *f*, Pauschalangebot *n*

pakning Packung *f*; *Tech* Dichtung *f*

pa'lads [pa-] *n* Palast *m*

pa'let [pa-] (*-ter*) Palette *f*; **~kniv** Spachtel *m*

'**palme'søndag** [pa-] Palmsonntag *m*

pamper Bonze *m*

pande [-a-] (*-r*) Stirn (***rynke*** runzeln); Pfanne *f*; **~ *ngn én*** j-m eins auf den Deckel

geben; **~hå,r** *n* Stirnhaare *pl*; *Frisur* Pony *m*; **~kaġe** *meist süßer* Eierkuchen *m*
pa'ne,re [pa-] panieren
pa'nik [pa-] Panik *f*; **~slagen** [-sla?ən] panisch
pan,ser [-a-] *n* (*-e*) Panzer; *neg!* Bulle *m*
pansret [-a-] gepanzert
pant [pan?d] *n* Pfand *n* (***i, som*** als); **~ebrev** *n* Pfandbrief *m*; **~efoged** [-foːəð] Gerichtsvollzieher *m*; **~flaske** Pfandflasche *f*
pantsætte [-a-] verpfänden
pap *n* Pappe *f*
papegøje [-'gɔːjə] (*-r*) Papagei *m*
paperback ['pɛjbɔbak] Taschenbuch *n*
papfar *etc* F Stiefvater *m*
pa'pi,r [pa-] *n* Papier *n*; **~kur,v** Papierkorb *m*
pa'pi,rløst: **~ *ægteskab*** eheähnliche Lebensgemeinschaft *f*
papvin F *billiger Wein in Pappkarton*
par *n* (=) Paar *n*; ***et ~ kroner*** (nur) ein paar Kronen
paradok'sa,l paradox
para'graf [-grɑf] (*-fer*) Paragraph *m*
paran'te,s Klammer *f*; ***skarp ~*** eckige Klammer; ***~ begynd*** (***slut***) Klammer auf (zu)
para|'ply, Regenschirm *m*; **~sol**, (*-ler*) Sonnenschirm *m*
pa'ra,t bereit, fertig
parcelhu,s [-'sɛl?-] *n* Einfamilienhaus *n*
parforhold *n* (Zweier-)Beziehung *f*
parfume [-'fyːmə] (*-r*) Parfüm *n*
pariserhjul, *n* Riesenrad *n*
par'ke,re parken
parkering Parken *n*; **~sbøde** Strafzettel *m*, F Knöllchen *n*; **~sly,s** *n* Standlicht *n*; **~splads** Parkplatz *m*; **~sskive** Parkscheibe *f*
parko'me,ter *n* (*-tre*) Parkuhr *f*
parlør [-'lɔ̈ːʀ] Sprachführer *m*
paro'di, Parodie *f* (***på*** auf)
pa,rt (An-)Teil *m*; *Jur* Partei *f*
par'ti, *n* Partei; Partie *f*
participium [-'si-] *n Gr* Partizip *n*
partnerska,b *n* Partnerschaft *f*
pa'ryk [-œg] (*-ker*) Perücke *f*
pas [pas] *n* (=) Pass *m*
pasning [-a-] Betreuung, Pflege *f*
passager [-'sje?ʀ] Passagier(in) *m*(*f*), Fahrgast *m*
passe [-a-] passen; stimmen; pflegen; ***~ på*** aufpassen; **~r** (*-e*) Zirkel *m* (*Utensil*)
password *n* Passwort *n*
pa'stel,fave [pa-] Pastellfarbe *f*
patient [pa'sjɛn?d] Patient(in) *m*(*f*)

pa'tro,n [pa-] Patrone; (Schreib-)Mine *f*
pa'trulje [pa-] (*-r*) Patrouille, Streife *f*; **~vogn** Streifenwagen *m*
patte|bar,n *n neg!* Baby *n*; **~dy,r** [-a-] *n* Säugetier *n*; **~gri,s** Ferkel *n*; **~r** *pl* Titten *pl*
pave ['pa:və] (*-r*) Papst *m*
PBS® [pebe'ɛs] *automatisches Zahlungssystem in Dänemark*
pct. (*procent*) % (*Prozent*)
peb [peˀb] jaulte *etc*; sauste *etc* (*imperf* → ***pibe***)
peber ['peŭɔ] Pfeffer *m*; **~frugt** Paprikaschote *f*; **~'mynte** [-ø-] Pfefferminz *n*; **~rod** Meerrettich *m*; **~sven,d** Junggeselle *m*
pege ['pɑjə] zeigen; hinweisen (***på*** auf); **~fing,er** Zeigefinger *m*
pejs [pɑjˀs] offener Kamin *m*
pel,s (*-e*) Pelz(mantel) *m*
pen, (*-ne*) (Schreib)Stift *m*
pen'du,lfa,rt Pendelverkehr *m*
penge *pl* Geld *n*; **~sedd,el** Geldschein *m*; **~ska,b** *n* Safe *m*
pen,sel (*-sler*) Pinsel *m*
pension [pɑŋ'sjoˀn] Pension (*a Hotel*); Rente *f*; **~eret** [-'neˀɔð] pensioniert, im Ruhestand; **~'ist** Pensionär, Rentner(in) *m(f)*
periode [-'o:ðə] (*-r*) Periode *f*
perle perlen; *su* (*-r*) Perle *f*
perma'nen,t Dauerwelle *f*
perron [pa'ʀɔŋ] Bahnsteig *m*
persi'enne (*-r*) Jalousie *f*
per'sille Petersilie *f*
personale [-'na:lə] *n* Personal *n*
per'so,nlig persönlich; **~he,d** Persönlichkeit *f*
per'son,nummer *n 10-stellige persönliche Identifikationsnummer, die jeder dän. Staatsbürger hat*
ph.d. *etwa* Doktor *m*; *dän. Titel doktor (dr.) ist höher als dt. Dr.*; → ***doktor***
pibe ['pi:bə] jaulen; sausen; *su* (*-r*) Pfeife *f*; **~renser** (*-r*) Pfeifenreiniger *m*
pible [-i-] rieseln, sickern
pickup [pig'ɔb] Tonabnehmer *m*
pifte (*laut und schrill, oft durch die Finger*) pfeifen; *v/t* mutwillig die Luft herauslassen (*aus einem Reifen*)
pig (*-ge*) Stachel *m*
pige ['pi:ə] (*-r*) Mädchen *n*
pigtråd ['pigtʀåˀð] Stacheldraht *m*; **~(smusik)** (*dänischer*) *Rock aus den 60'ern*
pik [peg] V (*Penis*) Schwanz *m*; **~hoved** *n* V Eichel *f*; Mistkerl *m*
pi,l (*-e*) Pfeil *m*; *Bot* Weide *f*
pilgrim ['pil-] (*-me*) Pilger *m*, Pilgerin *f*
pille schälen, säubern; pulen; *su* (*-r*) Pille *f*; Pfeiler *m*; **~**

ved herummachen an
pil'|rådden [-rå:ðən] völlig morsch; **~skaldet** völlig kahl
pimpste,n Bimsstein *m*
pin'agtig sehr unangenehm, peinlich
pincet [pen'sɛd] (*-ter*) Pinzette *f*
pind [pen?] (*-e*) Stäbchen, Stöckchen *n*; ***ikke en ~*** kein Wort; nicht die Bohne; ***kunne skyde en hvid ~ efter ngt*** sich etw abschminken können; **~emad** *Gastr* Cocktailspießchen *n*/*pl*; **~svi,n** *n* Igel *m*
pine ['pi:nə] quälen; *su* Qual *f*; **~ful,d** qualvoll
pinger [peŋ?ɔ] *pl* Promis *pl*
pinkode [-ð-] PIN-Code *f*
pinlig ['pi:nli] peinlich
pinse Pfingsten *n*; **~lilje** Narzisse *f*; **~solen**: ***se ~ danse*** *die Sonne an Pfingstsonntag nach einer durchfeierten Nacht aufgehen sehen*
pippe ['pi-] piepsen, zwitschern
pirre ['pi-] reizen; **~lig** reizbar, gereizt
pis Pisse *f*; Quatsch *m*; ***tage ~ på*** F verarschen
pisk [pi-] (*-e*) Peitsche *f*; '**~e** peitschen; *Gastr* schlagen, quirlen; **~efløde** Schlagsahne *f*; **~eri,s** *n* Quirl, Schneebesen *m*
pi'sto,l Pistole *f*
pitabrød *n* Pitabrot *n*, Fladenbrot *n*
pjank [pjɑŋ?g] *n* Albernheit *f*, Unsinn *m*; **~et** ['pjɑŋgəð] albern
pjaske [-a-] plantschen; '**~'våd** pudelnass
pjat [pjad] *n* Unsinn *m*; **~tet** albern
pjece ['pjɛ:sə] (*-r*) Broschüre *f*
pjusket [-u-] zerzaust
pjække schwänzen, blaumachen
placere [-'se?ɔ] platzieren
pladder ['pla?ðɔ] Schlamm; Quatsch *m*
plade ['pla:ðə] (*-r*) Platte; Tafel *f*; **~spiller** (*-e*) Plattenspieler *m*
plads [-as] Platz *m* (***til*** für); Stellung *f*; **~billet** Platzkarte *f*
plage ['pla:ə] quengeln; quälen; *su* (*-r*) Qual *f*; **~ån,d** Quälgeist *m*
pla'ka,tsøjle [-sɔjlə] Litfaßsäule *f*
pla,n [-a-] Plan *m*; **~che** Tafel *f*, Schaubild *n*
planke (*-r*) Planke, Bohle *f*; **~værk** *n* Bretterzaun *m*
plan|lægge ['pla:n-] planen; **~mæssig** (fahr)planmäßig
plante [-a-] pflanzen; *su* (*-r*) Pflanze *f*; **~skole** Baumschule *f*
plask|e [-a-] plantschen, plätschern; '**~'våd** pudelnass
plaster [-a-] *n* (*-tre*) *Med* Pflaster *n*

plastikpose [-a-] Plastiktüte *f*

plat [-ad] platt (*fig*); flach; *su Münze* Kopf *m*; **~te** [-a-] (*-r*) Wandteller *m*; **~tenslager** Betrüger(in) *m(f)*; **~tysk** *n* Plattdeutsch *n*

pleje ['plɑjə] pflegen; *su* Pflege *f*; **~foræl,dre** *pl* Pflegeeltern *pl*; **~hjem** *n* Altenwohnheim, Seniorenheim *n*

plet (*-ter*) Fleck *m*; ***være på ~ten*** vor Ort sein; **~fri,** fleckenlos; **~tet** fleckig; **~vi,s** stellenweise

pligt Pflicht *f*; **~opfyl,dende** pflichtbewusst

plombere [-'beˀɔ] plombieren

plov [plɔŭˀ] (*-e*) Pflug *m*; **~mand** F halber Riese *fig*

pludselig [-u-] plötzlich, jäh

plukke pflücken; rupfen

plyndre plündern

plys [plys] *n* Plüsch *m*; ***Peter*♀** Pu der Bär; **~hår** *n* Bürstenfrisur *f*; **~set** stoppelig

plæne ['plɛːnə] (*-r*) Rasen *m*; **~klipper** (*-e*) Rasenmäher *m*

pløje ['plɔjə] pflügen; **~mark** Acker *m*

pløk [pløg] (*-ker*) Pflock *m*; **~ke** F niederknallen

pløre ['pløːɔ] *n* Schlamm *m*; **~'fuld** F stockbesoffen

po'e,tisk poetisch

point [po'ɛŋ] *n* (=) Punkt *m*

pokkers *adj* verdammt; ***~!*** verdammt noch mal!

po'le,re polieren

poli'ti, *n* Polizei *f*; **~betjen,t** Polizist *m*; **~kreds** Polizeirevier *n*; **~mester** *etwa* Polizeipräsident(in) *m(f)*; **~patrulje** Polizeistreife *f*; **~statio,n** Polizeiwache *f*

poloskjorte Polohemd *n*

polsk [poˀlsg] polnisch

polstr|e polstern; **~ing** Polster *n*

poppel (*-pler*) Pappel *f*

popu'læ,r bekannt, beliebt

porce'læ,n *n* Porzellan *n*

pornoblad *n* Pornoheft *n*

porre (*-r*) Porree *m*

port [poˀʀd] (*-e*) Tor *n*, Pforte *f*

portion [pɔ'sjoˀn] Portion *f*

portner ['poʀ-] (*-e*) Pförtner(in) *m(f)*

portofri, portofrei

portræt [-'tʀɑd] *n* (*-ter*) Porträt *n* (***af*** von)

portvin [poʀd-] Portwein *m*

pose (*-r*) Tüte *f*; ***~r under øjnene*** Säcke unter den Augen; **~dame** Obdachlose *f* (*mit vielen Tüten*); **~t** ['poːsəð] bauschig

positi'o,nslys *n* Standlicht *n*

post Post® *f*; Posten *m*; **~boks** Postfach *n*; **~bud** [-buð] *n* Briefträger(in) *m(f)*; **~evand,** *n* Leitungswasser *n*; **~hu,s** *n* Postamt *n*; **~kasse** Briefkasten *m*; **~kasserød,** knallrot; **~kontor,** *n* Postamt *n*; **~kort** *n* Ansichtskarte *f*; **~numm,er** *n* Post-

leitzahl *f*; **~or,drefirma** *n* Versandhaus *n*; **~ordresalg** *n* Versandhandel *m*; **~væ,sen** *n* Post® *f*
pote ['po:də] (*-r*) Pfote, Tatze *f*
potens Potenz *f*; ***i anden ~*** hoch zwei
potte (*-r*) Topf *m*; **~plante** Topfpflanze *f*
p-pille ['peˀ-] (Antibaby-)Pille *f*
pragt Pracht *f*
praj, *n* Wink, Tipp, Hinweis *m* (***om*** auf); **~e** *Taxi* herbeiwinken
prak|sis Praxis *f* (***i*** in der); **~'tik**: ***være i ~*** ein Praktikum absolvieren; **~ti'se,re** praktizieren; ***~tise,rende læge*** praktischer Arzt *m*, praktische Ärztin *f*; **~tisk** praktisch; ***~ taget, ~ talt*** *adv* praktisch
pra,l *n* Prahlerei *f*; **~e** ['pRɑ:lə] prahlen (***af, med*** mit); **~hal,s** ['pRɑ:l-] (*-e*) Angeber(in) *m(f)*
pram, (*-me*) Kahn *m*
prelle [prɑlə]: ***~ a,f på*** abprallen an
prent: ***på ~*** im Druck
pres *n* (=) Druck *m* (***på*** auf); **~'enning** Plane *f*; **~se** pressen; bügeln; *su* (*-r*) Presse *f*; ***den kulørte ~*** (die) Sensationspresse *f*
pres|sebureau *n* Nachrichtenagentur *f*; **~sefol,d** Bügelfalte *f*; **~semøde** *n* Pressekonferenz *f*; **~'se,rende** *adj* dringend
prik (*-ker*) Punkt *m*; ***~ken over i'et*** das Tüpfelchen auf dem I; ***på en ~*** haargenau; wie ein Ei dem anderen; **~ke** prickeln; **~ket** gepunktet
'prim|iti,v primitiv; **~o** *adv* Anfang; ***~ maj*** Anfang Mai; **~,ula** Primel *f*; **~us 'motor** *treibende Person eines Projekts*
princip [pRan'sib] *n* (*-per*) Prinzip *n*; **~iel** [-si'pjɛlˀ] prinzipiell, grundsätzlich
prin,s [-a-]Prinz *m*; **~esse** [-'sɛsə] (*-r*) Prinzessin *f*
print [pranˀd] *n* *EDV* Druck *m*, Druckversion *f*; ***på ~*** ausgedruckt; **~er** Drucker *m*
priori'te,re: ***~ højt*** einen hohen Stellenwert geben
pri,s Preis *m*; Lob *n*; **~belønn,et** preisgekrönt; **~billig** preiswert; **~e** ['pRi:sə] preisen, rühmen; **~fal,d** *n* Preissturz *m*; **~modta,ger** (*-e*) Preisträger(in) *m(f)*; **~stigning** Preiserhöhung *f*
pri'va,t|eje *n* Privatbesitz *m*; **~li,v** *n* Privatleben *n*; **~sa,g** Privatsache *f*
procent [-'sɛnˀd] Prozent *n*; **~vi,s** prozentual
proces [-'sɛs] (*-ser*) Prozess *m*
producent [-'sɛnˀd] Hersteller(in) *m(f)*; **~re** [-'seˀɔ] produzieren, herstellen
produktionsskole *Schule mit praktischen, herstellungsorientierten Fächern*

professo'ra͵t [-'ʀɑˀd] *n* Lehrstuhl *m*
pro'gram͵ *n* (*-mer*) Programm *n*; **~'mør͵** Programmierer(in) *m*(*f*); **~oversigt** Programmvorschau *f*; **~vært** Moderator(in) *m*(*f*)
projekt [-'sjɛgd] *n* Projekt *n*; **~il** [-'tiˀl] *n* Geschoss *n*; **~ør** [-'tøˀʀ] Scheinwerfer *m*
promillekør͵sel Trunkenheit *f* am Steuer
prop (*-per*) Pfropfen; Korken *m*
pro'pel͵ (*-ler*) Propeller *m*
'prop'ful͵d zum Bersten voll, F proppenvoll
proportioner: (***helt***) ***ude af ~*** (völlig) übertrieben
proppe stopfen
proptrækker (*-e*) Korkenzieher *m*
prosit: **~!** Gesundheit!
prostitu'e͵ret Prostituierte *m*/*f*
protestere [-'sdeˀɔ] protestieren (***mod, imod*** gegen)
proto'kol *n* Protokoll *n*
pro'vin͵s Provinz *f*; **~by͵** Kleinstadt *f*
provo'ke͵re provozieren
pruste ['pʀuːsdə] schnauben
prut F Pups, Furz *m*; **~te** [-u-] F pupsen, furzen; ***~ om prisen*** feilschen
prydhave ['pryð-] Ziergarten *m*
præcis [-'siˀs] genau, pünktlich
prædike ['pʀaðgə] predigen; **~n** Predigt *f*; **~sto͵l** Kanzel *f*
præg [pʀaˀj] *n* (=) Gepräge *n*; **~e** ['pʀaːjə] prägen
præmie (*-r*) Preis *m*, Prämie *f*
præsi'den͵t Präsident(in) *m*(*f*); Vorsitzende *m*/*f*
præst [prɑsd] Pfarrer(in) *m*(*f*); Priester(in) *m*(*f*); **~ekjole** Ornat *m*; **~ekrave** Halskrause *f*
præstation [-'sjoˀn] Leistung *f*
præ'ste͵re leisten
prævention [-'sjoˀn] Verhütungsmittel *n*
prøjsisk preußisch (*a neg!*)
prøve ['pʀœːŭə] proben; probieren; prüfen; *su* (*-r*) Probe; Prüfung *f*; *Hdl* Muster *n*; ***på ~*** zur Probe, probehalber; **~lse** (*-r*) Prüfung *f*; **~ti͵d** Probezeit *f*; *Jur* Bewährungsfrist *f*; **~tu͵r** Probefahrt *f*
prøvning ['pʀœŭneŋ] Anprobe *f*
psykiater [sygi'aˀdɔ] (*-e*) Psychiater(in) *m*(*f*)
psykisk ['sy-] psychisch
p.t. (*pro tempore*) zz., zzt. (*zurzeit*)
puber'te͵t Pubertät *f*
puddel ['puˀðəl] (*-dler*) Pudel *m*
pudder ['puˀðɔ] *n* (*-e*) Puder *m*; **~dåse** Puderdose *f*; **~sukker** *n* Puderzucker *m*
pude ['puːðə] (*-r*) Kissen *n*; **~betræk** *n* Kissenbezug *m*
pudre ['puðʀɔ] pudern
pud̦s (Ver)Putz *m*; **~e** putzen;

*~ **hunden på ngn*** den Hund auf j-n hetzen; **~eklud** [-kluð?] Putzlappen *m*
pudsig [-u-] drollig, lustig, merkwürdig
pukkel [på-] (*pukler*) Buckel *m*; **~rygget** bucklig
pukle [på-] schuften
pule V bumsen
pulje Einsatz *m*; Pool *m*; Turniergruppe *f*
pulse: *~ **på*** F *Zigarette etc* ziehen an
pul,såre Schlagader *f*
pulter|kamm,er, **~rum** [-u-] *n* Rumpelkammer *f*
pund [pun?] *n* (=) Pfund *n*
pung [påŋ?] (*-e*) Portmonee *n*; Beutel; Hodensack *m*
punge ['poŋə]: *~ **ud*** F blechen
punkt|ere [-'te?ɔ] Reifenpanne haben; **~ering** [-'te?ʀeŋ] Reifenpanne *f*; **~lig** pünktlich
pu'pil, (*-ler*) Pupille *f*
puré [py'ʀa] Püree *n*
purløg ['puʀlɔj?] Schnittlauch *m*
'pur'ung, blutjung
pusle|bord [-u-] *n* Wickeltisch *m*; **~spil** *n* Puzzle(spiel) *n*
pu,st *n* (=) Hauch *m*
pu,ste ['pu:sdə]: *~ **op*** aufblasen
putte [-u-] stecken, tun; *Kind* (liebevoll) ins Bett bringen; *~ **ned i lommen*** in die Tasche stecken
pyjamas [-'ja:mas] Pyjama *m*
pylret [-y-] *Eltern* (übertrieben) besorgt
pyn,t Putz, Schmuck *m*; Landspitze *f*; (***kun***) ***til ~*** (nur) zum Schmuck; **~e** ['pøndə] schmücken, zieren
pyt [pyd] (*-ter*) Pfütze *f*; *~ (**med det**)!* ach, ist egal!
pæ,l (*-e*) Pfahl *m*
pæ,n hübsch, gut aussehend; beachtlich
pære ['pa:ɔ] (*-r*) Birne *f*; **'~'dansk** 100 %ig dänisch; **'~'let** kinderleicht
pøj: *~ ~!* viel Glück!; Hals- und Beinbruch!
pø,l (*-e*) Lache *f*
pølle [-ø-] (*-r*) Wulst *f*; Nackenrolle *f*; F Wurst (*a Kot*) *f*
pølse [-ø-] (*-r*) Wurst *f*; ***rød ~*** *dän.* rotes Würstchen *n*; **~tysker** *neg! etwa Teutone m*; **~vogn** (*mobile*) Wurstbude
på [på(?)] auf, an; ***være ~ den*** F Schwierigkeiten haben
på|begyn,de ['pɔ-] *v/t* anfangen; **~fal,dende** auffallend; **~fu,gl** (*-e*) Pfau *m*; **~fun,d** *n* (=) Einfall *m*; **~fyl,de** auffüllen; *Auto* tanken; **~gæl,dende** betreffend; **~hit** *n* (=) Einfall *m*; **~hæng** *n* F Begleitung *f*; **~hængsmotor** Außenbordmotor *m*; **~klædning** [-klɛ?ðneŋ] Kleidung *f*; **~klæ,dt** angezogen; **~kræ,vet** erforderlich; **~kø,re** anfahren, überfahren
på|kø,rsel Anfahren *n*, Auf-

prall; Zusammenstoß *m*; **~landsvind** Seewind *m*; **~'li͵delig** zuverlässig; **~ly͵dende** *n* Nennwert *m*; **~læ͵g** *n Gastr* Belag; Aufschnitt *m*; **~læ͵gschokolade** *Schokolade f in Scheiben* (*Brotbelag*); **~pege** [-pɑj'ə] hervorheben

på|rø͵rende *pl* Angehörige *pl*

påske ['pɔːsgə] Ostern *n*; **'~'dag͵** Ostersonntag *m*; **~lilje** Osterglocke *f*; **~æg** [-ɛ'g] *n* Osterei *n*

på|skud ['pɔ-] *n* (=) Vorwand *m* (***med*** unter); **~skønn͵e** [-sgœn'ə] schätzen; **~stan͵d** (*-e*) Behauptung *f*; **~stå͵** behaupten; **~'stå͵elig** rechthaberisch

på|tage: **~ *sig*** auf sich nehmen; **~taget** unecht; **~tale** Verweis *m*; **~træng͵ende** aufdringlich

på|virke [-i-] beeinflussen; **~t** unter Alkoholeinfluss; **~vi͵se** nachweisen

R

R, r [aʀ] *n*: ***et stort~*** ein großes R

rabalder [ʀɑ'bal'ɔ] *n* Krach, Lärm *m*

rabat [ʀɑ'bad] (*-ter*) Ermäßigung *f*; *Kfz* Randstreifen *m*

race ['ʀɑːsə] (*-r*) Rasse *f*

racer F Rennrad *n*; **~bi͵l** ['ʀɑːsɔ-] Rennwagen *m*; **~cykel** Rennrad *n*

ra'cisme Rassismus *m*

radiator [-'aːtɔ] Heizkörper *m* (***tænde, lukke for*** ein-, ausschalten)

radika͵l [-'ka'l] radikal; *su etwa* Linksliberale(r *m*)*f*; ***de≗e*** *Mitglied der* → ***Radikale Venstre***

ra͵dio|a'vi͵s Nachrichten (*im Radio*) *pl*; **~bil** Skooter *m*; **~licens** Rundfunkgebühren *pl*

ra'dise (*-r*) Radieschen *n*

radmager ['ʀaðma'ɔ] sehr dünn

raffinade'ri͵ [-naːðɔ-] *n* Raffinerie *f*

rafle würfeln (***om*** um); ***der er ikke noget at ~ om*** daran ist nicht zu rütteln; **~bæger** *n* Würfelbecher *m*

rage ['ʀɑːŭə]: **~ *af͵*** abrasieren; ***hvad ~r det dig?*** F *neg!* was geht dich das an?; **~ *på*** betatschen; **~lse** *n* Gerümpel *n*, Schund *m*

ragnarok ['ʀɑŭnaʀɔk] *n* Götterdämmerung *f*; *fig* Hölle *f*, Chaos *n*

ra'ket (*-ter*) Rakete *f*; **~fart**: ***med ~*** blitzschnell

rakke: **~ *ned på*** heruntermachen

rakte reichte *etc* (*imperf* →

række)

ramˌ: ***få~ på*** *Mil* treffen (*a fig*); kriegen (*fig*)

ramaskrig *n* Sturm *m* der Entrüstung

ramme[1] treffen

ramme[2] (*-r*) Rahmen *m*; ***inden for ~rne af*** im Rahmen des, der

rand [ʀɑnˀ] (*-e*) Rand *m*; ***på ~en af*** am Rande des, der

rangle (Baby-)Rassel *f*

rank [ʀɑŋˀg] gerade, aufrecht

ransage [ˈʀɑnsaˀə] *Jur* durchsuchen

rappe quaken; rappen; **~nskralde** Xanthippe *f*, Zicke *f*

raˌr nett; angenehm

rase [ˈʀɑːsə] rasen, toben; **~nde** wütend; **~re** [-ˈseˀ-] verwüsten; **~ri** [-ˈriˀ] *n* Wut *f*

rask rasch; gesund

rasle rasseln; rascheln

rasp Paniermehl *n*

rasteplads Rastplatz *m*

rat [ʀɑd] *n* (=) Lenkrad; Steuer *n*; **~gear** *n* Lenkradschaltung *f*; **~låˌs** Lenkradschloss *n*

rav [ʀɑŭ] *n* Bernstein *m*

ravn [ʀɑŭˀn] (*-e*) Rabe *m*

reaˈgeˌ|nsglasbarn *n* Retortenbaby *n*; **~ˈˌre** reagieren (***på*** auf)

reaˈlistisk realistisch

reb [ʀaˀb] *n* (=) Seil *n*, Strick *m*; **~stiġe** [ˈʀaːb-] Strickleiter *f*

recept [-ˈsɛbd] *Med* Rezept *n*; **~ionist** [ʀasɛbsjoˈnist] Empfangschef *m*; Empfangsdame *f*; **~pligtig** [-plegdi] rezeptpflichtig

red [ʀaˀð] ritt *etc* (*imperf* → ***ride***)

red. (*redaktør*) Hg., Hrsg. (*Herausgeber*)

redaktør [-ˈtøˀʀ] Redakteur *m*, Redakteurin *f*

redde [ˈʀaːðə] retten

rede[1] [ˈʀaːðə] (*-r*) Nest *n*

rede[2] [ˈʀaːðə] *Haar* kämmen

rede[3]: [ˈʀaːðə] ***gøre ~ for*** erklären

redegøˌrelse (*-r*) Erklärung *f*, Bericht *m*

reder [ˈʀaːðɔ] (*-e*) Reeder *m*; **~i** [-ˈriˀ] *n* Reederei *f*

redning Rettung *f*; **~sbælte** *n* Rettungsring *m*; **~sbåˌd** Rettungsboot *n*; **~skorps** *n* Rettungsdienst *m*; **~skranˌs** *n* Rettungsring *m*; **~svest** Schwimmweste *f*

redskab [ˈʀaðsgaˀb] *n* Gerät *n*; **~sskuˌr** *n* Geräteschuppen *m*

reducere reduzieren (***med*** um, ***til*** auf)

refleks Leuchtplakette *f*; Reflex *m*

refunˈdeˌre zurückzahlen, erstatten

reˌġel (*regler*) Regel *f*; ***som ~*** normalerweise; **~mæssiġ** regelmäßig

reˈgeˌr|e regieren; **~ing** Regierung *f*

regionaltog *n* Regionalzug *m*

regi'stre,r|e registrieren; **~ingsafgift** Kfz-Steuer *f*; **~ingsnummer** *n* Kfz-Kennzeichen *n*
regn [ʀɑjˀn] Regen *m*; **~bue** Regenbogen *m*; **~byġe** Regenschauer *m*
regne¹ ['ʀɑjnə] regnen
regne² rechnen; **~ark** *n* Kalkulationsprogramm *n*; **~fej,l** Rechenfehler *m*; **~ma'skine** Rechenmaschine *f*
regn|frakke ['ʀɑjn-] Regenmantel *m*; **~ful,d** regnerisch
regning ['ʀɑjneŋ] Rechnung *f*; Rechnen *n*
regnska,b ['ʀɑjn-] *n* Rechenschaft *f*
regnvejr ['ʀɑjnvaˀʀ] *n* Regenwetter *n*
reje ['ʀɑjə] (*-r*) Garnele *f*
rejse ['ʀɑjsə] reisen, fahren; *su* (*-r*) Reise *f*; **~ *sig*** sich erheben; **~bureau** [-byʀo] *n* Reisebüro *n*; **~selska,b** *n* Reisegesellschaft *f*
rejsning Auf-, Errichtung; Erektion *f*
reklame (*-r*) Reklame, Werbung *f*; **~re** [-'meˀɔ] werben; reklamieren
'rekommanderet *Brief* Einschreiben *n*; eingeschrieben
rekreation [-'sjoˀn] Erholung *f*
'rektang,|el *n* (*-ler*) Rechteck *n*; **~ulær** rechteckig
'relativ,sætning Relativsatz *m*
relæ *n* Relais *n*
rem, (*-me*) Riemen *m*
remse: **~ *op*** aufsagen, herunterleiern
ren [ʀaˀn] rein, sauber; ***gøre ~t*** putzen
rende¹ rennen, laufen
rende² (*-r*) Rinne *f*; **~ste,n** Rinnstein *m*
rengø,ring ['ʀaːn-] Putzen *n*; **~sassistent** Raumpfleger(in) *m*(*f*); Putzfrau *f*
ren|he,d ['ʀaːn-] Reinheit *f*; **~liġ** reinlich, sauber
renova'tio,n [-'sjoˀn] Müllabfuhr *f*; **~sarbejder** Müllwerker(in) *m*(*f*)
rens Reinigung *f*; **~dyr** *n* Rentier *n*; **~e** reinigen; säubern; **~e'ri,** *n* Reinigung *f*; **~ning** Reinigung *f*; **~ningsanlæg** *n* Kläranlage *f*
rente (*-r*) Zins *m*; ***~rs rente*** Zinseszinsen *pl*
reol [ʀa'oˀl] Regal *n*
repar|a'tio,n Reparatur *f*; ***sende til ~*** in Reparatur geben; **~ere** [-'ʀaˀɔ] reparieren; ***få ~t*** reparieren lassen
repe'te,re wiederholen
re'serve|de,l Ersatzteil *n*; **~hju,l** *n* Ersatzrad *n*
reser've,re reservieren; **~t** reserviert; zurückhaltend
resp. (*respektive*) bzw. (*beziehungsweise*)
respekt|ere [raspɛk'teˀɔ] respektieren; **~iv** [-tiˀv] respektiv, jeweilig; **~ive** beziehungsweise
restaur|a'tø,r Gastwirt *m*;

~e,re restaurieren
resten der Rest; ***for ~*** übrigens
re'ste,rende restlich
ret Recht *n*; *Jur, Gastr* Gericht *n*; *adj* richtig; *adv* ziemlich; ***ikke ~ …*** nicht so …; ***finde sig til ~*** sich zurechtfinden; ***med ~te*** mit Recht
ret'fær,diġ gerecht; **~gø,re** rechtfertigen; **~he,d** Gerechtigkeit *f*
retning Richtung *f*; **~slinjer** *pl* Richtlinien *pl*
rets|krivning Rechtschreibung *f*; **~sa,ġ** *Jur* Prozess *m*; **~sa,l** Gerichtssaal *m*; **~lig** rechtlich; **~stridig** [-sdʀiːði] widerrechtlich; **~videnska,b** Rechtswissenschaft *f*
rette korrigieren; **~lse** (*-r*) Berichtigung; Korrektur *f*
rettidig [-tiˀði] rechtzeitig, fristgerecht
rettiġhe,d Recht *n*
re'tu,r zurück; **~billet** Rückfahrkarte *f*; **~flaske** Mehrwegflasche *f*; **~pant** *Flasche etc* Pfand *m*
retvinklet [-veŋˀgləð] rechtwinklig
rev [ʀaŭ] *n* (=) Riff *n*
revisor Buchprüfer(in) *m(f)*
revle ['ʀaŭlə] (*-r*) Sandbank *f*
revne ['ʀaŭnə] platzen; *su* (*-r*) Riss *m*
re'vy Kabarett *n*
Rhi,nen (der) Rhein *m*
ribben ['ʀibeˀn] *n* Rippe *f*
ribs *n* (=) rote Johannisbeere *f*
ridder ['ʀiðˀɔ] (*-e*) Ritter *m*
ride ['ʀiːðə] reiten; **~pisk** Reitpeitsche *f*; **~sti,** Reitweg *m*
ridning Reiten *n*
ridse [-i-] ritzen; *su* (*-r*) Ritze *f*
ridt [ʀid] *n* (=) Ritt *m*
rift Schramme *f*, Riss *m*; ***der er ~ om varen*** die Ware ist sehr begehrt
rig [ʀiˀ] reich (***på*** an); **~dom,** [ʀi-] (*-me*) Reichtum *m*; **~e** *n* (*-r*) Reich *n*; **~eliġ** reichlich
rigsdansk *n* Hochdänisch *n*, Standarddänisch *n*
rigtiġ richtig; **~hed** Richtigkeit *f*
ri,m¹ Reif *m*
ri,m² *n* (=) Reim *m*; **~e** reimen (***på*** auf)
rimeliġ ['ʀiːmə-] gerecht; angemessen; **~hed** Angemessenheit *f*; **~vi,s** wahrscheinlich
rimfrost ['ʀiːm-] Raureif *m*
ring, (*-e*) Ring *m*; **~bind** *n* Ringordner *m*
ringe¹ läuten, klingeln; ***~ på*** (an der Tür) klingeln
ringe² gering; niedrig
ri,s¹ (=) Reis *m*
ri,s² *n* (=) Rute *f*
risalamande [ʀisalamɑŋ] *Milchreis mit Zucker, Sahne und Mandelsplittern; dän. Weihnachtsdessert: wer die ganze Mandel findet, bekommt das* → ***mandelgave***
risengrød ['ʀisəngrœˀð] *war-*

mer Milchreis *m*
risici ['risisi] Risiken (*pl* → ***risiko***)
risi'k|a,bel riskant; **~ere** [-'keʔɔ] riskieren; **~o** Risiko *n* (***løbe*** eingehen)
risle [-i-] rieseln
rist [rast] (*-e*) Rost *m*; **~e** rösten; ***en ~et*** F eine (dünne) Bratwurst
ri'va,l Rivale *m*, Rivalin *f*
rive ['ʀiː ŭə] reißen; reiben; harken; *su* (*-r*) Rechen *m*, Harke *f*; **~jer,n** *n* Reibeisen *n*
rk. (*række*) R. (*Reihe*)
ro,¹ Ruhe *f*; ***gå til ~*** sich schlafen legen; ***kan vi*** (***så***) ***få ~!*** Ruhe (jetzt)!
ro,² rudern
ro'bot Roboter *m*
ro,båd, Ruderboot *n*
rod,¹ (*rødder*) Wurzel *f*; Bengel *m*
rod,² *n* Unordnung *f*; Durcheinander *n*; **~e** ['ʀoːðə] Unordnung machen; **~ *i*** (herum)kramen in
rod|ehoved *n* F *neg!* Mensch ohne Ordnungssinn; **~e'ri,** Durcheinander *n*; **~et** in Unordnung; unaufgeräumt
rodfrugt Wurzelgemüse *n*
rodløs entwurzelt (*a fig*)
roe ['ʀoːə] (*-r*) Rübe *f*
rogn [ʀɔŭʔn] (=) Rogen *m*
rokke wackeln; **~tand,** F locker sitzender Zahn
rolig ['ʀoːli] ruhig; **~an** [-gan] F *bsd friedlicher dän. Fußballfan*
rom [ʀɔmʔ] Rum *m*
roman,tisk romantisch
romer Römer *m*
romerriget, **Romerriget** (das) römische Reich *n*
romer|sk römisch; **~tal** römische Zahl; **~ *fem*** römisch fünf (V)
romkugle Rumkugel *f*
roning ['ʀoʔneŋ] Rudern *n*
ror [ʀoʔʀ] *n* (=) *Mar* Steuer; Ruder *n*
ros [ʀoʔs] Lob *m*
rose¹ loben
rose² (*-r*) Rose *f*; **~nbrød,** *n flacher, länglicher Kuchen aus Blätterteig mit weißer Glasur*; **~nkå,l** Rosenkohl *m*
ro'si,n Rosine *f*
Roskilde ['ʀɔskilə]: ***stå af, i ~*** F *etwa* aufpassen (*beim Sex*)
rotte (*-r*) Ratte *f*; *v/i* **~ *sig samm,en*** sich zusammenrotten; **~haler** Zöpfe *pl*
roulade [ru'laːðə] Biskuitrolle *f*
rov [ʀɔŭ] *n* (=) Raub *m*; **~dy,r** *n* Raubtier *n*; **~fu,gl** Raubvogel *m*
ru, rau
rude ['ʀuːðə] (*-r*) Fensterscheibe *f*; **~r** Karo *n*
ru,g Roggen *m*; **~brød** ['ʀu-] *n* Schwarzbrot *n*
ruge ['ʀuːə] brüten; **~ *ud*** ausbrüten
ru'i,n [ʀu-] Ruine *f*; Ruin *m*; **~ere** [-'neʔɔ] ruinieren
rulle [-u-] rollen; *su* (*-r*) Rolle *f*; **~gardin** *n* Rollo *n*; **~krave**

Rollkragen *m*; **~pølse** Wurstaufschnitt *f aus Fleisch, Kräutern, Gewürzen und Fett*; **~skøjter** *pl* Rollschuhe *pl*; **~trappe** Rolltreppe *f*

rum, *n* (=) Raum *m*; Fach *n*; ***i~ sø*** auf hoher See; **~fang** *n* Rauminhalt *m*; **~me** ['ʀåmə] fassen; **~meliġ** geräumig; **~met** (das) Weltall *n*, (der) Weltraum *m*

rumpe ['råmbə] Hintern *m*

runddel ['rånde?l] *Platz* Rondell *n*

rund|e (-*r*) Runde *f*; *v/t* ['ʀånə] umrunden; **~hån,det** großzügig; **~kreds** Kreis *von Menschen*; **~kør,sel** (Platz mit) Kreisverkehr *m*; **~sa,v** Kreissäge *f*

rund|stykke *n* Brötchen *n*; **~tenom** ['ʀån?dnåm] (-*mer*) Brotscheibe *f* (*Schwarzbrot*); **~tosset** schwindlig; **~tu,r** Rundfahrt *f*

runge dröhnen, hallen

runken runzelig

ru,s Rausch *m*

ruske zerren, rütteln (***an*** i)

ruskind ['ʀusgen?] *n* Wildleder *n*

rust [ʀåsd] Rost *m*; **~e** rosten; rüsten; **~en** rostig; *Stimme* rau; **~fri**, rostfrei; **~vogn** Leichenwagen *m*

rute (-*r*) Route, Strecke *f*; **~bi,l** Autobus *m*

ru'tine Routine *f*; **~ret** [-'ne?ɔð] routiniert

rutsjebane [-u-] Rutsch-; Achterbahn *f*

rutte: **~ *med*** verschwenderisch umgehen mit

ry, *n* Ruf; Ruhm *m*; ***hun har ~ for at være streng*** sie soll streng sein

rydde ['ʀyðə] räumen; **~ *op*** aufräumen

rydning Rodung; Räumung *f*

ryg [ʀœg] (-*ge*) Rücken *m*; Lehne *f*

ryge ['ʀy:ə] rauchen; **~ost** *weicher Räucherkäse mit Kümmel*; **~r** (-*e*) Raucher(in) *m*(*f*); **~rkupe**, *Esb* Raucherabteil *n*

rygmar,v Rückenmark *n*

rygning ['ʀy:neŋ]: **~ *forbudt*** Rauchen verboten

ryg|rad ['ʀœgʀɑð,] (-*e*) Rückgrat *n*; **~stød** [-sdø?ð] *n* Lehne *f*; **~sæk** Rucksack *m*; **~søjle** Wirbelsäule *f*

rygte *n* (-*r*) Gerücht *n*; Ruf *m* (*Ansehen*); **~s** sich herumsprechen

ryk *n* (=) Ruck *m*

rykke rücken; mahnen; **~r**, **~rbre,v**, **~rskrivelse** *n* Mahnbrief *m*

rynke runzeln, falten; kräuseln; *su* (-*r*) Runzel, Falte *f*

ryste schütteln; erschüttern; zittern

rytme [-y-] (-*r*) Rhythmus *m*

rytter [-y-] (-*e*) Ritter *m*

ræbe rülpsen

ræd [ʀɑ?ð] ängstlich; **~sel**

(*rædsler*) Entsetzen *n*; Grauel *m*; **~selsfuld** fürchterlich; **~selssla,gen** entsetzt; **~som** entsetzlich
række¹ reichen
række² (*-r*) Reihe *f*; ***i første ~*** in erster Linie (*a fig*); **~følge** Reihenfolge *f*; **~hu,s** *n* Reihenhaus *n*; **~vidde** [-viˀdə] Reichweite *f*
rækværk *n* Geländer *n*
ræling ['ʀɛːleŋ] Reling *f*
ræv [ʀaˀŭ] (*-e*) Fuchs *m*
røbe ['ʀœːbə] verraten
rød [ʀœˀð] rot; **~bede** [ʀœð'beːðə] (*-r*) Rote Bete *f*; **~der** *pl* Wurzeln (→ ***rod***); **~gran** Fichte *f*; **~grød**: ***~ (med fløde)*** rote Grütze *f* (mit Sahne); **~kå,l** Rotkohl *m*; **~me** ['ʀœðmə] erröten; **~men** Erröten *n*; **~spætte** ['ʀœð-] (*-r*) Scholle *f*; **~strømpe** F Feministin *f*; **~vi,n** Rotwein *m*
røg [ʀɔjˀ] Rauch *m*; rauchte *etc* (*imperf* → ***ryge***); **~alarm** Rauchmelder *m*; **~e** ['ʀɔjə] räuchern; **~elsespind** ['ʀœːəlsəs-] Räucherstäbchen *n*; **~et** ['ʀɔjəð] geräuchert
røgfri, Nichtraucher-; ***~ zone*** Nichtraucherbereich *m*
rømme: ***~ sig*** sich räuspern
rønnebær *n* Vogelbeere *f*
rør [ʀɔ̈ˀʀ] *n* (=) Rohr *n*, Röhre *f*; *Tel* Hörer *m*
røre ['ʀɔ̈ːɔ] rühren; *su n* Aufregung (*fig*) *f*; ***~ ved*** berühren; **~nde** rührend
rørsukker ['ʀɔ̈ʀ-] *n* Rohrzucker *m*
røræ,g Rühreier *pl*
røst [ʀœsd] Stimme *f*
røv [ʀɔ̈ˀŭ] V Arsch *m*; ***op i ~en med*** scheiß auf; ***tage ~en på*** verarschen
røve ['ʀœːvə] rauben; **~r** (*-e*) Räuber *m*; **~'ri,** *n* Raub *m*; **~rkøb** *n* Schnäppchen *n*
røvhul *n* V Arschloch *n*
rå [ʀåˀ] roh; rau
rå,b *n* (=) Ruf *m*; **~e** ['ʀåːbə] rufen (***på*** nach)
råd [ʀåˀð] *n* (=) Rat; Ratschlag *m*; ***have ~ til*** sich leisten können
rådden ['ʀɔːðən] faul; verfault
råde ['ʀåːðə] raten (***til*** zu); verfügen (***over*** über)
råd|fø,re ['ʀɔð-]: ***~ sig med*** sich beraten mit; **~gi,ver** (*-e*) Ratgeber *m*; **~hu,s** *n* Rathaus *n*
rådighe,d ['ʀåːði-]: ***have ~ over, have til sin ~*** verfügen über; ***stille til ~*** zur Verfügung stellen
rådne ['ʀɔðnə] verfaulen, verwesen
rådvil,d unschlüssig, ratlos
rådy,r ['ʀɔ-] *n* Reh *n*
rå|hvid ['ʀɔ-] wollweiß; **~kold** nasskalt; **~kost** Rohkost *f*; **~vare** Basisprodukt *n*

S

S, s [ɛs] *n*: ***et stort*** ~ ein großes S
s.m. (*samme måned*) d. M. (des Monats); (*sammen med*) zusammen mit
s.m.b.a. (*selskab med begrænset ansvar*) G.m.b.H. (*Gesellschaft mit beschränkter Haftung*)
S.U. (*Statens Uddannelsesstøtte*) *etwa* BAFöG (*Bundesausbildungsförderungsgesetz*)
s.u. (*svar udbedes*) u.A.w.g. (*um Antwort wird gebeten*)
s/h (*sort/hvid*) s/w (*schwarz-weiß*)
sabel ['sa?-] (*-bler*) Säbel *m*
sad, [sað?] saß *etc* (*imperf* → ***sidde***)
sadel, saddel ['sa:ðəl] (*-ler*) Sattel *m*
saftevand *n* Fruchtsaftgetränk *n*
sag [sa?] Sache; Angelegenheit *f*; *Jur* Verfahren *n*; ***det er ingen*** ~ das ist ganz einfach; ***søde*** ~***er*** *pl* Süßigkeiten *pl*
sagde ['sa:ə] sagte *etc* (*imperf* → ***sige***)
sagesløˌs [-a:-] schuldlos
sag|fører ['saŭ-] (*-e*) Rechtsanwalt *m*, Rechtsanwältin *f*; **~kyndig** [-køn?di] sachkundig; *su* Sachverständige *m/f*;
~liġ sachlich
sagn [saŭ?n] *n* (=) Sage *f*
sagre'gister [saŭ-] *n* Sachregister *n*
saġsbehandler [-a?-] Sachbearbeiter(in) *m(f)*
sagsøge ['saŭsø?ə] *Jur* verklagen
sagtens *adv* leicht
sagtne langsamer werden
sakke: ~ ***baguˌd*** zurückbleiben (*fig*)
saks (*-e*) Schere *f*
sal [sa?l] (*-e*) Saal; Stock *m*; ***på 3.*** ~ im dritten Stock
sa'laˌt: ***italiensk*** ~ *Erbsen und Karotten in Mayonnaise*; ***russisk*** ~ *Rote Beten, Makkaroni und Zwiebeln in Mayonnaise*; **~baˌr** Salatbuffet *n*; **~hoved** *n* Salatkopf *m*
salg [sal?j] *n* (=) Verkauf *m*; **~spriˌs** Verkaufspreis *m*
salme [-a-] (*-r*) Kirchenlied *n*; **~bog** [-bå?ŭ] *Rel* Gesangbuch *n*
salt [sal?d] *n* Salz *n*; *adj* salzig; **~bøsse** ['sald-] Salzstreuer *m*; **~pastil** Salmiakpastille *f*; **~stang**, Salzstange *f*; **~vanˌd** *n* Salzwasser *n*
salve [-a-] (*-r*) Salbe *f*
sal'vie Salbei *m*
samarbejˌde *n* Zusammenarbeit *f*
sama'rit (*-ter*) Sanitäter(in)

m(f)
sambo Mitbewohner(in) *m(f)*
samfund ['samfån?] *n* (=) Gesellschaft *f*; **~sfag** Sozialkunde *f*
samkvem, *n* Umgang *m*
samle sammeln; **~bånd**, *n* Fließband *n*
sam|lever Partner(in) *m(f)*; **~leverske** Partnerin *f*; **~ling** Sammlung *f*; **~liv**, *n* Zusammenleben *n*
samme gleich-; ***med det*~** sofort
samm,en zusammen; ***tage sig* ~** sich aufraffen (***til at*** zu); **~bidt** ['samən-] verbissen (*fig*); **~brud** *n* Zusammenbruch *m*; **~drag** [-dra?ŭ] *n* Zusammenfassung *f*; **~fatte** zusammenfassen; **~hold** *n* Teamgeist *m*; Solidarität *f*; **~hæng**, Zusammenhang *m*; **~kom,st** Zusammenkunft *f*; **~krøll,et** zerknüllt
sammenlign|e [-li?nə] vergleichen; **~elig** [-'li?-] vergleichbar (***med*** mit); **~ing** Vergleich *m*
sammen|sat komplex; **~skudsgilde** *n Party f, deren Gäste Essen und Getränke mitbringen*; **~slutning** Vereinigung *f*; Verband *m*; **~stød** *n* Zusammenstoß *m*; **~sværgelse** [-svaʀ?ŭəlsə] (*-r*) Verschwörung *f*; **~sætning** Zusammensetzung *f*
samt sowie
samtale [-ta:lə] (*-r*) Gespräch *n*
samt|id Gegenwart *f*; Zeitgenossen *pl*; **~i,dig** gleichzeitig; *su* Zeitgenosse *m*, Zeitgenossin *f*; **~lige** sämtliche
samtykke [-tygə] einwilligen; *su n* Einwilligung *f*
sam'vittighe,d [-i-] Gewissen *n*; ***dårlig* ~** Gewissensbisse *pl*; **~sful,d** gewissenhaft
samvæ,r *n* (=) Zusammensein *n*
sand[1] [san?] *n* Sand *m*
sand[2] wahr
san'da,l Sandale *f*
sandelig [-a-] *adv* wahrhaftig; aber
sandkasse Sandkasten *m*
sand'sy,nlig [sa-] *adj*, **~vi,s** *adv* wahrscheinlich
sang [saŋ?] (*-e*) Lied *n*; Song; Gesang *m*; **~bo,g** ['saŋ-] Liederbuch *n*; **~er** (*-e*) Sänger(in) *m(f)*; **~er'inde** (*-r*) Sängerin *f*; **~skjuler** (*oft phantasievolles) Versteck für gedruckte Gelegenheitslieder, die in Dänemark bei Familienfeiern und Jubiläen herumgereicht werden*
sankt|'bernhardshund Bernhardiner *m*; **~hans** [saŋd'hans] (die Zeit um) Johannisabend *m*; *Sommersonnenwendfeier mit Verbrennen von Hexenpuppen*
san,s [sa-] Sinn *m*; **~ *for ngt*** ein Gespür für etw; **~e** [-a-] wahrnehmen; **~elig** sinnlich;

~elø,s besinnungslos
sa,rt zart; empfindlich
satan ['sa:tan] Satan *m*; **~s** **(også)!** Mist!
sateme verdammt noch mal
satse *Geld* setzen; **~ på at** davon ausgehen dass
satte setzte *etc* (*imperf* → **sætte**)
sav [sa?ŭ] (*-e*) Säge *f*; **~e** ['sa:ŭə] sägen
savl ['sɑ?ŭl] *n* Sabber *m*; **~e** ['sɑŭlə] sabbern
savne ['sɑŭ-] vermissen, entbehren
sav|smul,d ['sɑŭ-] *n* Sägemehl *m*; **~værk** *n* Sägewerk *n*
scene ['se:nə] (*-r*) Bühne; Szene *f*
scooter ['sgu:dɔ] (*-e*) Motorroller *m*
score ['sgo:ɔ] ein Tor schießen; F *Anmache* bei j-m landen; **~ kassen** einen Haufen Geld verdienen
Sdr. (*Sønder, Søndre*) *bei Ortsnamen* Süd-
se, sehen, blicken; **~ bort fra** absehen von; **~ på** zusehen; **~ sig for** sich vorsehen; **~ ud** aussehen (**som** wie)
seddel ['sɛð?əl] (*-ler*) Zettel *m*; (Geld-)Schein *m*
seer *TV* Zuschauer(in) *m(f)*
segl [sɑj?l] *n* (=) Siegel *n*; *u* (*-e*) Sichel *f*
sej [sɑj?] zäh; cool
sejl [sɑj?l] *n* (=) Segel *n*; **~ads** [sɑj'la?s] (Schiff-)Fahrt *f*; **~båd** Segelboot *n*; **~e** *Mar* fahren; segeln; **~ga,rn** *n* Bindfaden *m*; **~ski,b** *n* Segelschiff *n*
sejr [sɑj?ʀ] (*-e*) Sieg *m*; **~herre** Sieger(in) *m(f)*
sekre'tæ,r Sekretär(in) *m(f)*
seks sechs; **'~dagesløb**, *n* Sechstagerennen *n*; **~ten** ['sɑjsdən] sechzehn
seksu|ali'te,t Sexualität *f*; **~alundervisning** Sexualkunde *f*; **~'el**, sexuell
sekt Sekte *f*
se'kun,d *n* Sekunde *f*
sele ['se:lə] (*-r*) Gurt *m*; **~r** *pl* Hosenträger *pl*; **~tøj** *n* (Pferde-)Geschirr *n*
selska,b *n fachliche oder festliche* Gesellschaft *f*; **~elig** [-'sga?bəli] gesellig; **~slokale** *n* Gemeinschaftsraum *m*
sel,v selbst; **det kan du ~ være!** *neg!* selber! (*z.B. doof*); **i sig ~** an sich; **~ tak!** danke auch!, danke gleichfalls!
sel,v|angi,velse ['sɛl-] (*-r*) Steuererklärung *f*; **~bedrag** *n* Selbsttäuschung *f*; **~beherskelse** Selbstbeherrschung *f*; **~betje,ning** Selbstbedienung *f*; **~bevidst** selbstbewusst
sel,v|biografi Autobiographie *f*; **~e** der, die, das eigentliche…; **~følge** Selbstverständlichkeit *f*; **~'følgelig** selbstverständlich; **~glad** selbstgefällig; **~lyd** Selbstlaut; Vokal *m*; **~lysende**

fluoreszierend; **~modsi,gelse** (*-r*) Widerspruch *m*; **~mo,rd** *n* Selbstmord *m* (***begå*** begehen); **~mål** *n* Eigentor *n*; **~optaget** mit sich selbst beschäftigt; **~risiko** Selbstbeteiligung *f*; **~sikker** selbstsicher; **~styre** *n* Selbstverwaltung *f*; **~stæn,dig** selbstständig; **~tillid** Selbstvertrauen *n*; **~tægt** Selbstjustiz *f*; **~udlø,ser** (*-e*) Selbstauslöser *m*

semi'na,rium *n* (*-ier*) pädagogische Hochschule *f* (*PH*)

se,n spät

sende senden; schicken

sending Sendung *f*

sene ['se:nə] (*-r*) Sehne *f*

sene|re ['se:nɔ:ɔ] später; **~st** spätest-, jüngst-; spätestens; ***på det ~ste*** in letzter Zeit

seng, (*-e*) Bett *n*; ***ligge i ~en*** das Bett hüten

senge|liggende bettlägerig; **~linned** *n* Bettwäsche *f*; **~tæppe** *n* Bettdecke *f*; **~tøj** *n* Bettzeug *n*

sennep Senf *m*

sensommer Spätsommer *m*

sensu'e,l sinnlich

separ|ation [-ʀa'sjoˀn] (Ehe-)Trennung *f*; **~'eret** (ehelich) getrennt

sep'tem,ber September *m*; ***til ~, i ~*** im September

sergent [saʀ'sjaˀnd] Feldwebel *m*

serv [saʀˀŭ] *Sport* Aufschlag *m*; **~e** aufschlagen; **~e,re** servieren

service[1] [saʀ'vi:sə] *n* Geschirr *n*

service[2] ['sœ:vis] Service *m*; **~statio,n** Tankstelle *f*

servi'et (*-ter*) Serviette *f*

servi'trice Kellnerin *f*

servostyring Servolenkung *f*

ses sich treffen; zusammen sein; ***vi ~!*** bis dann!

session [sɛ'sjoˀn] *Mil* Musterung *f*

se'vær,dighe,d Sehenswürdigkeit *f*

sexet sexy

sgu verdammt noch mal

shaver Elektrorasierer *m*

shine: ***~ op*** F in Stand setzen; reinigen

si, Sieb *n*; *v/t* sieben

sidde ['se:ðə] sitzen; ***~ a,f*** absitzen; **~plads** Sitzplatz *m*

side ['si:ðə] (*-r*) Seite *f*; ***på den 'ene/'anden ~*** einer-/andererseits; ***ved ~n af*** neben (an); **~fag** *n* Nebenfach *n*; **~gade** Nebenstraße *f*; **~læns** seitwärts; **~løbende** nebenbei; **~man,d** Nachbar(in) *m*(*f*); **~n** seit; später; weil; ***for … ~n*** vor; ***for 2 år ~n*** vor zwei Jahren

side|or,dne gleichstellen; **~spejl** *n* Außenspiegel *m*; **~spring,** *n* Seitensprung *m*; **~stille** [-sdelˀə] gleichstellen; vergleichen

sidst [sisd] letzte(r,-s); zuletzt; ***~, men ikke mindst*** zu guter Letzt; last, not least;

på det ~e in letzter Zeit; ***tak for ~!*** (*wörtlich: danke für neulich!*) *etwa* schön, dich (Sie) zu sehen! *Begrüßung eines Bekannten (nach einer Party od früheren Begegnung)*
sig [sɑj] sich
sige ['si:ə] sagen; ***~ op*** kündigen; ***det ~s*** man sagt
'sigende viel sagend; ***efter ~*** angeblich
sig'na,l *n* Signal *n*; **~ement** [-nalə'mɑŋ] *n* Personenbeschreibung *f*; **~e,re** signalisieren
signere [sin'je?ɔ] abzeichnen
sigt Sicht *f*; ***på*** (***lang***) ***~*** *adv* längerfristig; **~barhed** Sichtbarkeit *f*
sigte[1] (*-r*) Sieb *n*; *v/t* sieben
sigte[2] *n* (*-r*) Absicht *f*
sigte[3] zielen (***på*** auf); *Jur* bezichtigen
sigtebrø,d *n etwa* Mischbrot *n*
sigtelse (*-r*) Bezichtigung *f*
si'gøj,ner (*-e*) Zigeuner(in) *m(f)*
sikke: ***~ en, et,*** **sikken** welch…
sikker sicher, gewiss
sikkerhe,d Sicherheit, Gewissheit *f*; **~sbælte** *n* Sicherheitsgurt *m*; **~snå,l** Sicherheitsnadel *f*; **~ssele** Sicherheitsgurt *m*
sikket welch (ein) …
sikre sichern; sicherstellen
sikring Sicherung *f*
siksak: ***i ~*** im Zickzack
sil,d [sil?] (=) Hering *m*; F sexy Frau *f*
silke Seide *f*
sim,pel einfach, schlicht; **~then** *adv* einfach, schlechthin
simre köcheln
si,n sein; ihr
sin,d *n* (=) Gemüt *n*; ***have i ~e at*** beabsichtigen zu; **~elag** ['senəla?] *n* Gesinnung *f*; **~sro**, Gleichmut *m*; **~ssy,g** geisteskrank; *neg!* wahnsinnig
sinke aufhalten, verzögern; *su etwa* begriffsstutziger Mensch *m*
sippet prüde
sirlig [-i-] zierlich, fein
sit sein; ihr (→ ***sin***)
sitre [-i-] zittern (***af*** vor)
situationsfornemmelse Intuition *f*
si,v *n* (=) Schilf *n*; Binse *f*
sive ['si:ŭə] sickern
sj. (*sjælden*) selten
sja,l [-a-] *n* Dreiecks-, Umhängetuch *n*
sjap *n* (Schnee)Matsch *m*
sjaske [-a-] plantschen
sjat [sjad] (*-ter*) Schluck; Rest *m*
sjette ['sjɛ:də] sechste-
sjippe [i] seilspringen; **~tov** *n* Sprungseil *n*
sjo,fel gewagt; anrüchig
sjok: ***nummer~*** (das) Schlusslicht *n* (*fig*)
sjov [sjoŭ?] *n* Spaß *m*; *adj* lustig, witzig; ***for~*** (***s skyld***) zum

Spaß
sjus Drink *m aus Alkohol und Limonade*
sjusk [-u-] *n* Schlamperei *f*; **~e** schludern; *su* (*-r*) Schlampe *f*; **~et** schlampig
sjæ|l (*-e*) Seele *f*
sjælden selten
sjæler *Mus* Ballade *f*, Klammerblues *m*
Sjæll|and *n* Seeland (*größte dän. Insel mit der Hauptstadt Kopenhagen*); **Ձænder** *Person aus* → ***Sjælland***
ska|b [-a-] *n* (*-e*) Schrank *m*; ***have skeletter i ~et*** Leichen im Keller haben; ***komme*** *od* ***springe ud af ~et*** sich outen
ska|b'agtig [sgab-] geziert; **~e** ['sga:bə] schaffen, bilden; **~ *sig*** sich zieren
skabelse Schöpfung *f*; **~ende** schöpferisch; **~eri** [-'ʀi?] *n* Ziererei *f*; **~ning** Geschöpf *n*; Schöpfung *f*
skade¹ ['sga:ðə] (*-r*) Elster *f*
skade² schaden; *su* Schaden *m*; ***komme til*** '**~** sich verletzen; **~dy|r** *n* Schädling *m*; **~fro|** schadenfroh; **~fryd** [-fʀy?ð] Schadenfreude *f*; **~lig** schädlich; **~stue** Unfallstation *f*
skaffe verschaffen; schaffen
skaft *n* Schaft; Stiel *m*
skak Schach *n*; **~brik** Schachfigur *f*; **~bræt** *n* Schachbrett *n*; '**~**'**mat** schachmatt
skakt Schacht *m*
skal¹ [sgal?] (*-ler*) Schale *f*
skal² [sgal] soll; muss *etc* (→ ***skulle***)
skaldet [-a-] kahl(köpfig)
skaldyr *n* Schalentier *n*
skalkeskjul *n* Feigenblatt *n*; Tarnung *f*
skalle¹ [-a-]: **~ *a|f*** abblättern, sich schälen
skalle²: ***give den en ~*** sich ins Zeug legen; F ***nikke ngn en ~*** j-m e-n Kopfstoß (*od* e-e Kopfnuss) geben
skam| Schande; Scham *f*; **~'fe|re** verunstalten; **~lø|s** schamlos; **~me**: **~ *sig*** sich schämen
skammel (*-mler*) Schemel *m*
skandale [sgan'da:lə] (*-r*) Skandal *m*
skar| schnitt *etc* (*imperf* → ***skære***)
skarp scharf
skarp'sindig scharfsinnig
skat [sgad] (*-te*) Schatz *m* (*a Kosewort*); (*-ter*) Steuer *f*
skatte|borger Steuerzahler(in) *m*(*f*); **~fradrag** *n* Steuerfreibetrag *m*; **~fri|** [-a-] steuerfrei; **~kort** *n* Lohnsteuerkarte *f*; **~væ|sen** *n* Finanzamt *n*
skatteyder [-y:ðɔ] (*-e*) Steuerzahler(in) *m*(*f*)
skavank [sga'vaŋ?g] Fehler *m*; Gebrechen *n*
ske|¹ geschehen, sich ereignen
ske|² Löffel *m*
sked [sge?ð] schiss *etc* (*imperf* → ***skide***)

skede ['sgɛːðə] (-*r*) Scheide *f*
ske,ful,d (-*e*) Löffel *m* (voll)
skel|e ['sgeːlə] schielen (***til*** nach); **~ne** unterscheiden; erkennen; **~sættende** Epoche machend
skeløjet: ***være*** **~** schielen
skema *n* Schema *n*; Stundenplan *m*
skeptisk skeptisch
ski, (=) Ski *m*; ***stå på*** **~** Ski laufen
skib [-iˀ-] *n* (-*e*) Schiff *n*; **~brud** ['sgibbʀuð] *n* Schiffbruch *m*; **~bruden** [-bʀuˀðən] Schiffbrüchige *m*/*f*
skibsfa,rt [-i-] Schifffahrt *f*
skid V Furz *m*; ***ikke en*** **~** nicht die Bohne; einen Dreck
skide [-ðə] scheißen; *adj* V beschissen, Scheiß-
skidt [-id] *n* Dreck *m*; *adj* schlecht; ***det er noget*** **~** das ist wirklich schade; **~ *med*** '***det!*** macht nichts!
skift: ***på*** **~** abwechselnd
skifte [-i-] wechseln; *su n* (-*r*) Wechsel *m*; Schicht *f*; **~holdsarbejde** *n* Schichtarbeit *f*; **~ramme** Wechselrahmen *m*; **~s** sich abwechseln (***til at*** in)
skiftevi,s abwechselnd
skihop *n* Skispringen *n*
skik [-ig] (-*ke*) Sitte *f*
skikkelse [-i-] (-*r*) Gestalt *f*
skildpadde ['sgelpaːðə] (-*r*) Schildkröte *f*
skildre darstellen
skildring Darstellung *f*
skille scheiden, trennen; **~ *ad*** zerlegen
skilles scheiden; sich trennen
skillevæ,g Trennwand *f*
skill,ing Groschen *m* (*fig*)
skilning *Haar* Scheitel *m*
skil,smisse (-*r*) (Ehe-)Scheidung *f*
skilt [sgelˀd] *n* (-*e*) Schild *n*; *adj* geschieden
skiløber ['sgilœːbɔ] (-*e*) Skiläufer(in) *m*(*f*)
skimmel Schimmel *m* (*a Bot*)
skimte gerade noch, undeutlich sehen
skin *n* Schein; Anschein *m*
skind [sgenˀ] *n* (=) Fell; Leder *n*; Haut *f*
skingrende ['sgeŋʀɔnə] F verdammt, total
skinke (-*r*) Schinken *m*
skinne[1] scheinen; **~ *igennem*** deutlich sein
skinne[2] (-*r*) Schiene *f*
skinnebe,n *n* Schienbein *n*
skipper [-i-] (-*e*) Schiffer(in) *m*(*f*)
skitse [-i-] (-*r*) Skizze *f*; Entwurf *m*
skive ['sgiːŭə] (-*r*) Scheibe *f*
skjold[1] [sgjɔlˀ] (-*er*) Fleck *m*
skjold[2] *n* (-*e*) Schild *m*; **~bruskkirtel** Schilddrüse *f*
skjorte [-o-] (-*r*) Hemd *n*
skju,l *n* (=) Versteck *n*; (***ikke***) ***lægge*** **~ *på*** (nicht) verheimlichen
skjule ['sgjuːlə] verstecken; **~sted** *n* Versteck *n*

skoˌ (=) Schuh *m*
skod [skɔð] *n* Kippe *f*; *adj u.ä.* Scheiß(e)
skodde *Zigarette* ausdrücken
skohorn ['sgohoˀʀn] *n* Schuhanzieher *m*
skolde brühen; verbrühen
skoldkopper *pl* Windpocken *pl*
skole ['sgoːlə] (-*r*) Schule *f*; ***gå i ~*** die Schule besuchen; **~eleˌv** Schüler(in) *m(f)*; **~inspektøˌr** Schulleiter(in) *m(f)*; **~raˌdio** Schulfunk *m*; **~skema** *n* Stundenplan *m*; **~vogn** [-vɔŭˀn] Fahrschulwagen *m*
skomager ['sgomaˀɔ] (-*e*) Schuhmacher(in) *m(f)*
skorpe (-*r*) Kruste *f*
skorsteˌn (-*e*) Schornstein *m*; ***ryge som en ~*** wie ein Schlot rauchen
skosværte ['sgo-] Schuhcreme *f*
skotsk schottisch
skotøjsbutik [sgo-] Schuhgeschäft *n*
skov [sgɔŭˀ] (-*e*) Wald *m*; **~foged** Förster(in) *m(f)*; **~hugger** (-*e*) Holzfäller(in) *m(f)*
skovklæˌdt bewaldet
skovl [sgɔŭˀl] (-*e*) Schaufel *f*
skovle schaufeln
skovrider ['sgɔŭʀiˀðɔ] (-*e*) Oberförster(in) *m(f)*
skovtuˌr Waldausflug *m*
skr. (*skriftlig, skriftligt*) schr. (*schriftlich*)
skrabe ['sgʀɑːbə] schaben; scharren; **~lod** *n* Rubbellos; **~æg** *n* Freilandei (*von frei laufenden Hühnern*)
skralˌd Müll *m*
skralde|bøtte (-*r*) Mülltonne *f*; **~spanˌd** Mülleimer *m*
skramle poltern
skramme (-*r*) Schramme *f*
skrammˌel *n* Gerümpel *n*, Plunder *m*
skranke (-*r*) Schranke *f*; *Büro* Schalter *m*
skrante kränkeln
skrap scharf, streng; tüchtig
skred [sgʀaˀð] haute ab *etc* (*imperf →* ***skride***)
skreg [sgʀɑˀj] schrie *etc* (*imperf →* ***skrige***)
skrev [sgʀaˀŭ] schrieb *etc* (*imperf →* ***skrive***)
skri'benˌt Schriftsteller(in) *m(f)*
skride ['sgʀiːðə] rutschen; F abhauen; *Kfz* schleudern; ***~ ind*** einschreiten
skridsikker ['sgʀið-] rutschfest
skridt [-id] *n* (=) Schritt *m*
skrift *n* (-*er*) Schrift *f*; **~lig** schriftlich
skriˌg *n* (=) Schrei *m*; **~e** ['sgʀiːə] schreien; **~eri** [-'ʀiˀ] *n* Geschrei *n*
skrive ['sgʀiːŭə] schreiben; ***~ ned*** aufschreiben; **~lse** (-*r*) Schreiben *n*; **~maskine** Schreibmaschine *f*
skrog [sgʀɔŭ] *n* (=) *Mar* Rumpf *m*; Kerngehäuse *n*
skrubbe[1] (-*r*) Flunder *f*; Schrubber *m*

skrubbe[2] scheuern; ~ *a*,*f* sich packen
skrubtudse ['sgʀåbtusə] (*-r*) Kröte *f*
skrue ['sgʀuːə] schrauben; ~ *op* (*ned*) *for* höher (leiser) stellen; *su* (*-r*) Schraube *f*; ~**blyan**,**t** Drehbleistift *m*; ~**nøgle** Schraubenschlüssel *m*; ~**trækker** (*-e*) Schraubenzieher *m*; ~**tvinge** Schraubstock *m*
skrumpe: ~ (*in*,*d*) schrumpfen, einlaufen
skrup- [sgrɔb] F voll, völlig; sehr
skrupsulten F superhungrig
skrupellø,**s** [-u-] skrupellos
skrædder ['sgʀɑðɔ] (*-e*) Schneider(in) *m*(*f*)
skræk Schreck *m*
skrækkelig schrecklich
skræl, (*-ler*) Schale *f*
skræl,**le** ['sgʀɑlə] schälen
skræmme erschrecken
skræn,**t** [-ɑ-] Abhang *m*
skræve ['sgʀaːvə] die Beine spreizen
skrøbelig ['sgʀœːbəli] zerbrechlich
skrømt [-ɔ̈-]: *på* ~ zum Schein
skrå [sgʀåˀ] schräg; *su* Kautabak *m*
skråle ['sgʀåːlə] grölen; plärren
skrån|**e** ['sgʀåːnə] abfallen; ['sgʀåˀ-] ~**ing** Abhang *m*, Böschung *f*
Skt. (*Sankt*) St. (*Sankt*)
skubbe stoßen, schieben, schubsen
skud [sguð] *n* (=) Schuss *m*; *Bot* Spross *m*, Trieb *m*; ~**t** geschossen (*p*/*p* → ***skyde***); ~**år** ['sguðɔˀ] *n* Schaltjahr *n*
skuespil *n* Schauspiel *n*
skuespiller (*-e*) Schauspieler(in) *m*(*f*)
skuffe[1] (*-r*) Schublade *f*
skuffe[2] enttäuschen; ~**lse** (*-r*) Enttäuschung *f*
skulder [-u-] (*-dre*) Schulter *f*
skulderklap *n* Anerkennung *f*
skuldertræk *n* Achselzucken *n*
skulle[1] [-u-] sollen, müssen
skulle[2] sollte; müsste *etc* (*imperf* → ***skulle***[1])
skum [sgåmˀ] *n* Schaum *m*; ~**gummi** ['sgåm-] *n* Schaumgummi *m*; ~**me** schäumen; ~**metmæl**,**k** Magermilch *f* (*bis 0,3%*)
skumring (Abend-)Dämmerung *f*
sku,**r** *n* (*-e*) Schuppen *m*, Bude *f*
skure ['sguːɔ] scheuern
skurk [-u-] (*-e*) Schurke *m*
skvat Feigling, Schwächling *m*
skvulpe [-u-] plätschern
sky,[1] scheu
sky,[2] Gelee *n aus Fleischsaft*
sky,[3] Wolke *f*; ~**brud** ['sgybʀuð] *n* Wolkenbruch *m*
skyde ['sgyːðə] (er)schießen; schieben; ~**dø**,**r** Schiebetür *f*; ~**r** F Schusswaffe *f*; ~**skive** Schießscheibe; Zielscheibe *f*; ~**vå**,**ben** *n* Schusswaffe *f*

skyet ['sgy:əð] bewölkt
skyfri, [-y-] wolkenlos
skygge [-y-] beschatten; *su* (*-r*) Schatten *m*
skyl,d [-y-] Schuld *f*; ***for min ~*** mir zuliebe; meinetwegen; **~e** ['sgylə] schulden; verdanken; **~es** liegen an (*Ursache*); **~følelse** Schuldgefühl *n*; **~ig** ['skyldi] schuldig (***i*** an)
skylle spülen; *su* (*-r*) Regenguss *m*; ***~ ud*** *WC* spülen
skyllemiddel *n* Weichspüler *m*
skynde: ***~ på*** (zur Eile) antreiben; ***~ sig*** sich beeilen
skyskraber [-sgʀɑ:bɔ] (*-e*) Wolkenkratzer *m*
skæbne ['sgɛ:bnə] (*-r*) Schicksal *n*; **~svanger** [-svɑŋˀɔ] verhängnisvoll
skæ,g¹ Spaß *m*; lustig; ***for ~*** zum Spaß
skæ,g² *n* (=) Bart *m*
skæ,gget bärtig
skæ,gstubbe *pl* Bartstoppeln *pl*
skæl, *pl* Schuppen *pl*
skæld|e schelten, schimpfen; **~,so,rd** *n* Schimpfwort *n*
skælve zittern, beben (***af*** vor)
skænderi, *n* Streit *m*
skænd,es sich streiten
skænd,sel Schande *f*
skænke ['sgɛŋgə] schenken; einschenken
skæ,r¹ *n* (=) Klippe *f*, Riff *n*; Schneide *f*
skæ,r² Schein, Schimmer *m*
skære ['sga:ɔ] schneiden; **~bræt** *n* Hackbrett *n*
skær,m (*-e*) Schirm *m*; Schutzblech *n*; Kotflügel *m*
skærpe schärfen; verschärfen
skær'tor,sda,g [sgaʀ-] Gründonnerstag *m*
skæ,v schief; F high
skød¹ [sgøð] *n* (=) Schoß *m*
skød,² (er)schoss *etc* (*imperf* → ***skyde***)
skødeslø,s ['sgø:ðəs-] (nach)lässig
skøjte ['sgɔjdə] (*-r*) Schlittschuh *m*; **~lø,b** *n* Eislauf *m*
skøn¹ [sgœnˀ] *n* (=) Ermessen; Gutachten *n*
skøn² schön; **~he,d** Schönheit *f*; **~hedsfejl** Schönheitsfehler *m*; **~hedsklinik** Kosmetiksalon *m*; **~litteratur** Belletristik *f*; **~ne** urteilen, ermessen
skøn,t obwohl
skør [sgøˀʀ] verrückt; spröd
skørt [sgöʀd] *n* Unterrock *m*
skål [sgåˀl] (*-e*) Schale, Schüssel *f*; **~!** prost!, zum Wohl!
skåle ['sgå:lə] anstoßen (***på*** auf)
skåne ['sgå:nə] schonen
skår [sgɔˀ] *n* (=) Scherbe; Scharte *f*; Schnitt *m*; **~et** geschnitten (*p/p* → ***skære***)
sladder ['slaðˀɔ] Klatsch *m*; Geschwätz *n*
sladre schwatzen
sladrehank Petzer(in) *m*(*f*)
slag [slaˀj] *n* (=) Schlag; Umhang *m*; Partie; Schlacht *f*
slag'fær,dig [slaŭ-] schlagfer-

tig
slagmark ['slaŭ-] Schlachtfeld *n*; **~o,rd** *n* Schlagwort *n*
slags Art, Sorte *f*
slagsmå,l ['slaŭs-] (=) Schlägerei *f*
slagte schlachten
slagter (*-e*) Fleischer(in) *m(f)*
slagtilfælde ['slaŭ-] *n* Schlaganfall *m*
slagtøj *n* Schlagzeug *n*
slange (*-r*) Schlange *f*; Schlauch *m*; **~bøsse** Schleuder *m* (*Spielzeug*)
slank [slaŋˀg] schlank
slanke ['slaŋgə] schlank machen
slankeku,r Diät *f*
slap[1] ließ los; kam davon *etc* (*imperf* → ***slippe***)
slap[2] schlaff; schlapp
slappe: ***~ a,f*** sich entspannen
slapsvans Schlappschwanz, Weichei *m*
slatten [-a-] schlaff, schlotterig
slave ['slaːvə] (*-r*) Sklave *m*, Sklavin *f*
sleben ['sleːbən] geschliffen
slem, schlimm, schlecht, übel
slentre schlendern, bummeln
slet: ***~ ikke*** gar nicht; ***~ og ret*** ganz einfach
slette[1] (*-r*) *Geo* Ebene *f*
slette[2] löschen, tilgen; streichen
slibe ['sliːbə] schleifen
slibeste,n Schleifstein *m*
slid ['slið] *n* Abnutzung *f*; Schuften *n*
slide abnutzen, abtragen; zerren; schuften
slids [-is] Schlitz *m*
slidstærk ['slið-] strapazierfähig
slidt [-id] abgenutzt, abgetragen
slik *n* Süßigkeiten *pl*; **~asparges** *pl* (gekochter) Stangenspargel *m*; **~ke** lecken (*a* V); naschen; **~kepind** Lutscher, Lolli *m*; **~mun,d** Leckermaul *n*
sli,m [-i-] *n* Schleim *m*; **~et** schleimig; **~hinde** Schleimhaut *f*
slingre schwanken; *Kfz* schleudern
slip: ***give ~ på*** *v/t* loslassen
slippe loslassen; davonkommen (*fig*); ***~ af med*** loswerden
slips *n* (=) Krawatte *f*
slitage [-'taːsjə] Abnutzung *f*
slog schlug *etc* (*imperf* → ***slå***)
sloges schlugen, rauften sich *etc* (*imperf* → ***slås***)
slot *n* (*-te*) *Arch* Schloss *n*
Slovakiet [slova'kiˀəð] (die) Slowakei *f*
slowmotion ['sloŭmõŭsjən] Zeitlupe *f*
slubre schlürfen
slud [sluð] *n* Schneeregen *m*
slud|der ['sluðˀɔ] *n* Quatsch *m*; Plauderei *f*; **~re** ['sluðʀɔ] plaudern
sluge ['sluːə] (ver)schlucken
slukke ['slågə] löschen, ausmachen

slukøret [-øʀəð] beschämt
ˈ**slumkvarte̩r** *n* Elendsviertel *n*
slum̩p: ***på ~*** aufs Geratewohl
sluppet losgelassen; davongekommen (*p/p* → ***slippe***)
slurk Schluck *m*
sluse [ˈsluːsə] (*-r*) Schleuse *f*
slut [-ud] Schluss *m* (***til*** zum); **~kam̩p** Endkampf *m*; **~ning** (Ab)Schluss *m*, Ende *n*; Schlussfolgerung *f*; **~te** schließen; abschließen; folgern
slynge [ˈsløŋə] schlingen; schleudern; *su* (*-r*) Schlinge *f*
slyngelstat [sløŋˀəl-] Schurkenstaat *m*
slæ̩b *n* (=) Schleppe *f*; ***på~*** im Schlepptau (*a fig*); **~e** [ˈslɛːbə] schleppen; schuften; **~etov** *n* Abschleppseil *n*
slæde [ˈslɛːðə] (*-r*) Schlitten *m*
slægt Geschlecht *n* (*Familie*); **~ning** (*-e*) Verwandte *m/f*; **~sforskning** Ahnenforschung *f*, Genealogie *f*
sløj [slɔjˀ] schlecht, gering; unwohl; lässig
sløj̩d Werkunterricht *m*
sløjfe [ˈslɔjfə] (*-r*) Schleife *f*
slø̩r *n* (=) Schleier *m*; **~e** [ˈsløœːɔ] tarnen; verschleiern; **~et** schleierhaft; unklar
sløse schlampen (***med*** bei); vernachlässigen; **~ri** [sløːsɔˈʀiˀ] *n* Schlamperei *f*, Nachlässigkeit *f*
slø̩v stumpf; faul
slå̩[1] Riegel *m*
slå̩[2] schlagen, hauen; ***~ igen***, ***~ tilbage*** zurückschlagen; **~fejl** Tippfehler *m*; **~maskine** Rasenmäher *m*; **~s** [slɔs] sich schlagen, sich raufen; **~skam̩p** Schlägerei *f*
sm. (*sammen*) zus. (*zusammen*)
smadre [ˈsmaðʀɔ] zerschmettern, zerschlagen
smag [smaˀ] Geschmack *m*; ***~ og behag!*** über Geschmack lässt sich nicht streiten; **~e** kosten; schmecken (***af*** nach); **~ful̩d** geschmackvoll; **~lø̩s** geschmacklos; **~sløg** *n* Geschmacksorgan *n*; -knospe *f*; **~sprøve** Kostprobe *f*; **~ssa̩ġ** Geschmackssache *f*
smal [smalˀ] schmal
sma̩rt schick
smaske [-a-] schmatzen
smat Matsch
smattet matschig
smed[1] [smeˀð] warf; schmiss *etc* (*imperf* → ***smide***)
smed[2] [smeð] (*-e*) Schmied *m*; **~je** (*-r*) Schmiede *f*
smelte schmelzen
smerte (*-r*) Schmerz *m*
smertefuld schmerzvoll
smide [ˈsmiːðə] schmeißen
smidig [ˈsmiːði] geschmeidig; flexibel
smig|er [ˈsmiˀɔ] Schmeichelei *f*; **~re** [ˈsmiːʀɔ] schmeicheln
smi̩l *n* (=) Lächeln *n*; **~e** [ˈsmiːlə] lächeln; **~ehul** *n*

Grübchen *n*
sminke schminken; *su* Schminke *f*
smitsom, ansteckend
smitte anstecken; *su* Ansteckung *f*; ~ **a,f** abfärben (**på** auf) (*a fig*)
smittefare Ansteckungsgefahr *f*
sml. (*sammenlign*) vgl. (*vergleiche*)
smst. (*sammesteds*) am gleichen Ort; a.a.O. (*am angegebenen Ort*)
smuds [-us] *n* Schmutz *m*
smu,g: *i* ~ heimlich
smugle ['smu:lə] schmuggeln; ~'**ri**, *n* Schmuggel *m*
smuk [småg] schön; hübsch
smuldre [-u-] (zer)bröckeln
smule ['smu:lə]: **en** ~ ein bisschen
smurte schmierte *etc* (*imperf* → **smøre**)
smuthul ['smud-] *n* Hintertürchen *n* (*fig*)
smutte [-u-] schlüpfen; huschen
smyge ['smy:ə]: ~ **sig ind til** sich schmiegen an
smykke schmücken; *su n* (*-r*) Schmuck *m*; ~**r** *pl* Schmucksachen *pl*; ~**skri,n** *n* Schmuckkästchen *n*
smæk *n* (=) Klaps, Schlag *m*
smække schlagen, klapsen
'**smæklå,s** Sicherheitsschloss *n*
smælde knallen, klatschen
smøg [smɔʔj] F Zigarette *f*
smøge: ~ **op** aufkrempeln
smør [smɔ̈ʀ] *n* Butter *f*
smøre ['smɔ̈:ɔ] schmieren; streichen
smørekande Ölkanne *f*
smøreost Streichkäse *m*
smørkage *Kuchen aus Blätterteig mit Creme und Rosinen*
smørrebrø,d ['smɔ̈:ɔ-] *n* (*reich und kunstvoll belegtes*) Butterbrot *n*
små [småʔ] *pl* kleine(n) *pl*; *adv* knapp; **i det** ~ im Kleinen; **så** ~**t** [smɔd] allmählich
småkage ['smɔ-] Keks *m*
småkød Hackfleisch *n*; Fleischwürfel *pl*
Smålandshavet *Meer zwischen den Inseln Seeland und Lolland*
smålig ['smɔli] kleinlich
småpenge ['smɔ-] Kleingeld *n*
småting, *pl* Kleinigkeiten *pl*
sna,bel [-a-] (*-bler*) Rüssel *m*; ~**-a**, *n in Internetadressen* @, at; Klammeraffe *m*
snak Unsinn *m*; Gerede *n*
snakke reden (**om** über)
snakke'sa,lig redselig
snappe schnappen, haschen
snaps (*-e*) Schnaps *m*
snarere ['snɑ:ɑ:ɑ] eher, vielmehr
snarlig baldig
snar,t bald; fast, beinahe
snavs [snɑŭʔs] *n* Schmutz *m*
snavse ['snɑŭsə]: ~ **til** beschmutzen

snavsetøj *n* schmutzige Wäsche *f*
sne, Schnee *m*; ***det*** **~*r*** es schneit; **~bold** Schneeball *m*
snedig ['sneːði] schlau
snedker ['sneˀgɔ] (*-e*) Schreiner, Tischler *m*
snedrive ['snedʀiːŭə] (*-r*) Schneeverwehung *f*
sneg schlich *etc* (*imperf* → ***snige***)
snegl [snɑjˀl] (*-e*) Schnecke *f*
snerpet zimperlich, prüde
snerre knurren (*a Mensch*); **~ *ad*** anknurren
sne,s (*-e*) zwanzig Stück
sne,sevis massenweise
SNG GUS (*Gemeinschaft Unabhängiger Staaten*)
snige ['sniːə]: **~ *sig*** schleichen
snip (*-per*) Zipfel *m*
snit [snid] *n* (=) Schnitt *m*
snitte schnitzen; *su* (*-r*) Schnitte *f*
sno,: **~ *sig*** sich winden
snog [snoˀ] (*-e*) Natter *f*
snolde F Süßigkeiten kaufen
sno,r (*-e*) Schnur *f*
snorke schnarchen
snorkel (*-kler*) Schnorchel *m*
snorlige ['snoʀ-] schnurgerade
snot *n* Rotze *f*
snu, schlau
snuble [-u-] stolpern
snude ['snuːðə] (*-r*) Schnauze *f*; *Schuh* Spitze *f*
snue ['snuːə] Schnupfen *m*
snuppe [-å-] erhaschen
snurretop ['snoːɔtɔb] (*-pe*) Kreisel *m*
snuse ['snuːsə] schnüffeln; schnuppern (***til*** an)
'snusfornuftig altklug; neunmalklug
snusket schmuddelig
snyd *n* Mogelei *f*; **~e** ['snyːðə] betrügen; mogeln; **~e'ri**, *n* Betrug *m*; Mogelei *f*
snylter [-y-] (*-e*) Schmarotzer(in) *m*(*f*)
snæver ['snɛŭˀɔ] eng; **~synet** engstirnig
snød [snøˀð] betrug; mogelte *etc* (*imperf* → ***snyde***)
snøfte [-ø-] schnaufen
snøre ['snøːɔ] schnüren; *su* (*-r*) (Angel-)Schnur *f*; **~bån,d** *n* Schnürsenkel *m*
so, (*søer*) Sau *f*
soc. (*social*) soz. (*sozial*)
social [so'sjaˀl] sozial
socialforvaltning Sozialamt *n*
socialhjælp Sozialhilfe *f*
socialisme Sozialismus *m*
socialrådgi,ver Fürsorger(in) *m*(*f*), Sozialarbeiter(in) *m*(*f*)
sod [soˀð] Ruß *m*
sodavan,d [soːda-] *n* Limonade *f*
sofa [-a-] Sofa *n*; Couch *f*
sofabo,rd *n* Couchtisch *m*
softice [sɔːfdɑjs] *weiches Sahneeis in Becher od Waffel*
sogn [sɔŭˀn] *n* (*-e*) Gemeinde *f*
sognepræst Pfarrer(in) *m*(*f*)
soignere: **~ *sig*** sich erfrischen

soigneret [sɔj'neˀɔð] gepflegt
sok (*-ker*) Socke *f*
so,l (*-e*) Sonne *f*; ***når man taler om ~en...*** wenn man vom Teufel spricht...; **~briller** *pl* Sonnenbrille *f*; **~bræn,dt** sonnengebräunt; **~bær** *n* (schwarze) Johannisbeere *f*
soldat [sol'daˀd] Soldat *m*
sole ['so:lə]: ***~ sig*** sich sonnen
solenergi Sonnenenergie *f*
solfanger Sonnenkollektor *m*
solformørkelse Sonnenfinsternis *n*
solgt [sɔlˀd] verkauft
solgte verkaufte *etc* (*p/p bzw imperf* → ***sælge***)
solnedgang, ['so:l-] Sonnenuntergang *m*
solopgang Sonnenaufgang *m*
solri,g sonnig
solsikke (*-r*) Sonnenblume *f*
solskoldet: ***være ~*** *e-n* Sonnenbrand haben
solsort Amsel *f*
solstik *n* Sonnenstich *m*
solta,g *n* Schiebedach *n*
som *rel pron* der, welcher, was; *konj* wie, als; ***~ om*** als ob
sommer (*somre*) Sommer *m* (***til, i*** im); **~fu,gl** Schmetterling *m*; **~hu,s** *n* Wochenendhaus *n*
sommetider [-ti:ðɔ] manchmal
soppe waten, planschen; **~bassin** [-ba'sɛŋ] *n* Planschbecken *n*
sorg [sɔˀŭ] Kummer *m*; Trauer *f*
sort[1] [sɔˀd] Sorte *f*
sort[2] [soʀd] schwarz
sortbørs Schwarzmarkt *m*
Sortehavet (das) Schwarze Meer *n*
Sorteper schwarzer Peter (*Kartenspiel*; *fig*)
sor'te,re sortieren
sove ['sɔ:ŭə] schlafen; ***~ ud*** ausschlafen
sovepose Schlafsack *m*
sovesofa Couch *f*
sovevogn Schlafwagen *m*
soveværelse *n* Schlafzimmer *n*
sovs [sɔŭˀs] (*-e*) Soße *f*
spade ['sba:ðə] (*-r*) Spaten *m*
spad'se,re [sba-] spazieren; **~dragt** Kostüm *n*
span,d [-a-] (*-e*) Eimer *m*
spansk [sbanˀsg] spanisch, Spanisch (***på*** auf)
spa,r *Karte* Pik *n*
spare ['sbɑ:ɔ] sparen (***på*** an); *fig* schonen
sparebøsse Sparbüchse *f*
sparegris Sparschwein *m*
sparepenge *pl* Ersparnisse *pl*
spark *n* (=) (Fuß-)Tritt, Kick *m*
'sparke treten; kicken; strampeln
sparsom, sparsam; spärlich; **~melig** [-'sɔmˀəli] sparsam
spatel Spachtel; Spatel *m*
speaker ['sbi:gɔ] (*-e*) (Radio-)Sprecher(in) *m(f)*, Ansager(in) *m(f)*
specia,l|arbejder angelernter

Arbeiter *m*, angelernte Arbeiterin *f*; **~e** *n* Spezialgebiet *n*; Spezialität; Magisterarbeit *f*; **~læge** Facharzt *m*, Fachärztin *f*
speciel [-'sjɛl?] speziell
specifik [sbesi'fig] spezifisch
speed|båd Rennboot n; **~er** ['sbi:dɔ] (*-e*) Gashebel *m*, Gaspedal *n*; **~ometer** (*-tre*) Tacho(meter *n*) *m*
spegepølse ['sbɑjə-] Salami *f*
spejder ['sbɑjdɔ] (*-e*) Pfadfinder(in) *m*(*f*); **~hagl** *n kleines Lakritzbonbon*
spejl [sbɑj?l] *n* (*-e*) Spiegel *m*
spejle: **~ *sig*** sich spiegeln
spejlæ,g *n Gastr* Spiegelei *n*
spid [sbið] *n* (=) Spieß *m*
spids [spes] Spitze *f*; *adj* spitz
spidse spitzen, anspitzen
spidstegt ['sbið-] am Spieß gebraten
spil *n* (=) Spiel *n*; ***stå på ~*** auf dem Spiel stehen
spild [sbil?] *n* Verlust *m*
spilde ['sbilə] vergeuden; verlieren; verschütten
spildevand, *n* Abwasser *n*
spilkoge [-åŭ-] stark kochen
spille spielen
spillepla,n Spielplan *m*
spiller (*-e*) Spieler(in) *m*(*f*)
spinat: ***træde i ~en*** ins Fettnäpfchen treten
spinde spinnen; *Katze* schnurren
spindelvæv ['sben?əlvɛ?ŭ] *n* (=) Spinngewebe *n*
spinkel ['sbeŋ?gəl] schmächtig, zart
spi,r *n* (=) (Turm-)Spitze *f*
spire ['sbi:ɔ] keimen; *su* (*-r*) Keim; Spross *m*
spi,ritus Alkohol *m*; **~afgift** Getränkesteuer *f*; **~kørsel** Trunkenheit *f* am Steuer; **~promille** Alkoholspiegel *m*; **~prøve** Alkoholtest *m*; F Zungenbrecher *m*
spise ['sbi:sə] essen
spisebe'stik *n* Essbesteck *n*
spisefrikvar'te,r *n* große Pause *f*
spisekort *n* Speisekarte *f*
spiselig essbar
spiseske, Esslöffel *m*
spisestue Esszimmer *n*
spisevogn Speisewagen *m*
spjæl,d *n* (=) (Ofen-)Klappe *f*; ***i ~et*** F hinter Gittern
spjætte zappeln, strampeln
splatter(film) F blutiger Horrorfilm *m*
splejs [sblɑj?s] schmächtiger Typ; **~e** *Geld* zusammenschmeißen
splin,t Splitter *m*
splin,terny, funkelnagelneu
splintre (zer)splittern
splitte zerspalten; zersplittern
spole ['sbo:lə] spulen; *su* (*-r*) Spule *f*
spo'le,re [-o-] verderben
spo,r *n* (=) Spur *f*; *Esb* Gleis *n*
spore ['sbo:ɔ] spüren; *su* (*-r*) Sporn *m*
sports|gren Sportart *f*; **~klub** Sportverein *m*; **~lig** sportlich; **~man,d** Sportler(in)

m(f)
sporvogn Straßenbahn *f*
spraglet ['sbʀɑŭləð] bunt
sprede ['sbʀa:ðə] verbreiten; zerstreuen; spreizen
spredt zerstreut
spring, *n* (=) Sprung *m*; **~e** ['sbʀaŋə] springen; platzen; **~ *fra*** abspringen (*fig*); **~ *ud*** blühen; ausspringen; F sich outen (***som*** als)
spring,van,d *n* Springbrunnen *m*
sprit [-id] Spiritus *m*; **~appa-ra,t** *n* Spirituskocher *m*; **~bi-list** Alkoholsünder(in) *m(f)*; **~kørsel** Trunkenheit *f* am Steuer
sprog [sbʀå?ŭ] *n* (=) Sprache *f*; **~bruger** Sprecher(in) *m(f)*; **~kundska,ber** *pl* Sprachkenntnisse *pl*; **~om-råde** *n* Sprachgebiet *n*
sprudle ['sbʀuðlə] sprudeln
sprunget gesprungen (*p/p* → ***springe***)
sprut F Alkohol *m*
sprække bersten, platzen; *su* (*-r*) Schlitz; Spalt *m*
sprælle zappeln; **~man,d** Hampelmann *m*
sprænge sprengen
sprætte: **~ *op*** auftrennen
sprød [sbʀœ?ð] knusprig
sprøjte [-ɔj-] spritzen; *su* (*-r*) Spritze *f*
spsk. (*spiseskefuld*) EL (*Esslöffel*)
spurgte ['sburdə] fragte *etc* (*imperf* → ***spørge***)
spurv [sbuʀ?ŭ] (*-e*) Spatz *m*
spyd [sbyð] *n* (=) Spieß; Speer *m*; **~ig** ['sby:ði] spöttisch
spyflue Schmeißfliege *f*
spyt [-ød] *n* Speichel *m*; Spucke *f*; **~te** spucken
spæd [sbɛð?] zart, fein; **~bar,n** *n* Säugling *m*; **~e**: **~ *op*** verdünnen (***med*** mit)
spækkebræt *n* Hackbrett *n*
spænde spannen, schnallen; *su n* (*-r*) Spange; Schnalle *f*; **~nde** spannend
spænde,t gespannt (***på*** auf)
spændetrøje Zwangsjacke *f* (*a fig*)
spæne *schnell* rennen
spærre sperren; versperren
spætte (*-r*) Specht *m*
spøg [sbɔj?] Scherz *m*; **~ *til side!*** Scherz beiseite!
spøge ['sbø:ə] scherzen; spuken; **~ful,d** scherzhaft; **~lse** *n* (*-r*) Gespenst *n*; **~'ri**, *n* Spuk *m*
spørge ['sbɔ̈:ɔ] fragen (***om*** nach); ['sbɔ̈ʀŭə-] **~skema** *n* Fragebogen *m*
spørgsmål ['sbɔ̈ʀsmå?l] *n* (=) Frage *f*; **~stegn** *n* Fragezeichen *n*
spå [sbå?] wahrsagen; prophezeien (***om*** über); **~kone** ['sbɔ-] Wahrsagerin *f*
spåner ['sbå:nɔ] *pl* Späne *pl*
St. (*Store*) *in Ortsnamen* Gr. (*Groß*)
st. (*stuen*) EG (*Erdgeschoss*); (*station*) Bhf (*Bahnhof*)
sta,bel (*-bler*) Stapel; Stoß *m*

stable ['sda:blə] stapeln
stade ['sda:ðə] *n* (*-r*) Niveau *n*; Stand *m*
stadig, **stadigvæk** ['sda:ði] immer noch; *adj* ständig
sta'fetlø,b [sda-] *n* Staffellauf *m*
stage ['sda:ə] (*-r*) Stange *f*
stak[1] Haufen, Stoß *m*
stak[2] stach; steckte *etc* (*imperf* → ***stikke***)
sta'kit [-a-] *n* (*-ter*) (Latten-) Zaun *m*
stakkel (*-ler*) Arme(r) *m*/*f*; **~s** arm; bedauernswert
stakån,det kurzatmig
stal,d [-a-] (*-e*) Stall *m*
stam|gæst Stammgast *m*; **~me** stammen (***fra*** aus); stottern; *su* (*-r*) Stamm *m*
stampe stampfen (***i gulvet*** in den Boden); ***stå i ~*** stocken
stamværtshus, Stammlokal *n*
stand [sdan?]: ***i god~*** in gutem Zustand; **~erlampe** ['sdanɔ-] Stehlampe *f*; **~'haftig** standhaft; **~se** anhalten, stoppen; zum Stehen bringen; **~sning** [-a-] Unterbrechung *f*; Halten *n*
stang, (*stænger*) Stange *f*; **~e** *Tier* stoßen
stank [sdɑŋ?g] Gestank *m*
sta,rt Start *m*, Abfahrt *f*
stat [sda?d] Staat *m*
stationcar ['sdɛjsjənkɑ:] (*-s*) Kombiwagen *m*
stati'stisk statistisch
sta,ts|advo'ka,t [sta-] Staatsanwalt *m*, Staatsanwältin *f*; **~borger** Staatsbürger(in) *m*(*f*); **~kundskab** Staatslehre; Politikwissenschaft *f*; **~lig** staatlich; **~lø,s** staatenlos; **~mi'nister** Ministerpräsident(in) *m*(*f*)
Statsministeriet [sda?ds-] *etwa* (das) dänische Kanzleramt *n*
status ['sda:tus] Bilanz; Inventur *f* (***gøre*** machen)
stav [sda?ŭ] (*-e*) Stab *m*
stave ['sda:ŭə] buchstabieren; **~fejl** Schreibfehler *m*; **~lse** (*-r*) Silbe *f*; **~måde** Schreibweise *f*
stea'ri,nly,s *n* (=) Kerze *f*
sted [sdɛð] *n* Stelle *f*, Ort *m*; ***af ~*** los; ***finde~*** stattfinden; ***i~et for*** statt(dessen); **~bar,n** *n* Stiefkind *n*; **~fortræder** [-fɔtra?ðɔ] (*-e*) Stellvertreter(in) *m*(*f*); **~kend,t** ortskundig; **~morblom,st** *Bot* Stiefmütterchen *n*; **~ord** *n* Fürwort; Pronomen *n*; **~sans** Ortssinn *m*; **~vi,s** stellenweise
steg[1] [sde?] stieg *etc* (*imperf* → ***stige***)
steg[2] [sdɑj?] (*-e*) Braten *m*; F sexy Typ *m*, Braut *f*; **~e** ['sdɑ:jə] braten; **~epande** Bratpfanne *f*
stejl [sdɑj?l] steil; schroff
stel, *n* (=) Gestell; Geschirr *n*
stemme stimmen (***på*** für); wählen; *su* (*-r*) Stimme *f*; **~ret** Stimmrecht *n*
stemning Stimmung *f*

stem,pel *n* (*-ler*) Stempel; *Tech* Kolben *m*
stemple stempeln
ste,n (=) Stein *m*; *Bot* Kern *m*; **~al,der** ['sde:n-] Steinzeit *f*; **~bro,** (Kopfstein-)Pflaster *n*; **~hugger** [-hågɔ] (*-e*) Steinmetz(in) *m*(*f*); **~kast** Steinwurf *m*; **~kul** *n* Steinkohle *f*
ste,reoanlæ,g *n* Stereoanlage *f*
sti, Pfad, Fußweg *m*
stift Stift *m*, Zwecke *f*
stige ['sdi:ə] steigen; *su* (*-r*) Leiter *f*
stigning ['sdi:neŋ] Steigung *f*; Steigerung *f*; Anstieg *m*
stik *n* (=) Stich *m*; **~ *modsat*** gerade das Gegenteil; **~ *syd*** genau Richtung Süden; **~ke** stechen, stecken; **~ *a,f*** abhauen; **~ *ngn ngt*** j-m etw geben; F j-m eine kleben *od* schmieren; **~kelsbær** *n* Stachelbeere *f*; **~ker** (*-e*) Denunziant(in) *m*(*f*); **~kontakt** Steckdose *f*; **~o,rd** *n* Stichwort *n*; **~pille** *Med* Zäpfchen *n*; Stichelei *f*
sti,l (*-e*) Stil; Aufsatz *m*
stile ['sdi:lə]: **~ *til*** richten an; **~hæfte** *n* Schreibheft *n*
stil'fær,dig ruhig, leise; **~he,d** Stille *f*
stilig ['sdi:li] stilvoll; korrekt
stil,k (*-e*) Stängel, Stiel *m*
stillads [sdi'la?s] *n* Gerüst *n*
stille stellen; *adj* still, ruhig
Stillehavet (der) Pazifik *m*
stillekupé *Esb* Ruheabteil *n*
stilling Stellung; Lage; Stelle *f*; **~ta,gen** Stellungnahme *f*
stilne [-e-]: **~ *a,f*** nachlassen
stilti,ende stillschweigend
stime ['sdi:mə] (*-r*) Schwarm *m*
sting, *n* (=) Stich *m*
stirre [-i-] starren (***på*** auf)
sti,v steif, starr
stiv|e ['sdi:və] stärken; **~ *a,f*** stützen, absteifen; **~else** Stärke *f*; **~frossen** ['sdiŭ-fʀɔsən] gefroren; starr (*vor Kälte*); **~krampe** Starrkrampf *m*; **~nakket** starrköpfig
stivne ['sdiŭnə] steif werden, erstarren
stjal stahl *etc* (*imperf* → ***stjæle***)
stjerne (*-r*) Stern *m*; **~billede** *n* Sternbild *n*; **~skud** *n* Sternschnuppe *f*
stjæle ['sdjɛ:lə] stehlen
stjålet gestohlen (*p/p* → ***stjæle***)
stk. (*styk*) St. (*Stück*)
stod [sdoð?] stand *etc* (*imperf* → ***stå***)
stodder ['sdɔðɔ] (*-e*) unsympathischer Kerl
stof *n* (*-fer*) Stoff *m*; Droge *f*; **~misbruger** Drogenabhängige(r) *m/f*
S-tog *n* S-Bahn *f*
stok (*-ke*) Stock *m*
sto,l (*-e*) Stuhl *m*
stole ['sdo:lə]: **~ *på ngn*** j-m vertrauen
stolpe (*-r*) Pfosten *m*

stol,t stolz; **~he,d** ['sdɔld-] Stolz *m*
stop *n* (=) Halt, Aufenthalt *m*; **~forbud** *n* Halteverbot *n*; **'~fuld**, **'~fyldt** zum Bersten voll; **~lys** *n* Bremslichter *pl*; Stopplicht *n*; **~pe** anhalten, stoppen; stopfen; **~per**: ***sætte en ~ for ngt*** etw einen Riegel vorschieben; **~pested** *n* Haltestelle *f*
sto,r groß; **~ar,tet** ['sdoʀ-] großartig; **~by,** Großstadt *f*; **Ȣebælt** (der) Große Belt *m*; **~hed** Größe *f*
stork (*-e*) Storch *m*
stor,m (*-e*) Sturm *m*
stormaga'si,n ['sdoʀ-] Kaufhaus *n*
storm|e stürmen; **~ful,d** stürmisch (*bsd fig*); **~var,sel** *n* Sturmwarnung *f*
stor|sindet ['sdoʀsenʔəð] großzügig; **~slå,et** großartig; **~sti,let** aufwendig; **~vask** große Wäsche *f*
str. (*størrelse*) Gr. (*Größe*)
strabadser [-'basɔ] Strapazen *pl*
straf (*-fe*) Strafe *f*; **~fe** (be-)strafen; **~fea'ttest** (polizeil.) Führungszeugnis *n*; **~felov** Strafgesetzbuch *n*; **~fespark** *n* Strafstoß *m* (***dømme*** verhängen)
straks sofort, gleich
strakte streckte; dehnte *etc* (*imperf* → ***strække***)
stram, stramm, straff; **~me** ['sdʀɑmə] spannen
stran,d (*-e*) Strand *m*; **~bred** (Meeres)Ufer *n*
strande stranden; scheitern
streg [sdʀɑjʔ] Strich *m*; **~e** ['sdʀɑjə]: **~ *ud*** durchstreichen; **~kode** Strichkode *f*
strejfe streifen; **~ *om*** umherstreifen
strejke streiken; *su* (*-r*) Streik *m*
streng [sdʀɑjŋʔ] (*-e*) Saite *f*; Strang *m*; *adj* streng, hart; **~he,d** Strenge *f*
stresse|nde stressig; **~t** gestresst
stribe ['sdʀiːbə] (*-r*) Streifen *m*; Reihe *f*; ***på~*** reihenweise; **~t** gestreift
strid [sdʀiðʔ] Streit *m*; *adj* rau; hart; struppig
strikke stricken; *su* (*-r*) Strick *m*; **~pin,d** Stricknadel *f*; **~tøj** *n* Strickzeug *n*
strimm,el (*-mler*) Streifen *m*
strisser F (*Polizist*) Bulle *m*
stritte [-i-] sich sträuben, abstehen; **~ *imod*** sich wehren
strofe (*-r*) Strophe *f*
strop (*-per*) Schlaufe *f*; Aufhänger; *Tex* Träger *m*
strube ['sdʀuːbə] (*-r*) Kehle *f*; **~hoved** *n* Kehlkopf *m*
struds [-us] (*-e*) *Zo* Strauß *m*
strutte [-u-] strotzen
stryge ['sdʀyːə] streichen; bügeln; **~bræt** *n* Bügelbrett *n*; **~fri** bügelfrei; **~jer,n** *n* Bügeleisen *n*; **~nde** schnell; gewaltig
stræb|e ['sdʀaːbə] streben (***ef-***

ter nach); **~er** Streber(in) *m(f)*; **~som**, ['sdʀa:b-] strebsam

stræk: ***i 'et ~*** in einem Zug; **~ke** strecken, dehnen; **~ning** Strecke *f*

strø [sdʀœʔ] streuen

strøg [sdrɔʔj] bügelte *etc* (*imperf* → ***stryge***); **⁀**,**et** *Einkaufsstraße in Kopenhagen zw. Rathausplatz u Kgs. Nytorv*

strøm [sdʀɔ̃mʔ] (*-me*) Strom *m*; Strömung *f*; Schwall *m*; **~me** ['sdʀɔ̃mə] strömen; **~ning** Strömung *f*

strømpe ['sdʀɔ̃mbə] (*-r*) Strumpf *m*; **~bukser** *pl* Strumpfhose *f*

strå [-åʔ-] *n* (=) Stroh *n*; Halm *m*

strål|e ['sdʀå:lə] strahlen, glänzen; *su* (*-r*) Strahl *m*; **~ing** Strahlung *f*

strå|ta,**ġ** ['sdʀɔ-] *n* Strohdach *n*; **~tækt** strohgedeckt

stub [-ub] (*-be*) Baumstumpf *m*

stu'den,**t** Abiturient(in) *m(f)*; Student(in) *m(f)*; **~erbrød** *n kleiner Kuchen aus Kuchenresten*; **~erek'samen** Abitur *n*; **~hue** *Mütze, die man in Dänemark beim Abitur bekommt*

stu'de,**re** studieren; **~nḍe** Student(in) *m(f)*

stu,**die** (*-r*) Studie *n* (*-r*); Studio *n*; **~vært** TV-Moderator(in) m(*f*)

studine F Studentin; Abiturientin *f*

stue ['sdu:ə] (*-r*) Stube *f*, Zimmer *n*; Erdgeschoss *n*; **~arrest** Hausarrest *m*; **~e'tage** Erdgeschoss *n*; **~gang**, *Med* Visite *f*; **~hu**,**s** *n* Wohnhaus *n*; **~piġe** Zimmermädchen *n*; **~re**,**n** stubenrein (*a fig*)

stukket gestochen; gesteckt (*p/p* → ***stikke***)

stum, stumm

stum,**p** Stückchen *n*; Stummel *m*; *adj* stumpf

stumtjener Kleiderständer *m*

stun,**ḍ** Weile *f*

stutte'ri, [-u-] *n* Gestüt *n*

stuv|e ['sdu:ŭə] *in Milchsoße zubereiten*; **~ *sammen*** verstauen; zusammenpferchen; **~ning** *weiße Soße mit Gemüse- und (oder) Fleischstücken*

styg [sdyg] hässlich; fies

styk: ***pr. ~*** pro Stück; **~ke** *n* (*-r*) Stück *n*; ***gå i ~ker*** kaputtgehen

stylte [-y-] (*-r*) Stelze *f*

sty,**r** [-y-] *n* (=) Steuer, Lenkrad *n*; ***have ~ på*** in der Hand *od* unter Kontrolle haben; **~bo**,**rḍ** [-o-] *Mar* Steuerbord *n*

styre ['sdy:ɔ] lenken, steuern; regieren; *su n* (*-r*) Regime *n*; **~hus** *n* Ruderhaus *n*; **~lse** (*-r*) Leitung *f*; Vorstand *m*; **~pin**,**ḍ** Steuerknüppel *m*

styrke [-y-] stärken; *su* (*-r*) Stärke, Kraft *f*; **~r** *pl* Streitkräfte; **~træning** Muskel-,

Fitnesstraining *n*
styrkning [-y-] Stärkung *f*
styrman,d ['sdyʀ-] Steuermann *m*
styrt [sdyˀʀd] *n* (=) Sturz *m*; **~e** ['sdyʀdə] stürzen; **~ebad** [-y-] Dusche *f*; **~hjel,m** [-y-] Sturzhelm *m*
stædig ['sdɛːði] widerspenstig; stur
stæng,el (*-gler*) Stängel *m*
stænger Stangen (*pl* → ***stang***)
stænk [sdɛŋˀg] *n* (=) Spritzer *m*; **~e** ['sdɛŋgə] spritzen, sprengen
stæ,r (*-e*) *Med*, *Zo* Star *m*
stærk stark; *Gastr* scharf; **~strøm,** Starkstrom *m*
stævne ['sdɛŭnə] *Jur* vorladen; *su n* (*-r*) Treffen *n*; **~møde** *n* Rendezvous *n*
stævning ['sdɛŭneŋ] *Jur* Vorladung *f*
støbe ['sdøːbə] gießen; **~jer,n** *n* Gusseisen *n*; **~'ri,** *n* Gießerei *f*
stød [sdøð] *n* (=) Stoß; Schlag *m*; **~dæmper** (*-e*) Stoßdämpfer *m*
støde ['sdøːðə] stoßen; kränken; **~** ***samm,en*** zusammenstoßen
støj [sdɔjˀ] Geräusch *n*; **~e** ['sdɔjə] lärmen; **~fri** ['sdɔj-] geräuschlos
stønne stöhnen, ächzen
størkne erstarren; gerinnen
større größer(e, -s); **~lse** (*-r*) Größe; Höhe *f*; **~st** größt(e, -s); ***for ~stedelen*** größtenteils; → ***stor***
støt [-ød] ruhig
støtte [-ø-] (unter)stützen; *su* (*-r*) Stütze *f*
stø,v [-ø-] *n* Staub *m*; **~e** stauben; **~** ***af*** abstauben; **~eklud,** Staubtuch *n*; **~et** staubig
støvle ['sdœŭlə] (*-r*) Stiefel *m*
støv|regn ['sdøŭʀɑjˀn] Sprühregen *m*; **~regne** nieseln
støvsuġer (*-e*) Staubsauger *m*
stå [sdåˀ] stehen; ***hvordan ~r det til?*** wie geht's?; ***gå i~*** stehen bleiben, stocken
ståhej [sdå'hɑj] Rummel *m*
stål [-åˀ-] *n* Stahl *m*; **~trå,dsnet** ['sdɔl-] *n* Maschendraht *m*
ståplads [-åˀ-] Stehplatz *m*
sub'stan,s Substanz *f*
subvention (*-en*, *-er*) *Hdl* Subvention *f*
succes [syg'se] Erfolg *m*; **~fuld**, **~ri,ġ** erfolgreich
suge ['suːə] saugen; **~rø,r** *n* Strohhalm *m*
suk *n* (=) Seufzer *m*; **~!** seufz!; **~ke** seufzen
'sukker *n* Zucker *m*; ***hugget~*** Würfelzucker *m*; **~syġe** Zucker(krankheit *f*) *m*
sult [sulˀd] Hunger *m*; **~e** ['suldə] hungern; **~en** hungrig; **~estrejke** Hungerstreik *m*
sum [såmˀ] (*-mer*) Summe *f*
sum,p (*-e*) Sumpf *m*
sun,d[1] *n* (*-e*) (Meer-)Enge *f*;

Sund *m*
sun,d² gesund
sunde: ['sånə] **~ sig** sich fassen
sundhed Gesundheit *f*; **~sfarlig** gesundheitsschädlich; **~smyndigheder** *pl* Gesundheitsbehörde *f*; **~splejerske** Kinderschwester *f*; **~svæ,sen** *n* Gesundheitswesen *n*
sunget gesungen (*p/p* → ***synge***)
su,permarked *n* Supermarkt *m*
suppe (*-r*) Suppe *f*; **~tallerken** Suppenteller *m*; **~terning** Suppenwürfel *m*; **~visk** [-vesg] (*-e*) Suppengrün *n*
supple|ment [-'maŋ] *n* Ergänzung *f*; **~,re** ergänzen
su,r sauer; **~dej** ['suˀʀdajˀ] Sauerteig *m*; **~kå,l** Sauerkraut *n*; **~mule** schmollen
su,s *n* Sausen *n*; F Rausch *m*
suse ['su:sə] sausen, rauschen
sut (*-ter*) Schnuller *m*; **~sko** Hausschuh *m*; **~te** saugen, lutschen (***på*** an)
sutteflaske *f* Babyflasche *f*
svag [svaˀ] schwach; **~elig** ['sva:əli] schwächlich; **~he,d** Schwäche *f*, **~strøm**, Schwachstrom *m*
svaje ['svajə] schwanken
sval [-aˀ-] kühl
svale¹ ['sva:lə] (ab)kühlen
svale² (*-r*) Schwalbe *f*
svam,p (*-e*) Pilz; Schwamm *m*
svane ['sva:nə] (*-r*) Schwan *m*
svang,erska,b *n* Schwangerschaft *f*
sva,ns [-a-] F Tunte *f*
sva,r *n* (=) Antwort *f*; **~e** ['sva:ɔ] antworten; ***kunne ~ sig*** sich lohnen; **~ *til*** entsprechen
sva,rporto Rückporto *n*
sweater ['svɛdɔ] (*-e*) Pullover *m*
sved [sveˀð] Schweiß *m*; **~dryppende** schweißtriefend; **~e** ['sve:ðə] schwitzen; **~ *u,d*** ausschwitzen; *fig* verschwitzen; **~en** versengt; angebrannt; **~ig** ['sve:ði] verschwitzt; F cool
svejs|e schweißen; **~ning** Schweißen *n*
Svejts *n* Schweiz *f*
sven,d (*-e*) Geselle; Bursche *m*; **~eprøve** Gesellenprüfung *f*
sven,sk schwedisch, Schwedisch; **~nøgle** verstellbarer Schraubenschlüssel
Sverige *n* Schweden *n*
sveske [-e-] (*-r*) Zwetschge *f*
svide ['svi:ðə] (ver)sengen, anbrennen
svie ['sviˀə] beißen, brennen
sviger|datter ['sviˀɔ-] Schwiegertochter *f*; **~far** Schwiegervater *m*; **~'inde** Schwägerin *f*; **~mor** Schwiegermutter *f*; **~søn** Schwiegersohn *m*
svigte versagen; im Stich lassen
svimm,el schwindlig; **~he,d**

Med Schwindel *m*
svin [-iˀ-] *n* (=) Schwein *n*
svin͵d *n* (=) Schwund *m*; **~e** ['svenə] schwinden
svin'd|el Schwindel *m*; **~ler** ['svenlɔ] (*-e*) Schwindler(in) *m*(*f*)
svine ['svi:nə] eine Schweinerei anrichten; **~ *til*** beschmutzen
svine|kød ['svi:nə-] *n* Schweinefleisch *n*; **~læ͵der** *n* Schweinsleder *n*
svineri [svi:nɔ'riˀ] *n* Schweinerei *f*
sving͵ *n* (=) Schwung *m*; Kurve *f*; **~dø͵r** Drehtür *f*; **~e** ['sveŋə] schwingen, schwenken; *Weg* abbiegen; *Preis* schwanken
svipser F Fehlerchen *n*
svitse anbräunen
svoger [svɔˀŭɔ] (*-gre*) Schwager *m*
svor schwor *etc* (*imperf* → ***sværge***)
svovl [svɔŭˀl] *n* Schwefel *m*; **~syre** Schwefelsäure *f*
svulme [-u-] schwellen; sich blähen
svul͵st [-u-] Geschwulst *f*
svække schwächen
svælg [svɛlˀj] *n* (=) Rachen; Schlund *m*
svæ͵r (=) Schwarte *f*; *adj* schwer; beleibt
svæ͵rd *n* (=) Schwert *n*
sværge ['svaʀŭə] schwören (***på at*** dass)
svær͵m (*-e*) Schwarm *m*
svær͵me ['svaʀmə] schwärmen
sværte Schwärze *f*
sværvægt Schwergewicht *n*
svæve ['svɛ:ŭə] schweben; **~bane** Schwebebahn *f*; **~flyver** Segelflugzeug *n*
svø͵b *n* (=) Hülle *f*
svømme schwimmen; **~fødder** *pl* Schwimmflossen *pl*; **~hal** Hallenbad *n*
svømmer (*-e*) Schwimmer(in) *m*(*f*)
svømmevinger *pl* Schwimmflügel *pl*
svømning Schwimmen *n*; ***gå til* ~** schwimmen (*als Hobby*)
sy [syˀ] nähen
syd [syð] Süden *m*; ***mod* ~** Richtung Süden
syde ['sy:ðə] sieden
sydfra aus dem Süden; **~lig** ['syðli] südlich; **~øst** Südosten *m*
sy͵erske (*-r*) Näherin *f*
sy͵ġ krank
sygdom ['sy:dɔmˀ] (*-me*) Krankheit *f*
syge|hu͵s ['sy:ə-] *n* Krankenhaus *n*; **~liġ** krankhaft; **~passer** (*-e*) Krankenpfleger(in) *m*(*f*); **~plejerske** [-plɑjˀɔsgə] (*-r*) Krankenschwester *f*; -pfleger *m*; **~sikring** Krankenversicherung *f*
sy͵l (*-e*) Ahle *f*
sylte [-y-] einmachen; *su* (*-r*) Sülze *f*; **~tøj** *n* Konfitüre *f*
symaskine [sy-] Nähmaschine *f*

symfoni, Sinfonie *f*
sy,n *n* (=) Sehkraft *f*; Anblick *m*; Besichtigung *f*; *etwa* TÜV *m*; ***komme til ~e*** erscheinen
syn,d Sünde *f*; ***det er ~!*** wie schade!
'syn,de sündigen
syndflo,d ['søn-] Sintflut *f*
syndig sündhaft
syne ['syːnə] besichtigen; **~s** ['syːnəs] scheinen; meinen, finden; **~ *om*** mögen
synge singen
synke ['søŋgə] sinken; (ver-)schlucken
synlig ['syːnli] sichtbar; *adv* zusehends
syns|bedrag ['sy?nsbedʀɑ?ŭ] *n* optische Täuschung *f*; **~evne** Sehkraft *f*; **~fel,t** *n* Blickfeld *n*
sy,nsk [sy-] hellseherisch
sy,ns|punk,t [-y-] *n* Gesichtspunkt *m*; **~vidde** [-vi?də] Sichtweite *f*
synå,l ['sy-] Nähnadel *f*
syre ['syːɔ] (*-r*) Säure *f*
sy're,n [sy-] Flieder *m*
syrlig ['syʀ-] säuerlich
syskri,n *n* Nähkasten *m*
sysle [-y-]: **~ *med*** sich beschäftigen mit
sytråd, Nähfaden *m*
sytten ['sødən] siebzehn
sytøj ['sytɔj] *n* Nähzeug *n*
sy,v sieben; **~sover** ['syŭsɔŭɔ] (*-e*) F Langschläfer(in) *m(f)*
sæbe ['sɛːbə] (*-r*) Seife *f*; **~skum**, *n* Seifenschaum *m*; **~spåner** *pl* Seifenflocken *pl*
sæd [sɛ?ð] Samen *m*; Saat *f*; **~afgang** Samenerguss *m*
sæde ['sɛːðə] *n* (*-r*) Sitz *m*; **~lighe,dsfor'bry,delse** Sittlichkeitsverbrechen *n*
sædv|. (*sædvanlig*) üblich; **~ane** ['sɛðvaːnə] Gewohnheit *f*; **~anlig** [-'va?nli] gewöhnlich, üblich
sæk (*-ke*) Sack *m*; **~kepibe** Dudelsack *m*
sæ,l Robbe *f*
sælge ['sɛljə] verkaufen
sælger *Hdl* Vertreter(in *f*) *m*
sælsom, ['sɛːl-] seltsam
sænk|e senken; *Mar* versenken; **~ning** Senkung *f*
sæ,r sonderbar; **~-** sonder-; **~'de,les** besonders; **~egen** ['saʀe?ən] eigen; **~eje** *n* Gütertrennung *f*; **~lig** besonder(s); **~ling** (*-e*) Sonderling *m*; **~præ,get** eigenartig; **~skil,t** besonder-, gesondert; **~sy,n** *n* Seltenheit *f*; **~tilbud** Sonderangebot; **~tog** *n* Sonderzug *m*
sæ'son Saison *f*; **~kort** *n* Dauerkarte *f*
sæt *n* (=) Sprung; *Sport* Satz *m*
sætning *Gr* Satz *m*
sætte setzen; **~ *sig* '*for at*** sich vornehmen zu
sø, See *m*; (*selten*) See *f*; **'*sejle* (*i*) *sin egen* ~** sich um seine Probleme allein kümmern müssen

sød [søˀð] süß, nett; **~e** süßen; **~emidd'el** *n* Süßstoff *m*; **~mæl,k** ['søˀð-] Vollmilch *f*
sødygtig seetüchtig
søgang, Seegang *m*
søge ['sø:ə] suchen; ~ ***ind hos, på*** sich bewerben bei; **~ly,s** *n* Scheinwerfer *m*; **~r** (-*e*) *Fot* Sucher *m*
søgt (viel)besucht; an den Haaren herbeigezogen
søjle [-ɔj-] (-*r*) Säule *f*
søle ['sø:lə] *n* Morast *m*
sølle [-ø-] erbärmlich
sølv [søl] *n* Silber *n*; **~bryllup** *n* silberne Hochzeit *f*; **~bryllupskvarter** *n* *Villenviertel mit älteren Leuten*; **~papir** *n* Silberpapier *n*
søm¹ [sœmˀ] (-*me*) Naht *f*; Saum *m*
søm² *n* (=) Nagel *m*
sø|man,d ['sø-] Seemann *m*; **~mi,l** Seemeile *f*
sømme ['sœ-] nageln; säumen
søn [sœn] (-*ner*) Sohn *m*
søndag ['sœnˀda] Sonntag *m*
sønder ['sønɔ-]: ***slå ~ og sam-m,en*** kurz und klein schlagen; **~jyde** *Bewohner* → ***Sønderjylland***s
Sønderjylland Süd-Jütland; *etwa* Nordschleswig
sønderknu,st gebrochen (*fig*)
søreme F *adv* wirklich; aber
søren *mildes Kraftwort*; ***for ~ da!*** na sowas!; zum Henker!; so ein Unsinn!
sørge ['sɔ̃ʀŭə] trauern; sorgen (***for*** für); **~lig** traurig
sørgmodig [sɔ̃ʀŭ'moˀði] traurig
sørøver ['søʀœŭɔ] (-*e*) Seeräuber *m*
søs: ***til ~*** zur See
søskende [-ø-] *pl* Geschwister *pl*
søster [-ø-] (*søstre*) Schwester *f*
sø|stærk ['sø-] seefest; **~sy,g** seekrank; **~syge** Seekrankheit *f*
søvn [sœŭˀn] Schlaf *m*; ***falde i '~*** einschlafen; **~gænger** (-*e*) Schlafwandler(in) *m*(*f*); **~ig** ['sœŭni] müde; **~løs** schlaflos
søværn ['søvaʀˀn] *n* *Mil* Marine *f*
s.å. (*samme år*) im gleichen Jahr; d. J. (*des Jahres*)
så¹ [såˀ] säen
så² sah *etc* (*imperf* → ***se***)
så³ [sɔ] so, dann
så|dan [sɔ-] solch; so; ~ ***set*** eigentlich; so gesehen; **~'frem,t** falls, sofern; **~kal,dt** so genannt
sål [såˀl] Sohle *f*
således ['sɔle:ðəs] so(mit); also
så'mæn,d [sɔ-] eigentlich, wirklich
sår [sɔˀ] *n* (=) Wunde *f*; **~ba,r** ['sɔ:-] verwundbar; *fig* verletzlich; **~e** verwunden; kränken

såsom ['såˀsɔm] so wie; wie zum Beispiel

såvel [sɔ'vɛl]: ~ ... **som** sowohl ... als (auch)

T

T, t [teˀ] *n*: **et stort** ~ ein großes T

t. (*time*) St., Std. (*Stunde*)

tab [taˀb] *n* (=) Verlust *m*; ~**e** ['ta:bə] verlieren; fallen lassen; ~**e**: ~ **sig** *Gewicht* abnehmen

ta'belˌ [ta-] (*-ler*) Tabelle *f*

taber F Loser *m*; Verlierer(in) *m(f)*

tab'let (*-ter*) Tablette *f*

tabu'ret [ta-] (*-ter*) Hocker *m*

tag[1] [taˀ] *n* (*-e*) Dach *n*

tag[2] *n* (=) Griff *m*

tage [ta:ə], [ta] nehmen; ~ **'hjem** nach Hause gehen, fahren; ~ **til Danmark** nach Dänemark fahren, reisen

tag|rende ['tɑŭ-] Dachrinne *f*; ~**'selvbord** [ta-] *n* Büffet *n*; ~**ste**ˌ**n** ['tɑŭ-] Dachziegel *m*; ~**vindue** *n* Dachfenster *n*

tak[1] (*-ker*) Zacke *f*

tak[2] Dank *m*; '~ **i 'lige 'måde!**; **'selv** ~! danke, gleichfalls!; ~**ke** danken (**for** für)

takket gezackt

tak'nemmˌ**eliġ** dankbar (**over, for** für)

takst Gebühr, Taxe *f*

takt: ~ **og tone** gutes Benehmen; ~**ful**ˌ**d** taktvoll; ~**lø**ˌ**s** taktlos

tal [tal] *n* (=) Zahl; Ziffer *f*

tale ['ta:lə] reden, sprechen; *su* (*-r*) Rede *f* (**holde** halten); ~**måde** (*-r*) Redensart *f*

ta'lenˌ**tful**ˌ**d** [ta-] talentiert

taler ['ta:lɔ] (*-e*) Redner(in) *m(f)*

talesprog ['ta:ləsbʀåˀŭ] *n* gesprochene Sprache

talje [-a-] (*-r*) Taille *f*; Flaschenzug *m*

tallerken [ta'laʀgən] Teller *m*; **flyvende** ~ fliegende Untertasse

talriˌ**ġ** [-a-] zahlreich

taˌ**lsmand** Sprecher(in) *m(f)*

talte [-a-] zählte *etc* (*imperf* → **tælle**)

tamˌ zahm

tand [tanˀ] (*tænder*) Zahn *m*; **skære 'tænder** mit den Zähnen knirschen; **mine tænder løber i vand** das Wasser läuft mir im Mund zusammen; ~**børste** ['tan-] Zahnbürste *f*; ~**hju**ˌ**l** *n* Zahnrad *n*; ~**kød** *n* Zahnfleisch *n*; ~**læġe** Zahnarzt *m*, -ärztin *f*; ~**pasta** [-pa-] Zahnpasta *f*; ~**pine** Zahnschmerzen *pl*; ~**stikker** (*-e*) Zahnstocher *m*

tang[1] [tɑŋˀ] (*tænger*) Zange *f*

tang[2] Tang *m*

tangatrusser *pl* Tanga *m*

tan'gen,t Tangente; Taste *f*
tank [tɑŋʔg] (*-e*) Tank *m*; Tankstelle *f*
tanke¹ tanken
tanke² (*-r*) Gedanke *m*; **~lø,s** gedankenlos; **~streg** Gedankenstrich *m*
tankpasser (*-e*) Tankwart(in) *m(f)*
tankstation Tankstelle *f*
tap (*-per*) Zapfen *m*
tape [tɛjb] Klebeband *n*
ta'pe,t [ta-] *n* Tapete *f*
tappe zapfen
tapper tapfer
tarm [tɑʔm] (*-e*) Darm *m*
tarvelig gemein; dürftig
taske [-a-] (*-e*) Tasche *f*
tato'v|e,ring [ta-] Tätowierung *f*; **~ø,r** Tätowierer(in) *m(f)*
tavle ['tɑŭlə] (*-r*) Tafel *f*
tavs [tɑŭʔs] still; schweigsam; **~he,d** ['tɑŭs-] Schweigen *n*
taxaholdeplads Taxistand *m*
te, Tee *m*
te'a,ter [-a-] *n* (*-tre*) Theater *n*; **~kikkert** Opernglas *n*
tebirkes *Mohnschnitte* (*zum Frühstück*)
tebrev, *n* Teebeutel *m* (*aus Papier*)
teglste,n [tɑjl-] Ziegel *m*
tegn [tɑjʔn] *n* (=) Zeichen *n* (***på*** für)
tegne ['tɑjnə] zeichnen; ***det ~r til*** es sieht aus wie *od* nach; **~bog** Brieftasche *f*; **~fil,m** Zeichentrickfilm *m*; **~serie** Comic *m*; **~stift** Reißzwecke *f*; **~stue** Konstruktions-; Architektenbüro *n*
tegning ['tɑjneŋ] Zeichnung *f*; Zeichnen *n*
teknolo'gi, Technologie *f*
te,kop Teetasse *f*
tekst Text *m*; **~-tv** *n* Videotext *m*; **~behandling** *EDV* Textverarbeitung *f*; **~e** untertiteln
tele'fo,n|bog Telefonbuch *n*; **~boks** Telefonzelle *f*; **~bruser** Duschkopf *m*; Handbrause *f*; **~centra,l** Fernsprechamt *n*; **~opkald,** *n*, **~opring,ning** Anruf *m*; **~svarer** Anrufbeantworter *m*
telt [tɛlʔd] *n* (*-e*) Zelt *n*; **~plads** Zeltplatz *m*
temmelig ziemlich
temperatur: ***tage ngns ~*** j-s Temperatur messen
tende|ns [-'dɛnʔs] Tendenz *f* (***til*** zu); ***~re mod*** [-'deʔɔ] neigen zu
tennis|bane Tennisplatz *m*; **~ketsjer** (*-e*) Tennisschläger *m*
teo'ri, Theorie *f*
te,potte Teekanne *f*
termoflaske Thermosflasche® *f*
tern [taʀʔn] Karo *n*; Würfel *m*; **~et** kariert; **~ing** Würfel *m*
terpe büffeln, pauken
terræn [ta'ʀɛŋ] *n* Gelände *n*
te,|si, Teesieb *n*; **~ske,** Teelöffel *m*; **~ske,fuld,** Teelöffel *m* (voll)

testa'mente [-sta-] *n* (*-r*) Testament *n*; **~re** [-'te?ɔ] vermachen (***til ngn*** j-m)
te'stikel (*-kler*) Hoden *m*
testning Test *m*
t.h. (*til højre*) r. (*rechts*)
thi (*alt, poetische Sprache*) denn
ti, zehn
tid [ti?ð] Zeit *f*; ***alle ~ers*** toll; herrlich; ***en times ~*** etwa eine Stunde; ***for ~en*** zur Zeit
tidevand ['tiːðəvan?] *n* (*-e*) Gezeiten *pl*
tidl. (*tidligere*) ehem. (*ehemalig*)
tidlig ['tiðli] früh; **~ere** früher
tidsangi,velse ['tiðs-] Zeitangabe *f*
tidsel ['tisəl] (*-sler*) Distel *f*
tids|indstillet ['tiðs-] Zeit-; ***~ bombe*** Zeitbombe *f*; **~punk,t** *n* Zeitpunkt *m* (***på*** zu); **~rum**, *n* Zeitraum *m*; **~skrift** *n* Zeitschrift *f*; **~sva,rende** zeitgemäß
tie: ***~ stille*** ['tiːə] schweigen
ti,endedel Zehntel *n*
ti,er Zehner *m*
tiere ['tiːɔʀɔ] öfter
tigge betteln; **~r** Bettler *m*; **~'ri**, *n* Betteln *n*; Bettelei *f*
tikrone Zehnkronenstück *n*
til [te(l)] *präp* nach, zu, bis, an, für; *adv* zu; *cj* bis; ***være ~ ngt*** F etw mögen
tilbage [te'baː] zurück; übrig; **~fal,d** *n* Rückfall *m*; **~gang**, Rückgang *m* (*fig*); **~kal,de** widerrufen; **~kom,st** Rückkehr *f*; **~lægge** zurücklegen; **~rejse** Rückfahrt *f*; **~ven,den** Rückkehr *f*; **~virkende** [-i-] rückwirkend
til|bede ['telbe?ðə] verehren; anbeten; **~behø,r** *n* Zubehör *n*; ***~ til bilen*** Autozubehör; **~berede** [-beʀa?ðə] zubereiten; **~bli,velse** Entstehung *f*; **~bring,e** verbringen; **~bud** [-buð] *n* (=) Angebot *n* (***på*** im); **~byde** [-by?ðə] anbieten; **~bøjelig** [-'bɔj?əli] geneigt (***til*** zu); **~bøj,elighe,d** Neigung *f*; **~eg,ne** [-ɑj?nə] widmen; ***~ sig*** sich aneignen
til|flugt Zuflucht *f* (***søge*** suchen); **~'freds** zufrieden; **~'fredshe,d** Zufriedenheit *f*; **~'fredsstill,e** befriedigen; zufriedenstellen; **~fæld,e** *n* (=) Fall; Zufall *m*; ***for alle ~s skyld*** für alle Fälle; **~'fæl,dig** zufällig; **~'fæll,es** gemeinsam; **~føje** [-fɔj?ə] hinzufügen; **~føjelse** [-ɔ-] Hinzufügung *f*; **~førsel** [-øʀ?-] Zufuhr *f*; **~gang**, Zugang *m*; Zunahme *f*; **~gav** verzieh *etc* (*imperf* → ***tilgive***); **~gi,ve** verzeihen; **~'godeha,vende** *n* (*-r*) Guthaben *n*; **~'gæng,elig** zugänglich
til|hæng,er (*-e*) Anhänger *m*; **~hø,re** gehören; angehören; **~hø,rer** (*-e*) Zuhörer(in) *m*(*f*); **~'intetgø,re** vernichten; **~kal,de** (herbei)rufen;

~'kendegi,ve wissen lassen
til|knytning [-y-] Beziehung *f*; **~kør,selsvej**, Zubringerstraße *f*; **~lade** [-laˀðə] erlauben; **~la,delse** (*-r*) Erlaubnis *f*; **~lem,pe** anpassen (***til*** an)
tillid [-liˀð] Vertrauen *n* (***til*** in); **~smand**, **~srepræsentant** Vertrauensmann *m*
tillige [te'liːə] zugleich, außerdem; **~ *med*** nebst, samt
tillykke: **~!** herzlichen Glückwunsch!; (ich) gratuliere! (***med*** zu)
til|læ,g *n* (=) Zuschlag *m*; Zulage *f*; **~lægge** beimessen; **~lægsord** *n* Eigenschaftswort; Adjektiv *n*; **~lø,b** *n* Anlauf *m*; **'~'med** außerdem
til|melde [-'mɛlˀə] anmelden; **~nær,melse** (*-r*) Annäherung *f*; **~'nær,melsesvi,s** annähernd; **~overs** [-'ɔŭˀɔs] übrig; **~'pas** passend; recht; **~rettelægge** [-'ʀadə-] zurechtlegen, vorbereiten; **~rå,b** *n* Zuruf *m*
til|sagn [-saŭˀn] *n* Zusage *f*; **~sende** [-sɛnˀə] zusenden; **~'sidesætte** ignorieren; **~skadekommen** [-'sgaːðəkɔmˀən] verletzt; **~skud** [-sguð] *n* (=) Zuschuss *m*; **~sku,er** (*-e*) Zuschauer(in) *m*(*f*); **~skynde** [-sgønˀə] anregen; **~slutning** Anschluss *m*; Zustimmung *f*; **~sløre** [-sløˀɔ] verschleiern; **~stan,d** Zustand *m*; Lage *f*
til|stedeværelse [-'sdɛːðəvaˀɔlsə] Anwesenheit *f*; **~stod** gab zu; gestand *etc* (*imperf* → ***tilstå***); **~stræ,be** erstreben
til|'strækkeliġ genügend; **~strøm,ning** Andrang *m*; **~stå**, zugeben, gestehen; **~sva,rende** entsprechend; **~sy,n** *n* Aufsicht *f*; **~synela-dende** [-'syːnəlaˀðənə] anscheinend; **~sætningsstof** *n* Zusatzstoff *n*; **~sætte** zusetzen; hinzufügen
til|ta,ge zunehmen; **~ta,le** ansprechen; gefallen; *Jur* anklagen; *su* [-taːlə] Anrede; Anklage *f*; **~ta,lende** ansprechend; **~tro**, zutrauen; *su* Zutrauen *n*; **~træde** [-tʀaˀðə] antreten; **~trækkende** attraktiv; **~trængt** nötig; **~vækst** Zuwachs *m*; **~væ,relse** Dasein *n*
time ['tiːmə] (*-r*) Stunde *f*; ***i ~vi,s*** stundenlang
tin *n* Zinn *n*
tinde (*-r*) Gipfel *m*
tinding Schläfe *f*
tindre funkeln; **~nde** *adv* F völlig
ting, (=) Ding *n*; Sache *f*; ***~ og sager*** *pl* verschiedene Sachen; **~,est** Dingsbums *n*
tipning [-i-] (Fußball-)Toto *m*
tips [-i-] *n* (=) (Fußball-)Toto *m*; **~kupon** Totoschein *m*
tirre [-i-] reizen
ti,rsdaġ [-i-] Dienstag *m*
tis [-i-] *n* F Urin *m*; **~se** pinkeln

tissemand F Pipimann *m*
tit [tid] oft, häufig
titte [-i-]: ~ '*frem*, hervorgucken
Tivoli *n alter, gemütlicher Vergnügungspark im Zentrum Kopenhagens*
tiår ['tiɔˀ] *n* Jahrzehnt *n*
tjan,s F *kleiner* Job
tjavs [tjɑŭˀs] Strähne *f*
Tjek'ki,et *n* Tschechien *n*
tjene ['tjɛːnə] dienen; verdienen; **~r** (*-e*) Diener(in) *m(f)*; Kellner(in) *m(f)*
tjeneste ['tjɛːnəsdə] (*-r*) Dienst; Gefallen *m* (***gøre*** tun); **~man,d** Beamte *m*, Beamtin *f*; **~pige** Dienstmädchen *n*
tjære ['tjɛːɔ] Teer *m*
to [toˀ] zwei; **~ *og* ~** paarweise; zusammen; nebeneinander
to'bak Tabak *m*
todelt ['todeˀld] zweiteilig
to,er Zweier *m*; Zwei *f*
tog¹ [toˀ] nahm *etc* (*imperf* → ***tage***)
tog² [tåŭ] *n* (=) Zug *m*; **~fører** (*-e*) Zugführer(in) *m(f)*; **~pla,n** (Zug-)Fahrplan *m*; **~revisor** Kontrolleur(in) *m(f)*
toilet [tɔj'lɛd] *n* (*-ter*) Toilette *f*; **~papi,r** *n* Toilettenpapier *n*
tokrone Zweikronenstück *n*
tol,d Zoll *m*; **~betjent** Zollbeamte *m*, Zollbeamtin *f*; **~deklara'tio,n** Zollerklärung *f*; **~er** Zollbeamte *m*, Zollbeamtin *f*; **~fri,** zollfrei; **~pligtig** [-plegdi] zollpflichtig; **~væ,sen** *n* Zollbehörde *f*
tol,k (*-e*) Dolmetscher(in) *m(f)*; **~e** dolmetschen; interpretieren (***som*** als); **~ning** Dolmetschen *n*; Interpretation *f*
tol,v zwölf
tom, leer
tomandshån,d ['to-]: ***på*** ~ unter vier Augen
to'ma,t Tomate *f*
tomgang, Leerlauf *m*
tomle [tɔ-] trampen
tomme (*-r*) *Maß* Zoll *m*
tommelfing,er Daumen *m*; ***rejse på ~en*** per Anhalter fahren; **~regel** Faustregel *f*
tomrum *n* Leere; Lücke *f*
ton, (*-s*) Tonne *f*
tone (*-r*) Ton *m*; **~fal,d** *n* Tonfall *m*
toning Tönung *f*
top (*-pe*) Gipfel; Kreisel *m*; ***fra ~ til tå*** von Kopf bis Fuß; vom Scheitel bis zur Sohle; ***~pen af isbjerget*** die Spitze des Eisbergs; ***til ~s*** (ganz) nach oben; **~løs** topless; oben ohne; **~pe** einen Höhepunkt erreichen; **~scorer** Torschützenkönig(in) *m(f)*
torden [-o-] Donner *m*; **~vejr** *n* Gewitter *n*
tordne [-o-] donnern
torn [toˀʀn] (*-e*) Dorn; Stachel *m*
torsdag ['tɔˀsda] Donnerstag *m*
torsk (=) Kabeljau *m*

tor'tu,r Folter *f*; **~e,re** foltern
tor,v *n* (*-e*) (Markt-)Platz *m*
tosidet ['tosiːðəd] zweiseitig
tosproget zweisprachig
tosset verrückt, blöd
tot (*-ter*) Büschel *n*; Bausch *m*
total[1] *n* Zwei *f*
to'ta,l[2] total
tov [tɔŭ] *n* (*-e*) Tau, Seil *n*
toværelsers, toværelses Zweizimmer-; **~ *lejlighed*** Zweizimmerwohnung *f*
tra'fik Verkehr *m*; **~'a,l** verkehrsmäßig; **~'a,nt** Verkehrsteilnehmer(in) *m*(*f*); **~'e,ret** verkehrsreich; **~prop** *Verkehr* Stau *m*
tragedie [-'geˀðjə] (*-r*) Tragödie *f*
tragt (*-e*) Trichter *m*
trak zog *etc* (*imperf* → ***trække***)
traktat *Pol* Vertrag *m*
trampe stampfen
trang [tʀɑŋˀ] Bedürfnis *n* (***til*** nach); *adj* eng
transla'tø,r Dolmetscher(in) *m*(*f*) (*geprüft*)
transmi'tte,re übertragen (***fra*** aus)
trans'portbån,d *n* Fließband *n*
trappe (*-r*) Treppe *f*; *v* **~ *op*** eskalieren; steigern; **~opgang,** Treppenhaus *n*; **~trin** *n* Stufe *f*
traske traben, trotten
trav [tʀɑŭ] *n* (=) Trab *m*; **~e** ['tʀɑːvə] traben, trotten
travl [tʀɑŭˀl] (sehr) beschäftigt; rege; **~he,d** Geschäftigkeit *f*, Hochbetrieb *m*
travlø,b ['tʀɑŭ-] *n* Trabrennen *n*
tre [tʀaˀj] drei
tredive ['tʀɑðvə] dreißig
tredje ['tʀaðjə] dritte(r, -s); **~de,l** Drittel *n*
tredobbelt dreifach
trehju,let dreirädrig; **~ *cykel*** Dreirad *n*
trekant Dreieck *n*; Dreier-Beziehung *f*; **~et** dreieckig
tre'kvart drei viertel
tremme (*-r*) Sprosse, Latte *f*; ***bag* ~r** hinter Gittern
tres sechzig; **~indstyvende** sechzigste(r, -s)
tresserne *pl* (die) Sechziger, Sixties
tretten dreizehn
treværelsers, treværelses Dreizimmer-; **~ *lejlighed*** Dreizimmerwohnung *f*
trille [-i-] rollen, kullern; **~bø,r** Schubkarre *f*
trillinger *pl* Drillinge *pl*
trin [-in] *n* (=) Stufe *f*; Schritt *m*; **~bræt** *n* Trittbrett *n*; **~vis** stufenweise
trippe [-i-] trippeln
trist [-i-] traurig, trübe
trives ['tʀiːvəs] sich wohl fühlen; gedeihen
trivsel ['tviŭˀsəl] Gedeihen; Wohlergehen *n*
tro [tʀoˀ] glauben; *su* Glaube *m*; *adj* treu
trods Trotz *m*; *präp* trotz; **~ al,t** immerhin; ***på* '~ *af,*** trotz; **~ig** trotzig

troende [-o:-] gläubig
trofast ['tʀo-] treu
trold Kobold; Troll *m*; **~dom**, ['tʀɔl-] Zauber *m*; **~man,d** Zauberer *m*
tromle ['tʀåmlə] walzen; *su* (*-r*) Walze *f*
tromme ['tʀåmə] trommeln; *su* (*-r*) Trommel *f*; **~hinde** Trommelfell *n*; **~slager** Drummer(in) *m*(*f*); Trommler(in *f*) *m*
trom'pe,t [tʀom-] Trompete *f*; **~'ist** Trompeter(in) *m*(*f*)
trone ['tʀo:nə] (*-r*) Thron *m*
trop (*-per*) Truppe *f*; Trupp *m*
troperne *pl* (die) Tropen
tro|sbeken,delse [tʀo?s-] Glaubensbekenntnis *n*; **~ska,b** ['tʀo-] Treue *f*; **~ssamfund** *n* Glaubensgemeinschaft *f*; **~ 'vær,dig** glaubwürdig, glaubhaft
true ['tʀu:ə] drohen
truffet [-å-] getroffen (*p/p* → ***træffe***)
trukket [-å-] gezogen (*p/p* → ***trække***)
trum,f [-å-] Trumpf *m*; ***sætte~ på*** (auf)trumpfen
trumme'rum Trott *m*
trusseindlæg [-u-] *n* Monatsbinde *f*
trussel [-u-] (*-sler*) Drohung; Bedrohung *f* (***mod freden*** des Friedens)
trusser *pl* Slip *m*; Höschen *n*
trutte [-u-] tuten
tryg sicher; geborgen; **~hed** Sicherheit; Geborgenheit *f*
trygle ['tʀy:lə] flehen (***om*** um)
tryk [-œ-] *n* (=) Druck; Akzent *m*; **~fejl** [-fɑj?l] Druckfehler *m*; **~ke** drücken; drucken; **~ke'ri**, *n* Druckerei *f*; **~knap** Druckknopf *m*; **~koger** Dampfkochtopf *m*; **~sa,g** Drucksache *f*
trylle [-y-] zaubern; **~kunstner** Zauberkünstler(in) *m*(*f*); **~'ri**, *n* Zauber *m*; Zauberei *f*
tryne ['tʀy:nə] (*-r*) Rüssel *m*; Schnauze *f*; *v/t* dominieren
træ [tʀa?] *n* Baum *m*; Holz *n*
træde ['tʀa:ðə] treten; ***~ tilbage*** zurücktreten; **~pude** Fußballen *m*
træf *n* (=) Tagung *f*; **~fe** treffen; **~fes** sich treffen; erreichbar; **~feti,d** Sprechstunde *f*
træg [tʀa?j] träge
træk [tʀɑjg] *n* (=) Zug *m*; Zugluft *f*; ***i~*** nacheinander; ohne Unterbrechung
træk|ke ziehen; ***~ op*** aufziehen; **~ning** Ziehung; Zuckung *f*; **~rude** Klappfenster *n*
træls [-ɑ-] F irritierend
træne ['tʀa:nə] trainieren; **~r** Trainer(in) *m*(*f*)
trænge brauchen; ***~ til*** nötig haben, benötigen
træng,sel Gedränge *n*
træsko, ['tʀɑ-] Holzschuh *m*
træt müde; ***være ~ af det*** es satt haben; **~hed**, Müdigkeit *f*; **~te** ermüden
trævl [tʀaŭ?l] Faser *f*; **~et**

['tʀaŭləð] faserig
trøffel [-œ-] (*-fler*) Trüffel *f*
trøje [-ɔː-] Strickjacke *f*; Pullover *m*
trøst [-œ-] Trost *m*; **~e** trösten; **~eslø,s** trostlos
tråd [tʀå'ð] (*-e*) Faden; Draht *m*
tråd|e einfädeln; **~lø,s** drahtlos
trådte ['tʀådə] trat *etc* (*imperf* → ***træde***)
tsk. (*teskefuld*) TL (*Teelöffel voll*)
tud [tuð'] (*-e*) Schnauze *f*; Tülle *f*
tude ['tuːðə] heulen; hupen
tudse ['tusə] (*-r*) Kröte *f*
tuli'pa,n Tulpe *f*
tumme'lumsk schwindlig, verwirrt
tumpe Idiot(in) *m(f)*; Tor *m*, Narr *m*
tung [tåŋ'] schwer; schwerfällig
tunge (*-r*) Zunge *f*
tung|hø,r ['tåŋ-] schwerhörig; **~nem,** schwerfällig; **~sindig** [-'sen'di] schwermütig
tur [tu'ʀ] (*-e*) Fahrt *f*; Reise *f*; Ausflug *m*
turde ['tuːɔ] wagen; sich trauen
tu'rist [tu-] Tourist(in) *m(f)*; **~kontor** Touristenbüro *n*
tur-re'tu,r hin und zurück
tusch Filzschreiber *m*
tusind(e) ['tu'sən(ə)] *n* (*-r*) Tausend *n*
tusmørke ['tus-] *n* Zwielicht *n*
t.v. (*til venstre*) l. (*links*)
tvang[1] [tvɑŋ'] zwang *etc* (*imperf* → ***tvinge***)
tvang[2] Zwang *m*
tv-|avis (Fernseh-)Nachrichten *pl*
tve- zwei-
tve,bak (*-ker*) Zwieback *m*
tvetydig ['tvety'ði] zweideutig
tvillinger ['tvi-] *pl* Zwillinge *pl*
tvinge zwingen (***til*** zu)
tvivl [tviŭ'l] Zweifel *m*
'tvivl|e zweifeln (***på*** an); **~som,** zweifelhaft
tv-udsendelse Fernsehsendung *f*
tvungen, tvunget gezwungen
tvær [tva'ʀ] verdrießlich, mürrisch; **~s** quer; ***på ~ af*** quer zu; ***være på ~*** (immer) opponieren; **~snit** *n* Querschnitt *m*
tværtimod ['tvaʀdimo'ð] im Gegenteil
'tværvej, Querstraße *f*
tyde ['tyːðə] deuten; entziffern; auslegen; **~lig** deutlich; **~liggø,re** verdeutlichen
tygge ['tygə] kauen
'tyggegummi *n* Kaugummi *m*
tyk [tyg] dick; **~kelse** (*-r*) Dicke; Stärke *f*; **~steg** *etwa* Lendenbraten *m*
tynd [tøn'] dünn; **~steg** *etwa* Lendenbraten *m*
tyngde ['tøŋ'də] (*-r*) Schwere *f*; **~kraft** Schwerkraft *f*; **~punk,t** *n* Schwerpunkt *m*

tynge lasten, drücken
type [-yː-] (*-r*) Typ *m*
typisk [-y-] typisch
ty,r (*-e*) Stier; Bulle *m*
Tyr'ki,et *n* (die) Türkei *f*
tysk [ty-] deutsch, Deutsch; **~er** Deutsche(r) *m/f*
Tyskland [-lanˀ] Deutschland *n*
tyttebær [-y-] *n* Preiselbeere *f*
tyv [tyˀŭ] (*-e*) Dieb *m*, Diebin *f*
tyve ['tyːvə] zwanzig
tyveknægt ['tyː-] (*-e*) Dieb *m*, Diebin *f*
tyve'ri, *n* Diebstahl *m*
tæge Wanze *f*
tækkeman,d Dachdecker *m*
tæll|e zählen; **~ing** Zählung *f*
tæmme zähmen, bändigen
tænde anzünden; einschalten, anmachen
tænder[1] (*-e*) Zünder *m*; Feuerzeug
tænder[2] [tɛnˀɔ] Zähne (*pl* → ***tand***)
tænding Zündung *f*; **~snøgle** Zündschlüssel *m*; **~srø,r** *n* ['tɛn-] Zündkerze *f*
tændstik (*-ker*) Streichholz *n*
tænke denken; '**~** ***over*** überlegen; '**~** ***sig om***, nachdenken; **~lig** denkbar
tænksom nachdenklich
tæppe *n* (*-r*) (Stoff-)Decke *f*; Teppich *m*; **~banker** Teppichklopfer *m*
tære ['taːɔ] zehren (***på*** an)
tærske dreschen
tærskel (*-kler*) Schwelle *f*
tæske verhauen
tæt dicht; eng; **~ne** abdichten
tæve[1] ['tɛːvə] verhauen
tæve[2] (*-r*) Hündin *f*
tø [tøˀ] tauen
tøffel [-ø-] (*-fler*) Pantoffel *m*
tøj [tɔj] *n* Kleidung *f*; **~klemme** Wäscheklammer *f*; **~sno,r** Wäscheleine *f*
tømme leeren
tømmer ['tœmˀɔ] *n* Bauholz *n*; **~flåde** Floß *n*; **~mæn,d** *pl Alkohol* (ein) Kater *m*
tømning Leerung *f*
tømrer (*-e*) Zimmerer *m*
tønde ['tønə] (*-r*) Fass *n*, Tonne *f*
tør[1] [tœʀ] wagt; traut sich *etc* (→ *präs* ***turde***)
tør[2] [tɔ̈ˀʀ] trocken, dürr; **~he,d** Trockenheit *f*; **~ke** (*-r*) Dürre *f*; **~klæde** [-ɛːðə] *n* (*-r*) (Kopf-)Tuch *n*; Schal *m*; **~mæl,k** Trockenmilch *f*
tørre trocknen; dörren; ***til* ~** zum Trocknen; **~hjel,m** Trockenhaube *f*; **~sno,r** Wäscheleine *f*; **~stativ,** *n* Wäscheständer *m*; **~tumbler** Wäschetrockner *m*
tørst Durst *m*; **~ig** durstig
tørv [tœːrˀŭ] (=) Torf *m*
tørvejr ['tœːʀvaˀʀ] *n* trockenes Wetter *n*
tøs [tøˀs] (*-e*) F *neg!* Tussi *f*; **~edreng** F Weichei *n*
tøsne ['tøsneˀ] *n* Nassschnee *m*
tøve ['tøːvə] zögern

tøvejr ['tøvaˀʀ] *n* Tauwetter *n*
tøvende zaghaft
tå [tåˀ] (*tæer*) Zehe *f*
tåbe ['tå:bə] (*-r*) Tor, Narr *m*; Törin, Närrin *f*; **~lig** töricht
tåge ['tå:ŭə] (*-r*) Nebel *m*; **~horn** *n* Nebelhorn *n*; **~t** nebelig
tåle ['tå:lə] dulden; ertragen; **~lig** erträglich, leidlich
tålmodig [tɔl'moˀði] geduldig; **~hed** Geduld *f*
tår [tɔˀ] Schluck *m*
tåre ['tɔ:ɔ] (*-r*) Träne *f*
tårn [tɔˀn] *n* (*-e*) Turm *m*

U

U, u [uˀ] *n*: ***et stort ~*** ein großes U
u|ad'skill,elig [uað-] untrennbar; unzertrennlich; **~afbrudt** [-aŭ-] ununterbrochen; **~afgjo,rt** unentschieden; **~af'hæng,ig** unabhängig; **~'agtsom,** fahrlässig; **~al'min,delig** außergewöhnlich; **~anse,t** ungeachtet; **~an'stæn,dig** unanständig; **~an'sva,rlig** unverantwortlich
u|arbejdsdygtig arbeitsunfähig; **~'ar,tig** frech; ungezogen; **~barm'hjertig** unbarmherzig; **~bebo,et** unbewohnt; **~be'gri,belig** unbegreiflich; **~begræn,set** unbegrenzt; grenzenlos
u|be'ha,gelig unangenehm; **~be'ha,gelighe,d** Unannehmlichkeit *f*; **~behersket** unbeherrscht; **~be'hjæl,psom,** unbeholfen
u|behøvlet [-'hœŭˀləð] ungehobelt, ungeschliffen (*fig*); **~bekvem,** unbequem; **~bekym,ret** unbesorgt; **~bemærket** unbemerkt, unauffällig; **~beregnelig** [-'ʀɑjˀnəli] unberechenbar; **~berettiget** unberechtigt; **~berø,rt** unberührt
u|be'skri,velig unbeschreiblich; **~be'slutsom,** unentschlossen; **~be'stemm,elig** unbestimmbar; **~bestem,t** unbestimmt; **~beting,et** unbedingt; **~be'ty,delig** unbedeutend
u|be'tænksom, unbedacht; **~bevidst** unbewusst; **~be'væ,gelig** unbeweglich; **~'bru,gelig** unbrauchbar; untauglich
ubåd ['uˀbåˀð] U-Boot *n*
ud [uˀð] aus; heraus; hinaus; ***én ~ af 10*** einer von Zehn; ***~ på natten*** spät am Abend, in der Nacht; **~ad** [-að] nach außen, auswärts; **~adtil** nach außen
udadvendt aufgeschlossen; sozial
ud|arbej,de ['uð-] ausarbei-

ten; **~beta,le** auszahlen; **~brede** [-bʀaˀðə] verbreiten; **~brud** [-bʀuð] *n* Ausbruch (*af* von); Ausruf *m*; **~bud** [-buð] *n* Angebot *n*; **~bytte** [-y-] *n* (=) Ertrag *m*; *v* ausbeuten

udd. (*uddannet*) ausgebildet; (*uddannelse*) Ausbildung

ud|dann,e ausbilden; **~dann,else** (*-r*) Ausbildung *f*; **~de,le** verteilen (*til* an); **~drag** [-dʀɑˀŭ] *n* (=) Auszug *m* (*af* aus); **~dø,** aussterben

ude ['u:ðə] draußen; aus; **~ *af sig selv*** außer sich; ***det er langt~*** das ist völlig abwegig; ***selv være ~ om det*** selber schuld daran sein

udearbejdende erwerbstätig

ude|banekamp Auswärtsspiel *n*; **~bli,ve** ausbleiben, fernbleiben; **~fra,** von außen

udelade ['u:ðəlaˀðə] auslassen

udelukke ['u:ðəlågə] ausschließen; **~nde** lediglich

uden ['u:ðən] ohne; **~ad** [-að] auswendig

uden|dø,rs im Freien, draußen; **~for** außen, draußen; **~forstående** außenstehend; **~lan,dsk** ausländisch; **~på,** außen; **~rigshan,del** Außenhandel *m*; **~rigsministerium** *n* Außenministerium *n*

udestue glasüberdeckte Terrasse *f*, Wintergarten *m*

ud|faldsvej ['uð-] Ausfahrtsstraße *f*; **~flugt** Ausflug *m*; Ausrede *f*; **~flåd** [-ɔ-] *Med* Ausfluss *m*; **~for,dre** herausfordern; **~for,me** gestalten; **~fyl,de** [-y-] ausfüllen; **~fø,re** ausführen; **~'fø,rlig** ausführlich; **~førsel** Ausfuhr *f*, Export *m*

udg. (*udgave*) Ausg. (*Ausgabe*); (*udgiver*) Hg. (*Herausgeber*)

ud|gang, (*-e*) Ausgang *m*; **~gave** Ausgabe *f*; **~gift** [-i-] Ausgabe *f*; **~gi,ve** ausgeben; herausgeben; **~giver** Herausgeber(in) *m*(*f*); **~gjorde** machte aus *etc* (*imperf* → ***udgøre***); **~grave** ausgraben; **~gø,re** ausmachen

ud|gå, ausgehen; wegfallen; **~hol,dende** ausdauernd; **~hu,le** aushöhlen; **~hu,s** *n* (Geräte-)Schuppen *m*; **~jævne** [-jɛŭˀnə] glätten; einebnen

ud|kald *n Flug etc* Aufruf *m*; **~kant** Vororte *pl* (*e-r Stadt*), *Umland n*; **~kast** *n* Entwurf *m*; **~kig** [-ig] *n* Ausschau *f* (***holde*** halten, ***efter*** nach)

ud|klip *n* Ausschnitt *m*; **~klædt** verkleidet (***som*** als); **~klække** ausbrüten; **~komm,e** erscheinen; **~kør,sel** Ausfahrt *f*; **~kø,rt** erschöpft

ud|lan,d *n* Ausland *n*; **~leje** [-lɑjˀə] vermieten; **~lejer** Vermieter(in) *m*(*f*); **~lej,nings-** Miet-; **~leve,re** ausliefern

ud|li,ġne [-i-] ausgleichen; **~læn,ding** (*-e*) Ausländer (-in) *m(f)*; **~lært** (aus)gelernt
ud|lø,b *n* Auslauf *m*; Mündung *f*; Ablauf *m*; **~lø,be** ablaufen; **~lø,se** auslösen; **~lå,n** *n* Verleih *m*; Darlehen *n*
ud|mattet ['uð-] erschöpft; **~mun,ding** Mündung *f*; **'~'mærket** ausgezeichnet; ganz okay; **~nytte** ausnutzen; **~nævne** [-nɛŭ?nə] ernennen (***til*** zu); **~pege** [-pɑj?ə] ernennen (***som*** als)
ud|pluk *n* Auswahl *f*; **~plyn,-dre** ausplündern; **~præget** [-pʀa?əð] ausgeprägt, ausgesprochen; **~rejse** Ausreise *f*; **~ruste** ausrüsten; **~rydde** [-ʀyð?ə] ausrotten
ud|rykning Einsatz *m*; ***med~*** mit Blaulicht (und Martinshorn); **~rå,bstegn** *n* Ausrufezeichen *n*
udsagn [-sɑŭ?n] *n* (=) Aussage *f*; **~sord** *n* Verb *n*
ud|sal,ġ *n* Ausverkauf *m*; **~sat** bedroht; **~se,ende** *n* Aussehen *n*; **~sen,delse** (*-r*) Sendung *f*; **~sigt** Aussicht *f* (***til*** auf); **~skifte** [-i-] auswechseln
ud|skrift *EDV* Ausdruck *m*; **~skri,ve** ausschreiben; *EDV* drucken; *Med* entlassen; **~skudt** aufgeschoben (*p/p* → ***udskyde***); **~sky,de** aufschieben; **~skæring** Ausschnitt *m*
ud|skød schob auf *etc* (*imperf* → ***udskyde***); **~sla,ġ** *n* entscheidend Ausschlag *m*; **~slette** vernichten; **~slæt** *n* (=) *Med* Ausschlag *m*; **~smider** *Person* Rausschmeißer *m*; **~sol,gt** ausverkauft; **~spekule,ret** schlau; hinterlistig; **~spring,** *n* Quelle *f*; Ursprung *m*; **~stede** [-sdɛ?ðə] *Dokument* ausstellen; erlassen; **~still,ing** Ausstellung *f*
ud|still,ingsvindue *n* Schaufenster *n*; **~stoppe** ausstopfen; **~strakt** ausgedehnt; **~strække** ausstrecken, ausdehnen; **~strå,le** ausstrahlen; **~sty,r** *n* Aussteuer; Ausrüstung *f*; **~stø,de** ausstoßen
ud|stø,dningsrø,r *n* Auspuff(rohr *n*) *m*; **~sætte** verschieben (***til*** auf); **~sættelse** (*-r*) Aufschub *m*; **~ta,ġe** (her)ausnehmen, auswählen
ud|tale [-ta?lə] aussprechen; äußern; *su* [-taːlə] (*-r*) Aussprache *f*; **~ta,lelse** (*-r*) Äußerung *f*; (Arbeits-)Zeugnis *n*; **~tog** [-tå?ŭ] *n* Auszug *m*; **~tryk** *n* Ausdruck *m*
ud|trykke ausdrücken; **~tur** Hinfahrt, Hinreise *f*; **~tænke** [-tɛŋ?gə] ausdenken; **~tørr,e** austrocknen
uduelig [u'du?əli] untauglich
ud|valg ['uðval?] *n* Auswahl *f*; Ausschuss *m*; **~vej,** Ausweg *m*; **~veksle** austauschen;

~ven,diġ äußerlich, außen
udvide [-viˀðə] erweitern; ausweiten
ud|vikle entwickeln; **~vikling** Entwicklung *f*
ud|vi,se ausweisen; erweisen; **~vi,sning** Ausweisung *f*; **~vokset** ausgewachsen; **~vortes** *Med* äußerlich; **~vælge** [-vɛlˀjə] auswählen
u|dødelig [u'døˀðəli] unsterblich; **~egnet** [-ɑjˀnəð] ungeeignet (*til* zu; *som* als; *for* für); **~'en,ḍeliġ** unendlich; endlos
u|'e,niġ uneinig; **~er'statteliġ** unersetzlich; **~faglært** [-fɑŭlaˀʀd] ungelernt
u|farliġ ungefährlich; **~'fatteliġ** unvorstellbar; **~fejl'ba,rliġ** unfehlbar
ufor|bederliġ [ufɔ'bɛˀðɔli] unverbesserlich; **~del'agtiġ** unvorteilhaft; **~'døj,eliġ** unverdaulich; **~'e,neliġ** unvereinbar (*med* mit); **~'glemm,eliġ** unvergesslich
ufor|hoḍsmæssiġ unverhältnismäßig; **~'klar,lig** unerklärbar; **~li,ġneliġ** unvergleichlich; **~nuftiġ** unvernünftig
ufor|'skamm,et unverschämt; **~styrret** [-sdyˀʀəð] ungestört; **~'stå,eliġ** unverständlich; **~'sva,rliġ** unverantwortlich
ufor|udset [-uðseˀd] unvorhergesehen; **~ud'siġ,elig** unvorhersagbar
u|frem'komm,eliġ unwegsam; **~frivill,iġ** unfreiwillig; **~fuḍkomm,en** unvollkommen; **~fuḍstæn,diġ** unvollständig; **~følsom**, unempfindlich
uge ['uːə] (*-r*) Woche *f*; **~blad** *n* (Wochen-)Illustrierte *f*
ugennemtænkt unüberlegt
uge|ntlig wöchentlich; **'~vi,s**: *i ~* wochenlang
u'gi,deliġ [u-] faul
ugift ['ugifd] unverheiratet
ugle ['uːlə] (*-r*) Eule *f*
ugtl. (*ugentlig*) wöchentlich
u|'gyl,diġ ungültig; **~gæstfri**, ungastlich
u'ha: *~!* oh!; uff!
uhel'bre,deliġ unheilbar
'uhel,ḍ *n* Unfall *m*; Pech *n*; **~iġ** [-'hɛl-] Pech-, unglücklich; **~iġvis** unglücklicherweise
uhensigtsmæssiġ unzweckmäßig
u|'hyggeliġ [-y-] unheimlich; **~hyre** [-hyːɔ] *n* (*-r*) Monster *n*; *adj* [-'hyˀɔ] ungeheuer; **~høfliġ** unhöflich; **~højti,deliġ** zwanglos, ungezwungen; **~igen'kal,deliġ** unwiderruflich; **~igen'kendeliġ** nicht wieder zu erkennen; **~igennem'træng,eliġ** undurchdringlich; undurchlässig
u|imod'stå,eliġ [-imoð-] unwiderstehlich; **~indskrænket** [-ensgʀɑjŋˀgəð] unbeschränkt; **~jævn** [-jɛŭˀn] uneben; **~kampdygtiġ**

kampfunfähig; **~kendt** unbekannt; **~kla,r** unklar, trübe
'u|koncentreret unkonzentriert; **~krudt** *n* Unkraut *n*; **~krænkeliġ** [-'kʀɛŋˀgəli] unantastbar; **~'ku,eliġ** unbezwingbar; unverwüstlich; **~kærliġ** lieblos
uland ['uˀ-] *n* Entwicklungsland *n*; **~shjæl,p** Entwicklungshilfe *f*
ul,d [u-] Wolle *f*; **~en** [ul-] wollen; unklar; **~tæppe** *n* Wolldecke *f*
ulejlige [u'lɑjˀliə] bemühen
ulejlighe,d Mühe *f*; ***undskyld ~en!*** entschuldigen Sie bitte die Störung!
u|lempe (*-r*) Nachteil *m* (***ved*** an); **~lidelig** [-'liˀðəli] unerträglich; **~liġe** ungleich; ungerade; **~liġevægtiġ** unausgeglichen
ulme ['u-] glimmen
ulovlig [u'lɔŭˀli] verboten
ultralyd Ultraschall *m*
ulv [ulˀv] (*-e*) Wolf *m*; **~eunge** Wölfling *m*; junger Wolf
ulykke ['uløgə] (*-r*) Unglück *n*; Unfall *m*; **~lig** [-'løgəli] unglücklich
u|lækker unappetitlich; widerlich; **~'læ,seliġ** unleserlich; **~mage** [-maːə] Mühe *f*; *adj* ungleich; **~'men,neskeliġ** unmenschlich; **~mid-d,elba,r** unmittelbar; **~miskend,eliġ** unverkennbar; **~moden** [-moˀðən] unreif; **~'mu,liġ** unmöglich; **~'mætteliġ** unersättlich
un'brakonøgle® Inbusschlüssel *m*
unde: ***~ ngn ngt*** j-m etw gönnen
un,der¹ *n* (*-e*) Wunder *n*
un,der² unter; während
under|bevidsthe,d Unterbewusstsein *n*; **~bo** Bewohner(in) *m*(*f*) (*unter j-m im Haus*); **~bukser** *pl* Unterhose *f*; **~'da,niġ** unterwürfig; **~ernæ,ret** unterernährt; **~forstå,et** vorausgesetzt
under|'fun,diġ hinterlistig; **'~hol,de** unterhalten; **'~hol,dning** Unterhaltung *f*; **~jordisk** unterirdisch; **'~kaste** unterwerfen (***sig*** sich); **~kjole** Unterkleid *n*
under|kop Untertasse *f*; **~la,ġ** *n* Unterlage *f*; **'~legen** [-leˀən] unterlegen; **~liġ** sonderbar; **~li,v** *n* Unterleib *m*; **~lødig** [-løˀði] minderwertig; **~ordnet** [-ɔˀdnəð] untergeordnet; *su* Untergebene(r) *m*/*f*
under|rette verständigen, benachrichtigen (***om*** über); **~skole** Grundschule *f*; **~skrift** Unterschrift *f*; **'~skri,ve** unterschreiben; **~skud** *n* (=) Defizit *n*; **'~slæ,b** *n* Unterschlagung *f*; **~st** (ganz) unten; **~stel,** *n* Fahrgestell *n*; **'~strege** [-sdʀɑjˀə] unterstreichen; **~støtte** unterstützen

'under|sø,ge untersuchen; prüfen; **~såt** [-sɔd] (*-ter*) Untertan(in) *m(f)*; **~tekst** Untertitel *pl*; **~tiden** [-'tiˀðən] manchmal; **'~trykke** unterdrücken; **~trøje** Unterhemd *n*

under|tøj *n* Unterwäsche *f*; **~udviklet** [-uð-] unterentwickelt; **~vandsbå,d** U-boot *n*; **~vejs** [-'vɑjˀs] unterwegs

'under|vi,se unterrichten (*I dansk* Dänisch); **~viser** Lehrer(in) *m(f)*; Dozent(in) *m(f)*; **~vi,sning** Unterricht *m*

'under|vurde,re unterschätzen

und|gik entging; vermied *etc* (*imperf* → ***undgå***); **~gå,** entgehen; vermeiden; **~lade** [-laˀðə] unterlassen, versäumen

undre: **~** ***sig*** sich wundern (***over*** über); **~n** Verwunderung *f*

undskyl,d: **~!** Entschuldigung!; **~e** entschuldigen; verzeihen; **~ning** Entschuldigung; Ausrede *f*

und|slippe entkommen; **~ta,gelse** (*-r*) Ausnahme *f*; **~ta,gen**, **~taget** außer, ausgenommen

undulat Wellensittich *m*

und|vi,ge entweichen; **~væ,re** entbehren

ung, jung; **~dom,** Jugend *f*; **~'dommelig** jugendlich; **~e** (*-r*) Junge(s); *neg!* Kind *n*; **~er** *pl* Kids; **~karl** [-kaˀl] Junggeselle *m*

uni'vers *n* Weltall *n*; **~i'te,t** *n* Universität *f*

u|nyttig ['unødi] unnütz; **~'nægtelig** unleugbar; **~nød'ven,dig** unnötig; **~nøj'agtig** ungenau; **~offi-ci'el,** inoffiziell; **~om'gæn-g,elig** unumgänglich

uop|dragen ['uɔbdʀɑˀŭən] ungezogen; frech; **~lagt** schlecht gelaunt; **~'mærk-som,** unaufmerksam; **~'nå,elig** unerreichbar; **~'sli,delig** unverwüstlich; **~'sætteli̇g** unaufschiebbar

uorden ['uɔˀdən] Unordnung *f*

uover|'e,nsstemm,else [uɔŭɔ-] Widerspruch *m*; Auseinandersetzung *f* (***mellem*** zwischen); **~'komm,elig** unüberwindlich; **~'sku,elig** unübersehbar; unübersichtlich; **~'truffen** unübertroffen; **~'vindelig** unbesiegbar

u|populæ,r unbeliebt; **~præ-cis** ungenau; **~på'lidelig** unzuverlässig; **~påvirket** [-i-] unbeeinflusst

u,r *n* (*-e*) Uhr *f*

u|ransagelig [uʀɑn'saˀəli] unergründlich

ure,dt ungekämmt; *Bett* ungemacht

ure,gelmæssig unregelmäßig

ure'ge,rlig unbändig

ure,n unsauber; unrein

uret Unrecht *n*; *adj* unrecht; **~'fær,diġ** ungerecht
u|rigtiġ falsch; **~'ri,meliġ** ungerecht
u'ri,n Harn; Urin *m*
urma,ġer ['uʀ-] (*-e*) Uhrmacher(in) *m(f)*
uro¹ ['uʀoˀ] Unruhe *f*
uro² Mobile *n*
u'rokkeliġ unerschütterlich
u'ro,liġ unruhig
uropatruljen *polizeiliche Sondereinheit für Krawalle, häufig in Zivil*
urskive ['uʀsgiːvə] Zifferblatt *n*
urskov Urwald *m*
urt [uˀʀd] Kraut *n*; **~epotte** ['uʀdə-] Blumentopf *m*; **~ete**, Kräutertee *m*
u|'rø,rliġ unbeweglich; unantastbar; **~san,d̦** falsch; **~sand̦'sy,nliġ** unwahrscheinlich; **~sikker** unsicher; **~'ska,deliġ** unschädlich; **~ska,d̦t** unverletzt, unversehrt; **~skarp** unscharf
u'skyl,diġ unschuldig; harmlos; **~'smagelig** *Stil* geschmacklos
u'spi,seliġ ungenießbar
ussel ['u-] elend, erbärmlich
u|stabi,l unbeständig; **~sta,diġ** unbeständig; unstet; **~'stan,dseliġ** unaufhörlich; **~'sty,rliġ** unbändig; **~sun,d̦** ungesund; **~'sy,nliġ** unsichtbar; **~sæd'va,nliġ** ungewöhnlich; **~sødet** ungesüßt; **~'tall,iġ** zahllos; **~tide**: *i~* ungelegen
utidig [-tiˀði] unpassend
util|fred̦s unzufrieden; **~fred̦sstill,end̦e** unbefriedigend; **~'gæng,eliġ** unzugänglich; **~'nær,meliġ** unnahbar; **~pas** unwohl; **~regnelig** [-'ʀɑjˀnəli] unzurechnungsfähig; **~'strækkeliġ** ungenügend; **~ta,lend̦e** unsympathisch
utro, untreu; **~liġ** [-'tro-] unglaublich; **~ska,b** Untreue *f*; **~vær,diġ** unglaubwürdig
u|tryg [-tʀœg] unsicher; **~'trætteliġ** unermüdlich; **~tvety,diġ** [-ty-] eindeutig; **~'tviv,lsom**, zweifellos; **~'ty,deliġ** undeutlich; **~'tænkeliġ** undenkbar; **~tæt** undicht; **~tøj** [-tɔj] *n* Ungeziefer *n*; **~'tå,leliġ** unerträglich; **~tål'mo,diġ** ungeduldig; **~tål'mo,diġhed** Ungeduld *f*
u|ud'hol,d̦eliġ [-uð-] unerträglich; **~undgåelig** [-ån'gåˀəli] unvermeidlich; **~undværlig** [-ån'vaˀʀli] unentbehrlich
u|vane schlechte Gewohnheit *f*; **~vant** [-vanˀd] ungewohnt; **~vedkomm,end̦e** [-veð-] unbefugt; *su* Unbefugte *pl*; **~vejr** *n* Unwetter *n*; **~venliġ** unfreundlich; **~ven,tet** unerwartet; **~'vi,dend̦e** unwissend; **~vil'kå,rliġ** [-i-] unwillkürlich
u|vis ungewiss; **~vur'de,rliġ**

unschätzbar; **~'væ͵ġerliġ** unweigerlich; **~væ͵rdiġ** unwürdig; **~væ͵sentliġ** unwesentlich; **~ægte** unecht; *Kind* unehelich; **~ær͵liġ** unehrlich; **~ønsket** [-øn'sgəð] unerwünscht; **~åbnet** ungeöffnet
u.å. (*uden årstal*) o.J. (*ohne Jahr*)

V

V, v [ve'] *n*: ***et stort* ~** ein großes V
v (*ved*) b. (*bei*); a. (*an*)
V (*Vestre*) *bei Ortsnamen* W. (*West-*)
vable ['va:-] (*-r*) Blase *f*
vaccin|ation [vɑgsina'sjo'n] Impfung *f*; **~'e͵re** impfen (***mod*** gegen)
vade ['va:ðə] waten; **~hav** *n* Wattenmeer *n*
vaffel (*-fler*) Waffel *f*; **~is** Eiswaffel *f*
vag [va'j] vage
vagabond [-'bån'd] Vagabund(in) *m*(*f*)
vagt Wache *f*; ***være på* ~** auf Wache sein; auf der Hut sein (***over for*** vor); **~havende** … vom Dienst
vagtselskab *n* Überwachungsfirma *f*
vaje ['vɑjə] wehen
vakle taumeln, schwanken; **~vorn** [-vɔ'n] wackelig
valg [val'j] *n* (=) Wahl *f*; **~fri** wahlfrei; **~te** wählte *etc* (*imperf* → ***vælge***)
valmue ['valmu:ə] (*-r*) Mohn *m*
valnød ['valnøð'] Walnuss *f*
val͵s [va-] (*-e*) Walzer *m*
vamm͵el ekelhaft; zu süß
vand [van'] *n* Wasser *n*; ***løbe i* ~ *Augen*** tränen; ***med rindende* ~** mit fließendem Wasser
vand|cykel Paddelboot *n*; **~e** [-a-] gießen; sprengen; **~et** [-a-] wässerig; fade; **~fald** *n* Wasserfall *m*
vand|hane Wasserhahn *m*; **~ing** [-a-] Bewässerung *f*; Sprengen *n*; **~kanḍe** Gießkanne *f*; **~land**, *n* Badezentrum *n*; **~løb** *n* Wasserlauf; Bach *m*
vand|man͵ḍ Qualle *f*; Wassermann *m*
vand|mærke *n* Wasserzeichen *n*
vandre wandern; **~ḥjem**, *n* Herberge *f*
vand|ret ['vanʀɑd] waagerecht; **~skorpe** Wasseroberfläche *f*; **~skræk** wasserscheu
vane ['va:nə] (*-r*) Gewohnheit *f*; **~sag**: ***en* ~** Gewohnheitssache *f*
vaniljekrans *Keks in Form eines Kränzchens* (*dän. Weih-*

nachtsgebäck)
vanke: ***der ~r ngt*** j-d kann sich auf etw gefasst machen; etw wird serviert
van|røgte [-ʀœgdə] verwahrlosen; **~si,re** entstellen; **~skabt** missgestaltet
vanskeliġ [-a-] schwierig; **~hed** Schwierigkeit *f*
vant [vanˀd]: **~ *til*** gewöhnt an
vante [-a-] (*-r*) Fausthandschuh *m*
van|tro skeptisch; **~vid** ['vanvið] *n* Wahnsinn *m*; **~vittiġ** wahnsinnig; **~ære** [-aːɔ] entehren; *su* Schande *f*
var [vɑ] war *etc* (*imperf* → ***være***)
vare[1] ['vɑː] dauern
vare[2] (*-r*) Ware *f*; ***våde ~r*** F alkoholische Getränke; **~deklaration** Beipackzettel *m*; **~hu,s** *n* Kaufhaus *n*; **~mærke** *n* Warenzeichen *n*
vareta,ġe ['vɑː-] wahrnehmen; betreuen
varetægt Obhut *f*
varetægtsfængsel *n* Untersuchungshaft *f*
varevogn ['vɑːvɔŭˀn] Lieferwagen *n*
varig ['vɑːi] dauerhaft; dauernd; **~he,d** Dauer *f*
var,m warm, heiß; **~ *på ngn*** F in j-n verliebt; **~e** ['vɑːmə] wärmen; aufwärmen; *su* Wärme; Heizung *f*; **~eappara,t** *n* Heizkörper *m*; **~edunk** [-dåŋˀg] Wärmflasche *f*; **~epude** Heizkissen *n*
var,s|el *n* (*-ler*) Warnung *f*; Vorzeichen *n*; **~le** ['vɑːslə] verkünden
varsom ['vɑːsɔmˀ] behutsam, vorsichtig
vask [va-] (*-e*) Wäsche *f*; Ausguss *m*; ***gå i ~en*** misslingen; ***lægge til ~*** zur Wäsche legen
vaske [-a-] waschen; **~ *op*** abwaschen; **~klud,** Waschlappen *m*; **~kumme** Waschbecken *n*; **~'ri,** *n* Waschsalon *m*; **~tøj** *n* Wäsche *f*; **'~ægte** waschecht (*a fig*)
vat [vad] *n* Watte *f*; **~tot** (*-ter*) Wattebausch *m*; **~tæppe** *n* Steppdecke *f*
wc ['veˀseˀ] *n* (*-er*) Toilette *f*
ved[1] [veˀð] weiß *etc* (*präs* → ***vide***)
ved[2] [veð] bei, an; durch; *Zeit* um; ***være ~ at*** dabei sein zu; gerade (etw tun)
vedbend ['veðbɛnˀ] (=) Efeu *m*
vedblive ['veðbliˀ] fortfahren (***med*** mit)
vederlag ['veːðɔ-] *n* Honorar *n*
ved|føje beilegen; **~hol,dende** beharrlich; anhaltend; **~hæfte** beilegen (*a EDV*); **~hæng** *n* Anhang; *Schmuck* Anhänger *m*; **~ken,de**: **~ *sig*** sich bekennen zu; **~komm,e** angehen;

~lagde [-la?ə] legte bei *etc* (*imperf* → **vedlægge**); **~lagt** beiliegend, anbei; **~'lige-hol,de** erhalten, pflegen; **~lægge** beilegen

ved|r. (*vedrørende*) betr. (*betreffend*); **~rø,re** angehen, betreffen; **~ta,ge** beschließen; annehmen; **~tagelse** Beschluss *m*; **~tægt** Vorschrift *f*; **~va,rende** anhaltend

weekend Wochenende *n*

veer ['ve?ɔ] *pl* Wehen *pl*

vege'ta,r Vegetarier(in) *m(f)*

vegne ['vɑjnə]: **'*alle*~** überall; ***på fa'mi,liens* ~** im Namen der Familie

vej [vɑj?] (*-e*) Weg *m*; Straße *f*; ***blind* ~** Sackgasse *f*; ***hvad er der i ~en?*** was ist los?; was hast du?; ***på* ~** unterwegs; **~bane** Fahrbahn *f*

veje ['vɑjə] wiegen

vej|grøft Straßengraben *m*; **~kant** Straßenrand *m*; **~kryds** *n* (=) Kreuzung *f*

vejl|.: ~ ***pris*** Preisempfehlung *f*; **~ede** ['vɑjle?ðə] beraten; betreuen; **~r** Berater(in) *m(f)*; Betreuer(in) *m(f)*

vejr [va?ʀ] *n* Wetter *n*; ***trække ~et*** atmen; **~e** ['vɑjʀɔ] wittern; **~melding** ['vaʀ-] Wetterbericht *m*; **~trækning** Atmung *f*; **~udsigt** Wettervorhersage *f*

vej|salt ['vɑj-] *n* Streusalz *n*; **~skilt** *n* Straßenschild *n*; **~sving,** *n* (Straßen-)Kurve *f*; **~vi,ser** (*-e*) Wegweiser *m*

veks|el (*-ler*) Wechsel *m*; **~elku,rs** Wechselkurs *m*; **~le** wechseln; umtauschen

vel¹ [vɛl] *n* Wohl *n*

vel² wohl; zwar; reichlich; ***~ vil jeg ej!*** das mache ich auf keinen Fall!

vel|assorteret mit großer Auswahl; **~befin,dende** *n* Wohl *n*; **~bekomm,e**: ***~!*** guten Appetit!; ich hoffe, es hat geschmeckt!; **~eg,net** geeignet (***til*** zu)

vel|færd Sozialleistungen *pl*; **~færdsstat** Sozialstaat *m*; **~ha,vende** wohlhabend; **~holdt** gut gepflegt, in gutem Zustand

vel|komm,en willkommen; **~kom,st** Begrüßung *f*; **~lidt** beliebt; **~lykket** gelungen

vel|opdragen [-ɔpdrɑū?-] gut erzogen; **~plejet** [-plɑj?əð] gepflegt; **~se,t** gern gesehen, beliebt; **~'si,gne** segnen

velskabt gut gewachsen; *Baby* gesund

vel|stan,d Wohlstand *m*; **~stillet**, **~stående** wohlhabend; **~vilje** Wohlwollen *n*; **~være** [-vaːɔ] *n* Wohlbefinden *n*

vemodig [ve'mo?ði] wehmütig

ven [vɛn] (*-ner*) Freund(in) *m(f)*

vende wenden; **~ *om*** umkehren; **'~ *sig*** sich umdrehen; **~ *tilbage*** zurückkehren;

~punk,t *n* Wendepunkt *m*
vending (Rede-)Wendung *f*
ven|'inde (*-r*) Freundin *f*
venlig freundlich; ***væ,r så ~*** bitte; seien Sie so freundlich
venska,b *n* Freundschaft *f*
venstre linke(r, -s); ***til ~*** (nach) links
Venstre: ***det ~*** *rechtsliberale Partei in Dänemark*; ***det Radikale ~*** *linksliberale Partei in Dänemark*
'venstre|håndet: ***være ~*** Linkshänder(in) sein; **~mand** *Mitglied od Wähler(in) von* → ***Venstre***
vente warten (***på*** auf); erwarten
ventesa,l Wartesaal *m*
verden (die) Welt *f*
verdens|berøm,t weltberühmt; **~de,l** Erdteil *m*; **~hjørne** *n* Himmelsrichtung *f*; **~kri,g** Weltkrieg *m*; **~mester** Weltmeister(in) *m*(*f*); **~plan** internationale Ebene (***på*** auf); **~rekord** Weltrekord *m*
verdslig weltlich
vers *n* (=) Vers *m*; Strophe *f*
vest[1] (*-e*) Weste *f*
vest[2] Westen; ***fra ~*** aus dem Westen; ***mod ~*** Richtung Westen
Vesterha,vet *n* (*aus dän. Sicht küstennahe*) (die) Nordsee *f*
vest|fra aus dem Westen; **~lig** westlich; **~på** Richtung Westen
veteranbil *Kfz* Oldtimer *m*
vha. (*ved hjælp af*) mit Hilfe von
vi wir
vice- ['viːsə] Vize-
vicevært Hausmeister(in) *m*(*f*)
vid[1] [við] *n* Witz *m*
vid[2] [viˀð] weit
vidde ['viˀdə] (*-r*) Weite *f*
vide ['viːðə] wissen; **~begæ,rlig** wissbegierig
viden ['viːðən] Wissen *n*
videnska,b ['viːðən-] Wissenschaft *f*; **~sman,d** [-sgabs-] Wissenschaftler(in) *m*(*f*)
video|bånd *n* Video *n*; **~optagelse** Videoaufnahme *f*
videre ['viðɔʀɔ] weiter; ***indtil ~*** bis auf weiteres; soweit; **~gående**: ***~ uddannelse*** Hochschulausbildung *f*; **~kom,ne** *pl* Fortgeschrittene
vidne ['viðnə] zeugen; *su n* (*-r*) Zeuge *m*, Zeugin *f*; **~sby,rd** *n* Zeugnis *n*; **~udsagn** [-uðsaŭˀn] *n* Zeugenaussage *f*
vidste wusste *etc* (*imperf* → ***vide***)
vidt [vid] weit
vidunder ['viðånˀɔ] *n* (*-e*) Wunder *n*; **~lig** [-'ånˀɔli] wunderbar
vie [viˀ] weihen; widmen; trauen; **~lse** (*-r*) Trauung *f*; **~lsesring,** Ehering *m*
wie,nerbrø,d *n* Plundergebäck *n*
vievan,d ['viˀə-] *n* Weihwasser *n*

vifte wehen; wedeln; *su* (*-r*) Fächer *m*
vig [viˀ] (*-e*) (kleine) Bucht *f*
vige ['viːə] weichen; **~pligt** Wartepflicht *f*; **~spoˌr** *n* *Esb* Weiche *f*
vigtig wichtig; **~hed** Wichtigkeit *f*
vi'kaˌr Stellvertreter(in) *m(f)*; Vertretung *f*
vikle wickeln
vil will *etc* (*präs* → ***ville***)
vild [viˀl] wild; **~else** [-il-] Fieberwahn *m*; **~lede** ['villeˀðə] irreführen, täuschen; **~rede** [-ʀaːðə] Verwirrung *f*; **~spoˌr** *n* falsche Fährte *f*; **~sviˌn** *n* Wildschwein *n*
vilˌdt [vi-] *n* Wild *n*
vilje [-i-] (*-r*) Wille *m*; ***få*, *sin* ~** seinen Willen durchsetzen
vilkår ['vilkɔˀ] *n* (=) Bedingung *f*
vilkårlig [-'kɔˀli] willkürlich
ville [-i-] wollen; werden
villig [-i-] willig, gewillt
vin [viˀn] (*-e*) Wein *m*
vinˌd¹ (*-e*) Wind *m*
vinˌd²: **~ *og skæv*** F völlig schief; F high
vinde gewinnen
vinˌdeltrappe Wendeltreppe *f*
vinder Gewinner(in) *m(f)*, Sieger(in) *m(f)*
vindmølle Windmühle *f*, Windrad *n*
vindretning Windrichtung *f*
vindrue ['viːndʀuːə] Weintraube *f*
vind|spejl ['vensbɑjˀl] *n* Windschutzscheibe *f*; **~stille** Windstille *f*; **~styrke** Windstärke *f*; **~stød** *n* Windstoß *m*
vindue ['vendu] *n* (*-r*) Fenster *n*; **~polerer** Fensterputzer(in) *m(f)*; **~skarˌm** Fensterbrett *n*; **~svisker** [-vesgɔ] (*-e*) Scheibenwischer *m*
vineddike ['viːn-] Weinessig *m*
vinflaske Weinflasche *f*
vinge (*-r*) Flügel *m*
vinglas ['viːn-] *n* Weinglas *n*
vinhøst Weinlese *f*
vink [veŋˀg] *n* (=) Wink *m*
vinke winken (***til ham*** ihm, ***til hende*** ihr)
vinkel ['veŋˀgəl] (*-kler*) Winkel *m*
vinkælder ['viːn-] Weinkeller *m*
vinˌter (*-re*) Winter *m* (***til*, *i*** im)
vinˌterfrakke Wintermantel *m*
vinˌtergæk (*-ker*) Schneeglöckchen *n*
viol [vi'oˀl] Veilchen *n*
vio'liˌn Geige *f*; **~ist** [-'nisd] Geiger(in) *m(f)*
vippe (*-r*) Wippe *f*; Sprungbrett *n*; (Augen-)Wimper *f*
virk|e [-i-] wirken; **~elig** wirklich; **~eliggøˌre** verwirklichen; **~emiddel** *n* Mittel *n*; **~ning** [-i-] Wirkung *f*; **~ningsløˌs** unwirksam; **~somˌ** [-i-] wirksam, tätig; **~someˌd** Tätigkeit *f*; Betrieb *m*

vis[1] [vi?s] *Art* Weise *f*
vis[2] weise
vis[3] [ves] gewiss, sicher
visdom Weisheit *f*
vise ['viːsə] zeigen; *su* (*-r*) Lied *n*; **~r** ['viːsɔ] (*-e*) Zeiger *m*
vished ['veshe?ð] Gewissheit *f*
vi'sit (*-ter*) Besuch *m*, Visite *f*; **~kort** *n* Visitenkarte *f*
viske wischen; **~ u**,**d** ausradieren
viskelæder *n* Radiergummi *m*
viskestykke *n* Geschirrtuch *n*
vismand Weise(r) *m/f*; Wirtschaftsweiser *m* (*der dän. Regierung*)
vis|ne verwelken; **~sen** welk
vist wohl; **~'nok** wahrscheinlich
vittiġ [-i-] witzig; **~he**,**d** Witz *m* (*Geschichte*)
VM ['ve?ɛm] *n* (*verdensmesterskab*) WM (*Weltmeisterschaft*) *f*
vogn [vɔŭ?n] (*-e*) Wagen *m*; **~mandsfo'rretning** ['vɔŭn-] Fuhrunternehmen *n*
vogte hüten
voks *n* Wachs *n*; **~du**,**ġ** *n* Wachstuch *n*
vokse wachsen; **~ op** aufwachsen; **~n** (*voksne*) Erwachsene(r) *m/f*; *adj* erwachsen
vold[1] [vɔl?] (*-e*) Wall *m*
vold[2] Gewalt *f*
vold|e verursachen; **~eliġ** gewalttätig; **~**,**smand**, Gewalttäter *m*; **~som** gewaltig; gewaltsam; **~ta**,**ġe** vergewaltigen
voldtægt Vergewaltigung *f*
voldtægtsmand Vergewaltiger *m*
vom F (*großer*) Bauch *m*, Wampe *f*
vor [vɔː], **vort** *n*, **vore, vores** [vɔːs] *pl* unser(e)
Vor'herre der Herrgott; ♀ **be'vares!** *etwa* dass ich nicht lache!
vorte (*-r*) Warze *f*
vov: **~!** *Hund* wau!
vove ['våːŭə] wagen
vrag [vʀɑ?ŭ] *n* (=) Wrack *n* (*a fig*)
vralte watscheln
vrang, *Tex* linke Seite; **~villiġ** [vʀɑŋ-] widerwillig, mürrisch
vranten mürrisch
vred[1] [vʀa?ð] drehte; wrang *etc* (*imperf* → **vride**)
vred[2] böse, zornig (**på** auf); **~e** ['vʀaːðə] Zorn *m*
vride ['vʀiːðə] drehen; wringen
vrikke ['vrakə] wackeln (**med** mit)
vrim|le wimmeln (**med** von); **~mel** ['vʀam?əl] Gewimmel *n*
vrinske wiehern
vrist Spann *m*
vræ,**l** *n* (=) Heulen *n*; **~e** ['vʀaːlə] heulen
vrøvl [vʀɔŭ?l] *n* Unsinn, Quatsch *m*; **~e** quatschen, fa-

seln
vugge wiegen, schaukeln; *su* (*-r*) Wiege *f*; **~sang** Wiegenlied *n*; **~stue** Kinderkrippe *f*; **~vise** Wiegenlied *n*
vul'gæ,r vulgär
vundet gewonnen (*p/p* → ***vinde***)
vur'de,re (ab)schätzen; bewerten
vvs- [veve'ɛs] *Heizungs-, Lüftungs- und sanitäre Anlagen betreffend*; **~*-firma*** *etw* Gebäudetechnik *f*; **~*-mand*** *etwa* Installateur *m*
vædde ['vɛːðə] wetten (***om*** um); **~lø,b** *n* Wettrennen *n*; **~må,l** *n* Wette *f*
vædder ['vɛðˀɔ] (*-e*) Widder *m* (*a Sternzeichen*)
væ,g (*-ge*) Wand *f*
væge ['vɛːə] (*-r*) Docht *m*
vægmale'ri, [vɛːg-] *n* Wandgemälde *n*
vægt (*-e*) Waage *f*; Gewicht *n*; ***i løs ~*** lose, nicht verpackt (*Ware*); **~afgift** *Kfz-Steuer nach Gewicht des Autos*
vægter (*-e*) Wächter(in) *m*(*f*)
vægtfylde spezifische(s) Gewicht *n*
væ,g til væg-tæppe *n* Teppichboden *m*
vægtning Gewichtung *f*
væk weg, fort; ***langt ~*** weit weg
vække (er)wecken; **~u,r** *n* Wecker *m*
vækst Gewächs; Wachstum *n*; Wuchs *m*
væld̈ig gewaltig
vælge ['vɛljə] wählen; **~r** (*-e*) Wähler(in) *m*(*f*)
vælling (dünner) Brei *m*
vælte umwerfen; umkippen, umfallen
væmmel|iġ ekelhaft; **~se** Ekel *m*
vænne gewöhnen (***til*** an)
vær. (*værelse*) Zi. (*Zimmer*)
værd [vaˀʀ] *n* Wert *m*; *adj* wert
værdi [vaʀ'diˀ] Wert *m*; **~ful,d̦** wertvoll; **~ġ** würdig; **~genstan,d̦** Wertgegenstand *m*
værd'ilø,s wertlos
værdsætte [vaʀ-] schätzen, würdigen
være ['vaːɔ] sein; ***af en dansker at ~*** für einen Dänen … (*z.B.: ist er sehr formell*); ***~ med*** teilnehmen, dabei sein; verstehen; ***~ til*** existieren; **~lse** *n* (*-r*) Zimmer *n*; **~måde** [-måːðə] Art *f*, Wesen *n*
værft *n* Werft *f*
værk *n* Werk *n*; **~fører** Betriebsleiter(in) *m*(*f*); **~sted** *n* Werkstätte *f*; **~tøj** *n* Werkzeug *n*
værne schützen; **~pligt** Wehrpflicht *f*, Wehrdienst *m* (***aftjene*** ableisten)
vær|re schlimmer; **~st** am schlimmsten
værsgo: **~!** [vaʀ'sgoˀ] bitte!
vært Wirt(in) *m*(*f*); **~shu,s** *n* Kneipe *f*

væ,sen *n* Wesen; Geschöpf *n*; **~tlig** wesentlich
væske eitern; *su* (*-r*) Flüssigkeit *f*
væv [vɛʔŭ] *n* Gewebe *n*; (*-e*) Webstuhl *m*; **~e** ['vɛːvə] weben; faseln
våben¹ ['våʔbən] *n* (*-er*) Wappen *n*
våben² *n* (=) Waffe *f*; **~hus** *n* Kirchenvorraum *m*; **~tilladelse** Waffenschein *m*
våd [våʔð] nass; **~dragt** Taucheranzug *m*
våge¹ ['våːŭə] wachen (*over* über)
våge² (*-r*) Eisloch *n*
vågeblus *n* Sparflamme *f*
vågen ['våːŭən] wach
vågne ['våŭnə] aufwachen, erwachen
vås [våʔs] *n* Unsinn, Quatsch *m*

W

W, w *siehe alphabetisch unter* → **v**

Y

Y, y [yʔ] *n*: **et stort ~** ein großes Y
yacht [jɑgd] Jacht *f*
yde ['yːðə] leisten; **~evne** [-ɛŭnə] Leistungsvermögen *n*; **~lse** (*-r*) Leistung *f*
yderdistrikt ['yːðɔ-] *n* Außenbezirk *m*
yderlig äußerlich; **~gå,ende** extrem
yderst ['yʔðɔsd] äußerst
ydmyg ['yðmyʔ] demütig; **~else** (*-r*) Demütigung *f*
ydre ['yðʀɔ] *n* Äußere(s); *adj* äußer-
ylette® [yl'ɛdə] Dickmilch *f* aus fettentrahmter Milch
ymer® ['yʔmɔ] *etwa* Dickmilch *f*
ynde ['ønə] Anmut *f*; Reiz *m*; **~ful,d** anmutig; **~t** beliebt
yndig ['øndi] reizend; süß
yndlings- ['ø-] Lieblings-
yngel ['øŋʔəl] Brut *f*
yngre ['øŋ-] jünger
ynk [øŋʔg] Jammer *m*; **~elig** ['øŋgə-] jämmerlich
yoghurt Joghurt *m*
ypperlig ['y-] hervorragend
yppig ['y-] üppig
yt [yd] F *Mode etc* out
ytr|e ['y-] äußern; **~ing** Äußerung *f*; **~ingsfrihed** Redefreihet *f*
yver ['yʔŭɔ] *n* (*-e*) Euter *m*

Z

Z, z [sɛd] *n*: ***et stort*** ~ ein großes Z
zappe ['sɑbə] *TV* zappen
zoologisk [soːˈloˀisg]: ~ ***have*** Zoo *m*

Æ

Æ, æ [ɛˀ] *n*: ***et stort*** ~ ein großes Æ
æble ['ɛːblə] *n* (-*r*) Apfel *m*; **~grød** Apfelmus *n*; **~most** Apfelsaft *m*; **~skiver** *gebratene Teigbälle mit Marmelade od Zucker*; *bsd zu Weihnachten*
æde ['ɛːðə] fressen; **~dolk** Vielfraß *m*
ædel ['ɛˀðəl] edel; **~ste,n** (-*e*) Edelstein *m*
ædru ['ɛːdʀuˀ] nüchtern
æ,g¹ *n* (=) Ei *n*
æ,g² (-*ge*) Schneide *f*
ægge reizen; anspornen
ægge|blomme Dotter *m*; **~bæġer** *n* Eierbecher *m*; **~hvide** [-viːðə] (-*r*) Eiweiß *n*; **~kage** (dickes) Omelett (*oft mit Bacon u Schnittlauch*)
ægløsning Eisprung *m*
ægte echt; **~fælle** (-*r*) Gatte *m*; Gattin *f*; **~par** Ehepaar *n*; **~ska,b** *n* Ehe *f*
æ,kel ekelhaft
ækvator [ɛ'kvatɔ] Äquator *m*
æld|es altern; '**~'gammel** uralt; **~re** [-drɔ] älter; **~st** ältest
ælling Entlein *n* (***grim*** hässliches)
ælte kneten; *su n* Matsch *m*
ænder ['ɛnˀɔ] *pl* Enten (→ ***and***)
ændre ändern (***på*** an)
ængsteliġ ängstlich
ænse bemerken
ære ['aːɔ] Ehre *f*; ***på ~!*** Ehrenwort!; **~so,rd** *n* Ehrenwort *n*
ærgerlig ['aʀůəli] ärgerlich
ærgerrig [-'gaˀʀi] ehrgeizig
ærgre ['aʀůʀɔ] ärgern; **~lse** (-*r*) Ärger *m*
ærinde ['ɛʀənə] *n* (-*r*) Auftrag *m*
ærke- [aʀgə-] erz-
ærliġ ehrlich; ~ ***talt*** um ehrlich zu sein; **~hed** Ehrlichkeit *f*
ærme *n* (-*r*) Ärmel *m*
ært [aˀʀd] Erbse *f*
æ,sel *n* (*æsler*) Esel *m*
æske (-*r*) Schachtel *f*
ætse ätzen
ævl [ɛŭˀl] *n* Quatsch *m*

Ø

Ø, ø [øˀ] *n*: ***et stort*** ~ ein großes Ø
øˌ Insel *f*
ø. (*øst*) O. (*Ost*)
øbo Inselbewohner(in) *m*(*f*)
øde ['ø:ðə] öde; **~lægge** zerstören; **~læggelse** (-*r*) Zerstörung *f*
øf: *~! Schwein* grunz!
øge ['ø:ə] vermehren; beschleunigen; **~navˌn** *n* Spitzname *m*
øgle ['ɔjlə] (-*r*) Echse *f*
øh äh
øje ['ɔjə] *n* (*øjne*) Auge *n*; ***få ~ på*** entdecken; **~blik** *n* Augenblick *m*; **~'blikkeliġ** augenblicklich; jeweilig; **~kast** *n* Blick *m*; **~med** [-mɛð] *n* Zweck *m*
øjen|bryˌn ['ɔjən-] *n* Augenbraue *f*; **~dråber** *pl* Augentropfen *pl*; **~låg** [-låˀŭ] *n* Augenlid *n*; **~skygge** Lidschatten *m*; **~'syˌnliġ** augenscheinlich; **~vidne** *n* Augenzeuge *m*, Augenzeugin *f*; **~vipper** *pl* Wimpern *pl*
økono'miˌ Wirtschaft *f*
økse ['ø-] (-*r*) Axt *f*, Beil *n*
øl [øl] *n* Bier *n*; **~lebrød** *Zucker-Brot-Brei*; **~oplukker** (-*e*) Flaschenöffner *m*
øm [œmˀ] wund; zärtlich; **~heˌd** [œm-] leichter Schmerz; Zärtlichkeit *f*;
~me: ~ ***sig*** *vor Schmerz* stöhnen
ønske ['ø-] wünschen; *su n* (-*r*) Wunsch *m*; **~drømˌ** Wunschtraum *m*; **~liġ** wünschenswert
ør [øˀʀ] wirr
øre[1] ['ø:ɔ] Öre (*1/100 dänische Krone*)
øre[2] *n* (-*r*) Ohr *n*; **~døˌvende** ohrenbetäubend; **~flip** (-*per*) Ohrläppchen *n*; **~gangˌ** Gehörgang *m*; **~læġe** Ohrenarzt *m*, Ohrenärztin *f*; **~prop** Ohrstöpsel *m*; **~ringˌ** Ohrring *m*; **~tæve** [-tɛ:ŭə] (-*r*) Ohrfeige; Schlappe *f*; **~voks** *n* Ohrenschmalz *n*
ørken ['ɔ̈ʀgən] Wüste *f*
ørn [ɔ̈ʀˀn] (-*e*) Adler *m*
ørred ['ɔ̈ʀəð] Forelle *f*
øse ['ø:sə] schöpfen
øst [øsd] Osten *m*; ***mod*** ~ Richtung Osten; **~envind** Ostwind *m*
østers ['ø-] (=) Auster *f*
Øst|ersøen (die) Ostsee *f*; **≗fra** aus dem Osten; **≗på** Richtung Osten; **~rig** ['ø-] *n* Österreich *n*; **~tyskland** *n* Ostdeutschland *n*, *hist* DDR *f*
øv: *~!* [œŭ] F ach!; wie schade!
øv. (*øverst*) ob. (*oberst, zuoberst*)
øve ['œ:ŭə] üben; **~lse** (-*r*)

Übung *f*
ø,verst oberst-; zuoberst
øvr. (*øvrige*) übr. (*übrige*)
øvre ['øũʀɔ] ober-
øvrig ['øũʀi] übrig; ***for*** *od* ***i ~t*** übrigens; im Übrigen

Å

Å, å¹ [å?] *n*: ***et stort ~*** ein großes Å
å² Bach; (kleiner) Fluss *m*
åben ['å:bən] offen; **~ba,r** offenbar; **~ly,s** offensichtlich
åbn|e ['å:bnə] öffnen; **~ing** Öffnung *f*
åd [å?ð] fraß *etc* (*imperf* → ***æde***)
åh: **~!** ach!
ål [å?l] (=) Aal *m*
ånd [ɔn?] Geist *m*
ånde ['ɔnə] atmen; *su* Atem *m*; ***dårlig ~*** Mundgeruch *m*; **~dræt** Atmung *f*; **~lig** geistig
ånd,s|fravæ,rende geistesabwesend; **~nærvæ,relse** Geistesgegenwart *f*; **~sva,g** schwachsinnig
år [ɔ?] *n* (=) Jahr *n*
åre¹ ['ɔ:ɔ] (*-r*) Ruder *n*; Paddel *n*
åre² (*-r*) Ader *f*; **~knude** Krampfader *f*
årevi,s ['ɔ:ɔ-]: ***i ~*** jahrelang
år|g. ['ɔ:-] (*årgang*) Jahrg. (*Jahrgang*); **~gang,** Jahrgang *m*; **~'hundrede** *n* (*-r*) Jahrhundert *n*; **~lig** jährlich
årsag ['ɔ:sa?] Ursache *f* (***til*** des, der; für)
årsskifte *n* (*-r*) Jahreswechsel *m*
år|ti [ɔ:'ti?] *n* Jahrzehnt *n*; **~'tu,sind** *n* (*-r*) Jahrtausend *n*

Deutsch – dänisches Wörterverzeichnis

A

Aal *m* ål (=)
ab *adv Ursprung* fra; *weg* bort; *nach unten* ned; ~ ***und zu*** af og til; *präp* fra
abändern forandre
abartig underlig; pervers
Abbau *m* udvinding
abbauen afskedige; *Zelt* tage ned; *Bergbau* udnytte
ab|beißen bide af; **~bekommen** *s-n Teil* få; *lösen* få af; **~berufen** hjemkalde; **~bestellen** afbestille; **~bezahlen** betale af på; **~biegen** *v/i* dreje af; **≗biegung** *f* frakørsel
Abbildung *f* illustration
ab|binden *losbinden* løse; **~blättern** *v/i* skalle
abblend|en *v/i Kfz* blænde ned; **≗licht** *n* nærlys *n*
ab|brechen *v/t* brække af; *Gespräch etc* afbryde; *Haus* rive ned; **~brennen** *v/i* brænde; *v/t* afbrænde
ab|bringen: ***ihn ~ von*** få ham fra; **~bröckeln** smuldre
Abbruch *m Bau* nedrivning; *fig* afbræk *n*; **≗reif** saneringsmoden
ab|brühen blanchere; **~bürsten** børste af; **~büßen** *Strafe* afsone; **~checken** tjekke
Abdeckcreme *f* makeupcreme
ab|decken *zudecken* dække til; **~dichten** tætne; **~drehen** *Wasser etc* lukke for; *v/i Verkehr* dreje af; *Gesicht* vende bort
Abdruck *m* aftryk *n* (=)
abdrücken *schießen* trykke af
Abend *m* aften; ***heute ~*** i aften; ***guten ~!*** god aften!; ***zu ~ essen*** spise aftensmad
Abend|brot *n*, **~essen** *n* aftensmad; **≗füllend** helaftens-; **~kasse** *f* aftenkasse; **~kleid** *n* aftenkjole; **≗lich** aften-; **~mahl** *n Rel* nadver
abends om aftenen
Abendvorstellung *f* aftenforestilling
Abenteuer *n* eventyr *n* (=); **≗lich** eventyrlig
aber men; ***das ist ~ nett von dir/Ihnen!*** det er vel nok pænt af dig!; ~ ***gern!*** meget gerne!
Aber|glaube *m* overtro; **≗gläubisch** overtroisk
aberkennen frakende
abermals igen
abfahrbereit klar til at køre

abfahren *Zug etc* afgå; *weg* køre væk; *nach unten* køre ned
Abfahrt *f* afgang; *Sport* nedfart
Abfahrtstag *m* afrejsedag
Abfahrtszeit *f* afgangstid
Abfall *m* affald *n*; *Abhang* skråning; **~eimer** *m* skraldespand
abfallen falde af; *Straße* skråne
abfällig nedsættende
ab|fangen fange; *fig* opsnappe; **~färben** smitte af
abfertigen ekspedere
Abfertigung *f* ekspedition
ab|feuern affyre; **~finden**: ***sich ~ mit*** finde sig i; **~flauen** *Wind* løje af; **~fliegen** starte; **~fließen** løbe væk
Abflug *m* afgang; **~tag** *m* afrejsedag; **~zeit** *f* afgangstid
Abfluss *m* afløb *n* (=); **~rohr** *n* afløbsrør *n*
abführ|en *Gewinn etc* udbetale; *Häftling* føre væk; *Med* have afføring; **≗mittel** *n* afføringsmiddel *n*
Ab|gabe *f Verkauf* salg *n* (=); *Steuer* afgift; **~gang** *m* afgang; **~gangszeugnis** *n* afgangsbevis *n*; **~gase** *pl* udstødning
abgeben afgive; ***sich ~ mit*** give sig af med
abge|brannt nedbrændt; F *ohne Geld* flad; **~brochen** knækket af; **~droschen** fortærsket; **~härtet** hærdet
abge|hen *abbrechen* gå af; *Schule* gå ud; *verlaufen* forløbe; **~kürzt** forkortet; **~laufen** *Pass etc* udløbet; **~legen** afsides; **~macht**: **~!** det er en aftale!; **~neigt** (+ *D*) utilbøjelig til; **~nutzt** slidt
Abgeordnete *m/f* delegeret; *Dänemark* folketingsmedlem
abge|rissen afrevet; *zerfetzt* laset; **~schlossen** *Tür* låst; *beendet* færdig
abgesehen: ***~ von*** bortset fra
abge|spannt udmattet; **~standen** doven; **~storben** følelsesløs; **~takelt** afdanket; **~tragen** slidt; **~winnen** (+ *D*) aftvinge; *Spiel* vinde fra; **~wogen** afbalanceret
abgewöhnen vænne af med; ***sich etw ~*** vænne sig af med ngt
ab|gießen hælde fra; **~grenzen** afgrænse
Abgrund *m* afgrund (*-e*)
abhaken krydse af
abhalten *Sitzung etc* afholde; *hindern* holde tilbage (***von*** fra); ***sich nicht ~ lassen*** ikke lade sig stoppe
abhanden: ***~ kommen*** blive væk (***mir*** fra mig)
Abhandlung *f* afhandling
Abhang *m* skråning; *steiler* skrænt
abhängen *Wagen* koble af; ***~ von*** afhænge af
abhängig afhængig; **≗keit** *f* afhængighed

abhärten hærde (***sich*** sig selv)
abhauen *v/t abhacken* hugge af; *v/i fliehen* stikke af; *verschwinden* skride
abheben *Geld* hæve; *Karte* tage af; ***sich ~ von*** adskille sig fra
abhetzen: F ***sich ~*** overanstrenge sig; *beeilen* skynde sig
Abhilfe *f*: ***~ schaffen*** råde bod på
abholen hente
ab|holzen rydde; **~horchen** *Med* lytte til
abhör|en *Schüler* høre; *Gespräch* aflytte; **2gerät** *n* skjult mikrofon
Abitur *n* studentereksamen (***machen*** tage); **~ient(in)** *m(f)* student; **~zeitung** *f* blå bog
ab|kassieren indkassere; **~kaufen** købe af
ab|knöpfen F tage af; **~kochen** koge; **~kommen** komme bort (***von*** fra)
Abkommen *n* aftale
ab|kömmlich undværlig; **2kömmling** *m* efterkommer (*-e*); **~koppeln** koble fra; **~kratzen** kradse af
abkühl|en afkøle; ***sich ~*** køle af; **2ung** *f* afkøling
abkürz|en forkorte; **2ung** *f* forkortelse (*-r*)
ablade|n losse; **2platz** *m* losseplads
Ablage *f* opbevaringssted *n*
ablager|n: ***sich ~*** aflejres; **2ung** *f Geo* aflejring
Ablauf *m Verlauf* forløb *n*; ***nach ~ von ...*** efter ...s forløb
ablaufen *geschehen* gå; *abfließen* løbe ud; *Frist* udløbe
ablegen *Akte* arkivere; *Mantel* lægge; *Prüfung* aflægge
Ableger *m Bot* aflægger (*-e*)
ablehn|en afslå; **2ung** *f* afslag *n* (=)
ableisten aftjene
ableiten aflede; *Math* udlede
ablenk|en aflede; **2ung** *f* adspredelse
ablesen aflæse
abliefer|n aflevere; **2ung** *f* aflevering; **2ungstermin** *m* afleveringsfrist
Ablösung *f* afløsning
abmach|en *vereinbaren* aftale; *entfernen* fjerne; **2ung** *f* aftale (*-r*)
Abmagerungskur *f* slankekur
abmelden afmelde; *Mitgliedschaft* melde ud
Abmeldung *f* udmeldelse (*-r*)
abmessen måle op
Abnahme *f Hdl* afsætning; *Verminderung* nedgang
abnehmen *Hut*, *Hörer* tage af; *Gewicht* tabe sig
Abnehmer(in) *m(f)* aftager (*-e*)
Abneigung *f* modvilje (***gegen*** mod)
abnutzen, **abnützen** slide; ***sich ~*** slide sig op

Abon|nement *n* abonnement *n*; **⁀nieren** abonnere (***eine Zeitung*** på en avis)
Abort *m* toilet *n* (*-ter*); *Med* Abort *m*
ab|pfeifen fløjte af; **~pflücken** plukke; **~prallen** prelle af; *Kugel* rikochettere; **~rasieren** barbere af; **~raten** fraråde; **~räumen** rydde væk
abrech|nen *v/t* fraregne; *v/i* afregne; **⁀nung** *f* afregning; *fig* opgør
Abreise *f* afrejse
abreisen tage af sted
abreißen *v/t* rive af; *Bau* rive ned; *v/i* gå af
Abreißkalender *m* afrivningskalender
ab|richten afrette; **~riegeln** lukke med slå; *fig* afspærre
Abriss *m Bau* nedrivning; *Skizze* udkast *n* (=)
abrücken *v/t* flytte; *v/i Mil* afmarchere; *Distanz* tage afstand (***von*** fra)
ab|rufbar *EDV* tilgængelig; **~rufen** *EDV* hente ned; **~runden** runde ned
abrupt abrupt
abrüst|en afruste; **⁀ung** *f* nedrustning
abrutschen glide ned
Abs. (*Absender*) afs. (*afsender*)
absacken sakke bagud
Absage *f* afbud *n* (***an*** til); *fig* nej *n*
absagen *v/t* aflyse; *v/i* sende afbud
absägen save af
Absatz *m Schuh* hæl (*-e*); *Text* afsnit *n* (=); *Hdl* afsætning
abschaben skrabe; *absichtlich* skrabe af
abschaffen afskaffe
abschälen skalle; *Frucht* skrælle
abschalten slukke for; *fig* lukke af
abschätzen vurdere
abschätzig negativ(t)
Abscheu *m od f* væmmelse; **⁀lich** afskyelig
abschicken sende af sted
abschieben skubbe over; *Asylant* udvise
Abschied *m* afsked; **~ *nehmen*** tage afsked
Abschiedsfeier *f* afskedsfest
abschießen *Rakete* affyre
Abschlag *m Hdl* nedslag
Abschlagszahlung *f Hdl* afbetaling
abschleifen slibe af
abschleppen *Auto* slæbe væk; F ***sich ~ mit*** trækkes med
Abschleppseil *n* slæbetov *n*
Abschleppwagen *m* kranvogn
abschließen låse; *beenden* afslutte
abschließend *adj* afsluttende; *adv* til slut
Abschluss *m* afslutning; **~prüfung** *f* afgangseksamen
abschmecken smage til
abschminken afsminke

abschneiden klippe af; F ***gut, schlecht ~*** klare sig godt, dårligt
Abschnitt *m* afsnit *n* (=)
abschöpfen skumme
abschrauben skrue af
abschrecken afskrække (***von*** fra); *Eier* overhælde med koldt vand; ***sich nicht ~ lassen*** ikke lade sig afskrække
abschreiben *Hdl* afskrive; *Schule* skrive af
Abschrift *f* afskrift
Abschürfung *f* hudafskrabning
Abschuss *m* nedskydning
ab|schüssig stejl; **~schütteln** ryste af; **~schwächen** svække; *fig* mildne; **~schweifen** *Thema* komme bort (***von*** fra)
absehbar: ***in ~er Zeit*** inden for en overskuelig fremtid
absehen: ***~ von*** se bort fra
abseilen fire ned (***sich*** sig)
abseits et stykke fra; ***~ stehen*** stå for sig selv
Abseits *n Sport* offside
absen|den afsende
Absender(in) *m(f)* afsender (*-e*)
absetzen *Last* sætte fra sig; *Fahrgast* sætte af; *Hdl* afsætte
Absicht *f* hensigt; **2lich** med vilje (*nachgestellt*)
Absolv|ent(in) *m(f)* dimittend; **2ieren** gennemgå; *Prüfung* bestå
absorbieren absorbere
abspalten: ***sich ~ von*** løsrive sig fra
absperr|en afspærre; **2ung** *f* afspærring
abspielen spille; ***sich ~*** foregå
Ab|sprache *f* aftale (*-r*); **2sprechen** *aberkennen* frakende; *verabreden* aftale; **2springen** springe ned; **~sprung** *m* udspring *n*; **2spülen** skylle
abstamm|en stamme (***von*** fra); **2ung** *f* afstamning
Abstand *m* afstand (*-e*) (***halten*** holde); ***in Abständen*** med mellemrum
abstauben støve af
Abstecher *m* afstikker (*-e*) (***machen*** gøre)
absteigen *Rad etc* stå af; *Hotel* tage ind (***in*** på)
abstellen *stellen* sætte fra sig; *weg* sætte væk; *ausschalten* lukke for; *Kfz* parkere
Abstellgleis *n* rangerspor *n*
Abstell|platz *m* plads; *Wohnwagen* standplads; **~raum** *m* pulterkammer *n*
abstempeln stemple (***als*** som)
Abstieg *m* nedstigning; *fig* nedgang
abstimmen stemme (***über*** om); ***aufeinander ~*** tilpasse til hinanden
Abstimmung *f* afstemning
ab|stoßen *v/t* støde af; ***... stößt mich ab*** jeg væmmes ved ...; **~stoßend** frastø-

dende
abstreiten nægte
Abstrich *m* nedskæring
Absturz *m* nedstyrtning
abstürzen styrte ned
abtasten undersøge
abtauen *Kühlfach* afrime
Abteil *n* kupe; **~ung** *f* afdeling; **~ungsleiter(in)** *m(f)* afdelingschef
Abtreibung *f Med* abort
ab|trennen udskille; **~treten** *v/t* gå af
abtrocknen tørre (***sich*** sig)
ab|wägen afveje; **~wählen** ikke genvælge; **~wälzen** vælte (***auf*** over på); **~wandeln** ændre; **~warten** afvente
abwärts nedad
Abwasch *m* opvask; **~bar** afvaskelig; **~becken** *n* vask (*-e*); **~en** *Geschirr* vaske op; *anderes* vaske af
Abwasser *n* spildevand *n*
abwechseln variere; ***sich ~*** skiftes
abwechselnd skiftesvis
Abwechslung *f* afveksling (***zur*** til en); **~sreich** varieret
Abwehr *f* modstand; *Sport* forsvar *n*; **~en** afværge; **~spieler(in)** *m(f)* forsvarsspiller
abweich|en *v/i* afvige (***von*** fra); **~end** afvigende; **~ung** *f* afvigelse (*-r*)
ab|weisen afvise; **~wenden** vende væk (***sich*** sig); **~werfen** kaste fra sig; *von oben* kaste ned
Abwertung *f* devaluering
abwesen|d fraværende; **~heit** *f* fravær *n*
ab|wickeln vikle af; *geschehen* afvikle; **~wiegen** afveje; **~wischen** tørre af
abzahlen afbetale; ***in Raten ~*** købe på afbetaling
ab|zählen tælle op; **~zapfen** aftappe
Abzeichen *n* mærke *n* (*-r*); *Mil* distinktion
abzeichnen *kopieren* tegne af; *unterzeichnen* underskrive; ***sich ~*** aftegne sig
abziehen *Math* trække fra; *Schlüssel* tage ud; *Bett* tage sengetøjet af; *weggehen* forsvinde
Abzug *m Waffe* aftrækker (*-e*); *Fot* aftryk *n* (=); ***Abzüge*** *pl Lohn* fradrag *pl*
abzugsfrei afgiftsfri
Abzweigung *f* forgrening
ach: ***~!*** åh!; *Einsicht* nåh!
Achse *f* akse (*-r*); *Kfz* aksel (*-sler*)
Achsel *f* skulder (*-dre*); **~haare** *pl* hår *pl* under armene; **~höhle** *f* armhule; **~schweiß** *m* armsved; **~zucken** *n* skuldertræk *n* (=)
acht otte; ***in ~ Tagen*** om en uge
Acht *f Zahl* ottetal *n*; ***außer ~ lassen*** ignorere; ***~ geben auf*** passe på; ***sich in ~ nehmen*** tage sig i agt
achte (-) ottende
Achtel *n* ottendedel (*-e*)

achten: ~ ***auf*** lægge mærke til; *aufpassen* passe på
Achter *m* otter (*-e*); **~bahn** *f* rutsjebane; **~deck** *n* agterdæk *n*
achtlos uagtsom
achtmal otte gange
Achtstundentag *m* ottetimersdag
Achtung *f* agtelse; **~!** pas på!; ***alle* ~!** respekt!
Achtzigerjahre *pl* firsere *pl*
ächzen stønne
Acker *m* mark; **~land** *n* landbrugsjord
Adamsapfel *m* adamsæble *n*
addieren lægge sammen
Ader *f* åre (*-r*)
Adjektiv *n* adjektiv; tillægsord *n*
Adler *m* ørn (*-e*)
adlig adelig
Admiral *m* admiral
adop|tieren adoptere; **≈tiveltern** *pl* adoptivforældre *pl*; **≈tivkind** *n* adoptivbarn *n*
Adressbuch *n* adressebog
Adresse *f* adresse (*-r*)
adressieren adressere (***an*** til)
Advent *m* advent
Adverb *n* adverbium, biord *n*
Affäre *f* affære (*-r*)
Affe *m* abe (*-r*)
affektiert affekteret
Afrikaner(in) *m(f)* afrikaner (*-e*)
afrikanisch afrikansk
After *m* anus
AG (*Aktiengesellschaft*) A/S (*aktieselskab*)
Agent(in) *m(f)* agent
Agentur *f* agentur *n*
Aggression *f* aggression
ägyptisch ægyptisk
äh øh
ähneln ligne
ähnlich lignende; ***j-m* ~ *sehen, sein*** ligne ngn
Ähnlichkeit *f* lighed (***mit*** med)
Ahnung *f* anelse (*-r*)
ahnungslos intetanende
Ahorn *m* ahorn (=)
Ähre *f* aks *n* (=)
Air|line *f* flyselskab *n*; **~port** *m* lufthavn
Akadem|ie *f* akademi *n*; **~iker(in)** *m(f)* akademiker (*-e*); **≈isch** akademisk
Akazie *f* akacie (*-r*)
Akkord *m* akkord; **~arbeit** *f* akkordarbejde *n*
Akkordeon *n* harmonika
Akku(mulator) *m* akkumulator
Akne *f* akne
Akrobat(in) *m(f)* akrobat
Akt *m* akt; *Kunst* nøgenstudie *n* (*-r*)
Akte *f* aktstykke *n* (*-r*)
Akten|mappe *f*, **~tasche** *f* dokumentmappe (*-r*); **~zeichen** *n* journalnummer
Aktie *f* aktie (*-r*)
Aktien|gesellschaft *f* aktieselskab *n*; **~kapital** *n* aktiekapital; **~kurs** *m* aktiekurs
Aktion *f* aktion
Aktionär(in) *m(f)* aktionær
aktiv aktiv; **≈ität** *f* aktivitet

aktuell aktuel
Akzent *m* accent
akzentfrei uden accent (*nachgestellt*)
akzeptieren acceptere
Alarm *m* alarm; **≈ieren** alarmere
albern *adj* pjattet; *v/i* pjatte
Albtraum *m* mareridt *n* (=)
Album *n* album *n* (*-mer*)
Algen *pl* alger *pl*
Alibi *n* alibi *n*
Alimente *pl* børnebidrag *n*
Alkohol *m* alkohol; **≈frei** alkoholfri; **≈isch** alkoholisk; **~spiegel** *m* promille; **~test** *m* spiritustest
all al; alt *n*; ***~er Art*** af enhver art; ***vor ~em*** fremfor alt, frem for alt
All *n* alt *n*; univers *n*
alle *pl* alle; → ***all***
Allee *f* allé (*alleer*)
allein alene; ***von~*** af sig selv; ***~ stehend*** enlig
allenfalls højst; *vielleicht* måske
allerdings ganske vist
Allergie *f* allergi
allergisch allergisk (***gegen*** over for)
aller|hand alt muligt; **~lei** alle slags; **~seits** overalt
alles det hele; alt; ***~ Gute!*** held og lykke!
allgemein almindelig; ***im ≈en*** i almindelighed; ***~ verständlich*** alment forståelig; **≈bildung** *f* almendannelse; **≈heit** *f* almindelighed
all|jährlich årlig; **~mählich** efterhånden, lidt efter lidt (*nachgestellt*)
Allradantrieb *m Kfz* firehjulstræk
Alltag *m* hverdag
alltäglich daglig; *schlicht* dagligdags
allzu alt for
Allzweckreiniger *m* universalrengøringsmiddel *n*
Alpen *pl* Alper
Alphabet *n* alfabet *n*; **≈isch** alfabetisk
Alptraum *m* mareridt *n*
als *nach Vergleich* end; *zeitlich* da; *Eigenschaft* som; ***~ ob*** som om
also altså
alt gammel; ***wie ~ sind Sie/bist du?*** hvor gammel er du?; ***ich bin … Jahre ~*** jeg er … år
Altar *m* alter *n* (*-tre*)
Altbau *m* gammelt byggeri
Alte *m/f* gammel kone; *Mann* gammel mand
Alten|heim *n* plejehjem *n*; **~pfleger(in)** *m(f)* hjemmehjælper
Alter *n* alder (*-re*); *Altsein* alderdom
älter ældre
Alters|genosse *m*, **~genossin** *f* jævnaldrende; **~grenze** *f* aldersgrænse
Altersheim *n* plejehjem *n*
Altertum *n* oldtid
altertümlich oldtids-; *fig* gammeldags

Altglas *n* genbrugsglas
Altherrenmannschaft *f* oldboyshold *n*
ältlich halvgammel
altmodisch gammeldags
Altstadt *f* gammel bydel
Altweibersommer *m* indian summer
Aluminiumfolie *f* sølvpapir *n*, stanniol
am: *~ **besten*** bedst; *~ **Sonntag*** på søndag; *~ **ersten Mai*** første maj; → ***an***
Amateur|(in) *m(f)* amatør; **~haft** amatøragtig
Amboss *m* ambolt (*-e*)
ambulant ambulant
Ameise *f* myre (*-r*)
Ameisenhaufen *m* myretue
Amerikaner(in) *m(f)* amerikaner (*-e*)
amerikanisch amerikansk
Ampel *f Kfz* lyskurv (*-e*)
Ampulle *f* ampul (*-ler*)
Amsel *f* solsort
Amt *n* embede *n* (*-r*); *Behörde* offentligt kontor; ***von Amts wegen*** på embeds vegne
amtlich officiel
amüsant morsom
amüsieren more (***sich*** sig)
an *Ort* på; *Nähe* ved; *bis zu* hen til; *Zeit* på; ***Licht ~!*** tænd lyset!; → ***am***
Ananas *f* ananas (=)
Anbau *m Agr* dyrkning; *Arch* tilbygning
anbauen *Agr* dyrke; *Arch* bygge til
anbehalten *Mantel etc* beholde på
anbei vedlagt
anbeißen bide i; *Fisch* bide på
anbeten tilbede
Anbetracht: ***in ~ von*** i betragtning af
an|bieten tilbyde; **~binden** binde fast
Anblick *m* syn *n* (=)
an|blicken betragte; **~blinzeln** blinke til; **~braten** brune; **~brechen** *v/t* tage hul på; *v/i Tag* lysne
anbrennen *Zigarette etc* tænde; *Gastr* brænde på
anbringen *legen* anbringe
Anbruch *m*: ***bei ~ der Dunkelheit*** ved mørkets frembrud
anbrüllen brøle ad; *fig* overfuse
Anchovis *pl* ansjos
Andacht *f* andagt
andauernd evig; *adv* hele tiden
Andenken *n* minde *n* (*-r*); souvenir (*-s*); ***zum ~ an …*** til minde om …
andere anden, andet *n*; andre *pl*; ***ein anderes Mal*** en anden gang; ***unter anderem*** blandt andet
andererseits på den anden side
ändern ændre (***sich*** sig)
andernfalls ellers
anders anderledes; ***jemand ~*** en anden
anderswo et andet sted
anderthalb halvanden
Änderung *f* ændring

andeut|en antyde; **≈ung** *f* antydning
Andrang *m* tilstrømning
aneignen: ***sich ~*** tilegne sig
aneinander sammen; ***~ fügen*** sætte sammen; ***~ geraten*** ryge i totterne på hinanden
anekeln: ***es ekelt mich an*** jeg væmmes ved det
anerkannt anerkendt
anerkenn|en anerkende; **≈ung** *f* anerkendelse
anfahren *v/t* påkøre; *v/i* (*los-*) køre frem
Anfahrtsweg *m* tilkørselsvej
Anfall *m Med* anfald *n* (=)
anfallen angribe; *Kosten etc* opstå, tilløbe
anfällig modtagelig (***für*** for)
Anfang *m* begyndelse (*-r*); ***am ~*** i begyndelsen
anfangen begynde
Anfänger(in) *m(f)* begynder (*-e*)
anfangs *adv* i begyndelsen, til at begynde med
Anfangs|buchstabe *m* begyndelsesbogstav *n*; **~gehalt** *n* startløn
an|fassen tage på; *greifen* gribe fat (*v/t*: ***i***); **~fechten** anfægte; **~fertigen** lave; **~feuchten** fugte; **~feuern** *fig* heppe på; **~fliegen** *v/t* beflyve
Anflug *m Flugw* indflyvning; *fig* antydning
anfordern kræve; *bestellen* rekvirere
Anforderung *f* krav *n* (=)
Anfrage *f* forespørgs|el (*-ler*)
anfreunden: ***sich ~*** blive venner (***mit*** med)
anführ|en anføre; *narren* snyde
Anführer(in) *m(f)* anfører (*-e*)
Anführungszeichen *pl* anførselstegn *pl* (***in*** i)
Angabe *f Info* oplysning; pral; ***genaue Angaben*** nøjagtige oplysninger
angeb|en *v/t* angive; F *prahlen* prale; **≈er(in)** *m(f)* blærerøv; **~lich** *adj* påstået; *adv* efter sigende
angeboren medfødt
Angebot *n* tilbud *n* (=); ***im ~*** på tilbud
ange|bracht passende; **~brannt** brændt på; **~brochen** påbegyndt; *Paket* åbnet; **~bunden** bundet fast; ***kurz ~*** kort for hovedet
angeheitert beruset
angehen: ***was das angeht*** med hensyn til det
angehend vordende
angehören høre til
Angehörige *m/f* pårørende (=)
Angeklagte *m/f* anklagede
Angel *f* fiskestang; *Tür* dørhængsel *n* (*-ler*)
Angelegenheit *f* sag
angelehnt på klem
Angelhaken *m* fiskekrog (*-e*)
angeln fiske
Angel|rute *f* fiskestang; **~schein** *m* fiskekort *n*;

~schnur *f* snøre (*-r*)
angemessen passende
angenehm behagelig
angenommen: **~**, ***wir …*** lad os antage, at vi …
ange|schlossen tilsluttet; **~sehen** anset; **~sichts** i betragtning af
angespannt anspændt
Angestellte *m/f* funktionær
ange|strengt anstrengt; **~trunken** beruset; **~wiesen** henvist (***auf*** til)
angewöhnen vænne til; ***sich etw* ~** vænne sig til ngt
Angina *f* halsbetændelse
angleichen tilpasse (***an*** til)
Angler(in) *m(f)* lystfisker (*-e*)
angreifen angribe
Angreifer(in) *m(f)* angriber (*-e*)
angrenzen grænse op (***an*** til)
Angriff *m* angreb *n* (=) (***auf*** på)
Angst *f* angst; **~ *haben vor*** være bange for
ängstlich ængstelig
anhalten *Kfz* standse; *dauern* vare ved
Anhalter(in) *m(f)* blaffer (*-e*); ***per* ~ *reisen*** blaffe
Anhaltspunkt *m* holdepunkt *n*
anhand ved hjælp af
Anhang *m* tilhængere *pl*; *Begleitung* påhæng *n*; *Dokument* bilag *n*
anhäng|en *v/t* hænge på; *hinzufügen* tilføje
Anhäng|er(in) *m(f)* *Person* tilhænger (*-e*); *Kfz* trailer; *Schmuck* vedhæng *n* (=)
an|heben løfte op; *fig* begynde; **~heften** hæfte på; *auf Wand* sætte op; **~heizen** tænde op; **~heuern** hyre
Anhieb: ***auf* ~** med det samme
Anhöhe *f* høj
anhören lytte til; ***sich* ~** lyde (***als ob*** som om)
Ankauf *m* opkøb
Anker *m* anker *n* (*-kre*); ***vor* ~ *gehen*** ankre op; ***vor* ~ *liegen*** ligge for anker
Anklage *f* anklage (*-r*); **~ *erheben*** rejse tiltale; ***unter* ~ *stehen*** være under anklage
anklagen anklage
Anklang: **~ *finden*** vinde bifald
ankleben klistre fast
ankleiden ankleiden
an|klicken *EDV* klikke på; **~klopfen** banke på; **~knipsen** *Licht* tænde
ankommen ankomme; ***es kommt darauf an, ob*** det kommer an på, om
ankreuzen krydse af
ankündigen annoncere
Ankunft *f* ankomst
Ankunftszeit *f* ankomsttidspunkt *n*
Anlage *f* *Geld* anlæggelse (*-r*); *Musik* anlæg *n* (=); *Brief* bilag *n* (=)
Anlass *m* anledning
anlassen *Motor* starte
Anlauf: **~ *nehmen*** tage tilløb
anlaufen *Hafen* anløbe; *Glas*

dugge
Anlegebrücke *f* anløbsbro
anlegen *Schiff* lægge til (**an** ved); *Garten* anlægge; *Geld* anbringe
Anlegestelle *f* anløbsplads *n*
anlehnen læne (**an** op ad); *Tür* åbne på klem; **sich ~ an** læne sig op ad
Anleihe *f* lån *n* (=)
Anleitung *f* vejledning
anlernen oplære
anliegen ligge
Anliegen *n* anliggende *n* (-*r*)
Anlieger(in) *m(f)* beboer (-*e*)
anlocken lokke til
anmachen *befestigen* fastgøre; *Licht* tænde; *Salat* tilberede; F *aufreißen* bage på; F *beschimpfen* chikanere
anmaßend anmassende
Anmaßung *f* anmasselse
Anmelde|formular *n* tilmeldingsblanket; **~frist** *f* tilmeldingsfrist; **~gebühr** *f* indmeldelsesgebyr *n*
anmelden tilmelde (**sich** sig)
Anmeldeschluss *m* tilmeldingsfrist
Anmeldung *f* *offiziell* anmeldelse (-*r*); *Kurs usw* tilmelding
anmerken: **sich nichts ~ lassen** ikke lade sig mærke med noget
Anmerkung *f* anmærkning; *Kommentar* bemærkning
Anmut *f* ynde; **≈ig** yndig
annäher|nd tilnærmelsesvis; **≈ung** *f* tilnærmelse (-*r*)
Annahme *f* modtagelse (-*r*); *Vermutung* antagelse (-*r*); **~stelle** *f* modtagelse
annehmbar acceptabel
annehmen tage imod; *ausgehen von* antage
Annehmlichkeit *f* behagelighed
annullier|en annullere; **≈ung** *f* afbestilling
Anorak *m* anorak (-*ker*)
anpacken tage fat i; *fig* tage fat på
anpass|en tilpasse (**sich** sig); **≈ungsfähigkeit** *f* tilpasningsevne
an|peilen *fig* gå efter; **~pfeifen** *Spiel* fløjte i gang; **~pöbeln** svine til; **~prangern** kritisere offentligt; **~preisen** anbefale
anprobieren prøve på
an|raten råde til; **~rechnen** medregne
Anrecht *n* ret (**auf** til)
anreden tiltale
anreg|en *vorschlagen* tilskynde til; *beleben* kvikke op; **~end** livlig; *interessant* spændende; **≈ung** *f* tilskyndelse (-*r*); stimulans
Anreise *f* ankomst; **~tag** *m* ankomstdag
Anrichte *f* anretterbord *n*
anrichten *auftragen* anrette
anrüchig berygtet
Anruf *m* tilråb *n* (=); *Tel* opringning; **~beantworter** *m* telefonsvarer
anrufen råbe på; *Tel* ringe

(***ihn*** til ham)
anrühren røre ved; *Gastr* røre op
ans → ***an***
Ansage *f* annoncering
ansagen melde
Ansager(in) *m(f)* speaker (*-e*)
Ansatz *m* ansats
anschaffen: ***sich etw ~*** anskaffe sig ngt
Anschaffung *f* anskaffelse (*-r*)
anschau|en se på; **~lich** anskuelig
Anschauung *f* holdning
Anschein: ***allem ~ nach*** efter alt at dømme
anscheinend tilsyneladende
Anschlag *m Plakat* opslag *n* (=); attentat *n* (***på*** auf)
anschlagen *v/t* slå op
anschließen slutte til (***sich*** sig); *Tel etc* tilslutte
anschließend bagefter
Anschluss *m* forbindelse; ***im ~ an*** umiddelbart efter
anschmieg|en: ***sich ~ an*** putte sig ind til; **~sam** kælen
anschnall|en spænde på; ***sich ~*** spænde sig fast; **2gurt** *m* sikkerhedsbælte *n*
anschneiden tage hul på; *Thema* komme ind på
Anschovis *pl* ansjos
anschrauben skrue på
Anschrift *f* adresse (*-r*)
Anschuldigung *f* beskyldning
anschwellen svulme op; *Fluss* stige
ansehen anse (***als*** for)
Ansehen *n* anseelse; ***~ genießen*** nyde anseelse
ansehnlich anselig
ansetzen *v/t* sætte på; *anfangen* begynde; ***Fett~*** blive tyk
Ansicht *f Aussicht* udsigt; *Auffassung* mening; ***zur ~*** til gennemsyn
Ansichtskarte *f* postkort *n*
Ansichtssache *f* holdningssag
ansiedeln bosætte (***sich*** sig)
ansonsten ellers
anspiel|en: ***~ auf*** hentyde til; **2ung** *f* hentydning
anspitzen spidse
Ansporn *m* opmuntring
Ansprache *f* tale (*-r*)
ansprechen tiltale (*a gefallen*)
ansprechend tiltalende
anspringen *Motor* starte
Anspruch *m* krav *n* (=) (***auf*** på); ***in ~ nehmen*** lægge beslag på
anspruchs|los beskeden; **~voll** krævende
an|ständig anstændig; **~standslos** uden betænkning; **~starren** stirre på
anstatt i stedet for (*a konj*)
ansteck|en *befestigen* sætte fast; *Med* smitte; ***sich~*** blive smittet; **~end** smitsom
Ansteck|nadel *f* knappenål; **~ung** *f* smitte; **~ungsgefahr** *f* smittefare
an|stehen stå i kø; **~steigen**

stige
anstellen *Arbeit* ansætte; *TV etc* tænde; *machen* foretage sig; ***sich ~*** *warten* stille sig i kø; *sich weigern* skabe sig
Anstellung *f* ansættelse (*-r*)
Anstellungsvertrag *m* ansættelseskontrakt
Anstieg *m* stigning
Anstoß *m* *Sport* kickoff; *Anregung* skub *n* (=); ***~ nehmen an*** tage anstød af
anstoßen skåle (***auf*** på); *anecken* støde mod; *fig* fornærme; *Sport* sparke op
an|stößig anstødelig; **~streben** stræbe efter; **~streichen** male; *Wichtiges* understrege; **²streicher(in)** *m(f)* maler (*-e*)
anstreng|en anstrenge (***sich*** sig); **~end** anstrengende; **²ung** *f* anstrengelse (*-r*)
An|strich *m* maling; **~sturm** *m fig* run (***auf*** på)
Anteil *m* andel (*-e*); ***~ nehmen an*** engagere sig i; **~nahme** *f* deltagelse
Antenne *f* antenne (*-r*)
Antialkoholiker(in) *m(f)* afholdsmand
Antibabypille *f* p-pille
Antibiotika *pl* antibiotika *pl*
antik antik
Antike *f*: ***die ~*** antikken
Anti|quariat *n* antikvariat *n*; **~quitätenladen** *m* antikvitetsforretning; **~semitismus** *m* antisemitisme
antiseptisch antiseptisk
Antrag *m* ansøgning (***auf*** om); **~steller(in)** *m(f)* ansøger (*-e*)
an|treffen støde på; **~treiben** *Tech* drive; *Mensch* pace frem; **~treten** *Stellung, Reise* begynde
Antrieb *m* *Tech* drift; *fig* initiativ *n*
antun gøre
Antwort *f* svar *n* (=)
antworten svare (***auf*** på)
anvertrauen betro (til)
anwachsen vokse fast; *fig* vokse
Anwalt *m*, **Anwältin** *f* advokat
anwärmen lune
Anwärter(in) *m(f)* aspirant (***auf*** til)
an|weisen anvise; *belehren* instruere; **²weisung** *f* anvisning; **~wenden** anvende; **²wendung** *f* anvendelse; **~werben** hverve
Anwesen *n* ejendom
anwesend tilstedeværende
Anwesenheit *f* tilstedeværelse
anwidern: ***es widert mich an*** jeg væmmes ved det
Anwohner(in) *m(f)* nabo; *pl* beboere
Anzahl *f* antal *n* (=)
anzahlen betale i forskud
Anzahlung *f* udbetaling
Anzeichen *n* tegn *n* (=)
Anzeige *f* annonce (*-r*); *Polizei* anmeldelse (*-r*); ***~ erstatten*** anmelde ngt

anzeigen melde til politiet; *informieren* annoncere; *Zeiger* vise
anzieh|en *Kleidung* tage på; *beeinflussen* tiltrække; *Schraube* stramme; ***sich ~*** tage tøj på; **~end** tiltrækkende
Anziehungskraft *f* tiltrækningskraft
Anzug *m* jakkesæt *n*
anzüglich spydig; F sjofel
anzünden tænde
Apfel *m* æble *n* (*-r*); **~kuchen** *m* æblekage; **~mus** *m/n* æblemos; *Dessert* æblegrød; **~saft** *m* æblejuice
Apfel|sine *f* appelsin; **~wein** *m* æblevin
Apostel *m* apostel (*-stle*)
Apotheke *f* apotek *n*
Apotheker(in) *m(f)* apoteker (*-e*)
Apparat *m* apparat *n*
Appetit *m* appetit; **2anregend** appetitvækkende; **2lich** lækker; **~losigkeit** *f* appetitløshed
Applaus *m* applaus
Aprikose *f* abrikos
April *m* april (***im*** i); **~scherz** *m* aprilsnar
Aquarell *n* akvarel (*-ler*)
Aquarium *n* akvarium *n* (*-er*)
Arab|er(in) *m(f)* araber (*-e*); **2isch** arabisk
Arbeit *f* arbejde *n*
arbeiten arbejde (***als*** som)
Arbeit|er(in) *m(f)* arbejder (*-e*); **~geber(in)** *m(f)* arbejdsgiver (*-e*); **~nehmer(in)** *m(f)* arbejdstager (*-e*)
Arbeits|amt *n* arbejdsformidling; **2fähig** arbejdsdygtig; **2los** arbejdsløs; **~lose** *m/f* arbejdsløs; **~losengeld** *n* dagpenge *pl*; **~platz** *m*, **~stätte** *f* arbejdsplads; **~schutzbestimmungen** *pl* arbejdssikkerhedsregler *pl*; **~tag** *m* arbejdsdag; **~tier** *n* F arbejdsnarkoman; **2unfähig** uarbejdsdygtig; **~zeit** *f* arbejdstid
Archäologie *f* arkæologi
Architekt|(in) *m(f)* arkitekt; **~ur** *f* arkitektur
Archiv *n* arkiv *n*
Arena *f* arena
Ärger *m* irritation; **2lich** *verärgert* irriteret; *schade* ærgerlig(t)
ärgern irritere; ***sich ~ über*** ærgre sig over
Arg|ument *n* argument *n*; **~wohn** *m* mistanke (*-r*); **2wöhnisch** mistænksom
Arie *f* arie (*-r*)
arm fattig
Arm *m* arm (*-e*)
Armaturenbrett *n* instrumentbræt *n*
Armband *n* armbånd *n*; **~uhr** *f* armbåndsur *n*
Ärmel *m* ærme *n* (*-r*); **~kanal** *m* Engelske Kanal
ärmellos ærmeløs
Armlehne *f* armlæn *n*
ärmlich simpel
armselig ussel

Armut *f* fattigdom
Aroma *n* aroma
arrogant arrogant
Arsch *m* røv (*-e*); **~loch** *n* røvhul *n*
Art *f* art; *Weise* måde (*-r*); *Typ* slags
Arterienverkalkung *f* åreforkalkning
Artikel *m* artik|el (*-ler*)
Artischocke *f* artiskok (*-ker*)
Artischocken|herz *n*, **~boden** *m* artiskokhjerte *n*
Artist(in) *m(f)* artist
Arzneimittel *n* medicin
Arzt *m* læge (*-r*); **~helfer(in)** *m(f)* lægesekretær
Ärzt|in *f* læge; **≗lich** læge-
As *n* es *n* (*-ser*)
Asche *f* aske
Aschenbecher, **Ascher** *m* askebæger *n*
Aschermittwoch *m* askeonsdag
asiatisch asiatisk
asozial asocial
Asphalt *m* asfalt
Ass *n* es *n* (*-ser*)
Assistent(in) *m(f)* assistent
Ast *m* gren (*-e*)
Aster *f* asters (=)
Asthma *n* astma
Astronaut(in) *m(f)* astronaut
Astronomie *f* astronomi
Asyl *n* asyl *n* (***ersuchen um*** søge om); **~ant(in)** *m(f)*, **Asylbewerber(in)** *m(f)* asylansøger; **~recht** *n* asylret
Atem *m* ånde; ***außer ~*** forpustet; ***~ holen*** få vejret igen
Atem|gerät *n* respirator; **~maske** *f* iltmaske; **~not** *f* åndenød; **~wege** *pl* luftveje *pl*; **~zug** *m* åndedræt *n*
Athlet(in) *m(f)* atlet
Atlantik *m* Atlanterhav *n*
Atlas *m Geo* atlas *n* (=)
atmen ånde
Atmosphäre *f* atmosfære
Atmung *f* åndedræt *n*
Atom|energie *f* atomenergi; **~kraftwerk** *n* atomkraftværk *n*; **~waffen** *pl* atomvåben *pl*
Atten|tat *n* attentat *n*; **~täter(in)** *m(f)* attentatmand
Attest *n* attest
Attrappe *f* attrap (*-per*)
ätzen ætse; **~d** ætsende; *fig* møgirriterende
au, aua: ***~!*** av!
Aubergine *f* aubergine (*-r*)
auch også; ***~ nicht*** heller ikke
auf *Fläche, Menge* på; *Dauer* i; ***~ und ab gehen*** gå frem og tilbage; ***Geld ~ der Bank*** penge i banken; ***~ deine Frau! Prost*** skål for din kone!; ***~ und davon*** hurtigt væk; ***~ Deutsch*** på tysk; ***bis ~ außer*** undtagen; ***etw ist ~*** ngt er åbent
Aufbau *m* opbygning
aufbauen opbygge
auf|bekommen *öffnen* få op; *Schule* få for; **~bessern** forbedre; **~bewahren** opbevare; **~blasen** puste op; **~bleiben** *wachen* blive oppe; *offen* blive ved med at

være åben; **~blitzen** glimte; **~blühen** blomstre op (*a fig*); **~brechen** bryde op
Aufbruch *m* opbrud *n*
auf|brühen hælde kogende vand på; **~drehen** *Hahn etc* skrue op for; **~dringlich** påtrængende
Aufdruck *m* påtryk *n*
aufeinander (*räumlich* oven) på hinanden; **~ *folgen*** følge efter hinanden; **~ *prallen*, ~ *stoßen*** støde sammen
Aufenthalt *m* ophold *n* (=)
Aufenthaltsdauer *f* opholdstid
Aufenthaltsgenehmigung *f* opholdstilladelse
Aufenthaltsort *m* opholdssted *n*
Aufenthaltsraum *m* opholdsrum *n*
auferlegen pålægge
Auferstehung *f* opstandelse
aufessen spise op
auf|fahren (***auf*** påkøre); *fig* fare op; **~fallen** være påfaldende; **~fallend, ~fällig** påfaldende; **~fangen** opfange; *Ball* gribe
auffass|en opfatte; **2ung** *f* opfattelse (-*r*)
aufforder|n opfordre (***zu*** til); **2ung** *f* opfordring
auffrischen friske op; *Wissen* genopfriske
aufführen opføre (***sich*** sig)
Aufführung *f* opførelse (-*r*)
auffüllen fylde
Aufgabe *f* opgave (-*r*); *Verzicht* opgivelse; *Lieferung* indlevering
Aufgang *m* opgang (-*e*)
aufgeben *abgeben* indlevere; *verzichten* opgive
aufgehen gå op; *Licht fig* gå op for; *Sonne* stå op
aufge|räumt ryddelig; *froh* munter; **~regt** ophidset; **~weckt** kvik
aufgießen *Tee etc* hælde vand på
aufgrund (+ *G*) på grund af
aufhaben *Hut etc* have på; *Geschäft* have åben
aufhalten opholde (***sich*** sig)
aufhängen hænge op
Aufhänger *m* strop (-*per*)
auf|heben løfte; *aufbewahren* opbevare; *Verbot etc* ophæve; **~holen** indhente forspringet; **~hören** holde op (***mit*** med); **~klappen** *v/t* slå op; *v/i* springe op
aufklär|en oplyse (***über*** om); *Polizei* opklare; ***es klärt sich auf*** *Wetter* vejret klarer op; **2ung** *f* oplysning; *Polizei* opklaring
auf|kleben klistre på; **2kleber** *m* mærkat; **~knöpfen** knappe op; **~kochen** koge op; **~kommen** opstå; *zahlen* betale (***für*** for)
aufladen læsse på; *Akku* lade op
Auflage *f* oplag *n* (=)
auf|lassen *offen* lade stå åbe
Auflauf *m* *Gastr* gratin
auf|legen lægge på; **~lesen**

samle op; **~leuchten** glimte; **~lösen** løse; *Flüssigkeit* opløse; **~machen** åbne
aufmerksam opmærksom; **~ *machen auf*** gøre opmærksom på
Aufmerksamkeit *f* opmærksomhed
aufmuntern opmuntre
Aufnahme *f* modtagelse (*-r*); *Fot* optagelse (*-r*)
aufnahmefähig modtagelig
Aufnahmeprüfung *f* optagelsesprøve
aufnehmen optage
Aufnehmer *m* gulvklud (*-e*)
aufpassen (***auf***) passe på
Aufprall *m* sammenstød *n* (=)
Aufpreis *m* merpris
aufpumpen pumpe op
aufraffen: ***sich*** **~** tage sig sammen
aufräumen rydde op
aufrecht oprejst; *fig* rank; **~erhalten** opretholde
aufregen ophidse; *neg!* irritere; ***sich*** **~** blive ophidset (***über*** over)
Aufregung *f* ophidselse
auf|reiben *Haut* skrabe; *fig* oprive; **~reißen** rive op
aufrichten rejse op; *fig* oprette; ***sich*** **~** rette sig op
aufrichtig oprigtig; **≗keit** *f* oprigtighed
auf|rollen rulle op; **~rücken** rykke op
Aufruf *m* opråb *n* (=)
auf|runden runde op; **~rüsten** opruste; **~rütteln** ruske op i;
Aufsatz *m* artik|el (*-ler*); *Schule* stil (*-e*)
aufschieben udsætte
Aufschlag *m Aufprall* fald *n* (=); *Sport* serv; *Tex* opsmøg *n* (=); *Preis* stigning
aufschlagen *Buch* slå op; *aufprallen* støde imod
auf|schließen låse op; **~schlussreich** oplysende; **~schneiden** skære op; *fig* prale
Aufschnitt *m Gastr* pålæg *n*
auf|schrauben *befestigen* skrue på; *lösen* skrue af; **~schreiben** skrive op
Aufschrift *f* tekst
Aufschub *m* udsættelse
Aufschwung *m* opsving *n* (=)
Aufsehen *n*: **~ *erregen*** vække opsigt
Aufseher(in) *m*(*f*) opsynsmand (*-r*)
aufsetzen *Brille, Hut* tage på
Aufsicht *f* tilsyn *n*
Aufsichtsrat *m* bestyrelse (*-r*)
auf|spannen slå op; **~sperren** spærre op; **~sprayen** spraye på; **~springen** springe op
Aufstand *m* oprør *n* (=)
auf|stehen stå op; *vom Stuhl* rejse sig; *Tür* stå åben; **~steigen** stige op
aufstell|en sætte op; *Kandidat* opstille; *Rekord* sætte; **≗ung** *f* opstilling
Aufstieg *m* opstigning; *Sport* oprykning

aufstoßen *v/t* støde på; *Essen* have opstød
Aufstrich *m* smørbart pålæg
Auftakt *m* optakt (***zu*** til)
auf|tanken tanke op; **~tauchen** dukke op; **~tauen** tø op; **~teilen** opdele; **~tischen** servere
Auftrag *m* opgave (*-r*); *Hdl* ordre (*-r*); ***im ~ ...*** på ...s vegne
auftragen *Farbe etc* smøre på; *Gastr* servere
auf|treiben opdrive; **~trennen** sprætte op; **~treten** optræde (***als*** som)
Auftritt *m* optræden; *fig* scene (*-r*)
auf|wachen vågne; **~wachsen** vokse op
Aufwand *m* indsats; *Luxus* overdådighed
aufwärmen opvarme; *Sport* varme op; ***sich ~*** få varmen
aufwärts opad; *Entwicklung* fremad
auf|wecken vække; **~weichen** *v/t* bløde op; **~wendig** overdådig
Aufwertung *f* opvurdering
auf|wischen tørre op; **~wühlen** rode i; **~zählen** tælle op
aufziehen *Uhr* trække op; *Kind* opdrage
Aufzug *m Fahrstuhl* elevator
Auge *n* øje *n* (*øjne*); ***im ~ behalten*** holde øje med; ***ein ~ zudrücken*** lukke øjnene for
Augen|arzt *m*, **~ärztin** *f* øjenlæge
Augen|blick *m* øjeblik *n* (*-ke*); **≗blicklich** øjeblikkelig; *adv* i øjeblikket; **~braue** *f* øjenbryn *n* (=); **~lid** *n* øjenlåg *n* (=); **~optiker(in)** *m(f)* optiker; **~zeuge** *m* øjenvidne *n*; **~zwinkern** *n* blink med øjet
August *m* august (***im*** i)
Auktion *f* auktion
Aupairaufenthalt *m* au pair-ophold *n*
aus *Ort* fra; *Stoff*, *Grund* af; F ***es ist ~*** det er slut; F ***wir waren ~*** vi var ude; F ***~ sein auf*** være ude efter
Aus *n* undergang; *Sport* uden for banen
aus|arbeiten udarbejde; **~bauen** udbygge; **~bessern** reparere
ausbild|en uddanne; **≗er(in)** *m(f)* instruktør; **≗ung** *f* uddannelse
ausbleiben udeblive
Ausblick *m* udsigt (***auf*** til)
ausbreiten brede ud; *fig* udbrede
Ausbruch *m* udbrud *n* (=)
aus|brüten udruge; *fig* udklække; **~checken** checke ud
Ausdauer *f* udholdenhed
Ausdauertraining *n* intervaltræning
ausdehn|en udvide; **≗ung** *f Umfang* udstrækning; *Erweiterung* udvidelse (*-r*)
Ausdruck *m* udtryk *n* (=); *EDV* print *n*, udskrift
ausdrück|en udtrykke; **~lich** udtrykkelig

ausdruckslos udtryksløs
Ausdrucksweise *f* udtryksmåde
auseinander: ~ ***fallen*** falde fra hinanden; ~ ***gehen*** gå fra hinanden; ~ ***nehmen*** skille ad; ***sich ~setzen mit*** arbejde (kritisk) med; **℞setzung** *f* diskussion; *Streit* sammenstød
auserwählen udvælge
ausfahr|bar teleskop-; **~en** køre ud
Ausfahrt *f* udkørs|el (*-ler*)
Ausfall *m Veranstaltung* aflysning
ausfallen *Haare* falde af; *Konzert* blive aflyst; ***gut*** ~ gå godt
Ausfallstraße *f* udfaldsvej
ausfindig: ~ ***machen*** finde
ausflippen F flippe ud
Ausflug *m* udflugt (***nach, zu*** til)
Ausflugs|ort *m*, **~ziel** *n* udflugtsmål *n*
Ausfluss *m Med* udflåd *n*
ausfragen udspørge
Ausfuhr *f* eksport; **~genehmigung** *f* eksporttilladelse
ausführlich udførlig
Ausführung *f* udførelse (*-r*)
ausfüllen udfylde
Ausgabe *f Geld* udgift; *Buch* udgave (*-r*); *Verteilung* udlevering
Aus|gang *m* udgang (*-e*); *Ende* slutning; *Ergebnis* udfald *n* (=); **~gangspunkt** *m* udgangspunkt *n*
ausgeben udlevere; *Geld* bruge; *EDV* printe ud
ausgebucht *besetzt* booket op
ausgehen gå ud; *Vorrat* slippe op; *enden* ende
aus|gelassen løssluppen; **~genommen** undtagen; **~gerechnet** lige netop; **~geschlafen** udsovet; **~geschlossen** udelukket; **~geschnitten** *Kleid* nedringet; **~gesprochen** decideret; **~gestorben** uddød; **~gewogen** afbalanceret; **~gezeichnet** udmærket
ausgiebig ordentlig
ausgießen hælde du
Ausgleich *m* kompromis *n*
ausgleichen udligne
Ausgleichssport *m* fitnesstræning
ausgleiten glide
Ausgrabung *f* udgravning
Ausguss *m* vask (*-e*)
aus|halten holde ud; **~handeln** forhandle sig frem til
Aushang *m* opslag *n* (=)
aus|harren holde ud; **~heilen** komme i orden; **~helfen** hjælpe
Aushilfe *f Person* medhjælper
aushilfsweise midlertidigt
aus|höhlen udhule; **~holen** *zum Schlag* løfte hånden; **~horchen** spørge ud;
aus|kennen: ***sich*** ~ ***in*** kende
aus|klammern udelade; **~kleiden** *etw* beklæde; **~knipsen** *Licht* slukke;

~kommen klare sig (*mit* med)
Auskunft *f* information; *Infoschalter* informationskontor *n*; ~ *geben* informere
aus|kuppeln koble fra; **~lachen** grine ad; **~laden** læsse af
Auslage *f Fenster* vinduesudstilling
Ausland *n* udland *n*
Ausländ|er(in) *m(f)* udlænding (*-e*); **2isch** udenlandsk
Auslands|aufenthalt *m* udlandsophold *n* (=); **~gespräch** *n Tel* udlandssamtale; **~reise** *f* udlandsrejse
aus|lassen udelade; *Gastr* smelte; **~laufen** løbe ud; **~legen** *Ware* lægge frem; *Geld* lægge ud; *deuten* udlægge; **~leihen** låne ud (til)
Auslese *f Wahl* udtagelse; *Wein* kvalitet
ausliefer|n udlevere; **2ung** *f* udlevering
aus|loggen *EDV* logge af; **~löschen** slukke; **~losen** udtrække; **~lösen** udløse
Auslöser *m Fot* udløser (*-e*)
Auslosung *f* lodtrækning
auslüften lufte ordentligt ud
ausmachen *Termin* aftale; *Rechnung* blive
Ausmaß *n* udstrækning
Ausnahme *f* undtagelse (*-r*) (*machen* gøre)
ausnahms|los uden undtagelse; **~weise** undtagelsesvis
Ausnüchterungszelle *f* detention
aus|nutzen udnytte; **~packen** pakke ud; *fig* spytte ud; **~parken** køre ud fra parkeringsbåsen; **~plündern** udplyndre; **~pressen** presse; **~probieren** prøve
Auspuff *m* udstødningsrør *n* (=); **~gase** *pl* udstødning; **~topf** *m* lydpotte (*-r*)
aus|pumpen udpumpe; **~radieren** viske ud; **~rauben** røve; **~räumen** rydde; **~rechnen** regne ud
Ausrede *f* påskud *n* (=)
ausreden tale fra; ~ *lassen* lade tale færdig
ausreichen være nok
ausreichend tilstrækkelig
Ausreise *f* udrejse
ausreisen rejse ud
aus|reißen *Seite* rive ud; F *weglaufen* stikke af; **~renken** forvride; **~richten** sige (til); *Gruß* overbringe; **~rotten** udrydde
Ausruf *m* udbrud *n* (=)
Ausrufezeichen *n* udråbstegn *n* (=)
ausruhen: *sich* ~ hvile sig
ausrupfen trække op
ausrüst|en udruste; **2ung** *f* udrustning
ausrutschen glide
Aussage *f* udsagn; *Buch etc* budskab *n*
aus|sagen sige (*über* om); *Jur* vidne; **~schalten** *Licht etc* slukke for; **~scheren**

Kfz skride du
Ausschilderung *f* skiltning
ausschimpfen skælde du
ausschlafen sove ud
Ausschlag *m* udslag *n* (=); *Med* udslæt *n* (=)
ausschlagen *Zahn etc* slå ud; *Bitte* afslå
ausschlaggebend afgørende
ausschließ|en udelukke (***aus, von*** fra); **~lich** udelukkende
Ausschluss *m* udelukkelse
ausschneiden skære ud; *mit Schere* klippe du
Aus|schnitt *m* udsnit *n* (=); *Kleid* udskæring; **~schuss** *m Komitee* udvalg *n* (=)
ausschütten hælde ud
aussehen se ud (***wie*** som); ***nach Regen ~*** se ud til regn
Aussehen *n* udseende *n* (-*r*); ***dem ~ nach*** efter udseendet at dømme
außen udenfor; *Außenseite* udvendig; ***nach ~*** udadtil; ***von ~*** udefra
Außenbordmotor *m* påhængsmotor
Außendienst: ***im ~ sein*** være repræsentant
Außenhandel *m* udenrigshandel
Außen|ministerium *n* udenrigsministerium *n*; **~seite** *f* yderside; **~stehende** *m/f* udenforstående; **~stelle** *f* filial
Außentemperatur *f* temperaturen udenfor
außer undtagen; ***~ dass*** bortset fra at; ***~ wenn*** undtagen når; ***~ Betrieb*** ude af drift; ***~ Dienst*** pensioneret
äußere ydre
außerdem desuden
Äußere(s) ydre *n*
außerehelich uden for ægteskabet (*nachgestellt*)
außer|gewöhnlich usædvanlig; **~halb** *Präp* uden for; *adv* udenfor
äußerlich udvendig
Äußerlichkeiten *pl Manieren* høflighed; *Unwichtiges* detaljer *pl*
äußern sige
außerordentlich overordentlig
äußerst *adv* yderst
außerstande: ***~ zu*** ude af stand til
Äußerung *f* udtalelse
aussetzen udsætte; *Tech* gå i stå
Aussicht *f* udsigt (***auf*** til)
aussichtslos håbløs
Aussichtsturm *m* udkigstårn *n*
aus|sieben si fra; **~sortieren** sortere; **~spannen** *öffnen* spænde fra; *sich erholen* slappe af; **~sperren** lukke ude
Aussprache *f* udtale (-*r*)
aussprechen *etw* udtale
Ausspruch *m* sentens
aus|spucken spytte ud; **~spülen** skylle ud

ausstatten udstyre (***mit*** med)
Ausstattung *f* udstyr *n*
ausstehen: ***nicht ~ können*** ikke kunne lide
aussteigen stige ud (***aus*** af)
ausstellen udstille
Ausstellung *f* udstilling
aussterben uddø
Ausstieg *m* udstigning
aus|stopfen udstoppe; **~stoßen** udstøde; **~strahlen** *TV etc* sende; **~strecken** strække ud; **~streuen** strø; **~strömen** sive ud; **~suchen** udvælge
Austausch *m* udveksling; *Sport, Tech* udskiftning; **2bar** udskiftelig; **2en** udveksle; *Sport, Tech* udskifte; **~student(in)** *m(f)* udvekslingsstuderende
austeilen uddele
Auster *f* østers (=)
austragen *Post* bringe ud; *Spiel* gennemføre; *Kind* føde; *löschen* slette
aus|treten melde sig ud; ***ich muss ~*** jeg skal på toilettet; **~trinken** drikke du
Austritt *m* udmeldelse (*-r*)
ausüben udøve
Ausverkauf *m* udsalg *n* (=)
ausverkauft udsolgt
Aus|wahl *f* udvalg *n* (=); **2wählen** udvælge
auswandern udvandre
auswärtig ekstern; *ausländisch* udenlandsk
auswärts *Richtung* udad; *nicht zu Hause* ude; *ausländisch* udenlandsk
auswechseln udskifte
Ausweg *m* udvej (*-e*)
ausweich|en undvige; *Objekt* undgå; **2stelle** *f* vigeplads
Ausweis *m* legitimation; pas *n*; *Personalausweis* id *n*
ausweisen *v/t* udvise; ***sich ~*** vise sit id
Ausweisung *f* udvisning
aus|weiten udvide; **~wendig** udenad; **~werten** udnytte; **~wickeln** vikle ud; *auspacken* pakke du
Auswuchs *m* udvækst
auszahlen udbetale; ***sich ~*** betale sig
Auszahlung *f* udbetaling
auszeichn|en *Ware* prismærke; *Film etc* tildele en pris; ***sich ~*** udmærke sig (***durch*** ved); **2ung** *f* udmærkelse (*-r*)
auszieh|bar udtræks-; **~en** trække ud; *Kleidung* tage af; *v/i* flytte; ***sich ~*** tage tøjet af
Ausziehtisch *m* udtræksbord *n* (*-e*)
Auszug *m Bank* udtog *n* (=); *Teil* uddrag *n* (=); *Extrakt* udtræk *n* (=)
authentisch autentisk
Auto *n* bil
Autobahn *f* motorvej (*-e*); **~raststätte** *f* motorvejscafé; **~zubringer** *m* motorvejstilkørsel (*-sler*)
Auto|bus *m* bus (*-ser*); **~diebstahl** *m* biltyveri *n*; **~fähre** *f*

bilfærge (*-r*)
Auto|fahrer(in) *m(f)* bilist; **℗frei**: ***autofreie Zone*** gågade
Autogramm *n* autograf
Auto|karte *f* vejkort *n* (=); **~kennzeichen** *n* registeringsnummer *f*; **~kino** *n* drive in-biograf
Automat *m* automat
Automa|tikgetriebe *n* automatgear *n*; **℗tisch** automatisk
Autominute *f* minut *n* i bil
Autonummer *f* registreringsnummer *n*
Autor(in) *m(f)* forfatter
Auto|reifen *m* bildæk *n*; **~rennen** *n* motorvæddeløb *n*
autoritär autoritær
Autorität *f* autoritet
autoritätsgläubig autoritetstro
Auto|schlange *f* bilkø; **~schlosser(in)** *m(f)* automekaniker; **~schlüssel** *m* bilnøgle; **~straße** *f* motortrafikvej; **~tür** *f* bildør; **~unfall** *m* bilulykke; **~verkehr** *m* biltrafik
Auto|verleih *m*, **~vermietung** *f* biludlejning *f*
Autozubehör *n* biludstyr *n*
autsch: **~!** av!
Avocado *f* avocado
Axt *f* (stor) økse (*-r*)
Azubi *su Handwerk* lærling; *Büro* elev

B

Baby *n* baby; **~ausstattung** *f* babyudstyr *n*; **~nahrung** *f* babymad; **~sitten** babysitte; **~sitter(in)** *m(f)* babysitter (*-e*)
Babyzelle *f* lille batteri *n*
Bach *m* bæk (*-ke*)
Backblech *n* bageplade (*-r*)
Backe *f* kind
backen bage
Backen|bart *m* bakkenbarter *pl*; **~zahn** *m* kindtand (*-tænder*)
Bäcker|(in) *m(f)* bager (*-e*); **~ei** *f*, **~laden** *m* bageri *n*
Back|form *f* bageform; **~ofen** *m* bageovn; **~pulver** *n* bagepulver
Backstein *m* mursten (=)
Backwerk *n* bagværk
Bacon *m* bacon
Bad *n* bad *n* (*-e*); *Kurort* badested *n*
Bade|anstalt *f* badeanstalt; **~anzug** *m* badedragt; **~hose** *f* badebukser *pl*; **~kappe** *f* badehætte (*-r*); **~mantel** *m* badekåbe (*-r*); **~meister(in)** *m(f)* bademester
baden bade
Bade|ort *m* badested *n*; **~steg** *m* badebro; **~strand** *m* badestrand; **~tuch** *n* badehåndklæde *n*; **~wanne** *f* badekar

n; **~zimmer** *n* badeværelse *n*
Badminton *n* badminton
BAFöG *n etwa* S.U.
Bagger *m* gravko
Baguette *f* flute, baguette *n*
bäh: **~!** ad!
Bahn *f* bane (*-r*); ***mit der ~*** med tog
bahnbrechend banebrydende
Bahn|damm *m* banevold; **~fahrt** *f* togtur
Bahn|hof *m* station; **~steig** *m* perron; **~übergang** *m* jernbaneoverskæring; **~unterführung** *f* jernbaneviadukt; **~verbindung** *f* togforbindelse
Bahre *f* båre (*-r*)
Baiser *n* marengs (=)
Balanc|e *f* balance; **≗ieren** balancere
bald snart; ***so ~ wie möglich*** så snart som muligt; ***bis ~!*** vi ses!
Balken *m* bjælke (*-r*)
Balkon *m* altan; *Thea* balkon; **~kasten** *m* altankasse
Ball *m* bold (*-e*); *Fest* bal *n* (*-ler*)
ballen: ***die Faust ~*** knytte næven
Ballen *m Waren* balle (*-r*); *Anat* fodbalde (*-r*)
Ballett *n* ballet (*-ter*)
Ballon *m* ballon
Ballspiel *n* boldspil *n*
Ballung *f* ophobning
Ballungsgebiet *n* tætbefolket område *n*
Balsam *m* balsam (=)
Bambus *m* bambus (=); **~sprossen** *pl* bambusskud *pl*
banal banal
Banane *f* banan
Band[1] *m Buch* bind *n* (=)
Band[2] *n Tex* bånd *n* (=)
Band[3] *f Musik* band *n* (-s)
Bandage *f* bandage (*-r*)
Bandaufnahme *f* båndoptagelse
Bande *f* bande (*-r*)
Bandit(in) *m(f)* bandit (*-ter*)
Band|scheibe *f* diskus; **~scheibenschaden**, **~scheibenvorfall** *m* diskusprolaps
Bandwurm *m* bændelorm (=)
Bank *f* bænk (*-e*); *Geldinstitut* bank; **~angestellte** *m/f* bankansat; **~anweisung** *f* bankanvisning; **~automat** *m* pengeautomat; **~konto** *n* bankkonto; **~leitzahl** *f etwa* registreringsnummer; **~note** *f* pengeseddel
bankrott bankerot, fallit
bar: ***in ~, gegen ~*** kontant
Bar *f* bar
Bär *m* bjørn (*-e*); ***der Große (Kleine) ~*** Storebjørn (Lillebjørn)
Baracke *f* barak (*-ker*)
barbusig med bare bryster (*nachgestellt*)
Barcode *m* stregkode (*-r*)
Bardame *f* barpige
barfuß, **barfüßig** barfodet
Bargeld *n* kontanter *pl*

bargeldlos pengeløs
Barhocker *m* barstol (*-e*)
Bariton *m* baryton
barmherzig barmhjertig; **&keit** *f* barmhjertighed
Barmixer *m* bartender (*-e*)
Barock *m* barok
Barometer *n* barometer *n* (*-tre*)
Barren *m* barre (*-r*)
Barrikade *f* barrikade (*-r*)
barsch barsk
Barsch *m* aborre (*-r*)
Bar|schaft *f* kontantbeholdning; **~scheck** *m* check (*-s*)
Bart *m* skæg *n*
bärtig skægget
Bartwuchs *m* skægvækst
Barzahlung *f* kontant betaling
Baseball *m* baseball; **~schläger** *m* baseballbat *n* (*-s*)
basieren basere (***auf*** på)
Basis *f* basis
Baskenmütze *f* baskerhue (*-r*)
Bass *m* bas (*-ser*)
basteln rode (***an*** med); *bauen* lave selv
Bastler(in) *m(f)* fingernem person
Batterie *f* batteri *n*; **&betrieben** batteridrevet
Bau *m* bygning; *Anbau* dyrkning; ***im ~*** under opførelse; **~arbeiten** *pl* byggearbejde *n*; **~arbeiter(in)** *-m(f)* bygningsarbejder
Bauch *m* mave (*-r*); **~höhle** *f* bughule
bäuchlings på maven
Bauch|muskel *m* mavemuskel (*-skler*); **~schmerzen** *pl* ondt i maven; **~tanz** *m* mavedans
Baudenkmal *n* historisk bygning
bauen bygge
Bauer *m* landmand (*-mænd*)
Bäuer|in *f* landmand (*-mænd*); *Frau eines Bauers* landsmandskone (*-r*); **&lich** landlig
Bauernhof *m* bondegård (*-e*)
bau|fällig forfalden
Bau|firma *f* entreprenørfirma *n*; **~genehmigung** *f* byggetilladelse (*-r*); **~gerüst** *n* stillads *n*; **~gewerbe** *n* byggebranche; **~ingenieur(in)** *m(f)* bygningsingeniør; **~jahr** *n* byggeår *n*; **~klötzchen** *n* byggeklods; **~kosten** *pl* byggeomkostninger *pl*; **~land** *n* byggegrund (*-e*)
Baum *m* træ *n*
Baumaterial *n* byggemateriale *n*
baumeln dingle
Baum|grenze *f* trægrænse; **~rinde** *f* bark; **~schule** *f* planteskole (*-r*)
Baum|wolle *f* bomuld; **&wollen** bomulds-
bauschig poset
Bau|stelle *f* byggeplads; **~stoff** *m* byggemateriale *n*; **~werk** *n* bygningsværk *n*
bayrisch bajersk; ***~es Bier*** pilsner *n*

Bazillus *m* bakterie (*-r*)
beabsichtigen påtænke ngt, have tænkt sig
beacht|en *wahrnehmen* lægge mærke til; *befolgen* rette sig efter; **~lich** betydelig; **2ung** *f* opmærksomhed
Beamt|e *m*, **~in** *f* tjenestemand (*-mænd*)
Beamtenbeleidigung *f* fornærmelse af tjenestemand i funktion
beängstigend foruroligende
bean|spruchen kræve; **~tragen** ansøge om
bearbeiten bearbejde
Bearbeitung *f* bearbejdelse
Bearbeitungsgebühr *f* ekspeditionsgebyr *n*
Beatmung: ***künstliche*~** kunstigt åndedræt *n*
beauf|sichtigen holde opsyn med; **~tragen** pålægge (***mit*** -)
Beauftragte *m/f* tillidsmand
bebauen bebygge; *Land* opdyrke
beben ryste
Becher *m* bæger *n* (*bægre*)
Becken *n* bassin *n*; *Anat*, *Mus* bækken *n*
bedächtig rolig
bedanken: ***sich* ~** takke
Bedarf *m* behov *n*; ***nach* ~** efter behov
bedauerlich beklagelig; **~erweise** beklageligvis
bedauern beklage; *Mitleid* have medlidenhed med
Bedauern *n*: ***zu meinem* ~** beklageligvis
bedauernswert beklagelig
bedecken dække til
bedenk|en tænke på; **~lich** betænkelig; **2zeit** *f* betænkningstid
bedeut|en betyde; **~end** betydelig; **2ung** *f* betydning; **~ungslos** betydningsløs
bedien|en betjene; ***sich* ~** forsyne sig
Bedienung *f* betjening; **~ *inbegriffen*** inklusive betjening
Bedienungsanleitung *f* brugsanvisning
Bedingung *f* betingelse (*-r*) (***unter*** på)
bedingungslos uden betingelser
be|drängen plage; *stressen* presse; **~drohen** true; **~drücken** trykke; **~drückt** nedtrykt
Bedürfnis *n* trang (***nach*** til)
bedürftig fattig
Beefsteak *n* bøf (*-fer*); ***deutsches* ~** hakkebøf
beeilen: ***sich* ~** skynde sig
beein|drucken gøre indtryk på; **~flussen** påvirke; **~trächtigen** skade
beenden afslutte
beerben arve
beerdigen begrave
Beerdigung *f* begravelse (*-r*)
Beerdigungs|feier *f* F gravøl *n*; **~institut** *n* begravelsesforretning
Beere *f* bær *n* (=)

Beet *n* bed *n* (*-e*)
Befähigung *f* egnethed (***zu*** til)
befahrbar farbar
befahren: ***stark ~*** stærkt trafikeret
befallen angribe
befangen forlegen; *Jur* inhabil; **≈heit** *f* forlegenhed; *Jur* inhabilitet
befassen: ***sich ~ mit*** beskæftige sig med
Befehl *m* ordre (*-r*); **≈en** befale
Befehlsform *f* bydeform
befestigen fæstne
befeuchten fugte
befinden: ***sich ~*** befinde sig; **≈** *n* tilstand
be|folgen følge; **~fördern** transportere; *Karriere* forfremme
Beförderung *f* transport; *Beruf* forfremmelse (*-r*)
befragen stille spørgsmål til; *um Rat* spørge til råds
befrei|en befri; *Aufgabe etc* fritage (***von*** for); **≈ung** *f* befrielse (*-r*); fritagelse
befreunden: ***sich ~ mit*** blive gode venner med
befriedig|en tilfredsstille; **~end** tilfredsstillende
befriedigt tilfreds
Befriedigung *f* tilfredsstillelse
befristet tidsbegrænset
Befruchtung *f* befrugtning
Befugnis *f* kompetence (*-r*); beføjelse
befugt kompetent; beføjet
Befund *m* vurdering; *Med* diagnose (*-r*)
befürcht|en frygte; **≈ung** *f* frygt
befürworten anbefale
begab|t begavet; **≈ung** *f* begavelse (*-r*)
Begebenheit *f* begivenhed
begegnen møde; ***sich ~*** mødes
Begegnung *f* møde *n* (*-r*)
begehen *Fest* fejre; *Mord* begå
begehrenswert attraktiv
begehrt eftertragtet
begeister|n begejstre; ***sich ~ für*** være interesseret i; **≈ung** *f* begejstring
Begierde *f* begær *n*
begierig længselsfuld
Beginn *m* begyndelse; ***zu ~*** i begyndelsen; **≈en** begynde
beglaubig|en attestere; **≈ung** *f* attestering
begleichen *Rechnung* betale
Begleitbrief *m* følgebrev (*-e*)
begleiten ledsage; *Mus* akkompagnere
Begleiter(in) *m(f)* ledsager (*-e*)
beglückwünschen ønske tillykke (***zu*** med)
begnügen: ***sich ~ mit*** nøjes med
begraben begrave
Begräbnis *n* begravelse (*-r*)
begreif|en forstå; **~lich** forståelig; ***~ machen*** gøre forståelig

begrenz|en begrænse; **≈ung** *f* begrænsning
Begriff *m* begreb *n*; ***im ~ sein zu …*** være ved at …
begründ|en begrunde; **≈ung** *f* begrundelse (*-r*)
begrüß|en hilse på; **≈ung** *f* modtagelse (*-r*)
be|günstigen begunstige; **~gutachten** bedømme
be|gütert velhavende; **~haart** behåret; **~haglich** magelig
behalten beholde
Behälter *m* beholder (*-e*)
behand|eln behandle; **≈lung** *f* behandling
beharr|en holde fast (***auf*** i); **~lich** stædig
behaupt|en påstå; ***sich ~*** stå distancen; **≈ung** *f* påstand (*-e*)
beheben *Schaden* udbedre
behelfen: ***sich ~ mit*** klare sig med
behelfsmäßig interimistisk
beherbergen huse
beherrsch|en beherske (***sich*** sig); **≈ung** *f* beherskelse
behilflich behjælpelig (***bei*** med)
behindern forstyrre
behindert *krank* handicappet
behindertengerecht handicapvenlig
Behinderung *f* forhindring *Krankheit* handicap *n*
Behörd|e *f* myndighed; **≈lich** officiel
be|hüten beskytte (***vor*** mod); **~hutsam** forsigtig
bei *Nähe* ved; *fig* hos; ***~ Berlin*** ved Berlin; ***~ Tisch*** ved bordet; ***~ mir*** hos mig; ***~ Nacht*** om natten; ***beim Namen*** ved navn
bei|behalten holde fast i; **~bringen** lære
Beichtstuhl *m* skriftestol (*-e*)
beide begge; ***alle ~*** begge to; ***eins von beiden*** en af delene
bei|derseitig på begge sider; *gegenseitig* gensidig; **~einander** sammen
Beifahrer|(in) *m(f)* passager på forsædet; **~sitz** *m* forsæde ved siden af chaufføren
Beifall *m* bifald *n*
beifügen *Dokument* vedlægge; *hinzufügen* tilføje
Beigabe *f* tilskud (=)
beige beige
Beigeschmack *m* bismag (***von*** af)
Beihilfe *f Jur* medvirken (***zu*** til)
Beil *n* (lille) økse (*-r*)
Bei|lage *f Zeitung etc* tillæg *n* (=); *Gastr* tilbehør *n*; **≈legen** vedlægge; *Streit* stoppe
Beileid *n* deltagelse
beiliegend vedlagt
beimengen tilsætte
Beimischung *f* tilsætning
Bein *n* ben *n* (=)
beinahe næsten
Beiname *m* tilnavn *n* (*-e*)
Beinbruch *m* brækket ben *n*
Beiprogramm *n* ekstraprogram *n*

beisammen sammen
Beischlaf *m* samleje (-*r*)
Beisein *n* tilstedeværelse
beiseite til side
Beisetzung *f* bisættelse (-*r*)
Beispiel *n* eksempel *n* (-*pler*); ***zum*** ~ for eksempel; **&haft** forbilledlig; **&los** enestående; **&sweise** for eksempel
beißen bide; *Schmerz* svie
Beißzange *f* knibtang (-*tænger*)
Bei|stand *m* bistand; **~trag** *m* bidrag *n* (=) (***zu*** til)
bei|tragen bidrage; **~treten** blive medlem (af)
beizeiten i god tid
bejahen sige ja til
bekämpfen bekæmpe
bekannt kendt; ~ ***machen mit*** præsentere for; ~ ***geben*** bekendtgøre
Bekannte *m*/*f* bekendt
bekanntlich som bekendt
Bekanntmachung *f* bekendtgørelse (-*r*)
Bekanntschaft *f* bekendtskab *n*
bekennen bekende; ***sich*** ~ bekende sig (***zu*** til)
Bekenntnis *n* bekendelse (-*r*)
beklagen klage over; ***sich*** ~ ***über*** klage over
Beklagte *m*/*f* sagsøgte
Bekleidung *f* tøj *n*
beklemmend pinlig
bekommen få; ***gut*** ~ være godt (for)
bekömmlich letfordøjelig
be|kräftigen bekræfte; **~kunden** tilkendegive; **~lächeln** ryste på hovedet ad; **~laden** læsse
Belag *m* belægning; *Gastr* pålæg *n*
Belang: ***von*** (***ohne***) ~ af (uden) betydning
belanglos uvæsentlig
belasten belaste; *Konto* debitere
belästig|en ulejlige; **&ung** *f* nærgåenhed
Belastung *f* belastning
belaufen: ***sich*** ~ ***auf*** løbe op i
be|leben sætte liv i; *fig* opmuntre; **~lebend** opkvikkende; **~lebt** livlig; *Straße* trafikeret
Beleg *m* belæg *n*; *Hdl* regning
belegen bevise; *Platz* optage; *Kurs* tilmelde sig
Belegschaft *f* medarbejdere *pl*
belegt *Platz* optaget; **~es** ***Brötchen*** halv bolle med pålæg, smørrebrød
belehren belære
beleibt korpulent
beleidig|en fornærme; **~end** fornærmende
beleidigt fornærmet
Beleidigung *f* fornærmelse (-*r*)
belesen belæst
beleucht|en lyse op; *fig* belyse; **&ung** *f* belysning
Belichtung *f* belysning
beliebig vilkårlig; ***jede***(***r***, ***-s***) ***Beliebige*** en hvilken som

helst
beliebt populær; **⁀heit** *f* popularitet
beliefern forsyne (***mit*** med)
bellen gø
Belletristik *f* skønlitteratur
belohn|en belønne; **⁀ung** *f* belønning
Be|lüftung *f* ventilering
be|lügen lyve over for; **~malen** male på; **~mängeln** klage over
bemerkbar tydelig; ***sich ~ machen*** gøre sig bemærket
bemer|ken bemærke; **~kenswert** bemærkelsesværdig; **⁀kung** *f* bemærkning
bemitleiden have medlidenhed med
bemüh|en ulejlige; ***sich ~*** gøre sig umage (***um*** med); **⁀ung** *f* anstrengelse (*-r*)
benachbart nabo-
benach|richtigen informere; **~teiligen** forfordele
benehmen: ***sich ~*** opføre sig (***wie*** som)
Benehmen *n* opførsel
beneiden være misundelig på
beneidenswert misundelsesværdig
benoten give karakterer
benötigen behøve
benutz|bar anvendelig; **~en** bruge
Benutzer|(in) *m(f)* bruger (*-e*); **~oberfläche** *f EDV* brugergrænseflade
Benutzung *f* brug
Benzin *n* benzin; **~kanister** *m* benzindunk (*-e*); **~pumpe** *f* benzinpumpe (*-r*); **~tank** *m* benzintank (*-e*); **~uhr** *m* benzinmåler (*-e*)
beobachten iagttage
Beobach|ter(in) *m(f)* iagttager (*-e*); **~tung** *f* iagttagelse (*-r*)
bequem bekvem; *mühelos* nem; ***es sich ~ machen*** gøre sig det behageligt; **⁀lichkeit** *f* bekvemmelighed; *Faulheit* magelighed
berat|en rådgive; **⁀ung** *f* drøftelse (*-r*); *Hilfe* rådgivning; **⁀ungsstelle** *f* rådgivning
berauben berøve
berechn|en beregne; **⁀ung** *f* beregning
berechtigen berettige (***zu*** til)
Berechtigung *f* berettigelse (*-r*)
Beredsamkeit *f* retorisk talent *n*
Bereich *m* område *n* (*-r*)
bereichern: ***sich ~*** berige sig selv
bereifen *Auto* sætte dæk på
bereit klar (***zu*** til); **~en** tilberede; **~halten** holde parat
bereits allerede
Bereitschaft *f* beredskab *n*
Bereitschaftsdienst *m* vagt
bereit|stellen stille til rådighed; **~willig** ivrig
bereuen fortryde
Berg *m* bjerg *n* (*-e*)
berg|ab ned ad bakke; **~an, ~auf** op ad bakke
bergen bjærge

Berg|hütte *f* bjerghytte (*-r*); **≗ig** bjergrig; **~steiger(in)** *m(f)* bjergbestiger (*-e*)
Bergung *f* bjærgning
Bericht *m* beretning; **≗en** berette (***über*** om); **~erstatter(in)** *m(f)* korrespondent
berichtig|en rette; **≗ung** *f* rettelse (*-r*)
berlinerisch, **berlinisch** berlinsk
Bernstein *m* rav *n*
berüchtigt berygtet
berücksichtigen tage hensyn til
Beruf *m* arbejde; ***von ~ ...*** … af profession
berufen udnævne (***zu*** til); ***sich ~ auf*** påberåbe sig
beruflich *jobmäßig* arbejdsmæssig; *fachlich* faglig
Berufs|ausbildung *f* erhvervsuddannelse; **~beratung** *f* erhvervsvejledning; **≗mäßig** jobmæssig; **~schule** *f* fagskole (*-r*); **~sportler(in)** *m(f)* professionel sportsudøver (*-e*); **≗tätig** udearbejdende; **~wechsel** *m* jobskifte *n* (*-r*)
Berufung *f* udnævnelse (*-r*) (***zu*** til); *Jur* ***~ einlegen*** appellere
beruhig|en berolige; **~end** beroligende
Beruhi|gung *f* beroligelse; **~gungsmittel** *n* beroligende middel *n*
berühmt berømt; **~-berüchtigt** herostratisk berømt
berühr|en røre ved; **≗ung** *f* berøring
besänftigen berolige
Besatz *m* besætning
Besatzung *f Mannschaft* besætning; *Mil* besættelse
besaufen: ***sich ~*** drikke sig stiv
beschädig|en beskadige
beschädigt beskadiget
Beschädigung *f* beskadigelse (*-r*)
beschaffen *v/t* skaffe
beschäftig|en beskæftige; ***sich ~ mit*** beskæftige sig med; **≗ung** *f* beskæftigelse
Bescheid *m* besked; ***~ wissen*** vide besked
bescheiden beskeden
bescheinig|en attestere; **≗ung** *f* attest
Bescherung *f* uddeling af julegaver; ***schöne ~*** ballade
bescheuert åndssvag
beschießen beskyde
beschimpfen skælde ud
beschissen elendig
Beschlag: ***in ~ nehmen*** lægge beslag på
beschlagen *Glas* dugge
beschlagnahmen beslaglægge
beschleunigen fremskynde; *Tech* accelerere
Beschleunigung *f* fremskyndelse; *Tech* acceleration
beschließen *beenden* afslutte; *entscheiden* beslutte
Beschluss *m* beslutning (***fassen*** træffe)

beschmutzen gøre beskidt
beschneiden beskære
beschönigen pynte på
beschränk|en begrænse; ***sich ~ auf*** begrænse sig til
beschränkt begrænset; *fig* langsom
Beschränkung *f* begrænsning
beschreiben beskrive
Beschreibung *f* beskrivelse (*-r*)
beschriften markere
beschuldigen beskylde (***des Diebstahls*** for tyveri)
Beschuldi|gte *m/f* anklagede; **2gung** *f* beskyldning
beschütz|en beskytte (***vor*** mod)
Beschützer(in) *m*(*f*) beskytter (*-e*)
Beschwerde *f* klage (*-r*); *Schmerz* smerte
Beschwerdefrist *f* klagefrist
beschweren: ***sich ~*** klage (***über*** over)
beschwerlich besværlig
be|schwichtigen berolige; **~schwindeln** snyde; **~schwören** *Eid* sværge på; *bitten* bede indtrængende
be|seitigen fjerne; **2seitigung** *f* fjernelse
Besen *m* kost (*-e*)
besetzen besætte; *Platz* optage
besetzt besat; *Platz* optaget
Besetzung *f* besættelse (*-r*); *Thea* besætning
besichtig|en se på; **2ung** *f* besigtigelse (*-r*)
besiegen slå, besejre
besinn|en: ***sich ~*** overveje; **2ung** *f* bevidsthed; ***zur ~ kommen*** komme til besindelse
besinnungslos bevidstløs
Besitz *m* besiddelse (*-r*); ***~ anzeigendes Fürwort*** *n* ejestedord *n*
besitzen eje
Besitzer(in) *m*(*f*) ejer (*-e*)
besoffen F fuld, stiv
besohlen forsåle
Besoldung *f* løn
besonder|e særlig; **2heit** *f* særtræk *n* (=)
besonders især
besorg|en *beschaffen* skaffe; *erledigen* ordne; **2nis** *f* bekymring; ***~ erregend*** foruroligende
besorgt bekymret (***um*** for); *hilfreich* omsorgsfuld
Besorgung *f* ærinde *n* (*-r*)
besprech|en tale om; **2ung** *f* drøftelse (*-r*); *Kritik* anmeldelse (*-r*)
bespritzen oversprøjte
besser bedre; ***umso ~*** så meget desto bedre
besser|n forbedre (***sich*** sig); **2ung** *f* forbedring; ***gute ~!*** god bedring!
Bestand *m* bestand (***an*** af)
beständig vedvarende; *haltbar* kraftig
Bestandsaufnahme *f* status
Bestandteil *m* del
bestätig|en bekræfte; ***sich ~***

vise sig at være rigtig; **2ung** *f* bekræftelse (*-r*)
bestatten begrave
Bestattung *f* begravelse (*-r*)
Bestattungsinstitut *n* begravelsesforretning
beste bedst; ***am besten*** bedst
bestech|en bestikke; **~lich** korrupt; **2ung** *f* bestikkelse
Besteck *n* bestik *n*
bestehen eksistere; ***~ auf*** insistere på; ***~ aus*** bestå af
be|stehlen stjæle fra; **~steigen** *Pferd etc* stige op på; *Berg* bestige; **~stellen** *Ware* bestille; *Feld* dyrke; ***j-m Grüße ~ von*** hilse ngn fra
Bestell|nummer *f* ordrenummer *n*; **~schein** *m* kupon; **~ung** *f* bestilling
bestenfalls i bedste fald
bestens fint
besteuern beskatte
bestimmen bestemme
bestimmt bestemt
Bestimmung *f* bestemmelse (*-r*)
Bestimmungsort *m* bestemmelsessted *n*
Bestleistung *f* rekord
bestmöglich bedst mulig
bestraf|en straffe; **2ung** *f* afstraffelse
bestrahlen bestråle
Bestreben *n* bestræbelse (*-r*)
bestreiten nægte, bestride
bestreuen bestrø
bestürz|t bestyrtet; **2ung** *f* bestyrtelse
Bestzeit *f* rekordtid
Besuch *m* besøg *n* (=)
besuchen besøge; *Schule* gå i; *Kurs etc* gå til
Besucher(in) *m(f)* gæst
Besuchszeit *f* besøgstid
betanken tanke op
betätig|en udløse; ***sich ~*** være aktiv (***als*** som); **2ung** *f* udløsning; *Beschäftigung* aktivitet
betäub|en bedøve; **2ung** *f* bedøvelse
Bete: ***Rote ~*** rødbede (*-r*)
beteilig|en give del i; ***sich ~*** medvirke (***an*** i); **2ung** *f* deltagelse
beten bede
beteuern forsikre
Beton *m* beton
beton|en betone; **2ung** *f* betoning
betr. (*betrifft*) vedr. (*vedrørende*)
Betracht: ***in ~ ziehen*** tage i betragtning; **2en** betragte (***als*** som)
beträchtlich betydelig
Betrachtung *f* betragtning
Betrag *m* beløb *n* (=)
betragen løbe op i; ***sich ~*** opføre sig
Betragen *n* opførsel
betreffen angå; ***was ... betrifft*** hvad ... angår
betreffend angående
be|treiben *ausüben* dyrke; *Tech* drive; **~treten** *v/t* træde på; *adj* forlegen
betreu|en passe; **2er(in)** *m(f)* plejer (*-e*); *fachl.* vejleder

(*-e*); **≈ung** *f* pasning; *fachl.* vejledning
Betrieb *m* drift; *Fabrik* virksomhed; ***in ~ sein*** være i gang; ***in ~ nehmen*** sætte i gang
Betriebs|ferien *pl* ferie; **~leiter(in)** *m(f)* driftschef; **~schluss** *m* fyraften; **~system** *n EDV* styresystem *n*; **~unfall** *m* arbejdsulykke
Betriebswirtschaft *f* driftsøkonomi
betrinken: ***sich ~*** drikke sig fuld
betroffen berørt (***von*** af)
betrübt bedrøvet
Betrug *m* bedrageri *n*
betrüg|en svindle; *beim Spiel* snyde
Betrüger(in) *m(f)* svindler (*-e*)
betrunken fuld, stiv
Betrunkene *m/f* fuld mand/kvinde
Bett *n* seng (*-e*); ***zu ~ gehen*** gå i seng; **~bezug** *m* sengetøj *n*; **~decke** *f* dyne (*-r*); **~sofa** *n* sovesofa
betteln tigge (***um*** om)
bettlägerig sengeliggende
Bettlaken *n* lagen *n* (*-r*)
Bettler(in) *m(f)* tigger (*-e*)
Bett|ruhe *f* sengeleje *n*; **~wäsche** *f* sengetøj *n*
beugen bøje (***sich*** sig)
Beule *f* bule (*-r*)
beunruhigen gøre urolig; ***sich ~*** blive urolig
beurlauben give fri
beurteilen bedømme
Beurteilung *f* bedømmelse (*-r*)
Beute *f* bytte *n*
Beutel *m* pose (*-r*); *Geld* pung (*-e*)
Bevölkerung *f* befolkning
bevor inden; **~stehen** vente forude; **~stehend** forestående; **~zugen** foretrække; **≈zugung** *f* begunstigelse
bewach|en bevogte; **≈er(in)** *m(f)* vogter (*-e*)
bewacht bevogtet
Bewachung *f* bevogtning
bewaffn|et bevæbnet; **≈ung** *f* bevæbning
bewahren beskytte (***vor*** mod)
bewähr|en: ***sich ~*** vise sin værdi
Bewährung *f* prøve
Bewährungsfrist *f* prøvetid
Bewährungsstrafe *f* betinget straf
bewältigen overkomme
bewässer|n overrisle; **≈ung** *f* overrisling
beweg|en bevæge (***sich*** sig)
Beweggrund *m* bevæggrund
be|weglich bevægelig; **~wegt** *ergriffen* bevæget; *Meer* oprørt
Bewegung *f* bevægelse (*-r*); ***sich in ~ setzen*** sætte sig i bevægelse
Bewegungsfreiheit *f* bevægelsesfrihed
bewegungslos ubevægelig

Beweis *m* bevis *n* (***für*** på); **≈en** bevise; **~stück** *n* bevis
bewerb|en: ***sich ~*** ansøge (***um*** om)
Bewerb|er(in) *m(f)* ansøger (*-e*); **~ung** *f* ansøgning
bewerfen: ***~ mit*** ... kaste ... efter
bewert|en vurdere; **≈ung** *f* vurdering
bewillig|en bevilge; **≈ung** *f* tilladelse
bewirken bevirke
bewirt|en beværte; **~schaften** drive; **≈ung** *f* beværtning
bewohn|bar beboelig; **~en** bo i
Bewohner(in) *m(f)* beboer (*-e*)
bewölk|en: ***sich ~*** blive skyet
bewölkt skyet
Bewölkung *f* skydække *n*
bewundern beundre (***wegen, für*** for)
bewundernswert beundringsværdig
Bewunderung *f* beundring
bewusst bevidst; *bekannt* omtalt; ***sich dessen ~ sein*** være sig det bevidst
bewusstlos bevidstløs
Bewusstsein *n* bevidsthed (***bei*** ved)
bezahl|en betale; **≈ung** *f* betaling
bezeichn|en betegne (***als*** som); **~end** betegnende; **≈ung** *f* betegnelse (*-r*)
bezeugen bevidne
bezichtigen beskylde (***des Diebstahls*** for tyveri)
beziehen *Haus* flytte ind i; *Zeitung* holde; *Rente, Gehalt* få; *Bett* lægge sengetøj på; ***sich ~ auf*** henvise til; *betreffen* vedrøre
Beziehung *f* forhold *n*; **~en** *pl* F forbindelser *pl*; **≈sweise** (*bzw.*) henholdsvis (*hhv.*)
Bezirk *m* distrikt *n*
Bezug *m* betræk *n* (=); ***in ~ auf*** med hensyn til (*mht.*); ***Bezüge*** *pl* løn
bezüglich hvad angår
bezwecken have som formål
bezweifeln tvivle på
BH *m* (*Büstenhalter*) brystholder
Bibel *f* bibel (*-ler*)
Bibliothek *f* bibliotek *n*
biblisch bibelsk
bieg|en bøje (***sich*** sig); *v/i* ***um die Ecke ~*** dreje om hjørnet
biegsam bøjelig
Biegung *f* kurve
Biene *f* bi
Bienenstich *m* bistik *n* (=)
Bienenstock *m* bistade (*-r*)
Bier *n* øl *n* (=), F bajer; **~brauerei** *f* bryggeri *n*; **~deckel** *m* ølbrik (*-ker*); **~dose** *f* øldåse (*-r*); **~flasche** *f* ølflaske (*-r*); **~glas** *n* ølglas *n* (=); **~kasten** *m* ølkasse (*-r*)
bieten byde
Bikini *m* bikini
Bilanz *f* status; ***~ ziehen*** gøre status
Bild *n* billede *n* (*-r*); **~band** *m* billedbog (*-bøger*)

bilden danne
Bild|erbuch *n* billedbog (*-bøger*); **~ergalerie** *f* billedgalleri *n*; **~hauer(in)** *m(f)* billedhugger (*-e*); **&lich** billedlig
Bild|schirm *m* skærm; **~schirmschoner** *m* screensaver
Bildung *f* dannelse (*-r*); *Aus-*uddannelse
Billard *n* billard *n*; **~kugel** *f* billardkugle (*-r*); **~stock** *m* billardkø; **~tisch** *m* billardbord *n* (*-e*)
billig billig; *gerecht* rimelig; **~en** billige; **&flieger** *m* lavprisflyselskab *n*; **&ung** *f* billigelse
Binde *f* bind *n* (=); *Monats-*hygiejnebind *n*; *Med* forbinding; **~glied** *n* bindeled *n* (=); **~mittel** *n* bindemiddel *n*
bind|en binde; *Buch* indbinde; **~end** bindende
Binde|strich *m* bindestreg; **~wort** *n* bindeord *n* (=)
Bindfaden *m* sejlgarn *n*
Bindung *f* binding (***zu*** til)
binnen inden for; **~ *einer Woche*** i løbet af en uge
Binnen|land *n* indland *n*; **~markt** *m* indre marked *n*
Binse *f* siv *n* (=)
Bio|grafie *f* biografi; **~logie** *f* biologi
Biomüll *m* organisk affald *n*
Birke *f* birk (*-e*)
Birne *f* pære (*-r*) *a El*
bis indtil; **~ *auf*** undtagen; **~ *dahin*** indtil da; **~ *jetzt*** indtil nu; **~ *wann?*** hvor længe?; **~ *Kopenhagen*** til København
Bischof *m* biskop (*-per*)
bisher indtil nu; **~ig** hidtidig
Biskuit *m/n* kiks (=)
Biss *m* bid *n* (=)
bisschen: ***ein ~*** en lille smule
Bissen *m* *Gastr* bid (*-der*)
bissig bidsk; *fig* skarp
Bistro *n* bistro
bitte *Antwort auf danke* ja tak; *Aufforderung* vær så venlig; ***aber ~!*** det var så lidt; **~ (*sehr*)!** værsgo!; **(*wie*) ~?** undskyld?
Bitte *f* bøn (*-ner*) (***an*** til)
bitten bede (***um*** om)
bitter bitter (*a fig*)
blähen udspile; ***sich ~*** blive spændt ud
Blähungen *pl* luft i maven
blamieren blamere (***sich*** sig)
blank blank
Blase *f* *Anat* blære (*-r*); *Wunde* vable (*-r*); *Wasser* boble (*-r*); **~balg** *m* blæsebælg (*-e*)
blas|en *v/i* puste; *v/t Mus* spille på; **&instrument** *n* blæseinstrument *n*
blass bleg; *Ding* blegne
Blatt *n* blad *n* (*-e*)
blättern bladre (***in*** i)
Blätterteig *m* butterdej
blau blå; *fig* stiv
Blau *n* blå *n*; ***Fahrt ins ~e*** tur i det blå; **&äugig** blåøjet; **~beere** *f* blåbær *n*; **~helme** *pl* FN-soldater *pl*; **~licht** *n* udrykning; *das Licht selber*

blåt blink *n*; **~schimmelkäse** *m* blåskimmelost
Blech *n* blik *n*; **~dose** *f* blikdåse (*-r*); **~schaden** *m* materiel skade
Blei *n* bly *n*
bleiben blive; *unverändert* blive ved med at være; **~ lassen** lade være
bleibend blivende
bleich bleg
bleifrei blyfri
Bleistift *m* blyant; **~spitzer** *m* blyantspidser (*-e*)
Blend|e *f Fot* blænde; **ᵹen** blænde; **ᵹend** blændende; **ᵹfrei** blændfri
Blick *m* blik *n* (*-ke*); *Aussicht* udsigt (***auf*** til); ***auf den ersten ~*** ved første øjekast; **ᵹen** se; ***sich ~ lassen*** vise sig; **~kontakt** *m* øjenkontakt
blind blind; ***blinder Passagier*** blind passager
Blinddarmentzündung *f* blindtarmsbetændelse
Blinde *m/f* blind
Blinden|anstalt *f* blindeinstitut *n* (*-ter*); **~hund** *m* førerhund; **~schrift** *f* blindeskrift
Blind|heit *f* blindhed
blindlings i blinde
blink|en blinke; **ᵹer** *m*, **ᵹleuchte** *f*, **ᵹlicht** *n* blinklys *n* (=)
blinzeln blinke
Blitz *m* lyn *n* (=); **~ableiter** *m* lynafleder (*-e*)
blitzen glimte; *Wetter* lyne; ***es blitzt*** det lyner
Blitz|gerät *n Fot* blitz; **~lichtaufnahme** *f* blitzoptagelse (*-r*); **~schlag** *m* lynnedslag *n* (=); **ᵹschnell** lynhurtig
Block *m* blok (*-ke*); **~ade** *f* blokade (*-r*); **~buchstabe** *m* blokbogstav *n*; **~flöte** *f* blokfløjte (*-r*); **ᵹieren** blokere; **~schrift** *f* blokbogstaver *pl*
blöd dum
Blödsinn *m* vrøvl *n*; **ᵹig** åndssvag
blöken bræge
blond blond
Blondine *f* blondine (*-r*)
bloß *nackt* bar; *nur* bare
Blöße *f* nøgenhed; *fig* blottelse (*-r*)
bloß|legen, **~stellen** blotte
Bluejeans *pl* cowboybukser *pl*, (blue) jeans (*-ene*)
blühen blomstre
Blume *f* blomst
Blumen|beet *n* blomsterbed *n* (*-e*); **~geschäft** *n*, **~laden** *m* blomsterforretning; **~kohl** *m* blomkål; **~strauß** *m* blomsterbuket (*-ter*); **~topf** *m* urtepotte (*-r*); **~vase** *f* vase (*-r*)
Bluse *f etwa* bluse (*-r*)
Blut *n* blod *n*; **ᵹarm** anæmisk
Blutdruck *m* blodtryk *n* (***hoher*** højt)
Blüte *f* blomst; *Zeit* blomstringstid (*a fig*)
bluten bløde
Blut|entnahme *f* blodaftap-

ning; **~er(in)** *m(f)* bløder (*-e*); **~erguss** *m* blodudtrædning; **~gefäß** *n* blodkar *n* (=); **~gruppe** *f* blodtype (*-r*)
blutig blodig
Blutorange *f* blodappelsin
Blut|probe *f* blodprøve (*-r*); **≈rünstig** *Person* blodtørstig; *Film etc* bloddryppende; **~schande** *f* blodskam; **~spender(in)** *m(f)* bloddonor
Blut|transfusion *f* blodtransfusion; **~ung** *f* blødning (*a Menstr.*); **~vergiftung** *f* blodforgiftning; **~verlust** *m* blodtab *n*; **~wurst** *f* blodpølse (*-r*)
BLZ *f* (*Bankleitzahl*) *etwa* reg. nr. (*registreringsnummer for bank*)
Bö *f* kastevind (*-e*)
Bock *m* buk (*-ke*) *a Gestell*; **≈ig** stædig
Boden *m Erde* jord; *Fußboden* gulv *n* (*-e*); *Gefäß* bund (*-e*); **≈los** bundløs; **~personal** *n* jordpersonale *n*
Bogen *m* bue (*-r*); *Papier* ark *n* (=); ***einen weiten ~ machen um*** gå i en stor bue uden om; **~schießen** *n* bueskydning
Bohle *f* planke (*-r*)
Bohne *f* bønne (*-r*); ***grüne Bohnen*** grønne bønner
Bohnenkaffee *m* kaffe
Bohnensuppe *f* bønnesuppe
bohren bore
Bohr|er *m* bor *n* (=); **~maschine** *f* boremaskine (*-r*); **~turm** *m* boretårn *n* (*-e*); **~ung** *f* boring
Boiler *m* varmtvandsbeholder (*-e*)
Boje *f* bøje (*-r*)
Bolzen *m* bolt (*-e*)
Bombe *f* bombe (*-r*)
Bombendrohung *f* bombetrussel (*-sler*)
Bomberjacke *f* flyverjakke (*-r*)
Bon *m* bon (*-ne*)
Bonbon *n* bolsje *n* (*-r*)
Boot *n* båd (*-e*)
Bootsrennen *n* kapsejlads
Boot(s)verleih *m* bådudlejning
Bord[1] *m Mar* bord *n*; ***an ~*** om bord; ***von ~ gehen*** gå fra borde; ***über ~ werfen*** kaste over bord (*a fig*)
Bord[2] *n Regal* hylde (*-r*)
Bordell *n* bordel *n* (*-ler*)
Bordkarte *f* boardingpas *n* (=)
Bordstein *m* kantsten (=)
borgen låne (***bei, von*** af)
borniert bornert
Börse *f* børs; *für Geld* pung (*-e*)
Borste *f* børste (*-r*)
bösartig ondskabsfuld; *Med* ondartet
Böschung *f* skråning
böse *zornig* vred (***auf*** på); *schlimm* slem
bos|haft ondskabsfuld; **≈heit** *f* ondskab
böswillig ondskabsfuld

Botanik *f* botanik
botanisch: ***botanischer Garten*** botanisk have
Bote *m*, **Botin** *f* bud *n* (*-e*); ***durch Boten*** med bud
Botschaft *f* budskab *n*; *Pol* ambassade (*-r*)
Botschafter(in) *m*(*f*) ambassadør
Bottich *m* kar *n* (=)
Bouillon *f* bouillon
Bowle *f* bowle (*-r*)
Bowling *n* bowling
Box *f* boks (-e)
boxen bokse
Box|er(in) *m*(*f*) bokser (*-e*); **~ershorts** *pl* boksershorts *pl*; **2handschuh** *m* boksehandske (*-r*); **2kampf** *m* boksekamp (*-e*)
boykottieren boykotte
brachliegen ligge brak
Branche *f* branche (*-r*)
Brand *m* brand (*-e*); *Med* koldbrand; ***in ~ stecken*** sætte ild på; **~blase** *f* brandvable (*-r*); **~stiftung** *f* ildspåsættelse (*-r*)
Brandung *f* brænding
Brandwunde *f* brandsår *n* (=)
Branntwein *m* brændevin
braten stege
Brat|en *m* steg (*-e*); **~fisch** *m* stegt fisk; **~hering** *m* stegt sild; **~huhn** *n* grillkylling; **~kartoffeln** *pl* brasekartofler *pl*; **~pfanne** *f* stegepande; **~rost** *m* stegerist
Bratsche *f* bratsch
Bratspieß *m* stegespid *n*, grillspyd *n*
Bratwurst *f* grillpølse (*-r*)
Brauch *m* skik (*-ke*); **2bar** anvendelig
brauchen have brug for; *verwenden* bruge; ***der Zug braucht zwei Stunden*** det tager to timer med tog
Braue *f* øjenbryn *n* (=)
Brauerei *f* bryggeri *n*
braun brun; ***~ gebrannt*** solbrændt
Braunkohle *f* brunkul *n*
Bräunungsstudio *n* solcenter *n* (*-centre*)
Brause *f* bruser (*-e*); **~limonade** *f* sodavand *n* (=)
brausen *rauschen* bruse; *rasen* suse
Braut *f* brud (*-e*); *fig* sild (=)
Bräutigam *m* brudgom (*-me*)
Braut|kleid *n* brudekjole (*-r*); **~paar** *n* brudepar *n* (=)
brav *Kind* artig; *konventionell* pæn
brechen brække; *Med* kaste op
Brechmittel *n* brækmiddel *n* (*-midler*)
Brechreiz *m* kvalme
Brei *m* grød
breit bred
Breitbandkabel *n* bredbånd *n* (=)
Breite *f* bredde (*-r*)
Breitengrad *m* breddegrad
breitschultrig bredskuldret
Breitwandfilm *m* wide screen-film (=)
Brems|belag *m* bremsebe-

lægning
Bremse *f* bremse (*-r*) *a Zo*
bremsen bremse
Brems|flüssigkeit *f* bremsevæske; **~licht** *n* bremselys *n* (=); **~spur** *f* bremsespor (=) *n*; **~weg** *m* bremselængde
brenn|bar brændbar; **~en** brænde; *Wunde etc* svie; **~end** brændende
Brenn|holz *n* brænde *n*; **~nessel** *f* brændenælde (*-r*); **~punkt** *m* brændpunkt *n*; **~stoff** *m* brændstof *n*
brenzlig sveden; *fig* muggen
Brett *n* bræt *n* (*brædder*)
Brezel *f* saltkringle (*-r*)
Brief *m* brev *n* (*-e*); **~freund(in)** *m(f)* penneven; **~kasten** *m* postkasse (*-r*)
Brief|marke *f* frimærke *n* (*-r*); **~markenautomat** *m* frimærkeautomat; **~markensammler(in)** *m(f)* frimærkesamler (*-e*)
Brief|papier *n* brevpapir *n*; **~tasche** *f* pengepung (*-e*); **~träger(in)** *m(f)* postbud *n* (*-e*); **~umschlag** *m* konvolut (*-ter*); **~wahl** *f* brevstemme; **~wechsel** *m* brevveksling
Brikett *n* briket (*-ter*)
Brillant *m* brillant
Brille *f* briller *pl*
Brillengestell *n* brillestel *n*
bringen bringe
Brise *f* brise (*-r*)
britisch britisk
bröckeln smuldre
Brocken *m* klump
brodeln syde
Broiler *m* grillkylling
Brombeere *f* brombær *n* (=)
Bronchitis *f* bronkitis
Bronze *f* bronce
Broschüre *f* brochure (*-r*)
Brot *n* brød *n* (=)
Brötchen *n* rundstykke *n* (*-r*), bolle (*-r*)
Brot|korb *m* brødbakke (*-r*); **~rinde** *f* brødskorpe (*-r*); **~schnitte** *f* stykke brød *n*
Bruch *m* brud *n* (=); *Med* brok *n*; *Math* brøk
brüchig revnet; *zerbrechlich* skør
Bruch|rechnung *f* brøkregning; **~stück** *n* brudstykke *n* (*-r*); **~teil** *m* brøkdel (*-e*)
Brücke *f* bro (*a Mar*); *Teppich* løber (*-e*)
Bruder *m* bror (*brødre*)
brüderlich broderlig
Brüh|e *f* bouillon
brühen skolde
Brühwürfel *m* bouillonterning
brüllen brøle
brummen brumme
Brünette *f* brunette
Brunnen *m* brønd (*-e*)
Brüssel Bruxelles
Brust *f* bryst *n*
brüsten: ***sich ~ mit*** bryste sig af
Brust|korb *m* brystkasse; **~schwimmen** *n* brystsvømning
Brüstung *f* gelænder *n* (*-e*)

Brustwarze *f* brystvorte (*-r*)
Brut *f* kuld *n* (=); *Mar* yngel
brutal brutal
brüten ruge
Brutkasten *m Med* kuvøse
Bruttogewicht *n* bruttovægt
Bube *m Karte* knægt (*-e*)
Buch *n* bog (*bøger*); **~besprechung** *f* boganmeldelse *f* (*-r*); **~binderei** *f* bogbinderi *n*; **~deckel** *m* bogomslag *n* (=)
Buche *f* bøg (*-e*)
buchen *Flug etc* booke
Bücher|bord *n* boghylde (*-r*); **~ei** *f* bibliotek *n*; **~regal** *n* bogreol; **~schrank** *m* bogskab *n* (*-e*)
Buch|halter(in) *m*(*f*) bogholder (*-e*); **~haltung** *f* bogholderi *n*; **~handlung** *f* boghandel (*-handler*); **~macher(in)** *m*(*f*) bookmaker (*-e*); **~prüfer(in)** *m*(*f*) revisor
Büchse *f* dåse (*-r*); *Flinte* jagtgevær *n*
Büchsenöffner *m* dåseåbner (*-e*)
Buch|stabe *m* bogstav *n*; **∾stabieren** stave; **∾stäblich** bogstavelig
Bucht *f* bugt
Buchung *f* bogføring; *Flug etc* booking
Buchweizen *m* boghvede
Buckel *m* pukkel (*-ler*)
bücken: ***sich ~*** bukke sig
bucklig pukkelrygget
Bude *f* bod; *Baustelle etc* skur *n* (*-e*)
Büfett *n* buffet; ***kaltes ~*** koldt bord
Bügel *m* bøjle (*-r*); **~brett** *n* strygebræt *n* (*-ter*); **~eisen** *n* strygejern *n* (=); **~falte** *f* pressefold
bügelfrei strygefri
bügeln stryge
Bühne *f* scene (*-r*)
Bühnenstück *n* teaterstykke *n* (*-r*)
Bulette *f* frikadelle (*-r*)
Bull|auge *n* koøje *n* (*-r*); **~dogge** *f* buldog (*-ger*)
Bulle *m* tyr (*-e*); *Polizist* strisser (*-e*)
Bummel *m* slentretur (*-e*); **~ei** *f* driveri *n*
bummeln *schlendern* slentre
Bummelzug *m* bumletog *n*
bumsen F bolle
Bund[1] *n* bundt *n*
Bund[2] *m Pol* forbund *n* (=)
Bündel *n* bundt *n*
Bundes|republik *f* forbundsrepublik; **~staat** *m* forbundsstat
bündig: ***kurz und ~*** kort og præcis
Bündnis *n* forbund *n* (=)
Bungalow *m* bungalow (*-s*)
Bunker *m* bunker (*-e*)
bunt broget (*a fig.*)
Bunt|stift *m* farveblyant; **~wäsche** *f* kulørt vasketøj
Burg *f* borg (*-e*)
Bürge *m*, **Bürgin** *f* kautionist
bürgen borge (***für*** for)
Bürger|(in) *m*(*f*) borger (*-e*); **~krieg** *m* borgerkrig; **∾lich**

borgerlig; **~meister(in)** *m(f)* borgmester; **~steig** *m* fortov *n* (*-e*)
Bürgschaft *f* kaution
Büro *n* kontor *n*; **~klammer** *f* clips (=); **~kraft** *f* kontorassistent
bürokratisch bureaukratisk
Bursche *m* fyr (*-e*)
Bürste *f* børste (*-r*)
bürsten børste
Bürsten|frisur *f*, **~schnitt** *m* strithår *n*
Bus *m* bus (*-ser*); **~bahnhof** *m* busholdeplads
Busch *m* busk (*-e*)
Büschel *n* dusk (*-e*)
buschig busket
Busen *m* bryster *pl*
Bus|fahrer(in) *m(f)* buschauffør; **~haltestelle** *f* busstoppested *n*
Buße *f* *Geld* bøde (*-r*)
büßen *v/t* bøde for
Bußgeld *n* bøde (*-r*)
Büste *f* buste (*-r*);
Büstenhalter *m* brystholder (*-e*)
Butter *f* smør *n*; **~brot** *n* smørrebrød *n*; **~milch** *f* kærnemælk
BWL *f* (*Betriebswirtschaftslehre*) *etwa* (erhvervs)økonomi
bzw. (*beziehungsweise*) hhv. (*henholdsvis*)

C

Café *n* café (*cafeer*)
Cafeteria *f* cafeteria (*-rier*)
Camcorder *m* videokamera *n*
Camping *n* camping; **~ausrüstung** *f* campingudstyr *n*; **~platz** *m* campingplads; **~wagen** *m* campingvogn (*-e*)
Carport *m* carport (*-e*)
Cartoon *m/n* tegneserie (*-r*)
CD *f* cd (*-'er*); **~-Brenner** *m* cd-brænder; **~-Player** *m* cd-afspiller (*-e*)
CD-ROM-Laufwerk *n* *EDV* cd-rom-drev *n* (=)
CD-Spieler *m* cd-afspiller (*-e*)
Cello *n* cello
Champagner *m* champagne
Champignon *m* champignon
Chaot(in) *m(f)* rodehoved *n*; *Pol* autonom (*-e*)
Charakter *m* karakter; **2istisch** karakteristisk
Charterflug *m* charterflyvning
Chartermaschine *f* charterfly *n* (=)
chatten chatte (***mit*** med)
checken tjekke
Chef(in) *m(f)* chef
Chef|arzt *m*, **~ärztin** *f* overlæge (*-r*)
Chemi|e *f* kemi; **~kalien** *pl* kemikalier *pl*; **~ker(in)** *m(f)* kemiker (*-e*)
chemisch kemisk
Chemotherapie *f* kemoterapi

Chicorée *m* julesalat
Chiffre *f* ciffer *n* (*-fre*)
Chili *m* chili
China *n* Kina *n*
chinesisch kinesisk
Chinin *n* kinin
Chirurg|(in) *m(f)* kirurg; **²isch** kirurgisk
Chlor *n* klor *n*
Chor *m* kor *n* (=)
Christ|(in) *m(f)* kristen (*-tne*); **~entum** *n* kristendom; **²lich** kristen
ciao: **~!** hej, hej!
Clown *m* klovn (*-e*)
Club *m* klub (*-ber*)
Cockpit *n* cockpit *n* (*-ter*)
Cocktail *m* cocktail (*-s*); **~party** *f* cocktailparty *n* (*-ties*)
Cognac® *m* cognac
Comic, **Comicstrip** *m* tegneserie (*-r*)
Computer *m* computer (*-e*) **~spiel** *n* computerspil *n* (=)
cool *kühl* sej; **~!** fedt!
Couch *f* sofa
Cousin *m* fætter (*fætre*)
Cousine *f* kusine (*-r*)
Creme *f* creme (*-r*); **²farben** cremefarvet
Currywurst *f* karrypølse (*-r*)

D

da *dort* der; *zeitl.* da; *weil* fordi; **~ *sein*** *existieren* findes; *anwesend* være til stede
dabei ved det; *außerdem* samtidig
dableiben blive der
Dach *n* tag *n* (*-e*); **~boden** *m* loft *n*; **~decker(in)** *m(f)* tagdækker; **~garten** *m* tagterrasse; **~pappe** *f* tagpap *n*; **~rinne** *f* tagrende (*-r*)
Dachs *m* grævling
Dachwohnung *f* tagværelse *n* (*-r*)
Dachziegel *m* tagsten (=)
Dackel *m* gravhund (*-e*)
da|durch på den måde; **~für** for det; *stattdessen* til gengæld; ***ich kann nichts* ~** jeg kan ikke gøre for det; **~gegen** derimod; **~heim** derhjemme; **~her** *von dort* derfra; *deshalb* derfor; **~hin** derhen; *weg* forbi; ***bis* ~** indtil da
dahinter bagved; **~ *kommen*** finde ud af det; **~ *stecken*** stikke bag
Dahlie *f* georgine (*-r*)
damalig daværende
damals dengang
Dame *f* dame (*-r*); *im Schach* dronning; **~ *spielen*** spille dam
Damen|binde *f* hygiejnebind *n* (=); **~friseur(in)** *m(f)* damefrisør; **~toilette** *f* dametoilet *n* (*-ter*)
damit dermed; *Zweck* for at
Damm *m* dæmning
dämmern: ***es dämmert*** *mor-*

gens det er ved at blive lyst; *abends* det er ved at blive mørkt
Dämmerung *f* dæmring; *abends* skumring
Dampf *m* damp (*-e*); **ⓢen** dampe
dämpfen dæmpe; *Gastr* dampkoge
danach derefter
Däne *m* dansker (*-n*)
daneben ved siden af; *außerdem* derudover
Dänemark *n* Danmark *n*
Dänin *f* dansker (*-e*)
dänisch dansk
dank takket være
Dank *m* tak
dankbar taknemmelig
Dankbarkeit *f* taknemmelighed
danke: ~ (*schön*) tak
danken takke
dann så; ~ ***und wann*** af og til
dar|an ved det; på det; af det *etc* → ***an***; ***nahe~*** tæt på; **~*auf dort*** på det, den; *nachher* bagefter; ***bald~*** kort tid efter
daraufhin bagefter
daraus af det
Darbietung *f* formidling; *Unterhaltung* underholdning
darin i den, det
darlegen fremstille
Darlehen *n* lån *n* (=)
Darm *m* tarm (*-e*)
darstellen *zeigen* forestille; *Thea etc* spille
Darsteller(in) *m*(*f*) skuespiller (*-e*)
Darts *n* dart
darüber derover; *davon* om det; ~ ***hinaus*** derudover
darum for det; *deshalb* derfor
darunter nedenunder; *zwischen* derimellem
das *pers pron* den; *n* det; *rel pron* som, der; ~ ***heißt*** (*d.h.*) det vil sige (*dvs.*)
Dasein *n Leben* tilværelse; *vor Ort* tilstedeværelse
dass at
dasselbe den *od* det samme
Datei *f* kartotek; *EDV* fil
Daten *pl* data *pl*; **~bank** *f* database (*-r*)
datieren datere (***auf*** til)
Dattel *f* daddel (*dadler*)
Datum *n* dato
Dauer *f* varighed
dauerarbeitslos langtidsledig
dauerhaft varig
dauern vare
dauernd vedvarende
Dauer|regen *m* vedvarende regn; **~welle** *f* permanentet hår
Daumen *m* tommelfinger (*-fingre*)
Daunen|decke *f* dundyne (*-r*); **~jacke** dunjakke (*-r*)
davon *Ursprung* derfra; *Teil* deraf; *darüber* om den; *n* om det; **~laufen** løbe væk
davor foran
DAX® *m det tyske aktieindeks*
dazu *überdies* derudover; *Zweck* til det; **~gehören** høre til; **~lernen** lære mere;

~tun tilsætte; **≗tun** *n* medvirken; **~verdienen** have en biindkomst
dazwischen derimellem; **~kommen** komme i vejen
DDR: ***in der ~*** *hist* i DDR; **~-Bürger(in)** *m(f)* østtysker (*-e*)
Debatte *f* debat (*-ter*)
Deck *n* dæk *n* (=)
Decke *f* tæppe (*-r*); *Arch* loft *n*
Deckel *m* låg *n* (=)
decken dække
Deck|name *m* pseudonym *n*; **~ung** *f* dækning
Decoder *m* dekoder (*-e*); *TV* movieboks
defekt defekt
Defizit *n* underskud *n*
deftig *Gastr* kraftig; *fig* heftig
dehn|bar strækbar; **~en** udvide
Deich *m* dige *n* (*-r*)
dein din; *n* dit
deinetwegen for din skyld
Dekan(in) *m(f)* dekan
deklarieren deklarere
Dekolleté *n* nedringning
Dekor *m/n* mønster *n* (*-stre*)
Dekor|ateur(in) *m(f)* dekoratør; **~ation** *f* dekoration; *Ausschmückung* pynt; **≗ieren** dekorere
Delegierte *m/f Pol* delegeret
Delfin *m* delfin
delikat delikat
Delika|tesse *f* delikatesse (*-r*); **~tessengeschäft** *n* delikatesseforretning
Delikt *n* forseelse (*-r*)
Delle *f* bule (*-r*)
Delphin *m* delfin
dem|entsprechend tilsvarende; **~nach** derfor; **~nächst** snart
Demokratie *f* demokrati *n*
demokratisch demokratisk
de|molieren ødelægge; **~monstrieren** demonstrere; **~montieren** afmontere
Demut *f* ydmyghed
demütig ydmyg
demütigen ydmyge
demzufolge følgelig
denkbar tænkelig
denken tænke (***an*** på)
Denkmal *n* mindesmærke *n* (*-r*)
Denkmalschutz: ***unter ~ stehen*** være fredet
Denkzettel *m* lærestreg (***verpassen*** give)
denn *weil* for; *als* end; ***wann ~?*** hvornår?; ***mehr ~ je*** mere end nogensinde
dennoch alligevel
denunzieren stikke
Deo|dorant *n* deodorant; **~roller** *m* roll-on (*-s*)
Depot *n* depot *n*
der *dem pron* den; *Person* han; *rel pron* som, der; **~artig** sådan
derb *kräftig* kraftig; *grob* sjofel
der|gleichen den slags; **~jenige** den; **~maßen** så; **~selbe** den samme
deshalb derfor

Designer|(in) *m(f)* designer; **~brille** *f* designerbriller *pl*
Desinfektion *f* desinficering; **~smittel** *n* desinfektionsmiddel *n*
desinfizieren desinficere
dessen *dem pron* dennes; *rel pron* hvis; ~ ***ungeachtet*** desuagtet
Dessert *n* dessert; **~wein** *m* dessertvin *(-e)*
Dessous *n* fransk undertøj *n*
destilliert: ***destilliertes Wasser*** destilleret vand
desto desto; ~ ***besser*** desto bedre
deswegen derfor
Detektiv(in) *m(f)* detektiv
Deut: ***keinen*** ~ ikke en pind
deut|en fortolke (***als*** som); *zeigen* pege (***auf*** på); **~lich** tydelig
deutsch tysk
Deutsch *n* tysk *n* (***auf*** på); ***sprechen Sie ~?*** taler du tysk?
Deutsch|e(r) *m/f* tysker *(-e)*; **~land** *n* Tyskland *n*; **~lehrer(in)** *m(f)* tysklærer *(-e)*; **≗sprachig** tysktalende
Devisen *pl* valuta
Dezember *m* december; ***im~*** i december
Dia *n* lysbillede *n (-r)*
Diabetiker(in) *m(f)* diabetiker *(-e)*
Diagnose *f* diagnose *(-r)* (***stellen*** stille)
Dialekt *m* dialekt
Diamant *m* diamant
Diaprojektor *m* lysbilledapparat *n*
Diät *f* diæt; ~ ***halten*** holde diæt
Diavortrag *m* lysbilledeforedrag *n (=)*
dich dig; ***für*** ~ til dig
dicht tæt; ~ ***an*** tæt ved
Dichte *f* tæthed
dichten *Lit* digte; *dicht machen* tætne
Dichter(in) *m(f)* digter *(-e)*
Dichtung *f Poesie* digtning; *Tech* pakning; *Abdichten* tætning
dick tyk; **~flüssig** tyktflydende
Dickicht *n* tykning
dickköpfig stædig
Dickmilch *f* tykmælk
die *pers pron f* hun; *pl* de; *rel pron* som, der
Dieb|(in) *m(f)* tyv *(-e)*; **~stahl** *m* tyveri *n*
Diele *f Brett* gulvbræt *(-brædder)*; *Raum* entré *(entreer)*
dienen tjene; ~ ***als*** fungere som
Diener(in) *m(f)* butler *(-e)*
Dienst *m* tjeneste *(-r)*; ***außer~*** pensioneret; ~ ***haben*** have vagt
Dienstag *m* tirsdag (***am*** på)
dienst|bereit hjælpsom
Dienst|grad *m* rang; **~leister(in)** *m(f)* ansat *(-te)* i serviceerhverv; **~leistung** *f* tjeneste *(-r)*; **≗lich** tjenstlig; **~reise** *f* tjenesterejse *(-r)*; **~stelle** *f* kontor *n*; **~wagen**

m tjenestebil; **~wohnung** *f* embedsbolig
dies denne; *n* dette; **~bezüglich** hvad det angår
diese *f*, **dieser** *m*, **dieses** *n* denne, dette *n*; **diese** *pl* disse
Diesel[1] *m Motor* dieselmotor
Diesel[2] *n*, **~kraftstoff** *m* diesel
dieser → ***diese***
diesig diset (*disede*)
diesmal denne gang
Differenz *f* forskel (***zwischen*** mellem)
Digitaluhr *f* digitalur *n* (*-e*)
Diktat *n* diktat *n*
Diktatur *f* diktatur *n*
diktier|en diktere; **ꝏgerät** *n* diktafon
Dill *m* dild
Dimension *f* dimension
Ding *n* ting (=); ***vor allen ~en*** frem for alt
Dingsbums *n* tingest
diplomatisch diplomatisk
Diplomingenieur(in) *m(f)* civilingeniør
dir dig
direkt direkte
Direktflug *m* direkte flyforbindelse (*-r*)
Direktor(in) *m(f)* direktør
Direktübertragung *f* liveudsendelse (*-r*)
Dirigent(in) *m(f)* dirigent
Discount|er, **~laden** *m* discountbutik (*-ker*)
Diskette *f* diskette (*-r*)
Diskettenlaufwerk *n* disket-tedrev *n* (=)
Disko, **Diskothek** *f* diskotek *n*
diskret diskret
diskriminieren diskriminere
Diskussion *f* diskussion
diskutieren diskutere
disqualifizieren diskvalificere
Distanz *f* distance (*-r*)
distanzieren: ***sich ~ von*** lægge afstand til
Distel *f* tidsel (*-sler*)
Disziplin *f* disciplin
dividieren dividere (***durch*** med)
D-Mark *f hist* D-Mark
do: ***~ it yourself*** gør det selv
doch *aber* men; *herausfordernd* da; *suchend* dog; *trotzdem* alligevel; ***~!*** jo!
Docht *m* væge (*-r*)
Doktor(in) *m(f)* doktor; *akadem. Titel* ph.d.
Dokumentarfilm *m* dokumentarfilm (=)
Dolmetscher(in) *m(f)* tolk (*-e*)
Dom *m* domkirke (*-r*)
Domain *f EDV* domæne *n* (*-r*)
Donner *m* torden
donnern tordne; ***es donnert*** det tordner
Donnerschlag *m* tordenskrald *n* (=)
Donnerstag *m* torsdag (***am*** på)
Doppel *n* kopi (*-r*); *Sport* double (*-r*); **~bett** *n* dobbeltseng (*-e*); **~decker** *m* dobbeltdækker (*-e*)

doppeldeutig tvetydig
Doppel|fenster *n* forsatsvindue *n* (*-r*); **~gänger(in)** *m(f)* dobbeltgænger (*-e*); **~kinn** *n* dobbelthage (*-r*); **~klick** *m EDV* dobbeltklik *n* (=); **~punkt** *m* kolon *n* (*-ner*)
doppelseitig dobbeltsidet
doppelt dobbelt; ***~ so viel*** dobbelt så meget; ***das Doppelte*** det dobbelte
Doppelzimmer *n* dobbeltværelse *n* (*-r*)
Dorf *n* landsby, **~bewohner(in)** *m(f)* landsbyboer (*-e*)
Dorn *m* torn (*-e*)
dornig tornet
dörren tørre
Dörrobst *n* tørret frugt *n*
Dorsch *m* torsk (=)
dort der; ***von ~*** derfra; **~hin** derhen
dortig lokal
Dose *f* dåse (*-r*)
dösen blunde
Dosen|bier *n* dåseøl (=); **~öffner** *m* dåseåbner (*-e*)
Dosis *f* dosis (*doser*)
Dotter *m* æggeblomme (*-r*)
downloaden downloade
Dozent(in) *m(f)* universitetslærer (*-e*)
Drache *m Fabeltier* drage (*-r*)
Drachen *m Fluggerät* drage (*-r*)
Draht *m* tråd (*-e*)
Draht|bürste *f* stålbørste (*-r*); **2los** trådløs; **~zaun** *m* trådhegn *n*; **~zieher(in)** *m(f)* bagmand (*-mænd*)
Drama *n* drama *n*; **2tisch** dramatisk
dran: ***ich bin ~*** det er min tur
Drang *m* trang (***nach*** til)
drängen mase; *auffordern* plage; ***die Zeit drängt*** det haster; ***sich ~*** stimle sammen
Draufgänger(in) *m(f)*: ***ein(e) ~ sein*** have ben i næsen
draufzahlen betale oveni
draußen udenfor; ***von ~*** udefra
Dreck *m* skidt *n*
dreckig beskidt
Drehbank *f* drejebænk (*-e*)
drehbar drejelig
Dreh|bleistift *m* skrueblyant; **~buch** *n* drejebog (*-bøger*)
drehen dreje (***sich*** sig); *Film* indspille
Dreh|knopf *m* knap (*-per*); **~scheibe** *f* drejeskive (*-r*); **~stuhl** *m* drejestol (*-e*); **~tür** *f* svingdør (*-e*); **~ung** *f* drejning
drei tre; **~dimensional** tredimensionel
Drei|eck *n* trekant; **2eckig** trekantet; **2fach** tredobbelt
Dreikönige *pl* helligtrekonger *n*;
dreimal tre gange
Drei|rad *n* trehjulet cykel; **~sprung** *m* trespring *n*
dreißig tredive
dreist vovet
drei|stöckig treetages;

~stündig tretimers
Dreitagebart *m* skægstubbe *pl*
dreiviertel trekvart
Dreizimmerwohnung *f* treværelses lejlighed
dresch|en tærske; **2maschine** *f* mejetærsker (*-e*)
dressieren dressere
dringen trænge (***in*** ind i); **~ auf**kræve
dringend *sofort* med det samme; *nachdrücklich* indtrængende; *adj* uopsættelig
drinnen inde; *dort* derinde
dritte tredje
Drittel *n* tredjedel (*-e*)
drittens for det tredje
Droge *f* narkotikum (*-ka*)
Drogenabhängige *m/f* narkoman
Drogerie *f* materialhandel
Drogist(in) *m(f)* materialist
drohen true
drohend truende
dröhnen tordne
Drohung *f* trussel (*-sler*)
drollig pudsig
drosseln dæmpe
drüben derovre; ***von ~*** derovrefra
Druck *m* tryk *n*; *psychisch* pres *n*
drucken trykke
drücken trykke; ***sich ~*** snyde sig (***vor*** fra); ***drückend heiß*** lummer
Druck|er(in) *m(f)* trykker (*-e*); **~erei** *f* trykkeri *n*; **~fehler** *m* trykfejl (=); **~knopf** *m* tryklås (*-e*); *Tech* afbryder (*-e*); **~luft** *f* trykluft; **~mittel** *n* pressionsmiddel *n* (*-dler*); **~sache** *f* tryksag; **~taste** *f* trykknap (*-per*)
Drum: ***mit allem ~ und Dran*** med alt, hvad dertil hører, med hele molevitten
Drummer(in) *m(f)* trommeslager
Drüse *f* kirtel (*-tler*)
Dschungel *m* jungle (*-r*)
DSL *n Internetanschluss* bredbånd *n* (=)
du du
ducken: ***sich ~*** dukke sig
Dudelsack *m* sækkepibe (*-r*)
Duft *m* duft (*-e*)
duften dufte (***nach*** af)
duld|en tåle; **~sam** tålmodig
dumm dum
Dumm|heit *f* dumhed; **~kopf** *m* tumpe (*-r*)
dumpf dump
Düne *f* klit (*-ter*)
düng|en gødske; **2er** *m* gødning
dunkel mørk; ***es wird ~*** det er ved at blive mørkt; ***im Dunkeln*** i mørke; **~blau** mørkeblå; **2heit** *f* mørke *n*; **2kammer** *f* mørkekammer *n*
dünn tynd; **~flüssig** tyndtflydende
Dunst *m Nebel* dis; *Rauch* os
dünsten dampkoge
dunstig diset
Dur *n* dur
durch igennem; **~aus** absolut; ***~ nicht*** aldeles ikke;

~blättern bladre igennem; **~bohren** gennembore; **~brechen** *v/t* brække over; *v/i* bryde igennem
durch|brennen *El* springe
Durchbruch *m* gennembrud *n* (=)
durchdenken tænke igennem
durch|drehen *v/t Gastr* hakke; *Kfz* fedte; *v/i* gå amok; **~dringen** trænge igennem
durcheinander hulter til bulter; *verwirrt* forvirret; **2** *n* rod *n*; *Menschen* virvar *n*
Durch|fahrt *f* gennemkørsel; **~fall** *m* diarré
durch|fallen *Prüfung* dumpe; **~fließen** løbe igennem; **~führen** gennemføre
Durchgang *m* gennemgang
durch|gehen gennemgå; **~gehend**: **~ *geöffnet*** åben hele dagen
durch|halten holde ud; **~hauen** *spalten* hugge over; **~kommen** komme igennem
durch|lassen lade komme igennem; **~laufen** løbe igennem; **~lesen** gennemlæse
durch|lüften lufte ud; **~machen** *erdulden* gennemgå
Durchmesser *m* diameter
durchnässt gennemblødt
durchrechnen regne igennem
Durchreise: ***auf der ~*** på gennemrejse
Durchsage *f* meddelelse (*-r*)
durchschauen gennemskue
durchschneiden skære over; *mit Schere* klippe over
Durch|schnitt *m Mittelwert* gennemsnit *n* (**im** i); **2schnittlich** gennemsnitlig
durchsehen se igennem
durch|setzen gennemtrumfe; ***sich ~*** sætte sig igennem; **~sichtig** gennemsigtig; **~sickern** sive ud (*a fig*); **~sprechen** drøfte
durch|streichen strege ud; **~suchen** gennemsøge; **2suchung** *f* gennemsøgning; **~wachsen** *Gastr* stribet; **~wählen** *Tel* ringe direkte; **~ziehen** løbe igennem; **2zug** *m* gennemtræk
dürfen måtte; ***darf ich …?*** må jeg …?
dürftig *arm* fattig; *fig* mager
dürr *trocken* tør; *dünn* mager
Dürre *f* tørhed; *Wetter* tørke
Durst *m* tørst; **~ *haben*** være tørstig
durstig tørstig
Dusch|e *f* brusebad *n* (*-e*); **2en** tage brusebad; **~raum** *m* baderum *n* (=)
Düsen|flugzeug *n* jetfly *n* (=); **~jäger** *m* jetjager (*-e*); **~triebwerk** *n* jetmotor
düster mørk
Dutzend *n* dusin *n* (=)
duzen sige du til, være dus
DVD-Player *m* dvd-afspiller (*-e*)
Dynamit *n* dynamit

E

EAN-Code *f* stregkode (*-r*)
Ebbe *f* ebbe
eben *flach* jævn; *genau das* netop; **~** (**erst**) først lige
Ebene *f* slette (*-r*)
eben|falls på samme måde; **~!** i lige måde!; **~so** lige så; **~so wenig** lige så lidt
ebnen jævne
E-Business *n* e-handel
Echo *n* ekko *n*; **~lot** *n* ekkolod *n*
echt ægte; **echt?** er det rigtigt?
Eckball *m* hjørnespark *n*
Ecke *f* hjørne *n* (*-r*); **um die ~** rundt om hjørnet
eckig kantet
Eckzahn *m* hjørnetand (*-tænder*)
edel ædel
Edel|metall *n* ædelmetal; **~stahl** *m* rustfrit stål; **~stein** *m* ædelsten (*-e*); **~tanne** *f* ædelgran; **~weiß** *n* edelweiss (=)
EDV *f* edb
Efeu *n* vedbend (=)
effektiv effektiv
EG (*Europäische Gemeinschaft*) EF (*Europæiske Fælleskab*)
egal ligegyldigt
Egois|mus *m* egoisme; **⁀tisch** egoistisk
ehe inden
Ehe *f* ægteskab *n*; **~beratung** *f* ægteskabsrådgivning; **~bett** *n* ægteseng
Ehe|bruch *m* ægteskabsbrud *n*; **~frau** *f* hustru; **~leute** *pl* mand og kone; **⁀lich** ægteskabelig
ehe|malige, ~mals tidligere
Ehe|mann *m* mand (*mænd*); **~paar** *n* ægtepar *n* (=)
eher *früher* tidligere; *lieber* hellere; *vielmehr* snarere
Ehering *m* vielsesring
Ehescheidung *f* skilsmisse (*-r*)
Eheschließung *f* indgåelse af ægteskab
Ehre *f* ære
ehren ære
ehrenamtlich frivillig
Ehren|bürger(in) *m(f)* æresborger (*-e*); **~gast** *m* æresgæst
Ehren|mitglied *n* æresmedlem *n*; **~sache** *f* æressag; **~wort** *n* æresord *n*; **~!** på æresord!
Ehr|furcht *f* ærefrygt; **~geiz** *m* ærgerrighed; **⁀geizig** ærgerrig
ehr|lich ærlig; **~lichkeit** *f* ærlighed; **⁀los** æreløs; **~ung** *f* æresbevisning; **⁀würdig** ærværdig
Ei *n* æg *n* (=); **wie ein ~ dem andern** som to dråber vand

Eiche *f* eg (*-e*)
Eichel *f* agern *n* (=)
Eichenholz *n* egetræ *n*
Eichhörnchen *n* egern *n* (=)
Eid *m* ed (***ablegen, leisten*** aflægge)
Eidechse *f* firben *n* (=)
eidesstattlich: ***eidesstattliche Erklärung*** erklæring på tro og love
Eidgenossen *pl* svejtsere *pl*; **~schaft** *f*: ***die ~*** Svejts
eidgenössisch svejtsisk
Eidotter *m/n* æggeblomme (*-r*)
Eier|becher *m* æggebæger *n* (*-bægre*); **~kuchen** *m* æggekage (*-r*); **~likör** *m* æggelikør; **~schale** *f* æggeskal (*-ler*)
Eierstöcke *pl* æggestokke *pl*
Eifer *m* iver; **~sucht** *f* jalousi; **²süchtig** jaloux (***auf*** på)
eifrig ivrig
Eigelb *n* æggeblomme (*-r*)
eigen *privat* egen; *besonder*-særlig; **~artig** mærkelig
Eigenbedarf *m* eget behov *n*; **~gewicht** *n* egenvægt; **²händig** selvstændig; **²mächtig** *adv* på eget initiativ; **~name** *m* egennavn *n* (*-e*)
Eigenschaft *f* egenskab
Eigenschaftswort *n* tillægsord *n* (=)
eigensinnig stædig
eigentlich egentlig
Eigentor *n* selvmål *n* (=)
Eigen|tum *n* ejendom; **~tümer(in)** *m(f)* ejer (*-e*); **²tümlich** særlig
eignen: ***sich ~*** egne sig (***zu, für*** til)
Eilbote *m*, **~botin** *f* ilbud *n*; ***per Eilboten*** ekspres
Eilbrief *m* ekspresbrev *n* (*-e*)
Eil|e *f* hast; **²en** skynde sig; ***es eilt*** det haster
eilig hurtig; ***es ~ haben*** have travlt
Eilsendung *f* ekspresforsendelse (*-r*)
Eilzug *m* hurtigtog *n* (=)
Eimer *m* spand (*-e*)
ein: ***eine*** *f*, ***einer*** *m*, ***ein(e)s*** *n* en, et; ***ein Uhr*** klokken et; ***ein jeder*** enhver; ***eins nach dem anderen*** den ene efter den anden
einander hinanden
einarbeiten: ***sich ~ in*** arbejde sig ind i
einäscher|n brænde; **²ung** *f* kremering
einatmen indånde
Ein|bahnstraße *f* ensrettet gade; **~band** *m* indbinding
ein|bauen indbygge; **²bauschrank** *m* indbygget skab
Einberufung *f* indkaldelse (*-r*)
Einbettzimmer *n* enkeltværelse *n* (*-r*)
ein|beziehen inddrage (***in*** i); **~biegen** *Kfz* dreje ind
einbild|en: ***sich ~*** bilde sig ind; **²ung** *f* indbildning; **²ungskraft** *f* fantasi
Einblick *m*: ***~ gewähren in*** gi-

ve indblik i
einbrechen *Eis* falde igennem; *Verbrechen* bryde ind
Einbrecher(in) *m(f)* indbrudstyv (*-e*)
Einbruch *m* indbrud *n*; **²ssicher** indbrudssikker
ein|büßen miste; **~checken** checke ind; **~cremen** smøre ind
eindeutig entydig
Eindruck *m* indtryk *n* (***bekommen*** få)
ein|drücken trykke ind; **~drucksvoll** imponerende; **~ebnen** udjævne
eineiig enægget
einengen indsnævre (*a fig*)
Einer *m* ener (*-e*); **²lei** *gleich* ens; *egal* ligegyldigt; **²seits** på den ene side
ein|fach enkel; **~fädeln** tråde
Einfahrt *f* indkørsel (*-sler*)
Einfall *m* indfald *n*
ein|fallen falde ind (***in*** i; *a fig*); **~fältig** naiv
Einfamilienhaus *n* enfamiliehus *n*
ein|fangen indfange; **~farbig** ensfarvet; **~fetten** smøre ind; **~flößen** indgyde
Einflugschneise *f* indflyvningsbane
Einfluss *m* indflydelse (***auf*** på); **²reich** indflydelsesrig
ein|förmig ensformig; **~frieren** fryse ned; **~fügen** tilføje; **~fühlsam** forstående
Einfuhr *f* import
einführen importere
Ein|fuhrgenehmigung *f* importtilladelse; **~führung** *f* introduktion (***in*** til); **~fuhrverbot** *n* importforbud *n*
Eingabe *f* indlevering; *EDV* input *n*; *Eintippen* indtastning; **~feld** *n* indtastningsfelt *n*
Eingang *m* indgang
Eingangstür *f* indgangsdør (*-e*)
einge|ben *EDV* indtaste; **~bildet** indbildsk
Eingeborene *m/f* indfødt (*-e*)
Eingebung *f fig* indskydelse (*-r*)
eingehen *Vertrag, Ehe* indgå; *Sendung* ankomme; *Bot* gå ud; *Tex* krympe; **~ *auf*** gå ind på
Eingemachtes sylteting *pl*
eingeschrieben *Brief* anbefalet
Einge|ständnis *n* indrømmelse (*-r*); **²stehen** indrømme
Eingeweide *pl* indvolde *pl*
ein|gießen hælde i; **~gleisig** enkeltsporet; **~gliedern** indlemme (***in*** i); **~greifen** gribe ind (***in*** i); **²griff** *m* indgreb *n* (=); **~halten** *v/t Versprechen etc* overholde; *v/i* holde op (***in, mit*** med); **~hängen** *v/t* sætte i hak; *Tel* lægge på
einheimisch lokal
Einheit *f* enhed; **²lich** ensartet
Einheitspreis *m* enhedspris
einholen indhente; *einkaufen*

købe ind
einig enig (***über*** om); **~ *werden*** blive enig(e)
einige nogen; noget *n*; nogle *pl*; **~ *Zeit*** nogen tid; **~ *Mal*** nogle gange
einigen forene; ***sich* ~ *über*** enes om
einig|ermaßen nogenlunde; **~es** noget; *viel* en del
Einig|keit *f* enighed; **~ung** *f Zusammenschluss* forening; *Vergleich* enighed
einimpfen sprøjte ind
Einkauf *m* indkøb *n* (=)
einkaufen købe ind
Einkaufs|bummel *m* shoppetur (*-e*); **~preis** *m* indkøbspris; **~tasche** *f* indkøbstaske (*-r*); **~zentrum** *n* indkøbscenter *n* (*-tre*)
Einklang: ***in* ~ *bringen mit*** få til at passe med
einklemmen *Finger* få i klemme
Einkommen *n* indkomst; **~steuer** *f* indkomstskat
einkreisen indkredse
einlad|en invitere; **≈ung** *f* invitation (***zu*** til)
Ein|lage *f* indlæg *n* (=); *Bank* indskud *n* (=); **~lass** *m* adgang; **≈lassen** lukke ind
einlaufen *Zug etc* ankomme; *Schuhe* gå til
einleben: ***sich* ~ *in*** vænne sig til
einlegen lægge ind; *Film* sætte i; *Gastr* sylte; ***Einspruch* ~** protestere
Einlegesohle *f* indlægssål
einleit|en indlede; **≈ung** *f* indledning
einleuchtend indlysende
einliefern *Krankenhaus* indlægge
ein|loggen: ***sich* ~** logge sig på; **~lösen** indløse; **~machen** *Gastr* sylte
einmal en gang; *künftig* engang; ***auf* ~** på en gang; ***nicht* ~** ikke engang
Einmaleins *n* lille tabel
Einmarsch *m* indmarch
einmischen: ***sich* ~** blande sig (***in*** i)
Einmischung *f* indblanding
Einnahme *f Geld* indtægt; *Med* indtagelse
einnehmen indtage; *Geld* opkræve
Einöde *f* øde område *n* (*-r*)
ein|ordnen: ***sich* ~** indordne sig; **~packen** pakke ind; **~parken** parkere; **~pflanzen** *Med* transplantere; *fig* indpode
einprägen: ***sich* ~** indprente sig
ein|quartieren indkvartere; **~räumen** *Sachen* stille på plads; *Recht* give; *zugeben* indrømme; **~reiben** gnide ind
einreichen indgive
Einreise *f* indrejse; **~erlaubnis** *f*, **~visum** *n* indrejsevisum *n*
einreisen rejse ind
ein|reißen *v/t* rive ned; *Loch*

rive hul på; **~renken** sætte i led
einricht|en indrette; **&ung** *f* indretning
Eins *f Wert* etter (*-e*); *Zahl* ettal *n* (*-ler*)
ein|sam ensom; **&samkeit** *f* ensomhed; **~sammeln** indsamle
Einsatz *m* indsats
ein|scannen scanne ind; **~schalten** *Licht etc* tænde; ***sich ~*** gribe ind (***in i***)
Einschaltquote *f* seertal *n* (=)
einschärfen indskærpe (***j-m*** over for ngn)
einschätzen vurdere
Einschätzung *f* vurdering
einschenken skænke op
ein|schicken indsende; **~schieben** indskyde
ein|schlafen falde i søvn; *Glieder* begynde at sove; **~schläfern** dysse i søvn; *Tier* aflive; **~schlagen** *Nagel* slå i; *Scheibe* smadre; *Blitz* slå ned
einschleichen: ***sich ~*** snige sig ind
einschließen *einsperren* lukke inde; *umfassen* omfatte; *umzingeln* omringe
einschließlich inklusive
einschmeicheln: ***sich ~*** indsmigre sig (***bei j-m*** hos ngn)
ein|schmuggeln indsmugle; **~schneiden** skære; *mit Schere* klippe; **~schneien** sne inde; **&schnitt** *m* snit *n* (=); **~schränken** indskrænke; **~schrauben** skrue i
Einschreiben *n* anbefalet (brev)
ein|schreiten skride ind; **~schüchtern** skræmme; **~sehen** se ind; *begreifen* indse; **~seifen** sæbe ind; **~seitig** ensidig; **~senden** indsende
einsetzen indsætte; *Bot* plante ud; *Kraft etc* sætte ind; *beginnen* begynde; ***sich ~ für*** engagere sig for
Einsicht *f* indsigt
einsichtig klog; *nachvollziehbar* forståelig
ein|sperren spærre inde; **~springen** springe ind (***für*** for); **~spritzen** sprøjte ind
Einspruch *m* indsigelse (*-r*) (***erheben*** gøre; ***gegen*** mod)
einspurig ensporet
ein|stecken stikke ind; *mitnehmen* tage med; **~steigen** stige ind; **~stellen** *Arbeiter* ansætte; *regulieren* indstille; *setzen* stille ind; *aufhören* standse
Einstellung *f Arbeiter* ansættelse (*-r*); *Aufhören* standsning; *Ansicht* holdning
Einstieg *m* indgang (*a fig*)
ein|stimmig enstemmig; **~stöckig** enetages; **&sturz** *m* sammenstyrtning; **~stürzen** styrte sammen
einstweil|en, **~ig** foreløbig
Eintagsfliege *f* døgnflue (*-r*)

(*a fig*)
ein|tauchen *v/t* dyppe; *v/i* dykke ned; **~tauschen** bytte (***gegen*** for); **~teilen** inddele; **~teilig** *Tex* ud i et
Einteilung *f* inddeling
ein|tippen taste ind; **~tönig** ensformig
Eintopf *m* sammenkogt ret
Eintracht *f* enighed
ein|tragen *schriftlich* registrere; **~träglich** lukrativ; **~treffen** ankomme; *geschehen* ske; **~treten** træde ind; *geschehen* indtræde; (***für***) *Person* hjælpe; *Sache* arbejde for
Eintritt *m* indtrædelse; *Zutritt* entré
Eintritts|geld *n* entré; **~karte** *f* billet (*-ter*)
ein|trocknen tørre ind; **~üben** indøve
einverleiben indlemme
einverstanden: **~ *mit*** indforstået med
Einverständnis *n* accept
Einwand *m* indvending (***gegen*** mod)
Ein|wanderer(in) *m(f)* indvandrer (*-e*); **2wandern** indvandre
einwandfrei glimrende
Ein|wegflasche *f* engangsflaske (*-r*); **~wegverpackung** *f* engangsemballage
ein|weichen lægge i blød; **~weihen** indvie; **~wenden** indvende (***gegen*** mod); **~werfen** *Brief* poste; *Scheibe* knuse; **~wickeln** *rollen* rulle ind; *packen* pakke ind; **~willigen** indvillige (***in*** i)
einwirken: **~ *auf*** påvirke
Einwohner|(in) *m(f)* indbygger (*-e*); **~meldeamt** *n* folkeregister *n*
Ein|wurf *m Schlitz* sprække (*-r*); *Sport* indkast *n* (=); **~zahl** *f* ental *n*; **2zahlen** indbetale; **~zahlung** *f* indbetaling; **~zäunung** *f* indhegning
Einzel *n Sport* single (*-r*); **~fall** *m* enkeltstående tilfælde *n*; **~gänger(in)** *m(f)* enspænder (*-e*); **~handel** *m* detailhandel; **~heit** *f* enkelthed; **~kind** *n* enebarn *n* (*-børn*)
einzeln enkelt; *adv* enkeltvis; ***im Einzelnen*** mere specifikt; ***bis ins Einzelne*** i detaljer
Einzelzimmer *n* enkeltværelse *n* (*-r*)
einziehen tage ind; *Info* indhente; *beschlagnahmen* beslaglægge; *Wohnung* flytte ind
einzig *adv* alene; **~ *und allein*** udelukkende
einzige *adj* eneste
Einzimmerapartment *n* etværelses lejlighed
Einzug *m Wohnung* indflytning
Eis *n* is; **~bahn** *f* skøjtebane; **~bär** *m* isbjørn (*-e*); **~bein** *n Gastr* saltet flæskeskank
Eis|brecher *m* isbryder; **~de-**

cke *f* islag *n*; **~diele** *f* isbar
Eisen *n* jern *n*
Eisenbahn *f* jernbane (*-r*); **~er(in)** *m(f)* ansat (*-te*) ved banen; **~fähre** *f* jernbanefærge (*-r*); **~linie** *f* jernbanelinje; **~verkehr** *m* togtrafik
Eisenwaren *pl* isenkram *n*
Eisenzeit *f* jernalder
eisern jern-; *fig* benhård
Eisfach *n* fryseboks
eis|frei isfri; **~gekühlt** isafkølet
Eisglätte *f* glatføre *n*
Eishockey *n* ishockey; **~schläger** *m* ishockeystav (*-e*)
eisig isnende
Eiskaffee *m* iskaffe
eiskalt iskold
Eiskunstlauf *m* kunstskøjteløb *n*
Eislauf *m* skøjteløb
Eisprung *m* ægløsning
Eisscholle *f* isflage (*-r*)
Eistee *m* iste
Eis|würfel *m* isterning; **~zapfen** *m* istap (*-pe*)
eitel forfængelig; **&keit** *f* forfængelighed
Eit|er *m* betændelse; **&erig** betændt; **&ern** væske
Eiweiß *n* *Gastr* æggehvide (*-r*); *Med* protein
Ekel *m* væmmelse; **&haft** væmmelig
EKG *n* elektrokardiogram *n*
Ekzem *n* eksem *n*
Elastikbinde *f* elastikbind *n* (=)
elastisch elastisk
Elefant *m* elefant
elegant elegant
Elektriker(in) *m(f)* elektriker (*-e*)
elektrisch elektrisk
Elektri|zität *f* elektricitet; **~zitätsversorgung** *f* elforsyning; **~zitätswerk** *n* elværk *n*; **~zitätszähler** *m* elmåler (*-e*)
Elektro|herd *m* elkomfur *n*; **~motor** *m* elektromotor
elektronisch elektronisk
Element *n* element *n*
elementar elementær
elend elendig
Elend *n* elendighed
Elendsviertel *n* slumkvarter *n*
elf elleve; **&** *f* *Sport* fodboldhold *n* (=)
Elfenbein *n* elfenben *n*; **&ern** elfenbens-
Elfmeter *m* straffespark *n* (=) (***verwandeln*** score på)
Ell(en)bogen *m* albue (*-r*)
Elster *f* skade (*-r*)
Eltern *pl* forældre *pl*; **~abend** *m* forældremøde *n* (*-r*); **~haus** *n* barndomshjem *n*; **~sprechstunde** *f* forældrekonsultation *f*; **~teil** *m* forælder
E-Mail *f* e-mail; **~adresse** *f* e-mail-adresse (*-r*)
Emanzipation *f* frigørelse
emanzipieren: ***sich ~*** frigøre sig
Empfang *m* modtagelse (*-r*);

Hotel etc reception; ***in~ nehmen***, **2en** modtage
Empfänger(in) *m(f)* modtager (*-e*)
empfänglich modtagelig (***für*** for)
Empfängnisverhütung *f* prævention
Empfangsbestätigung *f* kvittering
Empfangshalle *f* reception
empfehl|en anbefale; **~enswert** anbefalelsesværdig; **2ung** *f* anbefaling; **2ungsschreiben** *n* anbefaling
empfind|en føle; **~lich** følsom (***gegen*** over for); **2ung** *f* følelse (*-r*)
empor opad
empören: ***sich ~*** blive forarget
empor|heben løfte op; **~ragen** rage op; **~steigen** stige op
Empörung *f* harme
emsig travl
Ende *n* slutning; ***am~*** til sidst; *immerhin* trods alt; ***~ April*** sidst i april; ***zu ~ sein*** være slut
End|effekt: ***im~*** når alt kommer til alt
enden ende
Endergebnis *n* slutresultat *n*
end|gültig definitiv; **~lich** endelig; **~los** uendelig
End|spiel *n* finale (*-r*); **~station** *f* endestation; **~ung** *f* endelse (*-r*)
Energie *f* energi
energisch energisk
eng *ohne Platz* snæver; *dicht, innig* tæt; ***~er machen*** sy ind; **2e** *f* snæverhed
Engel *m* engel (*engle*)
Engländer(in) *m(f)* englænder (*-e*)
englisch engelsk
Engpass *m* flaskehals (*-e*)
engstirnig snævertsynet
Enkel(in) *m(f)* barnebarn *n* (*børnebørn*)
enorm enorm
entbehr|en undvære; **~lich** undværlig
Entbindung *f* fødsel (*fødsler*);
Entbindungsklinik *f* fødeklinik (*-ker*)
entdeck|en opdage; **2er(in)** *m(f)* opdager (*-e*); **2ung** *f* opdagelse (*-r*) (***machen*** gøre)
Ente *f* and (*ænder*)
enteign|en ekspropriere; **2ung** *f* ekspropriation
enterben gøre arveløs
entfallen *ausfallen* bortfalde; ***es entfällt j-m*** ngn glemmer det; ***~ auf*** fordele sig på
entfalten udfolde (***sich*** sig)
entfern|en fjerne (***sich*** sig); **~t** fjern
Entfernung *f* fjernelse; *Abstand* afstand (*-e*)
ent|fesseln slippe løs; **~fliehen** flygte; **~fremden** blive fremmed for; *Zweck* bruge til noget andet; **~führen** bortføre; **2führung** *f* bort-

førelse (-*r*)
entgegen i møde; *Gegensatz* imod; **~gehen** gå i møde; **~gesetzt** modsat; **~halten** holde henimod; *fig* indvende; **~kommen** komme i møde; *fig* imødekomme; **~nehmen** tage imod; **~sehen** imødese; **~treten** *fig* reagere på
ent|gegnen svare; **~gehen** undgå
Entgelt *n* honorar *n*
entgleisen blive afsporet
Enthaarungsmittel *n* hårfjerner
enthalt|en indeholde; ***sich*** **~** afholde sig fra; **~sam** abstinent; **≈ung** *f* afholdenhed; *Passivität* undladelse
ent|hüllen afsløre; **~kalken** afkalke; **~kleiden** tage tøjet af; **~kommen** undslippe; **~korken** trække op; **~kräftet** svækket; **~laden** læsse af
entlang: ***am Ufer*** **~** langs bredden; ***die Straße*** **~** hen ad gaden
ent|larven afsløre
ent|lassen *Arbeit* afskedige; *Gefängnis* løslade; *Hospital* udskrive; **≈lassung** *f* afskedigelse (-*r*); løsladelse (-*r*); udskrivelse (-*r*); **~lasten** aflaste; **~laufen** *Tier* løbe væk
entledigen: ***sich*** **~** skille sig af med
ent|legen afsides; **~lehnen**, **~leihen** låne; **~lüften** udlufte; **~mutigen** tage modet fra; **~nehmen** tage ud; *ersehen* slutte af
ent|puppen: ***sich*** **~** ***als*** vise sig at være; **~rätseln** løse; **~reißen** rive fra
entrüst|en: ***sich*** **~** blive forarget; **~et** forarget; **≈ung** *f* forargelse
entschädig|en erstatte; *Person* give erstatning; **≈ung** *f* erstatning
entscheid|en afgøre; ***sich*** **~** beslutte sig (***für*** for); **~end** afgørende
Entscheidung *f* afgørelse (-*r*)
entschieden afgjort
entschließen: ***sich*** **~** beslutte sig (***zu*** til)
entschlossen opsat (***zu*** på)
Entschlossenheit *f* beslutsomhed
entschlüpfen smutte fra
Entschluss *m* beslutning (***fassen*** træffe)
entschuldigen undskylde (***sich*** sig)
Entschuldigung *f* undskyldning; **~!** undskyld!
Entsetz|en *n* forfærdelse; **≈lich** forfærdelig
entsetzt: ***ich bin*** **~** jeg er chokeret
entsichern afsikre
entspannen: (***sich***) **~** slappe af
Entspannung *f* afslapning
entsprech|en svare til; *Wunsch* opfylde; **~end** tilsvarende
ent|springen *Wasser* ud-

springe; **~stammen** stamme fra; **~stehen** opstå; **~stellen** *Gesicht* vansire; *Sache* fordreje
enttäuschen skuffe
enttäusch|t skuffet; **2ung** *f* skuffelse (*-r*)
ent|waffnen afvæbne; **~wässern** dræne
entweder: **~ ... oder** enten ... eller
entwerfen lave udkast til
entwerten *Ticket* stemple
entwick|eln udvikle (***sich*** sig); *Fot* fremkalde; **2ler** *m* *Fot* fremkaldervæske; **2lung** *f* udvikling; *Fot* fremkaldelse (*-r*); **2lungshilfe** *f* ulandshjælp; **2lungsland** *n* uland *n* (*-e*)
entwürdigend nedværdigende
Entwurf *m* udkast *n* (=)
entwurzeln rykke op med rode
entziehen unddrage (***sich*** sig)
Entziehungskur *f* unddragelse; *Rauschgift* afvænning
entziffern tyde
entzünd|en tænde; ***sich* ~** antændes; *Med* gå i betændelse; **2ung** *f* *Med* betændelse
entzwei i stykker
Epidemie *f* epidemi
Epoche *f* epoke (*-r*)
er *Person* han; *Tier, Ding etc* den, det
Erachten *n*: ***meines Erachtens*** så vidt jeg kan se
erbärmlich ynkelig
erbarmungslos nådesløs
erbauen bygge; *Psych* styrke
Erbe[1] *n* arv
Erbe[2] *m* arving
erben arve
Erbin *f* arving
erbitter|t forbitret; **2ung** *f* forbitrelse
erblich arvelig
erblicken få øje på
erblinden blive blind
erbrechen *v/t* kaste op; ***sich* ~** kaste op; **2** *n* opkastning
Erbrochene *n* opkast *n*
Erbschaft *f* arv
Erbse *f* ært
Erd|ball *m* jordklode; **~beben** *n* jordskælv *n* (=); **~beere** *f* jordbær *n* (=)
Erdboden *m* jord
Erde *f* jord
erden *El* jordforbinde
Erd|gas *n* naturgas; **~geschoss** *n* stueetage; **~kunde** *f* geografi; **~nuss** *f* jordnød (*-der*); **~öl** *n* olie
erdrosseln kvæle
erdrücken mase ihjel; *fig* tynge
Erd|rutsch *m* jordskred *n* (=); **~teil** *n* verdensdel (*-e*); **~ung** *f* jordforbindelse
ereignen: ***sich* ~** ske
Ereignis *n* begivenhed
erfahr|en *v/t* finde ud af; *adj* erfaren
Erfahrung *f* erfaring
erfassen omfatte; *begreifen*

fatte
erfind|en opfinde; *Phantasie* finde på; **2er(in)** *m(f)* opfinder (*-e*); **~erisch** opfindsom; **2ung** *f* opfindelse (*-r*)
Erfolg *m* succes (*-ser*); **2en** følge; **2los** uden succes (*nachgestellt*); **2reich** succesfuld
erforderlich nødvendig
erfordern kræve
erforschen udforske
erfreu|en glæde; **~lich** glædelig
erfreut glad
erfrier|en blive stivfrossen; *sterben* fryse ihjel; **2ung** *f* forfrysning
erfrischen forfriske (***sich*** sig)
Erfrischung *f* forfriskning
erfüllen opfylde; ***sich*** **~** gå i opfyldelse
ergänz|en supplere; **2ung** *f* supplement *n*
ergeb|en *erbringen* give; *adj* hengiven; ***sich*** **~** *folgen* fremgå; *Mil etc* overgive sig; **2enheit** *f* hengivenhed
Ergebnis *n* resultat *n*; **2los** uden resultat (*nachgestellt*)
ergiebig *Stärke* koncentreret; *nützlich* frugtbar
ergreifen gribe; *Gewalt* tage fat i; *Flucht*, *Wort etc* tage
er|griffen grebet; **~gründen** nå til bunds i
erhalten *bekommen* få; *bewahren* bevare; ***gut*** **~** velbevaret
erhältlich til at få (*nachgestellt*)
erhängen: ***sich*** **~** hænge sig
erheben *Zoll*, *Gebühr* opkræve; ***sich*** **~** rejse sig
erheblich væsentlig
Erhebung *f Berg* forhøjning; *Untersuchung* undersøgelse
er|heitern opmuntre; **~hellen** oplyse; **~hitzen** opvarme; *fig* ophidse; **~höhen** forhøje; *steigern* stige
erhol|en: ***sich*** **~** komme sig; **2ung** *f Ruhe* hvile; *Urlaub* ferie
erinner|n minde (***an*** om); ***sich*** **~** (***an*** på) huske; **2ung** *f* hukommelse
erkält|en: ***sich*** **~** blive forkølet; **2ung** *f* forkølelse (*-r*)
erkennen *durchschauen* genkende; *sehen* se; **~** ***auf*** *Sport* dømme
Erkenntnis *f* erkendelse (*-r*)
Erkennungsmelodie *f* kendingsmelodi
Erker *m* karnap (*-per*)
erklär|en erklære (***zu, für*** for); *erläutern* forklare; **~lich** forklarlig
Erklärung *f* forklaring
erkranken blive syg (***an*** af)
Erkrankung *f* sygdom (*-me*)
erkunden udforske
erkundig|en: ***sich*** **~** forhøre sig (***nach*** om); **2ung** *f* forespørgsel (*-sler*)
erlangen opnå
erlaub|en tillade; **2nis** *f* tilladelse (*-r*) (***zu*** til)

erläutern forklare
Erle *f* elletræ *n*
erleb|en opleve; **≗nis** *n* oplevelse (*-r*)
erledigen ordne
erledigt færdig; ***das hat sich*** **~** det er ikke længere aktuelt
er|legen *Wild* nedlægge; **~leichtern** lette; **≗leichterung** *f* lettelse; **~leiden** lide; **~leuchten** oplyse
Erlös *m* salgssum
erlöschen slukke; *ungültig* ophøre
erlösen befri; *Rel* frelse (***von*** for)
ermahnen bede om
Ermahnung *f* advars|el (*-ler*)
ermäßigen nedsætte
ermäßigt nedsat
Ermäßigung *f* nedsættelse (*-r*); *Nachlass* rabat (*-ter*)
Ermessen: ***nach meinem*** **~** efter min opfattelse
ermitt|eln finde frem til; *Jur* efterforske; **≗lung** *f* opdagelse (*-r*); *Jur* efterforskning
er|möglichen muliggøre; **~morden** myrde; **~müden** *v/t* trætte; *v/i* blive træt
ermuntern opfordre (***zu*** til)
ermutigen opmuntre
ernähren ernære (***sich*** sig; ***von*** af)
Ernährung *f* ernæring
er|nennen udnævne; **~neuern** forny; **~neut** *adj* fornyet; *adv* atter; **~niedrigen** ydmyge
ernst alvorlig
Ernst *m*: ***im*** **~** for alvor; ***im*** **~?** er det rigtigt?
Ernstfall *m*: ***im*** **~** hvis det bliver alvor
Ernte *f* høst; **≗n** høste
erober|n erobre; **≗ung** *f* erobring
eröffn|en åbne; **≗ung** *f* åbning
erörtern drøfte
erotisch erotisk
erpress|en afpresse; **≗er(in)** *m(f)* pengeafpresser (*-e*); **≗ung** *f* afpresning
er|proben prøve; **~raten** gætte; **~regen** fremkalde; *reizen* ophidse
Erregung *f* ophidselse;
er|reichen nå; **~richten** oprette; *bauen* opføre; **~ringen** opnå; **~röten** rødme
Errungenschaft *f* landvinding
Ersatz *m Vergütung* erstatning; *Austausch* reserve (*-r*); **~dienst** *m* nægtertjeneste; **~spieler(in)** *m(f)* udskiftningsspiller (*-e*); **~teil** *n* reservedel (*-e*)
erschein|en komme til syne; *Person* komme; *Buch etc* udkomme; *Anschein* se ud til at være; **≗ung** *f Phänomen* fænomen; *Person* fremtoning
er|schießen skyde; **~schlagen** slå ihjel; **~schließen** gøre tilgængelig
erschöpfen *Ressourcen* opbruge; *ermüden* udmatte
erschöpft *Ressourcen* opbrugt; *müde* udmattet

Erschöpfung *f* udmattelse
erschrecken *v/t* forskrække; *v/i* blive forskrækket
erschüttern ryste
erschüttert rystet
Erschütterung *f* rystelse (*-r*)
er|schweren vanskeliggøre; **~schwinglich** opnåelig; *finanziell* til at betale (*nachgestellt*); **~setzen** erstatte (***durch*** med); **~sparen** *Geld* spare op; *schonen* spare
Ersparnisse *pl* sparepenge *pl*
erst først; ***~ recht*** for alvor
er|starren stivne; *vor Kälte* blive stivfrossen; **~statten** *Auslagen* godtgøre; *Anzeige* anmelde; *Bericht* aflægge
Erstaufführung *f* uropførelse (*-r*)
Erstaun|en *n* forbavselse; **≈lich** forbavsende
erstaunt forbavset
erste første; ***erster Klasse*** førsteklasses (*vorangestellt*); ***~ Hilfe*** førstehjælp; ***zum ersten Mal*** for første gang
erstechen stikke ihjel
Erste-Hilfe-Kasten *m* førstehjælpskasse (*-r*)
erstens for det første
ersticken *v/t* kvæle; *v/t* blive kvalt
erstklassig førsteklasses
Erstligist(in) *m*(*f*) førstedivisionsspiller (*-e*)
erstmalig første
erstrecken: ***sich ~*** strække sig
er|suchen søge (***um*** om); **~tappen** overraske; ***auf frischer Tat ~*** tage på fersk gerning; **~teilen** give
Ertrag *m Agr* høst; *Hdl* udbytte *n*
ertragen kunne tåle
erträglich acceptabel
er|tränken, **~trinken** drukne
erübrig|en have til overs; ***sich ~*** være overflødig
erwachsen *adj* voksen
Erwachsenenbildung *f* voksenuddannelse
er|wägen overveje; **~wähnen** omtale; **~wähnenswert** værd at nævne (*nachgestellt*); **~wärmen** varme op
erwart|en vente på; *rechnen mit* forvente; **≈ung** *f* forventning
er|wecken vække; **~weichen** blødgøre; **~weisen** yde; *beweisen* bevise; ***sich ~ als*** vise sig at være; **~weitern** udvide; **≈weiterung** *f* udvidelse (*-r*)
Erwerb *m* erhverv *n* (=); *Kauf* køb (=); **≈en** købe
erwerbs|fähig arbejdsdygtig; **~los** arbejdsløs; **~unfähig** uarbejdsdygtig
er|widern svare på; **~wirken** opnå; **~wischen** få fat på; **~wünscht** kærkommen; **~würgen** kvæle
erz- ærke- (*z.B. ærkekonservativ*)
erzähl|en fortælle (***über***, ***von*** om); **≈ung** *f* fortælling
erzeug|en frembringe; **≈nis** *n* produkt *n*

erziehen opdrage
Erzieher(in) *m(f)* opdrager (*-e*); *im Kindergarten* børnehavepædagog
Erziehung *f* opdragelse
erzielen opnå
erzwingen fremtvinge
es det; ***ich bin ~*** det er mig; ***~ gibt*** der er; *existieren* der findes
Esel *m* æsel *n* (*æsler*)
essbar spiselig
Essbesteck *n* bestik *n*
essen spise
Essen *n* mad; **~zeit** *f* spisetid
Essig *m* eddike; **~gurke** *f* syltet agurk; **~säure** eddikesyre; **~- und Ölständer** *m* platmenage (*-r*)
Ess|löffel *m* spiseske; **~raum** *m* spisestue (*-r*); **~stäbchen** *pl* spisepinde *pl*; **~tisch** *m* spisebord *n* (*-e*)
Esszimmer *n* spisestue (*-r*)
Etage *f* etage (*-r*)
Etagenbett *n* køjeseng (*-e*)
Etat *m* budget *n* (*-ter*)
Etikett *n* etiket (*-ter*)
etliche adskillige
Etui *n* etui *n*
etwa *womöglich* måske; *ungefähr* cirka; *z.B.* for eksempel; ***in ~*** nogenlunde; ***nicht ~ …?*** vel ikke …?
etwaig eventuel
etwas noget
EU *f* (*Europäische Union*) EU (*Europæiske Union*); *als Abk ohne Artikel, z.B.* ***Mitglied der ~*** medlem af EU
EU-Bürger(in) *m(f)* EU-borger (*-e*)
euch jer
euer jeres
Eule *f* ugle (*-r*)
eure jeres
euretwegen for jeres skyld
Euro *m* euro (=; *euro'en*)
Europä|er(in) *m(f)* europæer (*-e*); **²isch** europæisk
Euter *n/m* yver *n* (*-e*)
evangelisch protestantisk
eventuell eventuel
ewig evig; **²keit** *f* evighed
Examen *n* eksamen
Exemplar *n* eksemplar *n*
Exil *n* eksil *n*
Exist|enz *f* eksistens; **²ieren** eksistere
Expedition *f* ekspedition
Experiment *n* eksperiment *n*
explo|dieren eksplodere; **²sion** *f* eksplosion
Export *m* eksport; **²ieren** eksportere
extra, **Extra-** ekstra(-)
extrem ekstrem

F

fabelhaft fabelagtig
Fabrik *f* fabrik (*-ker*); **~arbeiter(in)** *m(f)* fabriksarbejder (*-e*)
Fabrikat *n* fabrikat *n*
Fach *n Raum* rum *n* (=); *Disziplin* fag *n* (=); **~arbeiter(in)** *m(f)* faglært arbejder; **~arzt** *m*, **~ärztin** *f* speciallæge (*-r*); **~ausbildung** *f* faguddannelse; **~buch** *n* fagbog (*-bøger*)
Fächer *m* vifte (*-r*) (*a fig*); **≈förmig** vifteformet
Fach|gebiet *n* fagområde *n* (*-r*); **≈gerecht** professionel; **~hochschule** *f Tech* teknisk universitet; *Mus* konservatorium *n* (*-rier*); **~kenntnisse** *pl* faglig viden; **~mann** *m* fagmand
Fachwerk *n* bindingsværk *n*
Fachwort *n* fagudtryk *n* (=)
Fackel *f* fakkel (*fakler*)
fade fad
Faden *m* tråd (*-e*); **~kreuz** *n* sigtekorn *n*
fähig i stand (***zu*** til); **≈keit** *f* evne (*-r*)
fahnd|en eftersøge (***nach*** -); **≈ung** *f* efterlysning
Fahne *f* fane (*-r*); *fig* spiritusånde
Fahr|ausweis *m* billet (*-ter*); **~bahn** *f* kørebane
Fähre *f* færge (*-r*)
fahren køre; *Schiff* sejle
Fahr|er(in) *m(f)* chauffør; **~erflucht** *f*: **~ *begehen*** være flugtbilist
Fahrgast *m* passager
Fahrgestell *n* chassis *n*
Fahrkarte *f* billet (*-ter*)
Fahrkarten|automat *m* billetautomat; **~schalter** *m* billetluge (*-r*)
fahrlässig uagtsom; **≈keit** *f* uagtsomhed
Fahr|lehrer(in) *m(f)* kørelærer; **~plan** *m* køreplan; *Schiff* sejlplan; **≈planmäßig** planmæssig; **~preis** *m* billetpris
Fahrrad *n* cykel (*cykler*)
Fahrschein *m* billet (*-ter*)
Fährschiff *n* færge (*-r*)
Fahr|schule *f* køreskole (*-r*); **~spur** *f*, **~streifen** *m* kørebane
Fahrstuhl *m* elevator
Fahrstunde *f* køretime
Fahrt *f Geschwindigkeit* fart; *Tour* tur (*-e*)
Fährte *f* spor *n*
Fahrt|richtung *f* kørselsretning; **~unterbrechung** *f* ophold *n*
Fahr|wasser *n* sejlrende; **~zeit** *f* køretid; **~zeug** *n* køretøj *n*
Faktenwissen *n* paratviden
Fakultät *f* fakultet *n*

Falke *m* falk (*-e*)
Fall *m* fald *n* (=); *Vorfall* tilfælde *n* (=); ***auf jeden ~*** i hvert fald; ***auf keinen ~*** under ingen omstændigheder
Falle *f* fælde (*-r*)
fallen falde; ***~ lassen*** tabe; *fig* droppe
fällen fælde
fällig *zu zahlen* forfalden; ***das ist längst ~*** det burde have været gjort for længst
falls hvis
Fallschirm *m* faldskærm (*-e*); **~springer(in)** *m(f)* faldskærmsudspringer (*-e*)
falsch *unrichtig* forkert; *unecht* falsk; ***~ verbunden sein*** have fået forkert nummer
fälschen forfalske
Falschgeld *n* falske penge *pl*
Fälschung *f* forfalskning
Faltblatt *n* folder (*-e*)
Falt|e *f Tex* læg *n* (=); *Runzel* rynke (*-r*); **2en** folde sammen
Falter *m* sommerfugl (*-e*)
faltig foldet
Familie *f* familie (*-r*)
Familien|angehörige *m/f* familiemedlem *n* (*-mer*); **~feier** *f* familiefest; **~name** *m* efternavn *n* (*-e*); **~stand** *m* familieforhold *pl*
Fang *m* fangst; **2en** fange
Fantasie *f* fantasi
fantastisch fantastisk
Farbband *n* farvebånd *n* (=)
Farbdrucker *m* farveprinter (*-e*)
Farbe *f* farve (*-r*); *für Wände* maling
färben farve
farbenblind farveblind
Farb|fernsehen *n* farvefjernsyn *n*; **~film** *m* farvefilm; **~foto** *n* farvefoto *n* (*-s*)
farb|ig farvet; **~los** farveløs
Farb|stift *m* farveblyant; **~stoff** *m* farvestof *n*; **~ton** *m* nuance (*-r*)
Färbung *f* farvning
Farn(kraut *n*) *m* bregne (*-r*)
Färö|er(in) *m(f)* færing; **~er** *pl*: ***die ~*** (***Inseln***) Færøerne; **2isch** færøsk
Fasan *m* fasan
Fasching *m* fastelavn, karneval (*-ler*)
Faschismus *m* fascisme
Faser *f Tex* trævl; *Anat etc* fiber (*fibre*); **2ig** trævlet
Fass *n* fad *n* (*-e*); *groß* tønde (*-r*)
Fassade *f* facade (*-r*)
fassbar til at fatte (*nachgestellt*)
Fassbier *n* fadøl
fassen *v/t* gribe fat i; *Raum* rumme; *begreifen* fatte; ***sich ~*** tage sig sammen; ***sich kurz ~*** fatte sig i korthed
Fassung *f* indfatning; *El* fatning; *Text etc* udgave (*-r*); ***aus der ~ bringen*** bringe ud af fatning
fassungslos chokeret
fast næsten
fasten faste
Fastnacht *f* fastelavn

fauchen hvæse
faul *träge* doven; *verdorben* rådden; **~en** rådne
faulenz|en dovne; **2er(in)** *m(f)* doven person
Faulheit *f* dovenskab
Fäulnis *f* forrådnelse
Faust *f* næve (*-r*); **~handschuh** *m* luffe (*-r*); **~regel** *f* tommelfingerregel (*-regler*); **~schlag** *m* knytnæveslag *n* (=)
Fax|(gerät) *n* faks; **~nummer** *f* faks nummer (*-numre*)
faxen fakse (***j-m*** til ngn)
Februar *m* februar; ***im ~*** i februar
fecht|en fægte; **2en** *n* fægtning
Feder *f* fjer (=); *Spirale* fjeder (*-dre*); **~ball** *m* fjerbold (*-e*); *Sportart* badminton; **~bett** *n* dyne (*-r*); **~halter** *m* pen (*-ne*); **~kernmatratze** *f* springmadras (*-ser*); **2n** *v/i* fjedre; **~ung** *f* affjedring
fegen feje
Fehlbetrag *m* underskud *n*
fehlen fejle; *abwesend* mangle; ***was fehlt Ihnen?*** hvad fejler du?
Fehler *m* fejl (=); **2frei** fejlfri; **2haft** fejlagtig
Fehl|geburt *f* abort; **2gehen** gå forkert; **~schlag** *m* uheld *n* (=); **~start** *m* tyvstart
Feier *f* fest; *Gedenk- etc* højtidelighed; **~abend** *m* fyraften; **2lich** højtidelig
feiern *v/i* feste; *v/t* fejre
Feiertag *m* festdag; *Rel* helligdag
feige fej
Feige *f* figen (*figner*)
Feig|heit *f* fejhed; **~ling** *m* kryster (*-e*)
Feile *f* fil (*-e*)
feilen file
feilschen prutte (***um*** om)
fein fin (*a fig*)
Feind|(in) *m(f)* fjende (*-r*); **2lich** fjendtlig; **~schaft** *f* fjendskab *n*
feinfühlig fintfølende
Fein|heit *f* finhed; **~kostgeschäft** *n* delikatesseforretning; **~mechaniker(in)** *m(f)* finmekaniker; **~schmecker(in)** *m(f)* gourmet
Feld *n Acker* mark; *Sport* bane (*-r*); *Fläche* felt *n*; **~flasche** *f* feltflaske; **~stecher** *m* kikkert; **~verweis** *m* udvisning; **~weg** *m* markvej (*-e*)
Felge *f* fælg (*-e*)
Fell *n* skind *n* (=)
Fels|en *m* klippe (*-r*); **2ig** klippefuld; **~wand** *f* klippevæg (*-ge*)
Fenchel *m* fennikel
Fenster *n* vindue *n* (*-r*); **~brett** *n* vindueskarm (*-e*); **~briefumschlag** *m* rudekuvert; **~laden** *m* skodde (*-r*); **~platz** *m* vinduesplads; **~putzer(in)** *m(f)* vinduespolerer (*-e*); **~scheibe** *f* rude (*-r*)
Ferien *pl* ferie (*-r*)
Ferkel *n* pattegris (*-e*)

fern fjern; **~bleiben** udeblive (***von*** fra)
Ferne *f* afstand (*-e*); ***aus der ~*** langt væk fra; ***in der ~*** i det fjerne
Fern|fahrer(in) *m(f)* langturschauffør; **~gespräch** *n* udenbyssamtale (*-r*); **⌒gesteuert** fjernstyret; **~glas** *n* kikkert; **~heizung** *f* fjernvarme; **~licht** *n* *Kfz* fjernlys *n*
fernmündlich telefonisk
Fernost (*ohne Artikel*) Fjernøsten *n*
fernsehen se fjernsyn
Fernseh|er *m* fjernsyn *n* (=); **~gebühren** *pl* tv-licens; **~programm** *n* tv-program *n*; **~turm** *m* tv-tårn; **~zuschauer(in)** *m(f)* seer (*-e*)
Fernsicht *f* god udsigt
Fernsprecher *m* → ***Telefon***
Fernsteuerung *f* fjernstyring
Fernstudium *n* fjernstudium *n*
Fern|verkehr *m* fjerntrafik; **~verkehrsstraße** *f* hovedvej (*-e*)
Ferse *f* hæl (*-e*)
fertig færdig; ***~ machen*** gøre færdig (***sich*** sig)
Fertig|gericht *n* færdigret (*-ter*); **~haus** *n* elementhus *n* (*-e*); **~ung** *f* produktion; **~ware** *f* færdigvare (*-r*)
Fessel *f* lænke (*-r*)
fesseln lænke; *fig* fængsle
fesselnd fængslende
fest fast
Fest *n* fest; *Rel* helligdage *pl*; ***frohes ~!*** *Weihnachten* glædelig jul!; *Ostern* glædelig påske!
festbinden binde fast
Festessen *n* festmåltid *n*
festhalten holde fast (***sich*** sig)
Fest|igkeit *f* fasthed; **~land** *n* fastland *n*; **~lich** festlig; **~machen** fastgøre; *fig* aftale; **⌒nahme** *f* anholdelse (*-r*); **~nehmen** anholde
Fest|netz *m* fastnet *n*; **~platte** *f* harddisk (*-e*); **~preis** *m* fast pris
festsetzen *bestimmen* fastsætte; *v/t* sætte fast
Festspiele *pl* festspil *pl*
fest|stehen stå fast; **~stellen** fastslå; **⌒ung** *f* fæstning; **~ziehen** stramme
fett fed; **⌒** *n* fedt *n*; **⌒fleck** *m* fedtplet (*-ter*); **⌒gehalt** *m* fedtindhold *n*; **~ig** fedtet
Fetzen *m* lap (*-per*)
feucht fugtig; **⌒igkeit** *f* fugtighed; **⌒igkeitscreme** *f* fugtighedscreme (*-r*); **~warm** lummer
Feuer *n* *Element* ild; *Brand* brand (*-e*) **~alarm** *m* brandalarm; **~bestattung** *f* ligbrænding; **⌒fest** ildfast; **⌒gefährlich** brandfarlig; **~leiter** *f* brandstige; **~löschanlage** *f* sprinkleranlæg *n*; **~löscher** *m* ildslukker (*-e*); **~melder** *m* brandalarm
feuern fyre

Feuer|qualle *f* brandmand (*-mænd*); **~spritze** *f* brandsprøjte; **~stein** *m* flintesten (=)
Feuerwehr *f* brandvæsen *n*; **~frau** *f*, **~mann** *m* brandmand
Feuerwerk *n* fyrværkeri *n*
Feuerzeug *n* lighter (*-e*)
Feuilleton *n der Zeitung* kultursektion
Fichte *f* rødgran
ficken V kneppe
Fieber *n* feber; **ꝸfrei** feberfri; **ꝸhaft** feber-; *unruhig* febrilsk; **~mittel** *n* feberstillende middel (*midler*)
fiebrig feber-
fies F klam; *boshaft* tarvelig
Figur *f* figur
Filet *n* mørbrad (*-e*); *Fisch, Geflügel* filet
Filiale *f* filial
Film *m* film (=) (*a Fot*); **~aufnahme** *f* filmoptagelse (*-r*); **ꝸen** filme; **~festspiele** *pl* filmfestival; **~gesellschaft** *f* filmselskab *n*; **~regisseur(in)** *m(f)* filminstruktør; **~schauspieler(in)** *m(f)* filmskuespiller (*-e*)
Filter *m* filter *n* (*filtre*); **~kaffee** *m* filterkaffe; **~zigarette** *f* filtercigaret (*-ter*)
filtrieren filtrere
Filz *m* filt *n*; **~stift** *m* filtpen (*-ne*)
Finale *n* finale (*-r*)
Finanzamt *n* skattevæsen *n*
finanz|iell finansiel; **~ieren** finansiere
finden finde
Finder|(in) *m(f)* finder (*-e*); **~lohn** *m* findeløn
findig opfindsom
Finger *m* finger (*-gre*); **~abdruck** *m* fingeraftryk *n* (=) (***nehmen*** tage); **~hut** *m* fingerbøl *n* (=); **~nagel** *m* fingernegl (*-e*)
Finn|e *m*, **~in** *f* finne (*-r*); **ꝸisch** finsk
finster mørk; **ꝸnis** *f* mørke *n*; *Astronomie* formørkelse
Firm|a *f* firma *n*; **~ensprecher(in)** *m(f)* informationschef
Fisch *m* fisk (=)
fischen fiske
Fisch|er(in) *m(f)* fisker (*-e*); **~erboot** *n* fiskerbåd (*-e*); **~erei** *f*, **~fang** *m* fiskeri *n*; **~filet** *n* fiskefilet; **~gericht** *n* fiskeret (*-ter*); **~geschäft** *n* fiskehandler (*-e*); **~gräte** *f* fiskeben *n* (=); **~markt** *m* fisketorv *n*; **~messer** *n* fiskekniv (*-e*); **~rogen** *m* rogn; **~suppe** *f* fiskesuppe
fix *schnell* hurtig; *fest* fast; **~ *und fertig*** *erschöpft* helt færdig
FKK|ler(in) *m(f)* naturist; **~-Strand** *m* nudiststrand (*-e*)
flach flad
Fläche *f* flade (*-r*)
Flächeninhalt *m* areal *n*
Flach|land *n* lavland *n*; **~mann** *m* lommelærke (*-r*)
Flachs *m* hør

flackern *Augen* flakke; *Feuer etc* blafre
Fladenbrot *n* fladbrød *n* (=)
Flagge *f* flag *n* (=)
Flamme *f* flamme (*-r*)
Flanell *m* flonel *n*
Flanke *f* flanke (*-r*)
Flasche *f* flaske (*-r*)
Flaschen|bier *n* flaskeøl *n*; **~öffner** *m* øloplukker (*-e*)
flattern *Vogel* flakse; *Tex* blafre
flau mat
Flaum *m* dun *n* (=)
Flaute *f Hdl* afmatning
Flechte *f Bot* lav *n*; *Med* udslæt *n*
flechten flette
Fleck *m* plet (*-ter*)
fleckig plettet
Fledermaus *f* flagermus (=)
Fleisch *n* kød *n*; **~brühe** *f* bouillon; **~er(in)** *m(f)* slagter (*-e*); **~erei** *f* slagteri *n*; *Geschäft* slagterbutik (*-ker*); **~gericht** *n* kødret (*-ter*); **~klößchen** *n* kødbolle (*-r*)
Fleiß *m* arbejdsomhed
fleißig flittig
flicken lappe
Fliege *f* flue (*-r*); *Tex* butterfly (*-flies*)
fliegen flyve
Fliegen|fänger *m* fluefanger (*-e*); **~klatsche** *f* fluesmækker (*-e*); **~pilz** *m* fluesvamp (*-e*)
Flieger(in) *m(f)* pilot
fliehen flygte
Fliese *f* flise (*-r*)
Fließband *n* transportbånd *n* (=)
fließ|en flyde; **~end** flydende (*a fig*)
flimmern flimre
flink hurtig
Flinte *f* jagtgevær
Flirt *m* flirt; **2en** flirte (***mit*** med)
Flitterwochen *pl* hvedebrødsdage *pl*
flitzen suse af sted
Flocke *f* fnug *n* (=); *Gastr* gryn (=)
Floh *m* loppe (*-r*); **~markt** *m* loppemarked *n*
Floß *n* tømmerflåde (*-r*)
Flosse *f* finne (*-r*)
Flöte *f* fløjte (*-r*)
flott *schnell* hurtig; *schön* flot
Flotte *f* flåde (*-r*)
Fluch *m* forbandelse (*-r*); *Wort* bandeord *n* (=); **2en** bande
Flucht *f* flugt; ***die ~ ergreifen*** flygte (***vor*** fra)
flücht|en flygte (***vor*** fra); **~ig** på flugt
Flüchtigkeitsfehler *m* sjuskefejl (=)
Flüchtling *m* flygtning (*-e*)
Flug *m* flyvning
Flügel *m Zo* vinge (*-r*); *Arch* fløj (*-e*); *Mus* flygel *n*
Flug|gast *m* flypassager; **~gesellschaft** *f* flyselskab *n*; **~hafen** *m* lufthavn (*-e*)
Flug|kapitän *m* flykaptajn; **~karte** *f* flybillet (*-ter*); **~linie** *f* flyforbindelse (*-r*);

~plan *m* flyveplan; **~platz** *m* flyveplads; **~ticket** *n* flybillet (*-ter*); **~verbindung** *f* flyforbindelse (*-r*); **~zeit** *f* flyvetid
Flugzeug *n* fly *n* (=)
Flunder *f* fladfisk (=)
flunkern lyve
Flur *m* entré (*entreer*), korridor (*-er*)
Fluss *m* flod
flussabwärts ned ad floden
flussaufwärts op ad floden
flüssig flydende; **♀keit** *f* væske (*-r*)
Flusskrebs *m* krebs (=)
flüstern hviske
Flut *f* flod; *fig* strøm; *Überschwemmung* oversvømmelse (*-r*)
Flutwelle *f* flodbølge (*-r*)
Fohlen *n* føl *n* (=)
Föhn *m* føntørrer (*-e*); *Wind* fønvind
Folge *f* resultat *n*
folgen følge; ***daraus folgt*** deraf følger
folgen|d følgende; **~dermaßen** på følgende måde
folgerichtig logisk
folgern slutte (***aus*** af)
Folgerung *f* slutning
folglich altså
folgsam lydig
Folie *f* folie (*-r*)
Folter *f* tortur; **~knecht** *m* bøddel (*bødler*)
foltern torturere
Fön® *m* føntørrer (*-e*)
Fonds *m* fond *n*
Fontäne *f* springvand *n* (=)
fordern kræve
fördern fremme; *Bergbau* udvinde
Forderung *f* krav *n* (=)
Förderung *f* fremme; *Bergbau* udvinding
Forelle *f* forel (*-ler*)
Form *f* form
formal formel
Form|alität *f* formalitet; **~at** *n* format *n*
formatieren formatere
Form|el *f* formel (*-mler*); **♀ell** formel
formen forme
formlos formløs
Formular *n* blanket
forsch|en forske; **♀er(in)** *m(f)* forsker (*-e*)
Forschung *f* forskning
Förster(in) *m(f)* skovfoged
fort *weiter* videre; *weg* væk
fortbewegen: ***sich ~*** bevæge sig fremad
fortbilden: ***sich ~*** videreuddanne sig
fort|bringen få væk; **~fahren** køre væk; *weiter* fortsætte (***in*** med); **~gehen** gå væk
fort|geschritten viderekommen; **~laufend** fortløbende; **~schaffen** bortskaffe
Fortschritt *m* fremskridt *n* (=)
fortschrittlich fremskridtsvenlig
fortsetz|en fortsætte; **♀ung** *f* fortsættelse (*-r*); ***~ folgt*** fortsættes
fortwährend hele tiden
Foto *n* foto *n* (*-s*); **~album** *n*

fotoalbum *n*; **~apparat** *m* fotoapparat *n*; **~geschäft** *n* fotoforretning; **~graf(in)** *m(f)* fotograf; **~grafie** *f* fotografi *n*; **≈grafieren** fotografere; **~kopie** *f* fotokopi (***machen*** tage, ***von*** af); **~kopierer** *m* fotokopimaskine (*-r*)
Foyer *n* foyer
Fracht *f* fragt; **~brief** *m* fragtbrev *n*; **~gut** *n* fragtgods *n*; **~schiff** *n* fragtskib *n*
Frack *m* kjole og hvidt
Frage *f* spørgsmål *n* (=); ***das kommt nicht in ~*** det kan der ikke blive tale om; **~bogen** *m* spørgeskema *n* (***ausfüllen*** udfylde)
fragen spørge (***nach*** efter)
Fragezeichen *n* spørgsmålstegn *n* (=)
fraglich *zweifelhaft* tvivlsom; *erwähnt* nævnt
Fraktionsführer(in) *m(f)* gruppeformand (*-mænd*)
Franken *m*: ***Schweizer ~*** svejtserfranc (*-s*)
frankieren frankere
Frankreich *n* Frankrig *n*
Fransen *pl* frynser *pl*
Fran|zose *m*, **~zösin** *f* franskmand (*-mænd*); **≈zösisch** fransk
fräs|en fræse; **≈maschine** *f* fræser (*-e*)
Fratze *f* grimasse (*-r*); ***Fratzen schneiden*** skære ansigt
Frau *f* kvinde (*-r*); *Anrede* fru; *Ehefrau* kone (*-r*)
Frauen|arzt *m*, **~ärztin** *f* gynækolog; **~bewegung** *f* kvindebevægelse; **~zeitschrift** *f* dameblad *n* (*-e*)
Fräulein *n* frøken
frech fræk; **≈heit** *f* frækhed
frei *nicht besetzt* ledig; *ohne Verpflichtungen, offen etc* fri; ***~ von*** uden; ***unter ~em Himmel*** under åben himmel; ***ins Freie*** udenfor; ***im Freien*** i det fri
Frei|bad *n* friluftsbad *n*; **≈bekommen** få fri; **~berufler(in)** *m(f)* freelancer (*-e*); **≈geben** give fri; **≈gebig** gavmild; **≈händig** *adv* uden hænder
Freiheit *f* frihed
Freiheits|kampf *m* frihedskamp; **~strafe** *f* frihedsstraf (*-fe*)
Frei|karte *f* fribillet (*-ter*); **~körperkultur** *f* nudisme; **≈lassen** frigive; **~lassung** *f* frigivelse
freilich ganske vist
Freilichtbühne *f* friluftsteater *n*
Freilichtkino *n* friluftsbiograf
freimachen *Brief* frankere; ***sich ~*** *ausziehen* tage tøjet af
frei|sprechen frikende; **≈spruch** *m* frikendelse (*-r*); **≈stoß** *m Sport* frispark *n* (=)
Freitag *m* fredag; ***am ~*** på fredag
freiwillig, **Freiwillige** *m/f* frivillig (*-e*)
Freizeit *f* fritid
Freizügigkeit *f* (*in der EU*)

opholdsfrihed
fremd fremmed; **~artig** fremmedartet
Fremde *m/f* fremmed (*-e*)
Fremden|führer(in) *m(f)* guide (*-r*); **~verkehr** *m* turisttrafik; **~verkehrsamt** *n* turistkontor *n*; **~zimmer** *n* *privat* gæsteværelse *n* (*-r*); *kommerziell* hotelværelse *n* (*-r*)
fremdgehen lave sidespring
Fremdkörper *m* fremmedlegeme *n* (*-r*)
fremdländisch udenlandsk
Fremd|sprache *f* fremmedsprog *n* (=); **~wort** *n* fremmedord *n* (=)
Frequenz *f* frekvens
fressen æde
Freude *f* glæde (*-r*)
freudig glad; *erfreulich* glædelig
freuen: ***sich ~ über*** glæde sig over; ***sich ~ auf*** glæde sig til; ***es freut mich*** det glæder mig
Freund *m* ven (*-ner*); **~in** *f* veninde (*-r*); **2lich** venlig (***gegen*** over for); **~schaft** *f* venskab *n*; **2schaftlich** venskabelig
Frieden *m* fred
Friedens|preis *m* fredspris; **~vertrag** *m* fredsaftale (*-r*)
Fried|hof *m* kirkegård (*-e*); **2lich** fredelig
frieren fryse; ***es friert*** det fryser; ***ich friere*** jeg fryser
frisch frisk; ***auf ~er Tat*** på fersk gerning; ***~ gestrichen*** nymalet
Frisch|e *f* friskhed; **~haltebeutel** *m* plastikpose (*-r*)
Friseur|(in) *m(f)* frisør; **~salon** *m* frisørsalon
frisieren frisere
Frist *f* frist; **2gerecht** rettidig
fristlos uden varsel
Frisur *f* frisure (*-r*)
froh glad; ***~ sein*** være glad (***über*** for)
fröhlich glad
Front *f Mil* front; *Arch* facade (*-r*)
frontal frontal
Front|antrieb *m* forhjulstræk *n*; **~scheibe** *f* forrude (*-r*)
Frosch *m* frø
Frost *m* frost
frösteln småfryse
Frostschutzmittel *n* frostvæske
Frot|teetuch *n*, **~tiertuch** *n* frottéhåndklæde *n* (*-r*); **2tieren** frottere
Frucht *f* frugt; **2bar** frugtbar
Fruchtsaft *m* frugtsaft
früh *adj* tidlig; *adv* tidligt; ***heute~*** i morges; ***zu~*** for tidligt
Frühaufsteher(in) *m(f)* morgenmenneske *n* (*-r*), A-menneske *n* (*-r*)
früher tidligere
Früh|erkennung *f Med* forebyggelse; **~jahr** *n*, **~ling** *m* forår *n*; **~lingsrolle** *f* forårsrulle (*-r*)
frühmorgens tidligt om morgenen

Frührente *f* førtidspension
Frühstück *n* morgenmad; **≈en** spise morgenmad
frühzeitig tidlig
Fuchs *m* ræv (*-e*)
fügen føje (***sich*** sig)
fühl|bar følelig; **~en** føle (***sich*** sig)
führen *leiten* føre; *fahren* styre
Führer(in) *m(f)* fører (*-e*); **~schein** *m* kørekort *n* (=) (***machen*** tage; ***entziehen*** fratage)
Führung *f* ledelse; *Tour* omvisning; ***in ~ liegen*** have føringen
Fuhrunternehmen *n* vognmandsforretning
Füll|e *f* fylde; **≈en** fylde
Füll|federhalter, **~er** *m* fyldepen (*-ne*)
Füllung *f* fyldning; *Gastr.* fars
Fund *m* fund *n* (=)
Fundament *n* fundament *n*
Fundbüro *n* hittegodskontor *n*
Fundsachen *pl* hittegods *n*
fünf fem
Fünftel *n* femtedel (*-e*)
Funk *m* radio
Funke(n) *m* gnist
funkeln tindre
funken radiotelegrafere
Funk|er(in) *m(f)* radiotelegrafist; **~gerät** *n* radio
Funktion *f* funktion; **~är(in)** *m(f)* funktionær
funktionieren fungere (***als*** som)
Funk|turm *m* radiotårn; **~verkehr** *m* radiokontakt
für for; til; ***~ zwei Euro*** for to euro; ***ein Brief ~ dich*** et brev til dig
Furche *f* fure (*-r*)
Furcht *f* frygt; **≈bar** frygtelig
fürchten: ***sich ~*** være bange (***vor*** for)
fürchterlich frygtelig
furcht|los frygtløs; **~sam** ængstelig
Furnier *n* finér
Fürsorge *f* omsorg
fürsorglich omsorgsfuld
Fürsprache *f* anbefaling
Fürst *m* fyrste (*-r*); **~entum** *n* fyrstendømme *n* (*-r*); **~in** *f* fyrstinde (*-r*)
Fuß *m* fod (*fødder*); ***auf freiem ~*** på fri fod; ***~ fassen*** få fodfæste; ***zu ~*** til fods
Fußabtreter *m* måtte (*-r*)
Fußball *m* fodbold; **~mannschaft** *f* fodboldhold *n* (=); **~spiel** *n* fodboldkamp (*-e*); **~spieler(in)** *m(f)* fodboldspiller (*-e*); **~toto** *n* tipning
Fußboden *m* gulv *n* (*-e*)
Fußbremse *f* fodbremse (*-r*)
Fußgänger|(in) *m(f)* fodgænger (*-e*); **~überweg** *m* fodgængerovergang (*-e*)
Fußgängerzone *f* gågade (*-r*)
Fuß|gelenk *n* fodled *n*; **~matte** *f* måtte (*-r*); **~nagel** *m* tånegl (*-e*); **~note** *f* fodnote (*-r*); **~pflege** *f* fodpleje; **~sohle** *f* fodsål; **~spitze** *f* tåspids; **~tritt** *m* *Stoß* spark *n* (=); **~weg** *m* gangsti

Futter *n* foder *n*; *Tex* for *n*
fütter|n *Tier* fodre; *Tex* fore; **&ung** *f* fodring
Futur *n* futurum *n*

G

Gabe *f Geschenk* gave (*-r*); *Med* dosis
Gabel *f* gaffel (*gafler*)
gabeln: ***sich ~*** forgrene sig
Gabelstapler *m* gaffeltruck (*-s*)
Gabelung *f* forgrening
gaffen glo
Gage *f* gage (*-r*)
gähnen gabe
Galadin(n)er *n* gallamiddag (*-e*)
Galerie *f* galleri *n*
Galopp *m* galop
Gang *m* gang (*-e*); *Kfz* gear *n* (=); *Gastr* ret (*-ter*); ***den 3. ~ einlegen*** skifte til 3. gear; ***in ~ setzen*** sætte i gang; **&bar** gangbar; *gewöhnlich* gængs; **~schaltung** *f* gearskifte *n*
Gangster *m* gangster (*-e*)
Gangway *f* landgangsbro
Gans *f* gås (*gæs*)
Gänse|haut *f* gåsehud; **~marsch** *m* gåsegang
ganz hel; *völlig* helt; ***~ und gar nicht*** slet ikke; ***~ gut*** ret god; ***im &en*** i det hele taget
ganzheitlich helheds-
gänzlich *adv* fuldstændigt
gar *Gastr* mør; ***~ kein(e)*** slet ingen; ***~ nichts*** slet ingenting
Garage *f* garage (*-r*)
Garantie *f* garanti (***für*** for)
garantieren garantere
Garantieschein *m* garantibevis *n*
Garderobe *f* garderobe (*-r*)
Garderoben|frau *f* garderobedame (*-r*); **~marke** *f* garderobenummer *n* (*-numre*); **~ständer** *m* stumtjener (*-e*)
Gardine *f* gardin *n*
Gardinenstange *f* gardinstang (*-stænger*)
gären gære
Garn *n* garn *n*
Garnele *f* reje (*-r*)
garnieren garnere
Garnitur *f* garniture *n*
garstig væmmelig
Garten *m* have (*-r*); **~fest** *n* havefest; **~möbel** *pl* havemøbler *pl*; **~schlauch** *m* haveslange (*-r*); **~zaun** *m* stakit *n* (*-ter*); **~zwerg** *m* havedværg (*-e*)
Gärtner|(in) *m(f)* gartner (*-e*); **~ei** *f* gartneri *n*
Gärung *f* gæring
Gas *n* gas (*-ser*); ***~ geben*** give gas
Gas|anzünder *m* gastænder (*-e*); **~boiler** *m* gasvandvarmer (*-e*); **~flasche** *f* gasflaske (*-r*); **~hahn** *m* gashane (*-r*); **~hebel** *m* speeder (*-e*); **~heizung** *f* gasfyring; **~herd**

m gaskomfur *n*; **~kocher** *m* gasapparat *n*; **~maske** *f* gasmaske (*-r*); **~pedal** *n* gaspedal
Gasse *f* smal gade (*-r*)
Gast *m* gæst; ***zu~ sein*** være på besøg (***bei*** hos); **~arbeiter(in)** *m(f)* gæstearbejder (*-e*)
Gästetoilette *f* gæstetoilet *n* (*-ter*)
Gästezimmer *n* gæsteværelse *n* (*-r*)
gast|frei, ~freundlich gæstfri; **≈freundschaft** *f* gæstfrihed; **≈geber(in)** *m(f)* vært(inde); **≈geschenk** *n* værtindegave (*-r*)
Gast|haus *n*, **~hof** *m* kro
gast|ieren gæste; **~lich** gæstfri; **≈spiel** *n* gæstespil *n* (=)
Gast|stätte *f* restaurant; **≈wirt(in)** *m(f)* restauratør
Gaszähler *m* gasmåler (*-e*)
Gatt|e *m* mand (*mænd*); **~in** *f* hustru; **~ung** *f* Art; *Kunst* genre (*-r*)
Gaul *m* krikke (*-r*)
Gaumen *m* gane (*-r*)
Gauner(in) *m(f)* svindler (*-e*)
Gaze *f* gaze
geachtet respekteret
Ge|bäck *n* bagværk *n*; **≈backen** bagt
Gebärden *pl* fakter *pl*
Gebärdensprache *f* tegnsprog *n*
gebären føde
Gebärmutter *f* livmor
Gebäude *n* bygning
Gebell *n* gøen
geben give (***j-m etw*** ngn ngt); ***es gibt*** der findes; ***was gibt es?*** hvad er der?
Geber(in) *m(f)* giver (*-e*)
Gebet *n* bøn (*-ner*) (***an*** til)
Gebiet *n* område (*-r*); **≈erisch** bydende
gebildet dannet
Gebirg|e *n Gebiet* bjergområde; *Massiv* bjerge *pl*; **≈ig** bjergrig
Gebiss *n* tandsæt *n* (=); *Prothese* gebis; **~regulierung** *f* tandregulering
ge|blümt blomstret; **~bogen** bøjet
geboren født; ***geborene ...*** født ...
geborgen tryg; **≈heit** *f* tryghed
Gebot *n Verkehr* påbud *n*; *Forderung* krav *n*; ***die Zehn Gebote*** de Ti Bud
gebraten stegt
Gebrauch *m* brug; ***für den eigenen ~*** til eget brug; ***~ machen von*** gøre brug af
gebrauchen bruge; ***nicht zu ~*** ubrugelig; ***gut ~ können*** have brug for
gebräuchlich normal
Gebrauchsanweisung *f* brugsanvisning
Gebrauchsartikel *pl* brugsartikler *pl*
gebrauchsfertig klar til brug (*nachgestellt*)
Gebrauchtwagen *m* brugt bil
gebräunt *Gastr* brunet; *Son-*

ne brun
Gebrech|en *n* mangel (*mangler*); *Med* lidelse (*-r*); **≗lich** skrøbelig; *Mensch* svagelig
gebrochen brudt; *Person* nedbrudt; *Sprache* gebrokken
Gebrüll *n* brølen
Gebühr *f* gebyr *n*
gebührend passende
gebühren|frei afgiftsfri; **~pflichtig** afgiftspligtig
Geburt *f* fødsel (*fødsler*)
Geburten|rückgang *m* fødselsnedgang; **~überschuss** *m* fødselsoverskud *n*
gebürtig født (***aus*** i)
Geburts|datum *n* fødselsdato; **~hilfe** *f* fødselshjælp; **~jahr** *n* fødeår *n*; **~klinik** *f* fødeklinik (*-ker*); **~name** *m* fødenavn; **~ort** *m* fødested *n*
Geburtstag *m* fødselsdag (*-e*) (***zum*** til; ***am*** på)
Geburtstags|geschenk *n* fødselsdagsgave (*-r*); **~urkunde** *f* fødselsattest
Gebüsch *n* buskads *n*
Gedächtnis *n* hukommelse; ***zum ~ an*** til minde om
gedämpft dæmpet
Gedanke *m* tanke (*-r*) (***an*** på)
gedankenlos tankeløs
Gedanken|strich *m* tankestreg; **~übertragung** *f* tankeoverførsel
gedankenvoll tænksom
gedanklich *adj* tanke-; *adv* i tankerne
Gedeck *n* kuvert; *Menü* menu
gedeihen trives
gedenken mindes
Gedenk|feier *f* mindehøjtidelighed; **~stein** *m* mindesten (=); **~tafel** *f* mindetavle (*-r*); **~tag** *m* årsdag (*-e*)
Gedicht *n* digt *n* (*-e*); **~sammlung** *f* digtsamling
Gedränge *n* trængsel
Geduld *f* tålmodighed; **~!** vent lidt!
gedulden: ***sich ~*** være tålmodig
geduldig tålmodig
geeignet egnet (***für, zu*** til)
Gefahr *f* fare (*-r*); ***auf eigene ~*** på egen risiko; ***auf die ~ hin, dass*** med risiko for at; ***außer ~*** uden for fare; ***es besteht die ~, dass*** der er fare for at
gefährden bringe i fare
Gefahrenstelle *f*: **~!** *Kfz etwa* forsigtig kørsel!
gefährlich farlig
gefahrlos ufarlig
Gefährt|e *m*, **~in** *f* ledsager (*-e*)
Gefälle *n* fald *n* (=); *Unterschied* udsving *n* (=)
gefallen[1]: ***es gefällt mir*** jeg kan godt lide det; ***es sich ~ lassen*** finde sig i det
gefallen[2] *tot* faldet
Gefallen *m* tjeneste (*-r*) (***tun*** gøre); ***~ finden an*** godt kunne lide
gefällig *zuvorkommend* tjenstvillig
gefälligst vær så venlig (*vorangestellt*)

gefangen fanget; **~** ***nehmen*** tage til fange; **≈e** *m/f* fange (*-r*)
Gefangenschaft *f* fangenskab *n*
Gefängnis *n* fængsel *n* (*fængsler*) (***im*** i); **~beamte(r)** *m*, **~beamtin** *f* fængselsbetjent (*-e*); **~strafe** *f* fængselsstraf (*-fe*)
Gefäß *n* kar *n* (=)
gefasst *ruhig* fattet; **~** ***auf*** forberedt på; ***sich*** **~** ***machen auf*** forberede sig på
Gefäßverkalkung *f* åreforkalkning
Gefecht *n* kamp (*-e*)
gefleckt plettet
Geflügel *n*, **~fleisch** *n* fjerkræ *n*; **~schere** *f* fjerkræsaks (*-e*)
Geflüster *n* hvisken
Gefolge *n* følge *n* (*-r*)
gefräßig grådig
gefrieren fryse
Gefrier|fach *n* frostboks (*-e*); **~punkt** *m* frysepunkt *n*; **~truhe** *f* fryser (*-e*)
gefügig underdanig
Gefühl *n* følelse (*-r*); **≈los** følelsesløs
gefühlvoll følsom
gefüllt *Gastr* fyldt
gegebenenfalls i givet fald
gegen *Gegensatz* imod; *Bewegung* hen imod; *ca.* henved
Gegen|angriff *m* modangreb *n* (=); **~besuch** *m* genbesøg *n* (=)
Gegend *f* egn (*-e*)
gegeneinander mod hinanden
Gegen|gewicht *n* modvægt (***zu*** til); **~gift** *n* modgift (*-e*); **~leistung** *f* modydelse (*-r*); **~licht** *n* modlys *n*; **~maßnahme** *f* modtræk *n* (=)
Gegen|satz *m* modsætning; ***im*** **~** ***zu*** i modsætning til; **≈sätzlich** modsatrettet
Gegen|seite *f* modsatte side; **≈seitig** gensidig; **~stand** *m* genstand (*-e*)
Gegenstück *n* modstykke *n* (***zu*** til)
Gegenteil *n* modsætning; (***ganz***) ***im*** **~** tværtimod
gegenüber *präp* over for; *adv* overfor
Gegenüberstellung *f* sammenstilling
Gegen|verkehr *m* modkørende trafik; **~wart** *f Zeit* nutid; *Anwesenheit* tilstedeværelse; **≈wärtig** nuværende; *adv* nu; **~wartssprache** *f* nutidssprog *n*; **~wehr** *f* modstand (***leisten*** yde); **~wert** *m* modværdi; **~wind** *m* modvind; **~zug** *m*: ***im*** **~** til gengæld
Gegner(in) *m(f)* modstander (*-e*)
gegnerisch fjendtlig
Gehackte(s) *n* hakket kød *n*
Gehalt[1] *m* indhold *n*
Gehalt[2] *n* løn (***von*** på)
gehaltlos inholdsløs
Gehalts|abrechnung *f* løn-

udbetaling; *Dokument* lønseddel (*-sedler*); **~empfänger(in)** *m(f)* lønmodtager (*-e*); **~erhöhung** *f* lønforhøjelse; **~konto** *n* lønkonto (*-konti*)
ge|härtet hærdet; **~hässig** hadefuld
Ge|häuse *n* kapsel (*kapsler*); *Zo* hus *n* (*-e*); *Bot* kernehus *n* (*-e*); **~hege** *n* indhegning
geheim hemmelig; **2dienst** *m* efterretningstjeneste; **2haltung** *f* hemmeligholdelse; *Jur* tavshedspligt
Geheimnis *n* hemmelighed
geheimnisvoll hemmelighedsfuld
gehen gå; ***zu Ende ~*** lakke mod enden; ***die Fenster ~ auf den Hof*** vinduerne vender ud mod gården; ***wie geht es?*** hvordan går det?
Geheul *n* hyleri *n*
Gehilf|e *m*, **~in** *f* medhjælper (*-e*)
Gehirn *n* hjerne (*-r*)
Gehirnerschütterung *f* hjernerystelse (*-r*)
Gehirnschlag *m* hjerneblødning
Gehminuten *pl* minutters gang
Gehölz *n* lund (*-e*)
Gehör *n* hørelse
gehorchen adlyde
gehör|en tilhøre; ***~ zu*** høre til; **2gang** *m* øregang; **~ig** passend; **~los** døv
gehorsam lydig
Gehorsam *m* lydighed
Gehörschutz *m* høreværn *n*
Gehsteig *m* fortov *n* (*-e*)
Geier *m* grib (*-be*)
Geige *f* violin
Geiger(in) *m(f)* violinist
geil F liderlig; *toll* fed; *adv* fedt!
Geisel *f* gidsel *n* (*-sler*)
Geist *m* ånd; *Witz* åndfuldhed
Geisterbahn *f* spøgelsestog *n*
geistesabwesend åndsfraværende
geisteskrank sindssyg
geistig åndelig
Geistliche *m/f* gejstlig (*-e*)
geistreich vittig
Geiz *m* nærighed; **~hals** *m* gnier (*-e*)
geizig nærig
Ge|klapper *n* klapren; **~knatter** *n* knitren
ge|kocht kogt; **~konnt** dygtig; **~koppelt** koblet sammen (***mit*** med); **~künstelt** kunstig
Ge|lächter *n* latter; **~lage** *n* gilde *n* (*-r*)
gelähmt lammet
Gelände *n* terræn *n*; **~lauf** *m* terrænløb *n* (=)
Gelände|r *n* gelænder *n* (*-e*); **~wagen** *m* terrængående bil
gelangen: ***~ zu*** nå til
gelassen rolig; **2heit** *f* ro
geläufig kendt; *sehr gut* perfekt
gelaunt: ***gut od schlecht ~*** i godt *od* dårligt humør
Geläut *n* kimen

gelb gul
Geld *n* penge *pl*; **~ umtauschen** veksle penge
Geld|automat *m* pengeautomat; **~beutel** *m*, **~börse** *f* pengepung (*-e*); **~buße** *f* bøde (*-r*); **~institut** *n* pengeinstitut *n* (*-ter*)
Geld|schein *m* pengeseddel (*-sedler*); **~schrank** *m* pengeskab *n* (*-e*); **~sendung** *f* pengeoverførsel (*-sler*); **~strafe** *f* bøde (*-r*); **~stück** *n* mønt
Gelegenheit *f* lejlighed; **bei ~** ved lejlighed
gelegentlich ved lejlighed
gelehr|ig ivrig efter at lære (*nachgestellt*); **²te** *m/f* lærd (*-e*)
Geleit *n* følge *n*; **²en** følge
Gelenk *n* led *n* (=); **²ig** *gewandt* smidig
gelernt *Arbeiter* faglært
Geliebte *m/f* elskede
gelingen lykkes (for)
gellend skrigende
gelten gælde; **~ als** anses for; **das gilt nicht** det gælder ikke
Geltung *f Gelten* gyldighed; *Bedeutung* anseelse; **zur ~ bringen** gøre gældende
Geltungsdauer *f* gyldighed
gelungen vellykket
gemächlich magelig
Gemälde *n* maleri *n*; **~sammlung** *f* malerisamling
gemäß i overensstemmelse med
gemäßigt moderat
Gemäuer *n* murværk *n*
gemein *gewöhnlich* almindelig; *böse* tarvelig
Gemeinde *f Rel* menighed; *Pol* kommune (*-r*)
gemein|nützig almennyttig; **²platz** *m* kliché
gemein|sam fælles; *adv* sammen; **²schaft** *f* fællesskab *n*
Gemeinwohl *n* almenvel *n*
gemessen afmålt
Gemetzel *n* blodbad *n* (*-e*)
Gemisch *n* blanding
gemischt blandet; **~es Doppel** *Sport* mixeddouble
Gemurmel *n* mumlen
Gemüse *n* grøntsager *pl*
Gemüsegarten *m* køkkenhave (*-r*)
Gemüsehändler(in) *m(f)* grønthandler (*-e*)
Gemüsesuppe *f* grøntsagssuppe
gemustert *Tex* mønstret
gemütlich hyggelig; **²keit** *f* hygge
genau nøjagtig; **²igkeit** *f* nøjagtighed
genauso lige så
genehmigen tillade; *gutheißen* billige
Genehmigung *f* tilladelse (*-r*)
geneigt: **~ zu** tilbøjelig til
General|(in) *m(f)* general; **~staatsanwalt** *m*, **~staatsanwältin** *f* rigsadvokat
Generalstreik *m* generalstrejke (*-r*)
Generalüberholung *f* hoved-

eftersyn *n*
Generation *f* generation
generell generel
genes|en blive rask; **≗ung** *f* helbredelse
Genet|ik *f* genetik; **≗isch** genetisk
genial genial
Genick *n* nakke (*-r*)
genieren: ***sich*** **~** holde sig tilbage
genieß|bar spiselig; **~en** nyde
genormt normeret
Genoss|e *m* kammerat; **~enschaft** *f* andelsforening; **~in** *f* kammerat
genug nok
Genüge: ***zur*** **~** til hudløshed
genüg|en være nok; **~end** tilstrækkelig; **~sam** nøjsom
Genugtuung *f* tilfredsstillelse; *Satisfaktion* oprejsning
Genuss *m* nydelse (*-r*); **~mittel** *n* nydelsesmiddel *n* (*-midler*); **≗voll** *adj* skøn; *adv* med stor nydelse (*nachgestellt*)
geöffnet åben
Geo|graphie *f* geografi; **~logie** *f* geologi; **~metrie** *f* geometri
Gepäck *n* bagage; **~abfertigung** *f* check-in; **~aufbewahrung** *f* bagageopbevaring; **~ausgabe** *f* bagageudlevering; **~halter** *m* bagagebærer (*-e*); **~kontrolle** *f* toldkontrol; **~netz** *n* bagagenet *n*; **~schein** *m* bagagekvittering; **~schließfach** *n* bagageboks (*-e*); **~stück** *n* stk. bagage; **~träger** *m* drager (*-e*); **~versicherung** *f* bagageforsikring; **~wagen** *m* bagagevogn (*-e*)
ge|panzert pansret; **~pfeffert** pebret (*a fig*); **~pflegt** velplejet; *anspruchsvoll* eksklusiv; **~pökelt** saltet
gepunktet prikket
gerade lige (*a Zahl*); **~ *jetzt*** netop nu; **~ *dabei*** netop i gang med
gerade|aus lige ud; **~biegen** rette ud; **~heraus** lige ud; **~(n)wegs** den lige vej
geradezu ligefrem
geradlinig retlinjet; *fig* ærlig
Gerät *n* apparat *n*; *Werkzeug* redskab *n*
geraten komme (***in*** i); ***ins Stocken*** **~** gå i stå
Geratewohl: ***aufs*** **~** på må og få
geräuchert røget
Geräucherte(s) *n* røgvarer *pl*
geräumig rummelig
Geräusch *n* støj; **≗los** lydløs; **~pegel** *m* støjniveau *n*; **≗voll** støjende
gerecht retfærdig; **~fertigt** berettiget; **≗igkeit** *f* retfærdighed
Gerede *n* snak
gereizt irriteret
Gericht *n* *Gastr, Jur* ret (*-ter*); **≗lich** retslig
Gerichts|beschluss *m* kendelse (*-r*); **~kosten** *pl* sagsomkostninger *pl*; **~saal** *m*

retssal (*-e*); **~verfahren** *n* retssag; **~verhandlung** *f* retsmøde *n* (*-r*); **~vollzieher(in)** *m*(*f*) foged
gering ringe
gering|fügig ubetydelig; **~schätzig** nedladende; **&schätzung** *f* foragt
Geringste *n*: ***nicht im Geringsten*** ikke det mindste
gerinnen størkne
Gerippe *n* skelet *n* (*-ter*) (*a fig*)
gern gerne; **~ *haben*** være glad for; **~ *geschehen!*** det var så lidt!
Geröll *n* rullesten *pl*
geröstet ristet
Gerste *f* byg; **~nkorn** *n Med* bygkorn *n*
Geruch *m* lugt (*-e*); *Sinn* lugtesans
geruchlos lugtfri
Gerücht *n* rygte *n* (*-r*)
Gerümpel *n* skrammel *n*
Gerüst *n* stillads *n*
gesalzen saltet; *fig* pebret
gesamt hel
Gesamt|betrag *m* samlet sum; **&deutsch** fællestysk; **~eindruck** *m* helhedsindtryk *n*; **~schaden** *m* samlet skade; **~summe** *f* endelige tal
Gesang *m* sang; **~buch** *n* salmebog (*-bøger*)
Gesäß *n* bagdel (*-e*); **~tasche** *f* baglomme (*-r*)
gesättigt mæt; *fig* mættet
Geschäft *n* forretning; **&ig** travl; **&lich** forretnings-; *adv* forretningsmæssigt
Geschäfts|bereich *m* arbejdsområde *n*; **~beziehungen** *pl* forretningsforbindelser *pl*; **~brief** *m* forretningsbrev *n* (*-e*); **~frau** *f* forretningskvinde (*-r*); **~führer(in)** *m*(*f*) forretningsfører (*-e*); **~mann** *m* forretningsmand (*-mænd*); **~ordnung** *f* forretningsorden; **~reise** *f* forretningsrejse (*-r*); **~schluss** *m* lukketid; **~viertel** *n* forretningskvarter *n*; **~zeit** *f* åbningstid
gescheh|en ske; **&nis** *n* begivenhed
gescheit intelligent
Geschenk *n* gave (*-r*); **~artikel** *m* gaveartikel (*-tikler*); **~packung** *f* gaveæske (*-r*)
Geschicht|e *f* historie (*-r*) (*a Fach*); **&lich** historisk
Geschicklichkeit *f* dygtighed
geschickt dygtig; *Bastler* fingernem
geschieden skilt; *von j-m* fraskilt
Geschirr *n Küche* service *n*; *Pferd* seletøj *n*; **~spülmaschine** *f* opvaskemaskine (*-r*)
Geschlecht *n* køn *n* (=) (*a Gr, Anat*); *Sippe* slægt; **&lich** seksuel
Geschlechts|krankheit *f* kønssygdom (*-me*); **~organ** *n* kønsorgan *n*; **~verkehr** *m* samleje *n* (*-r*)
geschlossen lukket

Geschmack *m* smag (***nach*** efter); **＿los** uden smag; *fig* smagløs; **~(s)sache** *f* en smagssag; **＿voll** smagfuld
geschmeidig smidig
geschmolzen smeltet
Geschöpf *n* skabning
Geschoss *n* projektil *n*; *Haus* etage (-*r*)
Geschrei *n* skrigeri *n*
Geschwätz *n* snakken; *Quatsch* sludder *n*
geschweige: ~ ***denn*** for ikke at tale om
Geschwindigkeit *f* hastighed
Geschwindigkeits|begrenzung *f* hastighedsbegrænsning; **~messer** *m* speedometer *n*
Geschwister *pl* søskende *pl*
geschwollen hævet
Ge|schwulst *f* svulst; **~schwür** *n* byld
Geselle *m* svend (-*e*); *Typ* fyr (-*e*)
gesellig selskabelig; *gemütlich* hyggelig
Gesellschaft *f* selskab *n* (*a Hdl, fachlich*); *Pol* samfund *n* (=); ~ ***leisten*** holde med selskab; **＿lich** selskabelig; *Pol* samfunds-
Gesellschafts|spiel *n* selskabsleg (-*e*); **~reise** *f* charterrejse (-*r*)
Gesetz *n* lov (-*e*); **~buch** *n* lovsamling; **~gebung** *f* lovgivning
gesetz|lich lovlig; **~mäßig** lovmæssig; **~widrig** ulovlig
Gesicht *n* ansigt *n* (***bekanntes*** kendt)
Gesichts|ausdruck *m* ansigtsudtryk *n*; **~farbe** *f* kulør; **~massage** *f* ansigtsmassage; **~punkt** *m* synspunkt *n*; **~züge** *pl* ansigtstræk *pl*
gesondert separat
gespannt spændt (***auf*** på)
Gespenst *n* spøgelse *n* (-*r*); **＿isch** uhyggelig
gespickt spækket (***mit*** med)
Gespött: ***zum ~ machen*** gøre til grin
Gespräch *n* samtale (-*r*); **＿ig** snaksalig
Gesprächs|gegenstand *m* samtaleemne (-*r*); **~partner(in)** *m*(*f*) samtalepartner (-*e*); **~stoff** *m* samtalestof *n*
gespreizt spredt
Gespür *n* fornemmelse (-*r*) (***für*** for)
Gestalt *f* figur; *Form* form; ***von ~*** af figur
gestalten danne
Geständnis *n* tilståelse (-*r*)
Gestank *m* stank
gestatten tillade; ~ ***Sie?*** undskyld, må jeg?
Geste *f* fagter *pl*; *Zeichen* signal
gestehen tilstå
Gestell *n* *Rahmen* stel *n* (=); *Regal* reol
gestern i går; ~ ***Abend*** i går aftes; ***seit ~*** siden i går
Gestirn *n* stjernebillede *n* (-*r*)
gestorben død
gestreift stribet

gestrig fra i går; *neg!* gammeldags
Gestrüpp *n* krat *n* (=)
Gesuch *n* ansøgning (**um** om)
gesucht søgt (*a fig*); *begehrt* eftertragtet
gesund sund; *nach Krankheit* rask; ~ ***pflegen*** pleje; ~ ***werden*** blive rask
Gesundheit *f* sundhed; *Med* helbred *n*; ~*!* prosit!
Gesundheits|amt *n* sundhedsstyrelse; ~**behörde** *f* sundhedsmyndigheder *pl*; ≗**schädlich** sundhedsfarlig; ~**zustand** *m* helbred *n*
Getöse *n* støj
Getränk *n* drik (*-ke*); *Alkohol* drink (*-s*)
Getränke|automat *m* drikkevareautomat; ~**karte** *f* kort *n* (=) med drikkevarer
Getreide *n* korn *n* (=); ~**art** *f* kornsort
getrennt separat
Getriebe *n* *Leben* travlhed; *Kfz* gearkasse (*-r*)
getrocknet tørret
Getümmel *n* virvar *n*
Gewächs *n* vækst; ~**haus** *n* drivhus *n* (*-e*)
gewagt vovet
Gewähr *f* sikkerhed; ***ohne*** ~ uden garanti; ≗**en** tilstå; *geben* yde; ~ ***lassen*** ikke gribe ind over for; ≗**leisten** garantere
Gewalt *f* vold; *Macht* magt (**über** over); ***höhere*** ~ højere magt; ~ ***anwenden*** bruge magt; ~ ***antun*** øve vold mod; ≗**ig** enorm; ≗**sam** voldsom; *adv* med magt; ≗**tätig** voldelig
gewandt dygtig
Gewässer *n* *Strom* vandløb *n* (=); *See* sø
Gewebe *n* væv *n* (=) (*a Anat*)
Gewehr *n* gevær *n*
Geweih *n* gevir *n*
Gewerbe *n* erhverv *n* (=); ~**schein** *m* næringsbrev *n* (*-e*); ~**schule** *f* teknisk skole (*-r*); ~**treibende** *m/f* erhvervsdrivende (=)
gewerblich erhvervs-
gewerbsmäßig professionel
Gewerkschaft *f* fagforening; ~**ler(in)** *m(f)* fagforeningsmedlem *n*; *Job* fagforeningsmand (*-folk*); ≗**lich** fagforenings-
Gewicht *n* vægt (*-e*) (*a fig*); ~**heben** *n* vægtløftning
gewichtig vægtig
Gewichtsabnahme *f* vægttab *n*
Gewichtsklasse *f* *Sport* vægtklasse (*-r*)
Gewichtszunahme *f* vægtforøgelse
Gewimmel *n* vrimmel
Gewinde *n* gevind *n* (=)
Gewinn *m* *Hdl* overskud *n*; *Spiel* gevinst; *Nutzen, Freude* udbytte *n*; ~**anteil** *m* andel af overskuddet; ≗**en** *Spiel* vinde; *erreichen* opnå; ~ ***für*** overtale til; ~**er(in)** *m(f)* vinder (*-e*); ~**ung** *f* udvinding;

~zahl *f* vindertal *n* (=)
gewiss sikker; ***ein ~er ...*** en vis ...; *adv* det er rigtigt nok
Gewissen *n* samvittighed (***schlechtes*** dårlig); **≈haft** samvittighedsfuld
Gewissensbisse *pl* dårlig samvittighed
Gewissheit *f* sikkerhed (***über*** om)
Gewitter *n* tordenvejr *n*
gewitzt smart
gewöhnen vænne (***an*** til); ***sich ~ an*** vænne sig til
Gewohnheit *f* vane (*-r*) (***schlechte*** dårlig)
gewöhnlich *üblich* sædvanlig; *neg!* tarvelig; *adv* normalt; ***für ~*** normalt
gewohnt vant (***an*** til); ***zur ~en Zeit*** til sædvanlig tid
Gewölbe *n* hvælving
Gewühl *n* roderi *n*
Gewürz *n* krydderi *n*; **~gurke** *f* syltet agurk
gewürzt krydret
gezackt takket
Gezeiten *pl* tidevand *n*
geziert skabet
Gezwitscher *n* kvidren
gezwungen tvunget; *unnatürlich* krampagtig
Gicht *f* gigt
Giebel *m* gavl (*-e*)
gierig grådig; ***~ nach*** begærlig efter
gieß|en hælde; *Blumen* vande; *Tech* støbe; ***es gießt*** det øser ned
Gießerei *f* støberi *n*
Gießkanne *f* vandkande (*-r*)
Gift *n* gift (*-e*)
giftig giftig
Gift|pilz *m* giftig svamp; **~schlange** *f* giftslange (*-r*)
Gin *m* gin
Gipfel *m* top (*-pe*)
Gips *m* gips; **~abguss** *m* gipsafstøbning; **~verband** *m* gipsbandage (*-r*)
Giraffe *f* giraf (*-fer*)
Girlande *f* guirlande (*-r*)
Girokonto *n* girokonto
Gischt *f/m* skumsprøjt *n*
Gitarre *f* guitar
Gitter *n* gitter *n* (*gitre*)
Glanz *m* glans
glänzen stråle; *fettig* glinse
glänzend strålende (*a fig*)
glanzvoll strålende
Glas *n* glas *n* (=)
Gläschen *n* glas
Glaser *m* glarmester (*-mestre*)
Glasfaser *f* glasfiber (*-fibre*)
glasieren glasere
Glas|malerei *f* glasmaleri *n*; **~scheibe** *f* rude (*-r*); **~scherbe** *f* glasskår *n* (=); **~tür** *f* glasdør (*-e*); **~ur** *f* glasur; **~wolle** *f* glasuld
glatt glat; *Eis usw* fedtet; **≈eis** *n* isslag *n*
glätten glatte ud
Glatz|e *f* skaldet isse; **≈köpfig** skaldet
Glaub|e *m* tro; **≈en** tro (***an*** på); **≈haft** troværdig
gläubig troende
Gläubiger *m* kreditor
glaubwürdig troværdig

gleich *identisch* ens; *soeben* lige; *jetzt* straks; *ähnlich wie* lige som; ***in ~er Weise*** på samme måde; ***zur ~en Zeit*** på samme tid; ***ganz ~ ob*** lige meget om; ***~ lautend*** enslydende
gleich|altrig jævnaldrende; **~artig** ensartet; **~berechtigt** ligeberettiget; **~en** ligne; **~falls** også; (***danke,***) ***~!*** (tak,) i lige måde!
Gleichgewicht *n* ligevægt
gleichgültig ligegyldig
Gleichheit *f* lighed
gleich|mäßig ensartet; **~namig** med samme navn; **&nis** *n* lignelse (*-r*)
Gleichschritt *m*: ***im ~*** i takt
gleichstellen ligestille (med)
Gleichstrom *m* jævnstrøm
Gleichung *f* ligning
gleich|wertig med samme værdi; **~zeitig** samtidig (***mit*** med)
Gleis *n* spor *n* (=)
gleiten glide; ***~de Arbeitszeit*** flextid
Gleitzeit *n* flextid
Gletscher *m* gletsjer (*-e*)
Glied *n* lem *n* (*-mer*); *Teil* del (*-e*); **&ern** *einteilen* inddele; ***sich ~*** være inddelt; **~maßen** *pl* lemmer *pl*
glimm|en gløde; **&stängel** *m* smøg
glimpflich *adj* mild; *adv* overraskende godt
glitschig fedtet
glitzern glimte
Globalisierung *f* globalisering
Glocke *f* klokke (*-r*)
Glocken|spiel *n* klokkespil *n*; **~turm** *m* klokketårn *n* (*-e*)
glotzen F glo
Glück *n* lykke; *Erfolg* held *n*; ***auf gut ~*** på må og få; ***viel ~!*** held og lykke!; ***zum ~*** til alt held
glücken lykkes
glücklich lykkelig; *erfolgreich* heldig; **~erweise** heldigvis
Glücks|fall *m* rent held *n*; **~pilz** *m* heldig rad; **~spiel** *n* hasardspil *n*
Glückwunsch *m* lykønskning; ***herzlichen ~!*** hjertelig til lykke! (***zu*** med); **~karte** *f* lykønskningskort *n* (=)
Glühbirne *f* elpære (*-r*)
glühen gløde
glühend glødende
Glüh|wein *m* gløgg (*Art Glühwein mit Rosinen und Mandeln*); **~würmchen** *n* sankthansorm (=)
Glut *f* glød
Glyzerin *n* glycerin
GmbH *f* (*Gesellschaft mit beschränkter Haftung*) a.m.b.a. (*andelselskab n med begrænset ansvar*)
Gnade *f* nåde
gnädig nådig
Gold *n* guld *n*; **~barren** *m* guldbarre (*-r*); **&en** guld-; *Farbe* gylden; **~fisch** *m* guldfisk (=); **~medaille** *f* guldmedalje (*-r*); **~münze** *f* guld-

mønt; **~schmied(in)** *m(f)* guldsmed (*-e*)
Golf *n Sport* golf; **~ball** *m* golfbold (*-e*); **2en** spille golf; **~er(in)** *m(f)* golfspiller (*-e*); **~platz** *m* golfbane (*-r*); **~schläger** *m* golfkølle (*-r*); **~spieler(in)** *m(f)* golfspiller (*-e*)
Gondel *f* gondol
gönnen unde (***es j-m*** ngn det); ***sich etw ~*** unde sig ngt
Gönner|(in) *m(f)* mæcen; **2haft** nedladende
Göre *f* unge (*-r*)
Gosse *f* rendesten (*-e*)
gotisch gotisk
Gott *m Bibel* Gud; *allgemein* gud; ***~ sei Dank!*** gudskelov!; ***um ~es willen!*** for guds skyld!
Gott|esdienst *m* gudstjeneste (*-r*) (***besuchen*** gå til); **~heit** *f* guddom (*-me*)
Gött|in *f* gudinde (*-r*); **2lich** guddommelig
gottlos ugudelig
Götze *m* afgud
Grab *n* grav (*-e*); **2en** grave; **~en** *m* grøft
Grab|hügel *m* gravhøj (*-e*); **~mal** *n* gravmæle *n* (*-r*); **~stein** *m* gravsten (=)
Grad *m* grad; **~einteilung** *f* graddeling
Graf *m* greve (*-r*)
Grafik *f* grafik; **~er(in)** *m(f)* grafiker (*-e*); **~karte** *f EDV* grafikkort *n* (=)
Gräfin *f* grevinde (*-r*)
Gramm *n* gram *n* (=)
Grammatik *f* grammatik
Granate *f* granat
Granit *m* granit; **2en** granit-
Grapefruit *f* grapefrugt
Graphik *usw* → ***Grafik***
Gras *n* græs *n*; **2en** græsse
Grashalm *m* strå *n* (=)
grässlich skrækkelig
Grat *m* kant; *Berg* bjergryg (*-ge*)
Gräte *f* fiskeben *n* (=)
gratis gratis
Gratulation *f* lykønskning
gratulieren ønske til lykke (***zu*** med)
grau grå
Gräuel *m/n* rædsel (*rædsler*); **~tat** *f* grusom forbrydelse (*-r*)
grauen: ***mir graut vor*** jeg gruer for
grauenhaft grufuld
grauhaarig gråhåret
Graupeln *pl* hagl *pl*
Graupen *pl* gryn *pl*
grausam grusom; **2keit** *f* grusomhed
Grazi|e *f* yndefuldhed; **2ös** yndefuld
greifbar håndgribelig
greifen gribe (***um*** om); ***um sich ~*** gribe om sig; ***zum 2 nahe*** meget tæt på
Greis *m* olding (*-e*); **~in** *f* meget gammel kvinde
grell grel
Grenz|e *f* grænse (*-r*); **2en** grænse (***an*** op til; *fig* til); **2enlos** grænseløs; **~gebiet**

n grænseområde *n* (*-r*); **~posten** *m* grænsevagt; **~schutz** *m* grænseværn
Grenzübergang *m* grænseovergang (*-e*)
Grenzverkehr *m* grænsetrafik
Greuel *m/n* rædsel (*-sler*)
Griech|e *m* græker (*-e*); **~enland** *n* Grækenland *n*; **~in** *f* græker (*-e*)
griechisch græsk
Grieß *m* semulje; **~brei** *m* semuljegrød
Griff *m* håndtag *n*; *Zupacken* greb *n* (=); ***im ~ haben*** have styr på
Grill *m* grill
Grille *f* græshoppe (*-r*)
Grimasse *f* grimasse (*-r*); ***Grimassen schneiden*** skære ansigt
grimmig grum; *fig* heftig
grinsen *schadenfroh* smile skadefro; *dämlich* smile dumt
Grippe *f* influenza; **~schutzimpfung** *f* influenzavaccination
grob grov (*a fig*); ***~er Fehler*** grov fejl
Grobheit *f* grovhed
Grog *m* romtoddy
grölen skråle
Groschen *m* skilling; ***der ~ ist gefallen*** tiøren er faldet
groß stor; *Person* høj; **~artig** storartet
Großbetrieb *m* stort firma *n*
Großbritannien *n* Storbritannien
Großbuchstabe *m* stort bogstav
Großdruck *m*: ***in ~*** med store typer
Größe *f* størrelse (*-r*) (*a Tex*); *Länge* højde; *fig* storhed
Großeltern *pl* bedsteforældre *pl*
Groß|handel *m* engroshandel; **~händler(in)** *m(f)* grossist; **~macht** *f* stormagt; **~maul** *n* pralhals (*-e*)
großmütig storsindet
Großmutter *f* bedstemor; *väterlicherseits* farmor; *mütterlicherseits* mormor
Groß|stadt *f* storby; **&städtisch** storby-
größtenteils for størstedelens vedkommende
Großvater *m* bedstefar; *väterlicherseits* farfar; *mütterlicherseits* morfar
groß|ziehen *Kind* opdrage; **~zügig** *Sache* storstilet; *Mensch* rundhåndet; *neg!* nonchalant
grotesk grotesk
Grotte *f* grotte (*-r*)
Grübchen *n* smilehul *n* (*-ler*)
Grube *f* hul *n* (*-ler*)
grübeln gruble (***über*** over)
Gruft *f* *Kirche* krypt; *Grab* grav (*-e*)
grün grøn; **&anlage** *f* grønt område *n*
Grund *m* *Boden* bund (*-e*); *Ursache* grund (*-e*); **~ausbildung** *f* grunduddannelse

Grundbesitz *m* grundejendom
gründ|en grundlægge; **2er(in)** *m(f)* grundlægger (*-e*) (***der Firma*** af firmaet)
Grund|gehalt *n* grundløn; **~gesetz** *n* grundlov; **~lage** *f* grundlag *n*
grundlegend grundlæggende
gründlich grundig
Grundlohn *m* grundløn
grundlos ubegrundet
Gründonnerstag *m* skærtorsdag
Grund|regel *f* grundregel (*-regler*); **~riss** *m* grundrids *n* (=); **~satz** *m* princip *n* (*-per*); **2sätzlich** *adj* principiel; *adv* principielt
Grund|schule *f* grundskole; **~steuer** *f* ejendomsskat (*-ter*); **~stück** *n* ejendom (*-me*)
Grundstücksmakler(in) *m(f)* ejendomsmægler (*-e*)
Gründung *f* grundlæggelse
Grüne *n*: ***im Grünen*** i det grønne; ***ins~*** ud i det grønne
Grünkohl *m* grønkål
grünlich grønlig
grunzen grynte
Gruppe *f* gruppe (*-r*); **~nermäßigung** *f* grupperabat; **~nreise** *f* grupperejse (*-r*)
Gruselfilm *m* gyserfilm (=)
Gruß *m* hilsen; ***mit freundlichen Grüßen*** (***mfg***) med venlig hilsen (mvh); ***herzliche Grüße*** mange hilsner; ***liebe Grüße*** kærlig hilsen
grüßen hilse
Grütze *f* grød
gucken kigge
Gulasch *n* gullasch
gültig gyldig; **2keit** *f* gyldighed
Gültigkeitsdauer *f* gyldighed
Gummi *n* gummi *n*; **~band** *n* elastik (*-ker*)
Gummibärchen *n* vingummibamse (*-r*)
Gummi|handschuhe *pl* gummihandsker *pl*; **~stiefel** *pl* gummistøvler *pl*
günstig gunstig; *Preis* billig
Gurgel *f* strube (*-r*); **2n** gurgle
Gurke *f* agurk
Gurkensalat *m* agurkesalat
Gurt *m Kfz* sele (*-r*); *Flugzeug* sikkerhedsbælte *n* (*-r*)
Gürtel *m* bælte *n* (*-r*)
Guss *m* støbning; *Regen* skylle (*-r*)
Gusseisen *n* støbejern *n*
gut god; ***im2en*** med det gode; ***so~ wie*** lige så god som; *fast* nærmest; ***schon ~!*** det er i orden!; ***~ gelaunt*** i godt humør
Gut *n Habe* ejendom; *Anwesen* gods *n*
Gutachten *n* vurdering
gutartig skiggelig; *Med* godartet
Güte *f* godhed; *Qualität* kvalitet
Güter *pl Waren* gods *n*; **~bahnhof** *m* godsbanegård (*-e*); **~wagen** *m* godsvogn (*-e*); **~zug** *m* godstog *n* (=)

Gütezeichen *n* kvalitetsmærke *n*
Guthaben *n* tilgodehavende *n* (*-r*)
gutheißen godkende
gütig venlig
gütlich fredelig; *adv* fredeligt
gutmütig godmodig
Gutsbesitzer(in) *m(f)* godsejer
Gutschein *m* tilgodeseddel (*-sedler*); *Geschenk* gavekort *n* (=)
gutschreiben (*j-m A*) godskrive
Gutschrift *f* godskrivning
gutwillig nem; *gutgesinnt* venlig
Gymnas|iallehrer(in) *m(f)* gymnasielærer (*-e*); **~ium** *n* gymnasium *n* (*-sier*)
Gymnastik *f* gymnastik
Gynäkologe *m*, **Gynäkologin** *f* gynækolog

H

Haar *n*, *mst pl* hår *n* (=); **~ausfall** *m* hårtab *n*; **~band** *m* hårbånd *n* (=); **~bürste** *f* hårbørste (*-r*)
Haar|farbe *f* hårfarve; **~färbemittel** *n* hårfarvningsmiddel *n*; **~lack** *m* hårlak
Haar|nadelkurve *f* hårnålesving *n*; **~pflege** *f* hårpleje; **2scharf** hårfin; **~schnitt** *m* frisure (*-r*); **~spray** *n* hårspray
haarsträubend hårrejsende
Habe *f* ejendom
haben have
Hab|gier *f* begærlighed; **2gierig** begærlig
Habicht *m* høg (*-e*)
Habseligkeiten *pl* ejendele *pl*
Hackbraten *m* forloren hare
Hacke *f Gerät* hakke (*-r*); *Anat*, *Schuh* hæl (*-e*)
Hack|fleisch *n* hakket kød; **~steak** *n* hakkebøf (*-fer*)
Hafen *m* havn (*-e*); **~arbeiter** *m* havnearbejder (*-e*); **~rundfahrt** *f* havnerundfart; **~stadt** *f* havneby; **~viertel** *n* havnekvarter *n*
Hafer *m* havre; **~flocken** *pl* havregryn *pl*
Haft *f milde* hæfte *n*; *schwere* fængsel *n*; **2bar** ansvarlig (***für*** for); **~befehl** *m* arrestordre
haften sidde fast (***an*** på); *verantworten* hæfte (***für*** for)
Häftling *m* fange (*-r*)
Haftpflicht *f* ansvar *n*; **~versicherung** *f* ansvarsforsikring
Haftschalen *f/pl* kontaktlinser *pl*
Haftung *f* ansvar *n*
Hafturlaub *m* udgang
Hagebutte *f* hyben *n* (=)
Hagel *m* hagl *n* (=); **~schauer** *m* haglbyge
hager senet

Hahn *m* hane (*-r*) (*a Tech*)
Hähnchen *n* kylling
Hai *m* haj
häkeln hække
Häkelnadel *f* hæklenål (*-e*)
Haken *m* krog (*-e*); *Kleider* knage (*-r*); **~kreuz** *n* hagekors *n* (=)
halb halv; *adv* halvt; **~ *offen*** på klem
halb|automatisch halvautomatisk; **~dunkel** *n* halvmørke *n*; **~gar** medium mør
halbieren halvere
Halbinsel *f* halvø
Halbjahr *n* halvår *n*
Halbkreis *m* halvkreds
Halbkugel *f* halvkugle (*-r*)
Halbmast (***flaggen*** flage på) halv stang
Halbmond *m* halvmåne
Halbpension *f* halvpension
Halbtagsjob *m* halvdagsjob *n*
Halbzeit *f* halvleg (*-e*)
Halde *f von etw* dynge (*-r*)
Hälfte *f* halvdel (*-e*); ***zur ~*** halvt
Halle *f* hal (*-ler*)
hallen runge
Hallenbad *n* svømmehal (*-ler*)
hallo: **~!** *Tel* hallo!; *sonst* hej!
Hals *m* hals (*-e*); ***~- und Beinbruch!*** held og lykke!
Halsband *n* halsbånd *n* (=)
Halsentzündung *f* halsbetændelse
Halskette *f* halskæde (*-r*)
Hals-Nasen-Ohren-|Arzt *m*, **~Ärztin** *f* øre-næse-halslæge
Hals|schmerzen *pl* ondt i halsen; **~tuch** *n* halstørklæde *n* (*-r*);
Halt *m* støttepunkt *n*; **~!** stop!; ***den ~ verlieren*** miste fodfæstet; ***~ machen*** standse
haltbar holdbar
halten holde (*a Rede*); ***sich ~*** holde sig; ***~ von*** mene om; ♀ ***verboten*** standsning forbudt
Halte|platz *m* holdeplads; **~signal** *n* stopsignal *n*; **~stelle** *f* stoppested *n*
Halteverbot *n* stopforbud *n*
Haltung *f* holdning (***zu*** til)
Hammer *m* hammer (*-re*)
Hampelmann *m* sprællemand (*-mænd*) (*a fig*)
Hamster *m* hamster (*-e*)
hamstern hamstre
Hand *f* hånd (*hænder*); ***aus erster ~*** direkte fra kilden; ***zweite ~*** genbrug
Hand|arbeit *f* håndarbejde *n*; **~ball** *m* håndbold; **~bremse** *f* håndbremse (*-r*); **~buch** håndbog (*-bøger*); ***~ der Physik*** håndbog i fysik
Händedruck *m* håndtryk *n*
Handel *m* handel
handeln handle (***mit*** med; ***von*** om); ***es handelt sich um*** det drejer sig om
Handelshochschule *f* handelshøjskole
Handelsschule *f* handelsskole
Hand|feger *m* lille kost; **~gelenk** *n* håndled *n*; **~gemen-**

ge *n* håndgemæng *n*; **~gepäck** *n* håndbagage; **~granate** *f* håndgranat
Handgriff *m* håndtag *n* (=)
handhabbar til at håndtere (*nachgestellt*)
Handikap *n* handicap *n* (=)
Händler(in) *m(f)* sælger (*-e*)
handlich handy
Handlung *f* handling (*a Literatur*)
Hand|schellen *pl* håndjern *pl*; **~schrift** *f* håndskrift; **~schuh** *m* handske (*-r*)
Hand|schuhfach *n* handskerum *n*; **~tasche** *f* håndtaske (*-r*); **~teller** *m* håndflade
Handtuch *n* håndklæde *n* (*-r*)
Handwerk *n* håndværk *n*; **~er(in)** *m(f)* håndværker (*-e*);
Handwerkszeug *n* værktøj *n*
Handy *n* mobiltelefon (-); **~nummer** *f* mobilnummer *n* (*-numre*)
Hanf *m* hamp
Hang *m schräg* skrænt; *Laster* hang (***zu*** til)
Hänge|brücke *f* hængebro; **~matte** *f* hængekøje
hängen hænge (***an*** op på); **~ *bleiben*** blive hængende
Hanse *f*: ***die ~*** Hanseforbundet
hänseln mobbe
Hantel *f* håndvægt (*-e*)
hantieren håndtere
hapern: ***es hapert an*** det står skidt til med
Happen *m* mundfuld (*-e*)
Harfe *f* harpe (*-r*)
Harke *f* rive (*-r*)
harken rive
harmlos harmløs
harmonisch harmonisk
Harn *m* urin; **~blase** *f* urinblære; **~röhre** *f* urinrør *n*; **&treibend** vanddrivende
Harpune *f* harpun
hart hård (*a fig*); *Ei* hårdkogt; **~ *werden*** stivne
Härte *f* hårdhed
hart|gesotten hårdkogt (*a fig*); **~herzig** hårdhjertet; **~näckig** hårdnakket
Harz *n* harpiks *n*
Hase *m* hare (*-r*)
Haselnuss *f* hasselnød (*-der*)
Hasenscharte *f* hareskår *n*
Hass *m* had *n* (***auf*** til)
hassen hade
hässlich hæslig; **&keit** *f* grimhed
hastig hurtig
hätscheln forkæle
Haube *f* kyse (*-r*); *Tech* motorhjelm (*-e*)
Hauch *m* ånde; *fig* element *n* (***von*** *af*)
hauchdünn silketynd; *fein* spinkel
hauchen ånde; *flüstern* hviske
hauen *schlagen* slå
häufen ophobe (***sich*** sig)
Haufen *m* bunke (*-r*) (*a fig*); **&weise** i massevis
häufig hyppig; *adv* tit; **&keit** *f* hyppighed
Haupt|bahnhof *m* hovedba-

negård (*-e*); **~darsteller(in)** *m(f)* hovedrolleindehaver; **~deck** *n* øverste dæk *n*; **~eingang** *m* hovedindgang; **~fach** *n* hovedfag *n*
Hauptgewinn *m* førstepræmie
Häuptling *m* høvding (*-e*)
Haupt|mahlzeit *f* hovedmåltid *n*; **~mann** *m* kaptajn; **~person** *f* hovedperson
Hauptpostamt *n* hovedpostkontor *n*
Hauptrolle *f* hovedrolle
Hauptsache *f* hovedsag; ***die ~*** det vigtigste
hauptsächlich hovedsagelig
Haupt|saison *f* højsæson; **~speicher** *EDV m* arbejdsdrev *n*
Hauptstadt *f* hovedstad (*-stæder*)
Haupt|straße *f* hovedvej (*-e*); **~studium** *n* overbygning
Hauptverkehrszeit *f* myldretid
Hauptversammlung *f* generalforsamling
Haus *n* hus *n* (*-e*); ***frei ~*** portofrit; ***nach Hause*** hjem; ***zu Hause*** hjemme
Haus|arbeit *f Schule* skriftligt arbejde; *Putzen* husholdningsarbejde; **~besetzer** *m* bz'er (*-e*); **~besitzer(in)** *m(f)* husejer; **~bewohner(in)** *m(f)* beboer
Häuschen *n* lille hus; ***aus dem ~*** ude af sig selv
Hausflur *m* opgang (*-e*)
Hausfrau *f* husmor (*-mødre*)
Hausfrauenart: ***nach ~*** som hjemmelavet
hausgemacht hjemmelavet
Haushalt *m* husholdning; *Etat* budget *n*
Hausherr(in) *m(f)* husets herre (frue); *Gastgeber(in)* vært(inde)
häuslich huslig
Hausmeister(in) *m(f)* vicevært
Haus|müll *m* køkkenaffald *n*; **~nummer** *f* husnummer *n* (*-numre*); **~ordnung** *f* husreglement *n*; **~schlüssel** *m* hoveddørsnøgle; **~schuhe** *pl* hjemmesko *pl*; **~tier** *n* husdyr *n* (=); **~tür** *f* hoveddør; **~wirt(in)** *m(f)* ejer (*-e*); **~versicherung** *f* indboforsikring; **~wirtschaft** *f* husholdning
Haut *f* hud; *Frucht, Flüssigkeit* hinde; **~abschürfung** *f* hudafskrabning; **~ausschlag** *m* udslæt *n*; **~creme** *f* fugtighedscreme; **2eng** stram; **~farbe** *f* hudfarve; **~krankheit** *f* hudsygdom (*-me*); **~pflege** *f* hudpleje; **~unreinheit** *f* uren hud
Hebamme *f* jordemor (*-mødre*)
Hebel *m* løftestang; *Schalter* håndtag *n* (=)
heben løfte
Hecht *m* gedde (*-r*)
Hecke *f* hæk (*-ke*)
Heck|klappe *f* bagsmæk;

~motor *m* hækmotor; **~scheibe** *f* bagrude
Heer *n* hær (*-e*)
Hefe *f* gær; **~teig** *m* gærdej
Hefeweizen *n Bier* hvedeøl (=)
Heft *n* hæfte *n* (*-r*)
heften *befestigen* sætte fast
heftig heftig
Heftklammer *f* hæfteklamme (*-r*)
Heftmaschine *f* hæftemaskine (*-r*)
Heftpflaster *n* hæfteplaster *n* (*-stre*)
Hehler(in) *m(f)* hæler (*-e*)
Heide[1] *m* hedning
Heide[2] *f* hede (*-r*)
Heidelbeere *f* blåbær *n* (=)
heidnisch hedensk
heikel problematisk
heil uskadt; *Wunde* helet
Heil *n* frelse; **~anstalt** *f* klinik (*-ker*)
heilbar helbredelig
heilen *v/t* helbrede; *v/i* læges
heilig hellig
Heiligabend *m* juleaften
Heilige *m/f* helgen
Heiligtum *n* helligdom (*-me*)
Heil|mittel *n* lægemiddel *n* (*-midler*); **~praktiker(in)** *m(f)* naturlæge (*-r*); **~quelle** *f* helbredende kilde (*-r*)
heilsam helbredende; *fig* gavnlig
Heilsarmee *f*: ***die ~*** Frelsens Hær
Heil|ung *f* helbredelse; **~wirkung** *f* helbredende virkning
heim hjem
Heim *n* hjem *n* (=); **~arbeit** *f* hjemmearbejde *n*
Heim|at *f* hjemegn; *Land* hjemland *n*; **~fahrt** *f* hjemtur; **²isch**: ***~ werden*** komme til at føle sig hjemme
Heim|kehr *f* hjemkomst; **~leiter(in)** *m(f)* forstander (*-e*); **~lich** hemmelig; **~reise** *f* hjemrejse; **~spiel** *n* hjemmekamp (*-e*); **~tier** *n* kæledyr *n* (=)
heimtückisch ondskabsfuld
Heimweg *m* hjemvej
Heimweh *n* hjemve (***nach*** efter)
Heinzelmännchen *n* nisse (*-r*)
Heirat *f Ereignis* giftermål *n*; *Zeremonie* bryllup *n* (*-per*)
heiraten *Paar* gifte sig; *j-n* gifte sig med
Heiratssurkunde *f* vielsesattest
heiser hæs; **²keit** *f* hæshed
heiß varm
heißen hedde; *bedeuten* betyde; ***ich heiße …*** jeg hedder …; ***wie heißt das auf Dänisch?*** hvad hedder det på dansk?; ***was soll das ~?*** hvad skal det sige?; ***das heißt*** det vil sige
Heißwasserspeicher *m* varmtvandsbeholder *n* (*-e*)
heiter munter; *Wetter* klar
Heiterkeit *f* munterhed
heizbar som kan opvarmes (*nachgestellt*)

heizen *Ofen* tænde op i; *Zimmer* opvarme
Heiz|er *m* varmemester (*-stre*); **~kissen** *n* varmepude; **~körper** *m* radiator; **~lüfter** *m* el-radiator; **~öl** *n* fyringsolie
Heizung *f* fyring; *Gerät* radiator
Heizungszuschlag *m* varmetilskud *n*
Hektar *m* hektar (=)
Held *m* helt (*-e*); **2enhaft** helteagtig; **~entat** *f* heltedåd; **~in** *f* heltinde (*-r*)
helf|en hjælpe; **2er(in)** *m(f)* hjælper (*-e*)
hell lys; **~blau** lyseblå; **~grün** lysegrøn
hell|hörig *Raum* lydt; **2igkeit** *f* klarhed
helllicht: ***am ~en Tag*** ved højlys dag
hellrot lyse rød
Hellseher(in) *m(f)* clairvoyant
Helm *m* hjelm (*-e*)
Hemd *n* skjorte (*-r*)
hemm|en hæmme; **2ung** *f* hæmning
hemmungslos hæmningsløs
Hengst *m* hingst (*-e*)
Henkel *m* hank (*-e*)
Henker *m* bøddel (*bødler*)
Henne *f* høne (*-r*)
her herhen; *Ursprung* fra; ***hin und ~*** frem og tilbage; ***lange ~*** længe siden
herab ned; ***von oben ~*** oppefra og ned
herab|fließen løbe ned; **~hängen** hænge ned; **~lassen** rulle ned; **~lassend** nedladende; **~setzen** *Preis* sætte ned
herabstürzen styrte ned
heran herhen; ***näher ~*** nærmere; **~holen** hente; **~tasten**: ***sich ~ an*** famle sig frem efter (*a fig*); **~kommen**, **~treten** komme nærmere; **~wachsen** vokse til
heranziehen *nutzen* bruge
herauf op; *hierher* herop; **~beschwören** fremmane; **~schicken** sende op; **~ziehen** *Wetter* trække op
heraus ud; *hierher* herud; ***von innen ~*** indefra; **~bekommen** få ud; *erfahren* finde ud af; *Schmutz* få af; **~bringen** bringe ud; **~fallen** falde ud; **~fließen** løbe ud; **~fordern** udfordre; **~geben** *Geld* bruge; *j-m* udlevere; *Buch* udgive; **~kommen** komme ud; *Produkt* komme på markedet; **~lassen** slippe løs; **~nehmen** fjerne; **~ragen** rage ud; **~reißen** rive ud; **~schrauben** skrue ud
herausstellen stille ud; ***sich ~*** vise sig (***als*** at være; ***ob*** om)
herausziehen trække ud
herb bitter (*a fig*); *Wein* tør
herbei herhen; *von ferner* hertil; **~eilen** skynde sig hen til; **~holen** hente herhen; *von ferner* hente hertil; **~winken** vinke herhen
Herberge *f* herberg *n*

herbringen hente herhen
Herbst *m* efterår *n*; **~ferien** *pl* efterårsferie
herbstlich efterårsagtig
Herd *m* komfur *n*; *fig* arne
Herde *f* flok
Herdplatte *f* kogeplade (*-r*)
herein herind; **~!** kom ind!; **~bitten** bede om at komme ind; **~kommen** komme ind; **~lassen** lukke ind; **~legen** lægge ind; *fig* narre
Her|fahrt udrejse; **~gang** *m* forløb *n*
Hering *m* sild (=); ***eingelegter ~*** marineret sild (=)
herkommen komme herhen; ***wo kommen Sie her?*** hvor kommer du fra?
herkömmlich traditionel (*-le*)
Herkunft *f* oprindelse
Heroin *n* heroin *n*
Herr *m* herre; *Titel* hr.; **~enfahrrad** *n* herrecykel (*-kler*); **≗enlos** herreløs
Herrentoilette *f* herretoilet *n* (*-ter*)
herrichten *zubereiten* tillave; *ordnen* gøre i stand
Herr|in *f* ejer; **≗isch** kommanderende; **≗lich** herlig; **~schaft** *f* herskab *n*
herrschen herske (***über*** over)
herrschsüchtig herskesyg
herstellen fremstille
Hersteller(in) *m*(*f*) producent
Herstellung *f* fremstilling
herüber herover; **~kommen** komme herhen; *stammen* komme fra
herum rundt om; ***hinten ~*** bagom; ***rings ~*** rundt omkring; ***um … ~*** omkring …
herum|drehen vende om; **~fahren** køre omkring; **~fliegen** flyve omkring; **~führen** føre omkring; **~irren** flakke om; **~laufen** rende rundt; **~liegen** ligge og flyde; **~reichen** række rundt
herumstehen stå og lave ingenting
herumtelefonieren ringe rundt
herunter ned; *hierher* herned; **~fallen** falde ned; **~klappen** klappe ned; **~kommen** komme ned; *fig* gå i hundene; **~laden** *EDV* downloade (***aus dem Internet*** fra internettet); **~lassen** *Vorhang* rulle ned; **~nehmen** tage ned
hervor frem; *nach außen* herud; **~bringen** hente; *schöpfen* lav; **~gehen** fremgå (***aus*** af); **~heben** fremhæve; **~holen** hente frem; **~ragend** fremragende; **~rufen** *provozieren* føre til
Herz *n* hjerte *n* (*-r*); **~anfall** *m* hjertetilfælde *n* (=); **~fehler** *m* hjertefejl
herzhaft kraftig
Herz|infarkt *m* blodprop i hjertet; **~klopfen** *n* hjertebanken; **≗krank**: ***~ sein*** have dårligt hjerte; **~-Kreislauf-**

Erkrankung *f* hjerte-kar--sygdom (*-me*)
herz|lich hjertelig; **~los** hjerteløs
Herzogtum *n* hertugdømme *n* (*-r*)
Herz|schlag *m* hjerteslag *n*; **~stillstand** *m* hjertestop *n*; **~verpflanzung** *f* hjertetransplantation
Hetze *f* hetz; *fig* stress
hetzen *v/t* jage; *v/i* stresse af sted
Heu *n* hø *n*; **~boden** *m* høloft *n*
Heuchel|ei *f* hykleri *n*; **2n** hykle
heulen tude
Heuschnupfen *m* høfeber
Heuschrecke *f* græshoppe (*-r*)
heute i dag; **~ *in e-r Woche*** i dag om en uge; **~ *Morgen*** i morges
heutzutage nutildags
Hexe *f* heks (*-e*)
Hexenschuss *m* hekseskud *n*
Hieb *m* slag *n* (=)
hier her; ***von* ~** herfra; **~ *bleiben*** blive her; **~ *und da*** her og der
Hierarchie *f* hierarki
hier|auf *danach* bagefter; **~bei**, **~durch** herved; **~für** for det
hierher herhen; ***bis* ~** hertil; **~um** heromkring
hier|hin herhen; **~mit** hermed
hierzulande hertillands
hiesig lokal
Hilfe *f* hjælp; **~!** hjælp!; ***erste* ~** førstehjælp
hilf|los hjælpeløs; **~reich** hjælpsom
Hilfs|aktion *f* hjælpeaktion; **~arbeiter(in)** *m(f)* hjælpearbejder (*-e*); **2bedürftig** nødlidende; *im Alter* plejekrævende
hilfsbereit hjælpsom
Hilfsmittel *n* hjælpemiddel *n* (*-midler*)
Hilfsverb *n* hjælpeverbum *n* (*-verber*)
Himbeere *f* hindbær *n* (=)
Himbeersaft *m* hindbærsaft
Himmel *m* himmel; **~fahrt(s-tag)** *f (m)* kristihimmelfartsdag
Himmelsrichtung *f* verdenshjørne *n* (*-r*)
himmlisch himmelsk
hin hen; *vorbei* forbi; **~ *und her*** frem og tilbage; **~ *und wieder*** af og til; **~ *und zurück*** frem og tilbage
hinab ned; *Prozess* nedad; **~steigen** stige ned
hinauf op; *Prozess* opad; **~fahren** køre op; **~führen** føre op; **~klettern** klatre op; **~tragen** bære op
hinaus ud; **~fahren** køre ud; **~gehen** gå ud; **~lehnen** læne sig ud; **~schieben** *fig* udsætte; **~werfen** kaste ud; **~zögern** trække ud
Hinblick: ***im* ~ *auf*** med henblik på
hinbringen køre hen

hinderlich i vejen
hindern forhindre (**an** i)
Hindernis *n* forhindring
Hindernisrennen *n* forhindringsløb *n* (=)
hindeuten: ~ ***auf*** pege på; *Symptom* tyde på
hindurch igennem
hinein ind; **~dürfen** måtte komme ind; **~gehen** gå ind; **~lassen** lukke ind; **~legen** lægge ind; **~passen** passe ind (***in*** i); **~reden** blande sig i; **~schieben** *fig* indskyde; **~springen** (***für*** for) erstatte; **~stellen** stille ind; *anstellen* ansætte; **~tun** putte i
hineinziehen *v/t* trække ind; *v/i* flytte ind
hinfahr|en tage hen; **~t** *f* udrejse
hin|fallen falde; **~fällig** *Mensch* svagelig; *Plan* uaktuel; **~flug** *m* udtur; **~führen** føre hen; **~gehen** gå derhen
hinhalten række frem
hinken halte
hinlegen lægge (***sich*** sig)
hin|nehmen *dulden* finde sig i; **~reichend** tilstrækkelig
Hinreise *f* udrejse
hinreißend medrivende; *schön* henrivende
hin|richten henrette; **~richtung** *f* henrettelse (*-r*)
hinsetzen: ***sich*** ~ sætte sig ned
Hinsicht: ***in dieser*** ~ i den henseende; **~lich** med hensyn til
hinstellen stille hen
hinten bagved; *an*, *auf* bagpå; ***nach*** ~ bagtil; ***von*** ~ bagfra
hinter bag ved; ~ ***sich lassen*** lade bag sig
Hinterachse *f* bagaksel
Hinterbliebene *pl* efterladte *pl*
hintereinander efter hinanden
hinterfragen problematisere
Hintergrund *m* baggrund
hinter|hältig ondskabsfuld; **~haus** *n* baghus *n* (*-e*); **~her** bagefter; **~hof** *m* baggård (*-e*); **~kopf** *m* baghoved *n*; **~lassen** efterlade; **~legen** deponere
hinterlistig udspekuleret
Hintern *m* numse (*-r*)
Hinterrad *n* baghjul *n* (=)
Hinterradantrieb *m* baghjulstræk *n*
Hinter|treppe *f* bagtrappe; **~tür** *f* bagdør
hintun sætte hen
hinüber over; *dorthin* derover; **~fahren** køre over; **~führen** *v/i* føre over; **~gehen** gå over
hinunter ned (ad); **~bringen** tage med ned; **~fallen** falde ned; **~führen** føre ned; **~klettern** klatre ned; **~lassen** lade komme ned; **~schlucken** synke; **~werfen** kaste ned
hinweg væk; ***über ...*** ~ henover

Hinweg *m* udtur
Hinweis *m* henvisning; **≈en** henvise (***auf*** til)
hinziehen: ***sich ~*** trække ud
hinzu oveni; **~fügen** tilføje (til)
hinzukommen komme til; *extra* komme oveni
hinzu|rechnen, **~zählen** medregne
hinzuziehen tilkalde
Hirn *n* hjerne (*-r*)
Hirsch *m* hjort (*-e*)
Hirse *f* hirse
Hirte *m*, **Hirtin** *f* hyrde (*-r*)
hissen *Flagge* hejse
historisch historisk
Hitlergruß *m* nazihilsen
Hitze *f* hede
hitzebeständig varmebestandig
hitzig hidsig
Hitzschlag *m* hedeslag *n*
H-Milch *f* langtidsholdbar mælk
Hobby *n* hobby
Hobel *m* høvl (*-e*)
hobeln høvle
hoch høj; *nach oben* op; ***zwei Treppen ~*** to etager oppe; ***hohes Alter*** høj alder; ***~ empfindlich*** meget følsom; ***auf hoher See*** på åbent hav
hoch|achtungsvoll med venlig hilsen; **~aktuell** meget aktuel
Hochbetrieb *m* travlhed
hochdeutsch højtysk
Hochdruck *m* højtryk *n*; **~gebiet** *n* højtryksområde *n*
Hoch|garage *f* taggarage; **~gebirge** *n* højfjeld *n*; **~haus** *n* højhus *n* (*-e*)
hoch|kant på højkant; **~klappen** lukke op; **~krempeln** smøge op
Hochleistungssport *m* elitesport
hochmütig hovmodig
Hoch|parterre *f* mezzanin (***in*** på); **~saison** *f* højsæson; **~schule** *f* universitet *n*; **~see** *f* åbent hav *n*; **~sommer** *m* højsommer
Hochspannung *f* højspænding
Hochsprung *m* højdespring *n*
höchst højest; *äußerst* højst
Hochstapler(in) *m*(*f*) svindler (*-e*)
Höchstbelastung *f* maksimal belastning
hochstecken *Haar* sætte op
höchstens højst
Höchst|geschwindigkeit *f* tophastighed; **~gewicht** *n* maksimumvægt; **~leistung** *f* maksimalydelse; *Rekord* toppræstation; **~preis** *m* højeste pris
Hoch|touren: ***auf ~ laufen*** køre på fuld kraft (*a fig*); **~wasser** *n* højvande *n*
hochwertig af høj kvalitet (*nachgestellt*)
Hochzeit *f* bryllup *n* (*-per*) (***feiern*** holde)
Hochzeitsgeschenk *n* bryllupsgave (*-r*)
Hochzeitskleid *n* brudekjole

Hochzeitsreise *f* bryllupsrejse
hocken sidde på hug; F sidde og krybe sammen
Hocker *m* taburet (*-ter*)
Höcker *m* pukkel (*pukler*)
Hockey *n* hockey
Hoden *m* testikel (*-kler*); **~sack** *m* pung
Hof *m* gård (*-e*); *Fürsten-* hof *n* (*-fer*)
hoffen håbe (***auf*** på)
hoffentlich forhåbentlig
Hoffnung *f* håb *n*; **~en** *pl* forventninger *pl* (***an*** til); **?slos** håbløs
höflich høflig; **?keit** *f* høflighed
Höhe *f* højde (*-r*); ***in ~ von …*** til omkring …
Höhen|angst *f* højdeskræk; **~lage** *f* højde; **~sonne** *f* højfjeldssol; **~unterschied** *m* højdeforskel (*-le*)
Höhepunkt *m* højdepunkt *n*
höher højere
hohl hul; *vertieft* udhulet
Höhle *f* hule (*-r*)
Hohn *m* hån
höhnisch hånlig
holen hente; ***~ Sie e-n Arzt!*** hent (*od* find) en læge!; ***~ lassen*** få til at komme
Holländer(in) *m(f)* hollænder (*-e*)
holländisch hollandsk
Hölle *f* helvede *n*; ***zur ~ mit*** til helvede med
Höllen- helvedes
holp(e)rig *Weg* ujævn; *Sprache* gebrokken
Holstein Holsten
Holunder *m* hyld
Holz *n* træ *n*
hölzern træ-
Holz|fäller *m* skovhugger (*-e*); **~kohle** *f* trækul *n*; **~schnitt** *m* træsnit *n* (=); **~schnitzerei** *f* træskærerarbejde *n* (*-r*)
Homepage *f* hjemmeside (*-r*)
Honig *m* honning
Honorar *n* honorar *n*
Hopfen *m* humle
Hörapparat *m* høreapparat *n*
hörbar til at høre (*nachgestellt*)
horchen lytte
hören høre; ***~ auf*** lytte til; ***schwer ~*** høre dårligt; ***von sich ~ lassen*** lade høre fra sig
Hörer(in) *m(f)* tilhører (*-e*); *Radio* lytter (*-e*); *Tel* rør *n*
Hörgerät *n* høreapparat *n*
Horizont *m* horisont; **?al** horisontal
Horn *n* horn *n* (=)
Hörnchen *n* *Gastr* horn *n* (=)
Hornhaut *f* *Anat* hornhinde; *Schwiele* hård hud
Hornisse *f* gedehams (*-e*)
Horoskop *n* horoskop *n*
Horror *m* skræk; **~film** *m* gyser
Hörsaal *m* auditorium *n* (*-rier*)
Hörspiel *n* hørespil *n* (=)
Hose *f* bukser *pl*
Hosen|bein *n* bukseben *n*; **~schlitz** *m* gylp

Hosentasche *f* bukselomme (*-r*)
Hosenträger *pl* seler *pl*
Hotel *n* hotel *n* (*-ler*)
Hotelbesitzer *m* hotelejer
hoteleigen hotellets
Hotelführer *m* hotelkatalog *n*
Hotelhalle *f* foyer
Hotelzimmer *n* hotelværelse *n* (*-r*)
Hubraum *m* motorstørrelse
hübsch pæn
Hubschrauber *m* helikopter (*-e*)
Huf *m* hov (*-e*); **~eisen** *n* hestesko (=)
hufeisenförmig hesteskoformet
Hüft|e *f* hofte (*-r*); **~halter** *m* hofteholder (*-e*)
Hügel *m* bakke (*-r*)
hügelig bakket
Huhn *n* høne (*høns*)
Hühnchen *n* kylling
Hühner|auge *n* ligtorn (*-e*); **~brühe** *f* hønsekødsuppe; **~fleisch** *n* hønsekød *n*
Hühnerstall *m* hønsehus *n* (*-e*)
huldig|en hylde; **≈ung** *f* hyldest
Hülle *f* hylster *n* (*-stre*)
Hülsenfrüchte *pl* bælgfrugter *pl*
Hummel *f* humlebi
Hummer *m* hummer (*-e*)
Humor *m* humor; **≈istisch** humoristisk
humpeln humpe
Hund *m* hund (*-e*)
Hunde|futter *n* hundemad; **~kuchen** *m* hundekiks (=); **~leine** *f* hundesnor
Hundemarke *f* hundetegn *n*
hundert hundrede; ***hunderte von*** hundreder af
Hundertstel *n* hundrededel (*-e*)
Hündin *f* hunhund (*-e*)
Hunger *m* sult; **~ *haben*** være sulten
hungern sulte
Hungersnot *f* hungersnød
Hungerstreik *m* sultestrejke
hungrig sulten (***nach*** efter)
Hupe *f* horn *n* (=)
hupen dytte
hüpfen hoppe
Hürde *f* forhindring
Hürdenlauf *m* hækkeløb *n*
Hure *f* luder
huschen pile
hüsteln småhoste
husten hoste
Husten *m* hoste
Hut *m* hat (*-te*) (***aufsetzen*** tage på)
hüten passe på; *Vieh* vogte; ***sich ~ vor*** passe på
Hütte *f* hytte (*-r*)
Hydrant *m* brandhane
Hygien|e *f* hygiejne; **≈isch** hygiejnisk
hysterisch hysterisk

I

i: *~!* ad!
ich jeg
Icon *n EDV* ikon *n* (*-er*)
ideal ideel
Idee *f* idé (*ideer*)
identifizieren identificere (***als*** som)
Identität *f* identitet
ideologisch ideologisk
Idiot(in) *m*(*f*) idiot
Igel *m* pindsvin *n* (=)
ihm *Person* (til) ham; (til) den; *n* (til) det
ihn *Person* ham; den; *n* det
ihnen (til) dem; **♀** (til) Dem
ihr *pers pron sg* (til) hende; *pl* I; *poss pron sg* hendes; *pl* deres
Ihr din *m*/*f*; dit *n*; *sehr formell* Deres
illegal illegal
Illustrierte *f* ugeblad *n* (*-e*)
Imbiss *m* snack; **~bude** *f*, **~stube** *f* grillbar
Imker(in) *m*(*f*) biavler (*-e*)
immens utrolig
immer altid; ***~ besser*** bedre og bedre; ***~ wieder*** igen og igen; ***~ noch*** stadig
immerhin faktisk
Immobilien *pl* ejendomme *pl*
immun immun (***gegen*** over for)
Imperfekt *n* imperfektum (***im*** i)
impf|en vaccinere (***gegen*** mod); **♀stoff** *m* vaccine; **♀ung** *f* vaccination
imponierend imponerende
Import *m* import; **♀ieren** importere
Impotenz *f* impotens
imprägniert imprægneret
imstande: ***~ zu*** i stand til
in (ind) i; (inde) i; *binnen* om
inbegriffen: ***alles ~*** alt inklusive
Inbusschlüssel *m* unbrakonøgle® (*-r*)
indem *dadurch* idet; *während* imens
indi|rekt indirekte; **~viduell** individuel
Industrie *f* industri; **~gebiet** *n* industriområde *n* (*-r*)
infizieren inficere
Inflation *f* inflation
infolge, ***~ von*** som følge af
infolgedessen som følge af det
Informatik *f* datalogi
Information *f* information (***über*** om)
Ingenieur(in) *m*(*f*) ingeniør
Ingredienzien *pl* ingredienser *pl*
Ingwer *m* ingefær
Inhaber(in) *m*(*f*) indehaver (*-e*)
in|haftieren fængsle; **~halieren** inhalere
Inhalt *m* indhold *n*

Inhaltsverzeichnis *n* indholdsfortegnelse (*-r*)
Initiative *f* initiativ *n* (***ergreifen*** tage)
inklusive inklusive
Inland *n* indland *n*
inländisch hjemlig
Inlandsgespräch *n* indlandssamtale (*-r*)
inmitten midt i
innen indvendig; ***von ~*** indefra; ***nach ~*** indad
Innen|architekt(in) *m(f)* indendørsarkitekt; **~kabine** *f* inderkahyt; **~politik** *f* indenrigspolitik; **~stadt** *f* indre by, bycentrum
innere indvendig
Innere(s) *n* indre *n*
inner|halb inden for; **~lich** indvendig
inoffiziell uofficiel
Insasse *m*, **Insassin** *f* passager; *Gefängnis* fange (*-r*)
insbesondere især
Inschrift *f* indskrift
Insekt *n* insekt *n*; **~enmittel** *n* insektmiddel *n*
Insel *f* ø
Inserat *n* annonce (*-r*) (***aufgeben*** indrykke)
inserieren annoncere
insgesamt i alt
insofern: ***~ als*** for så vidt som
Installateur(in) *m(f)* installatør
instand: ***~ halten*** holde ved lige; ***~ setzen*** sætte i stand
Instandsetzung *f* istandsættelse (*-r*)
Instanz *f* instans (***oberste*** øverste)
Instinkt *m* instinkt *n*
Institut *n* institut *n* (*-ter*)
Instruktion *f* instruktion
Instrument *n* instrument *n*
Inszenierung *f* iscenesættelse (*-r*)
in|telligent intelligent; **&telligenz** intelligens
intensiv intensiv
Intensivstation *f* intensivafdeling
interessant interessant
Interesse *n* interesse (*-r*) (***für*** for)
interessieren: ***sich ~ für*** interessere sig for
Internat *n* kostskole (*-r*)
international international
Internetanschluss *m* internetadgang
Interview *n* interview *n* (***mit*** med; ***geben*** give)
interviewen interviewe
intim intim
Intoleranz *f* intolerance
Invalide *m* invalid
Inventur *f* status (***machen*** gøre)
in|vestieren investere (***in*** i); **&vestition** *f* investering
inwiefern hvorvidt
inzwischen i mellemtiden
irdisch jordisk
irgend på nogen måde; **~ein(e)** en eller anden; **~etwas** et eller andet; *überhaupt* noget som helst; **~jemand** en eller anden; **~wann**

på et eller andet tidspunkt; **~wie** på en eller anden måde; **~wo** et eller andet sted; **~wohin** et eller andet sted hen
ironisch ironisk
irre *Med* forstyrret; F super
Irre *m/f* sindssyg
irreführen vildlede
irren flakke om; ***sich ~*** tage fejl (***in*** med hensyn til)
Irren|anstalt *f*, **~haus** *n fig* galeanstalt
Irrsinn *m* demens; *fig* vanvid *n*
Irrtum *m* fejltagelse (*-r*)
irrtümlich forkert; *adv* ved en fejl
Isolierband *n* isoleringstape
isolieren isolere
Isolierkanne *f* termokande (*-r*)
Isolierung *f* isolering
italienisch italiensk
i-Tüpfelchen *n*: ***das~*** prikken over i'et
i. V. (*in Vertretung …*) p. v. (*på …s vegne*)

J

ja ja; *Aufforderung* nu
Jacht *f* yacht
Jacke *f* jakke (*-r*)
Jackentasche *f* jakkelomme (*-r*)
Jagd *f* jagt (***auf der*** på); **~flugzeug** *n* jagerfly *n* (=); **~gewehr** *n* jagtgevær *n*; **~revier** *n* jagtdistrikt *n*; **~schein** *m* jagttegn *n* (***machen*** tage)
jagen jage
Jäger *m* jæger (*-e*)
Jahr *n* år *n* (=); ***seit ~en*** i årevis
Jahres|anfang *m* begyndelse af året; **~tag** *m* årsdag; **~wechsel** *m* årsskifte *n*; **~zeit** *f* årstid
Jahrgang *m* årgang (*-e*)
Jahrhundert *n* århundrede *n* (*-r*)
jährlich årlig
Jahr|markt *m* tivoli *n*; **~zehnt** *n* årti *n*
jähzornig hidsig
Jalousie *f* persienne (*-r*)
jämmerlich ynkelig
jammern jamre (***über*** over)
Januar *m* januar (***im*** i, til)
japanisch japansk
jäten luge
Jauche *f* gylle
jauchzen juble
jaulen pibe
Jazzkonzert *n* jazzkoncert
je *jemals* nogensinde; *pro* pr.; ***~ … desto*** jo … desto; ***~ nachdem*** alt efter (***ob*** om)
Jeans *pl* jeans, cowboybukser *pl*
jede, ***jeder, jedes*** hver; ***jedes Mal*** (***wenn***) hver gang
jedenfalls i hvert fald
jeder|mann enhver; **~zeit** til enhver tid
jedoch dog

jegliche(r, -s) enhver, *n* ethvert
jeher: ***seit ~*** altid
jemals nogensinde
jemand nogen
jene(r, -s) *Ding, Tier* den der; det der; *Mensch m* ham der; *f* hende der
jenseits på den anden side (af); *außerhalb* hinsides
jetzt nu
jeweils til enhver tid; *immer* altid
Jogginghose *f* joggingbukser *pl*
Joghurt *m/n* yoghurt
Johannisbeere *f* ribs *n* (=); ***Schwarze ~*** solbær *n* (=)
Jolle *f* jolle (*-r*)
Joppe *f* striktrøje (*-r*)
Journalist(in) *m(f)* journalist
Jubel *m* jubel
jubeln juble (***über*** over)
Jubiläum *n* jubilæum *n* (*-læer*)
juck|en klø; **≗reiz** *m* kløe
Jude *m*, **Jüdin** *f* jøde
jüdisch jødisk
Jugend *f* ungdom; **≗frei** tilladt for børn (*nachgestellt*); **~herberge** *f* vandrehjem *n* (=); **≗lich** ung
Jugendliche *m/f* ung (*-e*)
Juli *m* juli; ***im ~*** i, til juli
jung ung; **≗e** *m* dreng (*-e*); **≗e(s)** *n* unge (*-r*)
jünger yngre
Jungfrau *f* jomfru
Junggeselle *m* ungkarl (*-e*)
jüngst yngst; *Zeit* senest; *adv* for nylig
Juni *m* juni; ***im ~*** i, til juni
Jurist(in) *m(f)* jurist
Jütland *n* Jylland *n*

K

Kabarett *n* kabaret; *bes. satirisch* revy
Kabel *n* kab|el *n* (*-ler*); **~anschluss** *m* kabeltilslutning; **~fernsehen** *n* kabel-tv *n*
Kabeljau *m* torsk (=)
Kabel-TV *n* kabel-tv *n*
Kabine *f* kabine (*-r*); *Mar* kahyt (*-ter*)
Kachelofen *m* kakkelovn (*-e*)
Kacke *f* lort
Kader *m* kadre (*-r*)
Käfer *m* bille (*-r*); F *Kfz* boble (*-r*)
Kaff *n* flække (*-r*)
Kaffee *m* kaffe; **~automat** *m* kaffeautomat
Kaffeekanne *f* kaffekande (*-r*)
Kaffeemaschine *f* kaffemaskine (*-r*)
Kaffeemühle *f* kaffemølle (*-r*)
Kaffeesatz *m* kaffegrums *n*
Kaffeetasse *f* kaffekop (*-per*)
Käfig *m* bur *n* (*-e*)
kahl *Kopf etc* skaldet; *fig* bar
Kahn *m* robåd (*-e*)

Kai *m* kaj
Kaiser *m* kejser (*-e*)
Kaiserschnitt *m* kejsersnit *n* (***mit ... entbinden*** tage ved ...)
Kajak *m/n* kajak (*-ker*) (***fahren*** sejle i)
Kajüte *f* kahyt (*-ter*)
Kakao *m* kakao; **~pulver** *n* kakaopulver *n*
Kak|tee *f*, **~tus** *m* kaktus (=)
Kalauer *m* plat vittighed; *Wortspiel* ordspil *n*
Kalb *n* kalv (*-e*); **~fleisch** *n* kalvekød *n*
Kalbsbraten *m* kalvesteg
Kalbsleder *n* kalveskind *n*
Kalbsschnitzel *n* kalvesnit|sel (*-sler*)
Kalender *m* kalender (*-e*); **~jahr** *n* kalenderår *n*
Kalk *m* kalk; **~ablagerung** *f* kalkaflejring
Kalorien *pl* kalorier; **~arm** kaloriefattig
kalt kold; ***es ist ~*** det er koldt; ***~ stellen*** sætte til afkøling; ***~ werden*** blive kold
kaltblütig koldblodig; *ermorden* med koldt blod
Kälte *f* kulde; **~beständig** kuldebestandig
Kaltfront *f* koldfront
Kamel *n* kamel; **~haar** *n* kameluld
Kamera *f* kamera *n*
Kamerad(in) *m(f)* kammerat
Kameradschaft *f* kammeratskab *n*
Kamille *f* kamille
Kamillentee *m* kamillete
Kamin *m* kamin
Kamm *m* kam (*-me*)
kämmen rede (***sich*** sig)
Kammer *f* kam|mer *n* (*-re*)
Kammermusik *f* kammermusik
Kampf *m* kamp (*-e*); **~bereit** kampklar
kämpfen kæmpe (***um*** om)
Kampfhund *m* kamphund (*-e*)
kampflos uden kamp (*nachgestellt*)
kampfunfähig ukampdygtig
kampieren campere
Kanal *m* kanal; **~deckel** *m* kloakdæksel *n* (*-sler*)
Kanalisation *f* kloakering
Kanarienvogel *m* kanariefugl (*-e*)
Kandidat(in) *m(f)* kandidat (***für*** til)
kandiert: ***kandierte Früchte*** kandiserede frugter
Kaninchen *n* kanin
Kanister *m* dunk (*-e*)
Kännchen *n* (lille) kande (*-r*)
Kanne *f* kande (*-r*)
Kanone *f* kanon
Kante *f* kant
Kantine *f* kantine (*-r*)
Kanu *n* kano (***fahren*** sejle i)
Kanzel *f* prædikestol (*-e*)
Kanzlei *f* kontor *n*
Kanzler(in) *m(f)* kansler; *etwa* statsminister; **~amt** *n* kanslerkontor *n*; *etwa* statsministerium *n*
Kapazität *f* kapacitet

Kapell|e *f* kapel *n* (*-ler*) (*a Mus*); **~meister(in)** *m(f)* kapelmester
Kapern *pl* kapers *pl*
Kapital *n* kapital; **~istisch** kapitalistisk
Kapitän(in) *m(f)* kaptajn
Kapitel *n* kapit|el *n* (*-ler*)
Kappe *f* hue (*-r*); *mit Schirm* kasket (*-ter*); *Deckel* låg *n* (=)
Kapsel *f* kaps|el (*-ler*)
kaputt i stykker (*nachgestellt*); *fig* færdig
kaputtgehen gå i stykker
kaputtlachen: ***sich ~*** være ved at dø af grin
kaputtmachen ødelægge
Kapuze *f* hætte (*-r*)
Karaffe *f* karaf|fel (*-ler*)
Karamel(l) *n* karamel (*-ler*); **~pudding** *m* karamelbudding
Karat *n* karat (=)
Karfreitag *m* langfredag
karg beskeden; *Landschaft* ufrugtbar
kariert ternet
Karies *f* huller i tænderne *pl*
Karikatur *f* karikatur
Karneval *m* karneval *n* (*-ler*); *in Dänemark nur in Veranstaltungen, nicht als Volksfest gefeiert*
Karo *n* ruder; **~muster** *n* harlekintern *pl*
Karosserie *f* karosseri *n*
Karotte *f* gule|rod (*-rødder*)
Karre(n *m*) *f* vogn (*-e*)
Karriere *f* karriere (***machen*** gøre)
Karte *f* kort *n* (=); *Ticket* billet (*-ter*); ***Karten spielen*** spille kort
Kartei *f* kartotek *n*; **~karte** *f* kartotekskort *n* (=)
Karten|telefon *n* korttelefon; **~(vor)verkauf** *m* billet(for)salg *n*
Kartoffel *f* kartof|fel (*-ler*)
Kartoffel|brei *m*, **~püree** *n* kartoffelmos
Kartoffelklöße *pl* kartoffelboller *pl*
Kartoffelsalat *m* kartoffelsalat
Kartoffelsuppe *f* kartoffelsuppe
Karton *m* karton
Karussell *n* karrusel (*-ler*)
Käse *m* ost (*-e*); **~aufschnitt** *m* ostetallerken; **~hobel** *m* ostehøvl (*-e*)
Kaserne *f* kaserne (*-r*)
Kasino *n* kasino *n*
Kaskoversicherung *f* kaskoforsikring
Kasse *f* kasse (*-r*)
Kassenzettel *m* kassebon
Kassette *f* kassette (*-r*)
Kassettenrekorder *m* kassettebåndoptager (*-e*)
kassieren kassere
Kassierer(in) *m(f)* kasserer (*-e*)
Kastanie *f* kastanje (*-r*)
Kästchen *n* skrin *n* (=)
Kasten *m* kasse (*-r*)
Katalog *m* katalog *n*
Katastrophe *f* katastrofe (*-r*)

Kategorie *f* kategori
Kater *m* hankat (*-te*); ***einen ~ haben*** *fig* have tømmermænd *pl*
Kathedrale *f* katedral
katholi|sch katolsk; **☊zismus** *m* katolicisme
Katze *f* (hun)kat (*-te*)
kauen tygge (***an*** på)
kauern krybe sammen
Kauf *m* køb *n* (=)
kaufen købe
Käufer(in) *m(f)* køber (*-e*)
Kauf|frau *f* handelsuddannet (*adj*); **~halle** *f* indkøbscent|er *n* (*-re*)
Kaufhaus *n* varehus *n* (*-e*)
Kauf|mann *m* handelsuddannet (*adj*); **☊männisch** handels-; *adv* handelsmæssigt; **~preis** *m* pris; **~vertrag** *m* kontrakt
Kaugummi *m* tyggegummi *n*
Kaulquappe *f* haletudse (*-r*)
kaum næppe; *fast nicht* næsten ikke
Kautabak *m* skrå
Kaution *f* kaution; *bei Kauf, Miete* depositum *n*
Kauz *m* ugle (*-r*); *fig* særling
Kaviar *m* kaviar
keck kæk
Kegel *m* kegle (*-r*); **~bahn** *f* bowlingbane (*-r*)
kegeln bowle
Kehl|e *f* strube; **~kopf** *m* strubehoved *n*
Kehre *f* sving *n* (=)
kehren *fegen* feje
Kehrschaufel *f* fejebakke (*-r*)
Kehrseite *f* bagside (*a fig*); ***die ~ der Medaille*** bagsiden af medaljen
Keil *m* kile (*-r*)
Keim *m* kim *n* (=)
keimen spire
keimfrei steril
kein: ***ich habe ~ …*** jeg har ingen …; ***~ bisschen*** ikke det mindste
keiner ingen
keinerlei ingen som helst
keines|falls, **~wegs** på ingen måde
Keks *m* småkage (*-r*); **~dose** *f* småkagedåse (*-r*)
Kelch *m* bæg|er (*-re*)
Kelle *f* *Löffel* øseske; *Tech* murske
Keller *m* kæld|er (*-re*)
Kellner(in) *m(f)* tjener (*-e*)
kennen kende; ***sich ~*** kende hinanden; ***~ lernen*** lære at kende
Kenner(in) *m(f)* kender (*-e*)
Kenntnis *f* kendskab *n* (***von*** til); **-se** *pl* viden
Kennzeichen *n* kendetegn *n* (=); *Kfz* nummerplade (*-r*)
kennzeichnen kendetegne
kentern kæntre
Keramik *f* keramik
Kerbe *f* hak *n* (=)
Kerl *m* fyr (*-e*)
Kern *m* kerne (*-r*); **~energie** *f* atomenergi
Kernwaffen *pl* atomvåben *pl*
Kerze *f* stearinlys *n* (=); *Kfz* tændrør *n* (=); **~nhalter** *m* lysestage (*-r*)

Kessel *m* ked|el (*-ler*); *Senke* indelukke *n*
Ketchup *m/n* ketchup
Kettcar® *m/n* gokart
Kette *f* kæde (*-r*)
Ketten|brief *m* kædebrev *n* (*-e*); **~raucher(in)** *m(f)* kæderyger (*-e*)
keuch|en gispe; **2husten** *m* kighoste
Keule *f* kølle (*-r*)
keusch kysk
Kfz *n* (*Kraftfahrzeug*) motorkøretøj *n*
Kfz-Schlosser *m* automekaniker
Kfz|-Steuer *f* motorafgift; **~-Versicherung** *f* bilforsikring; → ***Auto-***
Kichererbse *f* kikært
kichern fnise
Kiefer¹ *m* kæbe (*-r*)
Kiefer² *f* fyrretræ *n*; ***Kiefern-*** fyrretræs-
Kiel *m Mar* køl (*-e*)
Kiemen *pl* gæller *pl*
Kies *m* grus *n*; **~grube** *f* grusgrav (*-e*)
kiffen F ryge hash
kikeriki: **~!** kykliky!
Killer- dræber-
Kilo(gramm) *n* kilo(gram) *n*
Kilometer *m* kilometer; **~zähler** *m* kilometertæller (*-e*)
Kilowattstunde *f* kilowatt-time
Kind *n* barn (*børn*) (***als*** som); ***für ~er*** for børn
Kinder|arzt *m*, **~ärztin** *f* børnelæge (*-r*)
Kinderermäßigung *f* børnerabat
Kindererzieher(in) *m(f)* børnehavepædagog
Kinderfahrschein *m* børnebillet (*-ter*)
Kindergarten *m* børnehave (*-r*)
Kindergärtnerin *f* børnehavepædagog
Kindergeld *n* børnepenge *pl*
Kinderheim *n* børnehjem *n* (=)
kinderlos barnløs
Kindermädchen *n* barnepige (*-r*)
Kinderprogramm *f* børneudsendelse (*-r*)
kindersicher børnesikret
Kinderspielplatz *m* legeplads
Kinderwagen *m* barnevogn (*-e*)
Kinderzimmer *n* børneværelse *n* (*-r*)
kind|gerecht børnevenlig; **2heit** *f* barndom; **~isch** barnagtig; **~lich** barnlig
Kinn *n* hage (*-r*); **~haken** *m* uppercut (*-s*)
Kino *n* biograf
Kiosk *m* kiosk
Kippe *f* F smøg; *gerauchte* skod *n* (*-der*)
kippen vippe; *umfallen* vælte
Kirche *f* kirke (*-r*)
Kirchen|chor *m* kirkekor *n*; **~steuer** *f* kirkeskat
kirch|lich kirkelig; **2turm** *m*

kirketårn *n* (-*e*)
Kirsch|e *f* kirsebær *n* (=); **~kuchen** *m* kirsebærtærte (-*r*); **~saft** *m* kirsebærsaft
Kissen *n* pude (-*r*); **~bezug** *m* pudebetræk *n* (=)
Kiste *f* kasse (-*r*)
Kitsch *m* kitsch; **2ig** kitschet
Kitt *m* kit *n*
Kittel *m* kit|tel (-*ler*)
kitten kitte
kitz|eln kilde; **2ler** *m* klitoris; **~lig** kilden
klaffen *v/i* gabe
Klage *f* klage (-*r*); *Jur* stævning
klagen klage; *jur* stævne; **~ *gegen*** anklage
Kläger(in) *m(f)* anklager (-*e*)
kläglich ynkelig
Klammer *f* parentes; *Büro* clips (=); ***in Klammern setzen*** *od* ***stehen*** sætte *od* stå i parentes; **~ *auf*** (***zu***) parentes begynd (slut)
Klammeraffe *m* *EDV* snabel-a *n*
klammern: ***sich ~ an*** klamre sig til
Klang *m* klang (-*e*)
Klappbett *n* drømmeseng (-*e*)
Klappe *f* klap (-*per*); F kæft; ***halt die ~*** hold kæft!
klappen: ***es klappt*** det lykkes
klappern klapre
Klappsitz *m* klapsæde *n* (-*r*)
Klapptisch *m* klapbord *n* (-*e*)
Klaps *m* klask *n* (=)
klar klar
Kläranlage *f* rensningsanlæg *n* (=)
klären opklare; *reinigen* rense; ***sich ~*** gå i orden
Klarheit *f* klarhed
Klarinette *f* klarinet (-*ter*)
Klarspüler *m* afspændingsmiddel *n*
Klasse *f* klasse (-*r*)
Klassen|beste *m/f* den bedste i klassen; **~fahrt** *f* ekskursion; **~sprecher(in)** *m(f)* elevrepræsentant; **~zimmer** *n* klasseværelse *n* (-*r*)
Klassik *f* klassisk musik
klassisch klassisk
Klatsch *m* sladder
klatschen *reden* sludre (***über*** om); (***Beifall***) **~** klappe
Klaue *f* klo (*kløer*)
klauen hugge
Klausur *f* skriftlig prøve
Klavier *n* klaver *n*; ***~ spielen*** spille (på) klaver
kleb|en klistre (***an*** til); **2estreifen** *m* tape; **~rig** klistret; **2stoff** *m* lim
Klecks *m* klat
Klee *m* kløver (-*e*)
Kleid *n* kjole (-*r*)
Kleider|bügel *m* bøjle (-*r*); **~haken** *m* knage (-*r*); **~schrank** *m* klædeskab *n* (-*e*)
kleidsam klædelig
Kleidung *f* påklædning
klein lille
Kleincomputer *m* minicomputer (-*e*)
Kleinfamilie *f* kernefamilie (-*r*)

Kleingedruckte(s) *n* med småt
Kleingeld *n* småpenge *pl*
Kleinigkeit *f* bagatel (*-ler*); ***e-e ~ essen*** spise lidt mad
Kleinkind *n* lille barn (*små børn*)
kleinlaut forsagt
kleinlich smålig
Kleinstadt *f* lille by
Kleister *m* klister *n*
Klemme *f* klemme (*-r*); ***in der ~ sitzen*** være i knibe
klemmen klemme (*a Schuhe*)
kletter|n klatre; **ℒpflanze** *f* slyngplante (*-r*)
Klick *m* klik (*a EDV*)
klicken klikke (***auf*** på)
Kliff *n* klint
Klima *n* klima *n*; **~anlage** *f* klimaanlæg *n*
Klinge *f* klinge (*-r*)
Klingel *f* klokke (*-r*)
Klingelknopf *m* dørklokke (*-r*)
klingeln ringe; ***es klingelt*** det ringer på
klingen lyde (***wie*** som)
Klinik *f* klinik (*-ker*)
Klinke *f* dørhåndtag *n* (=)
Klippe *f* klippe (*-r*)
klirren klirre
Klo *n* wc *n*; toilet *n* (*-ter*); F lokum *n*; **~bürste** *f* toiletbørste; **~papier** *n* toiletpapier *n*
klopfen banke; ***es klopft*** det banker på
Klops *m* kødbolle (*-r*)
Kloster *n* klost|er *n* (*-re*)
Klotz *m* klods
Klub *m* klub (*-ber*)
Kluft *f* kløft; F *Anzug* uniform
klug klog; **ℒheit** *f* klogskab
Klumpen *m* klump
km/h, km/st (*Kilometer pro Stunde*) km/t. (*kilometer i timen*)
knabbern gnaske (***an*** på)
Knabe *m* fyr (*-e*)
Knäckebrot *n* knækbrød *n*
knacken knække; F brække op
knackig F *Gastr* sprød; *Anat* velformet
Knall *m* knald *n* (=); **ℒen** knalde
knapp sparsom; *gerade ausreichend* kneben; *eng* snæver; ***die Zeit ist ~*** tiden er knap
knarren knirke
Knast *m* spjæld *n*
Knäuel *m* nøgle *n* (*-r*)
Knauf *m* knop
knautschen krølle
kneif|en *v/t* nive; *v/i* knibe udenom; **ℒzange** *f* knibtang (*-tænger*)
Kneipe *f* værtshus *n* (*-e*)
kneten ælte
Knick *m* knæk *n* (=); **ℒen** knække
Knie *n* knæ *n* (=); **~beuge** *f* knæbøjning; **ℒfrei** knækort; **~kehle** *f* knæhase (*-r*)
knien knæle
Kniescheibe *f* knæskal (*-ler*)
Kniestrümpfe *pl* knæstrømper *pl*
Kniff *m Tex etc* fold *n*; *fig* kneb

n (=)
knipsen *Ticket* klippe; *Fot* knipse
knirschen knase; ***mit den Zähnen** ~* skære tænder
knistern knitre
knitterfrei krølfri
knittern krølle
knobeln rafle
Knoblauch *m* hvidløg *n* (=); **~butter** *f* hvidløgssmør *n*; **~zehe** *f* hvidløgsfed *n* (=)
Knöchel *m Fuß* ank|el (*-ler*); *Finger* kno
Knochen *m* knogle (*-r*); *Gastr* ben *n* (=); **~mark** *n* knoglemarv
Knödel *m* bolle (*-r*)
Knolle *f* knold (*-e*)
Knopf *m* knap (*-per*); **~druck**: ***auf** ~* ved at trykke på en knap
Knorpel *m* brusk
Knospe *f* knop (*-per*)
Knoten *m* knude (*-r*) (***binden*** binde)
knüllen krølle
Knüller *m* hit *n*
knüpfen knytte
Knüppel *m* knip|pel (*-ler*)
knurren knurre
knusprig sprød
Koch *m* kok (*-ke*)
Kochbuch *n* kogebog (*-bøger*)
kochen koge; *Essen zubereiten* lave mad
Kocher *m* kogeapparat *n*
Kochgelegenheit adgang til køkken
Kochgeschirr *n* kogegrej *n*
Köchin *f* kok (*-ke*)
Kochnische *f* tekøkken *n*
Kochtopf *m* gryde (*-r*)
Köder *m* madding
koffein|frei koffeinfri; **~haltig** koffeinholdig
Koffer *m* kuffert; **~kuli** *m* bagagevogn (*-e*)
Kofferraum *m Kfz* bagagerum *n*
Kognak *m* cognac
Kohl *m* kål
Kohle *f* kul *n*
Kohlensäure *f* kulsyre (***mit** od **ohne*** med *od* uden)
Koje *f* køje (*-r*)
kokett koket; **~ieren** kokettere (***mit*** med)
Kokos|milch *f* kokosmælk; **~nuss** *f* kokosnød (*-der*); **~raspel** *pl* kokosmel *n*
Kolben *m* kolbe (*-r*); *Tech* stemp|el *n* (*-ler*)
Kolik *f* kolik
Kolleg|e *m* kollega; **~in** *f* (kvindelig) kollega; **~mappe** *f* dokumentmappe (*-r*)
Kölnischwasser *n* eau de Cologne
Kolonie *f* koloni
Kolonne *f* kolonne (*-r*)
kolorieren farvelægge
Kombi *m* stationcar (*-s*)
Kombination *f* kombination (***aus*** af)
Komfort *m* komfort; **≈abel** komfortabel
Komiker(in) *m(f)* komiker (*-e*)

komisch komisk
Komma *n* komma *n* (***setzen*** sætte)
Kommandobrücke *f* kommandobro
kommen komme; ~ ***lassen*** bestille; ***komm mal!*** kom lige!
Kommentar *m* kommentar (***abgeben*** give, ***zu*** til)
kommerziell kommerciel
Kommissar(in) *m(f)* kommisær
Kommode *f* kommode (*-r*)
Kommun|ismus *m* kommunisme; **2istisch** kommunistisk
Komödie *f* komedie (*-r*)
Kompanie *f* kompagni *n*
Kompass *m* kompas *n* (*-ser*)
Kompetenz *f* kompetence
komplett komplet
Komplikation *f* komplikation
Kompliment *n*: ***j-m ein*** ~ ***machen*** komme med et kompliment til ngn
kompliziert kompliceret
Komponist(in) *m(f)* komponist
Kompott *n* kompot
Kompresse *f* kompres *n* (*-ser*)
Kompromiss *m* kompromis *n* (*-'er*)
Kondensmilch *f* tørmælk
Kondition *f Sport* kondition
Konditorei *f* konditori *n*
kondolieren kondolere
Kondom *n* kondom (***benutzen*** bruge)
Konfekt *n* konfekt
Kon|ferenz *f* konference (*-r*); **~fession** *f* konfession; **~firmation** *f* konfirmation
konfiszieren konfiskere
Konfitüre *f* syltetøj *n*
Konflikt *m* konflikt
Kongress *m* kongres (*-ser*)
König *m* konge (*-r*); **~in** *f* dronning; **2lich** kongelig; **~reich** *n* kongerige *n* (*-r*)
Konjunktur *f* konjunktur
Konkurrenz *f* konkurrence (*-r*); ***die*** ~ *Hdl* konkurrenterne
konkurrenzfähig konkurrencedygtig
können kunne; ***es kann sein*** det kan være; ***er kann gut kochen*** han er god til at lave mad
Könner(in) *m(f)* erfaren *adj*
konservativ konservativ
Konserv|e *f* konserves; **~ieren** konservere
konstruieren konstruere
Konstruktion *f* konstruktion
Konsul(in) *m(f)* konsul
Konsulat *n* konsulat *n*
Konsumgüter *pl* forbrugsvarer *pl*
Kontakt *m* kontakt; ~ ***aufnehmen mit*** tage kontakt med
Kontaktaktanzeige *f* kontaktannonce (*-r*)
Kontaktlinsen *f/pl* kontaktlinser *pl*
Context *m* kontekst
Kontinent *m* kontinent *n*
Kontingent *n* kontingent *n*

Konto *n* konto; **~inhaber(in)** *m(f)* kontoindehaver (*-e*); **~nummer** *f* kontonummer *n* (*-numre*); **~stand** *m* saldo
Kontrast *m* kontrast
Kontroll|e *f* kontrol (*-ler*); **~eur(in)** *m(f)* kontrollør
kontrollieren kontrollere
konventionell konventionel
konzentrieren koncentrere (***sich*** sig; ***auf*** om)
Konzept *n Entwurf* udkast *n*; *Idee* koncept *n*
Konzern *m* koncern
Konzert *n* koncert; **~saal** *m* koncertsal (*-e*)
Kopenhagen *n* København *n*; **~er(in)** *m(f)* københavner; *Gastr* wienerbrød *n*
Kopf *m* hoved *n*; ***von ~ bis Fuß*** fra top til tå
Kopfball *m* hovedstød *n* (=)
Kopfhörer *m* hovedtelefon
Kopfkissen *n* hovedpude (*-r*)
Kopfsalat *m* hovedsalat
Kopfschmerz|en *pl* hovedpine; **~tablette** *f* hovedpinepille (*-r*)
Kopfschütteln *n* hovedrysten
Kopfsprung *m* hovedspring *n*
Kopfstand: ***e-n ~ machen*** stå på hovedet
Kopfstütze *f* nakkestøtte (*-r*)
Kopftuch *n* tørklæde *n* (*-r*)
Kopie *f* kopi;
kopieren kopiere
Kopier|er *m*, **~gerät** *n* kopimaskine (*-r*)
Kopilot(in) *m(f)* kopilot
Koralle *f* koral (*-ler*)
Korb *m* kurv (*-e*); **~sessel** *m* kurvestol (*-e*)
Kord *m* fløjl; **~hose** *f* fløjlsbukser *pl*
Korken *m* prop (*-per*)
Korkenzieher *m* proptrækker (*-e*)
Korn[1] *n* korn *n*
Korn[2] *m* snaps (*-e*)
Kornfeld *n* kornmark
körnig kornet
Körper *m* krop (*-pe*); **~bau** *m* kropsbygning; **≈lich** fysisk; **~pflege** *f* kropspleje
Korrespondent(in) *m(f)* korrespondent
Korridor *m* korridor
korrigieren korrigere; *Text etc* rette
Kosename *m* kælenavn *n*
Kosmetik *f* kosmetik; **~erin** *f* kosmetolog; **~salon** *m* skønhedsklinik
Kost *f* kost
kostbar kostbar
kosten *v/t* smage; *wert sein* koste; ***was kostet …?*** hvad koster …?
Kosten *pl* omkostninger *pl*
kostenlos gratis
köstlich kostelig; *Essen* lækker
Kost|probe *f* smagsprøve (*-r*); **≈spielig** kostbar
Kostüm *n* dragt; *Karneval etc* kostume *n* (*-r*)
Kot *m* afføring
Kotelett *n* kotelet (*-ter*)
Kotflügel *m* skærm (*-e*)
kotzen brække sig; ***zum≈*** til at

brække sig over
Krabbe *f* krabbe (*-r*); *Garnele* reje (*-r*)
Krach *m Geräusch* brag *n* (=); *Lärm* larm; *Streit* ballade; **~ machen** lave ballade
krachen knage; *lauter* brage
krächzen skræppe op
Kraft *f* kraft (*kræfter*)
Kraftfahr|er *m* bilist; **~zeug** *n* motorkøretøj *n*
kräftig kraftig; *stark* stærk
kraftlos kraftesløs
Kraft|training *n* styrketræning; **~wagen** *m* bil
Kraftwerk *n* elværk *n*
Kragen *m* krave (*-r*); *Hemd* flip (*-per*); **~weite** *f* flipstørrelse (*-r*)
Krähe *f* krage (*-r*)
krähen gale
Kralle *f* klo (*kløer*)
Kram *m* F ragelse *n*
Krampf *m* krampe (*-r*); **~adern** *pl* åreknuder *pl*
krampf|haft krampagtig; **~lösend** krampestillende
Kran *m* kran
krank syg; **~ *sein* (*werden*)** blive (være) syg
Kranke *m/f* syg
kränken krænke
Kranken|besuch *m* sygebesøg *n*; **~haus** *n* sygehus *n* (*-e*); **~kasse** *f* sygekasse; **~pfleger** *m* sygepasser (*-e*); **~schein** *m* sygesikringsattest; **~schwester** *f* sygeplejerske (*-r*); **~versicherung** *f* sygeforsikring; **~wagen** *m* ambulance (*-r*)
krankhaft sygelig
Krankheit *f* sygdom (*-me*)
kränklich skrantende
krankschreiben sygemelde
Kranz *m* krans (*-e*)
Krapfen *m etwa* fastelavnsbolle
krass ekstrem; F vild
Krätze *f* fnat *n*
kratzen klø; *stark* kradse (***sich*** sig)
kraulen *v/t* klø; *v/i* crawle
kraus kruset
Kraut *n* urt
Kräutertee *m* urtete
Krawalle *pl* optøjer *pl*
Krawatte *f* slips *n* (=)
Krawattennadel *f* slipsenål (*-e*)
Krebs *m* krebs (=); *Med* kræft; **~ *erregend*** kræftfremkaldende
Kredit *m* kredit (*-ter*)
Kreditkarte *f* kreditkort *n* (=)
Kreide *f* kridt *n* (=)
Kreis *m* cirk|el (*-ler*); *Gruppe* kreds (*-e*); *Land* amt *n*
kreischen hvine
Kreisel *m* snurretop (*-pe*)
kreisen kredse (***um*** om); *Blut* cirkulere
Kreislauf *m* kredsløb *n*; **~störungen** *pl* kredsløbsproblemer *pl*
Kreissäge *f* rundsav
Kreißsaal *m* fødestue (*-r*)
Kreis|stadt *f* kredshovedstad; **~verkehr** *m* rundkørsel
Krem *m* creme (*-r*)

Krematorium *n* krematori|um *n* (*-er*)
Kren *m öster* peberrod
Krepppapier *n* crepepapir *n*
Kresse *f* karse
kreuz: *~ und quer* på kryds og tværs
Kreuz *n* kryds *n*; *Rel* kors *n* (=); *Karte* klør
kreuzen krydse; ***sich~*** krydse hinanden; *Geste* korse sig
Kreuz|fahrt *f* krydstogt *n*; **~otter** *f* hugorm (*-e*); **~schmerzen** *pl* smerter *pl* i lænden
Kreuz|ung *f* vejkryds *n* (=); *Bot* krydsning; **~worträtsel** *n* kryds og tværs
kribbeln klø; *Insekten* myldre
kriechen krybe
Krieg *m* krig (*-e*) (***gegen*** mod)
kriegen få
Kriegs|gefangene *m/f* krigsfange (*-r*); **~schiff** *n* krigsskib *n* (*-e*); **~verbrecher** *m* krigsforbryder (*-e*); **~versehrte** *m/f* krigsinvalid
Kriminal|beamter *m*, **~beamtin** *f* kriminalbetjent (*-e*); **~film** *m* kriminalfilm (=); **~polizei** *f* kriminalpoliti *n*; **~roman** *m* krimi
kriminell kriminel
Krise *f* krise (*-r*)
Kristall[1] *m* krystal *n* (*-ler*)
Kristall[2] *n* krystalglas *n*
Kritik *f* kritik; **~er(in)** *m*(*f*) kritiker (*-e*)
kritisch kritisk
Krokodil *n* krokodille (*-r*)
Krone *f* krone (*-r*)
Kronleuchter *m* lysekrone (*-r*)
Kröte *f* tudse (*-r*)
Krücke *f* krykke (*-r*); ***auf Krücken*** på krykker
Krug *m* krus *n* (=); *Wirtshaus* kro
Krümel *m* krumme (*-r*)
krumm krum
krümmen krumme; ***sich ~*** vride sig; *Weg* bugte sig
Krümmung *f* krumning
Krüppel *m* invalid
Kruste *f* skorpe (*-r*)
Kruzifix *n* krucifiks *n*
Kübel *m* balje (*-r*)
Kubikmeter *m* kubikmeter (=)
Küche *f* køkken *n*; ***kalte ~*** koldt bord
Kuchen *m* kage (*-r*); **~form** *f* kageform (*-e*)
Küchen|geschirr *n* køkkengrej *n*; **~schrank** *m* køkkenskab *n* (*-e*)
Kuckuck *m* gøg (*-e*)
Kufe *f* mede (*-r*)
Kugel *f* kugle (*-r*); **Sförmig** kugleformet; **~lager** *n* kugleleje *n* (*-r*); **~schreiber** *m* kuglepen (*-ne*); **~stoßen** *n* kuglestød *n*
Kuh *f* ko (*køer*); **~fladen** *m* kokasse (*-r*)
kühl kølig
kühlen køle
Kühl|er *m* køler (*-e*); **~flüssigkeit** *f* kølervæske; **~schrank** *m* køleskab *n* (*-e*); **~tasche** *f*

køletaske (-*r*); **~wasser** *n* kølervæske
kühn dristig
Küken *n* kylling
Kultur *f* kultur
Kümmel *m* kommen
Kummer *m* sorg
kümmern komme ved; ***sich~ um*** tage sig af
Kumpel *m* kammerat
Kunde *m* kunde (-*r*)
Kundendienst *m* kundeservice
Kundgebung *f* demonstration
kündigen sige op; *Sache* opsige
Kündig|ung *f* opsigelse; **~ungsfrist** *f* opsigelse
Kund|in *f* kunde; **~schaft** *f* kunder *pl*
Kunst *f* kunst; **~dünger** *m* kunstgødning; **~eis** *n* kunstig is; **~gewerbe** *n* kunsthåndværk *n*; **~haar** *n* kunstigt hår *n*
Künstl|er(in) *m(f)* kunstner (-*e*); **≗erisch** kunst-
künstlich kunstig
Kunst|sammlung *f* kunstsamling; **~stoff** *m* kunststof *n*; **~stück** *n* kunststykke *n*; **≗voll** kunstfærdig; **~werk** *n* kunstværk *n*
Kupfer *n* kobber *n*; **~stich** *m* kobberstik *n* (=)
Kupon *m* kupon
Kuppe *f Geo* top; *Anat* fingerspids
Kuppel *f* kup|pel (-*ler*)
Kupplung *f* kobling (***treten*** træde på, ***loslassen*** slippe)
Kur *f* kur (-*e*); ***e-e ~ machen*** være på kur
Kür *f* valg
Kurbel *f* håndsving *n* (=)
Kürbis *m* græskar *n* (=)
Kurgast *m* kurgæst
Kurier *m* bud *n* (-*e*)
Kurort *m* kursted *n*
Kurs *m* kurs; **~buch** *n* køreplan
Kursus *m* kurs|us (-*er*)
Kurswagen *m* gennemgående vogn
Kurve *f* kurve (-*r*)
kurz kort; ***über ~ oder lang*** før eller siden; ***vor ~em*** for kort tid siden; ***~ vor …*** kort før …
Kurzarbeit *f* (tvunget) deltidsarbejde *n*
kurzärmlig kortærmet
Kürze: ***in ~*** om kort tid
kürzen forkorte; *fig* sætte ned
Kurz|film *m* kortfilm (=); **≗fristig** *adv* med kort frist; **~geschichte** *f* novelle (-*r*)
Kurzschluss *m* kortslutning
kurzsichtig nærsynet; *fig* kortsynet
kuscheln *v/i* putte sig (***an*** ind til)
Kuschel|rock *m* romantisk rock; **~tier** *n* kæledyr *n* (=)
Kusine *f* kusine (-*r*)
Kuss *m* kys *n* (=) (***geben*** give)
küssen kysse (***sich*** hinanden)
Küste *f* kyst; **~nstraße** *f* kystvej

Kutsche *f* karet
Kutscher *m* kusk (*-e*)
Kutter *m* kutter (*-e*)
KZ *n* kz-lejr

L

Labor *n* laboratori|um *n* (*-er*)
Laborant(in) *m*(*f*) laborant
Lache *f* pøl (*-e*)
lächeln smile (***über*** ad)
Lächeln *n* smil *n* (=)
lachen grine (***über*** ad)
lächerlich latterlig
Lachfältchen *pl* smilerynker *pl*
Lachs *m* laks (=); **℘farben** laksefarvet
Lack *m* lak; **℘ieren** lakere
laden *Waren* læsse; *Waffe* lade
Laden *m* forretning; **~diebstahl** *m* butikstyveri *n*; **~kette** *f* butikskæde (*-r*); **~schluss** *m* lukketid; **~tisch** *m* disk (*-e*)
Laderaum *m* lastrum *n*
Ladung *f* ladning; *El* opladning
Lage *f Ort* beliggenhed; situation; ***in der ~ zu*** i stand til; ***e-e ~ ausgeben*** give en omgang
Lager *n* leje *n* (*-r*); *Hdl etc* la|g|er *n* (*-re*); **~bier** *n* lagerøl *n*; **~feuer** *n* lejrbål *n*
lagern *v/t* lægge ned; *Hdl* oplagre; *v/i* ligge
lahm lam; *hinkend* halt; ***~ legen*** lamme
lähm|en lamme; **℘ung** *f* lammelse (*-r*)
Laie *m* amatør; *Nichtfachmann* lægmand (*-mænd*)
laienhaft amatøragtig
Laken *n* lag|en *n* (*-ner*)
Lakritze *f* lakrids
lallen *Kind* pludre; *sonst* tale uforståeligt
Lamm *n* lam *n* (=); **~braten** *m* lammesteg (*-e*); **~fell** *n* lammeskind *n*; **~fleisch** *n* lammekød *n*; **~keule** *f* lammekølle (*-r*)
Lampe *f* lampe (*-r*)
Lampen|fieber *n* lampefeber; **~schirm** *m* lampeskærm (*-e*)
Land *n* land *n* (*-e*); ***an ~ gehen*** gå i land; **~ebahn** *f* landingsbane (*-r*)
landen lande
Länder|spiel *n* landskamp (*-e*)
Land|esinnere *n* indre *n* af landet; **~eskunde** *f etwa* geografi, kultur og historie; **~gut** *n* gods *n*; **~haus** *n* hus *n* på landet (*-e*)
Landkarte *f* landkort *n* (=)
ländlich landlig
Land|schaft *f* landskab *n*; **~smann** *m* landsmand (*-mænd*); **~straße** *f* landevej (*-e*); **~streicher** *m* vagabond
Landung *f* landing
Land|wirt(in) *m*(*f*) landmand

(*-mænd*); **~wirtschaft** *f* landbrug *n*
lang lang; ***zwei Wochen ~*** i to uger
langatmig langtrukken
lange *adv* længe; ***seit ~m*** i lang tid
Länge *f* længde (*-r*)
länger længere
Langeweile *f* kedsomhed
lang|fristig langfristet; *adv* langvarigt; *in Zukunft* på lang sigt; **~haarig** langhåret; **~jährig** mangeårig
Langlauf *m Sport* langrend *n*
länglich aflang
längs (*G*) langs med
langsam langsom
Langschläfer(in) *m(f)* syvsover (*-e*)
längst *adj* længst; *adv* for længst
langweilen kede (***sich*** sig)
langweilig kedelig
Lappen *m* lap (*-per*); *zum Waschen* klud (*-e*)
Laptop *m* laptop (*-s*), bærbar (pc)
Lärche *f* lærk
Lärm *m* larm; ***~ machen*, lärmen** larme
Larve *f Zo* larve (*-r*)
Laser|drucker *m* laserprinter (*-e*); **~strahl** *m* laserstråle (*-r*)
lassen *akzeptieren* tillade; *nicht tun* lade være med; ***lass das!*** lad være med det!
lässig skødesløs
Last *f* last; **~auto** *n* lastbil
Laster[1] *n* dårlig vane (*-r*)
Laster[2] *m* lastbil
lästern bagtale; ***~ über*** kritisere
lästig irriterende
Last-Minute-Reise *f* afbudsrejse (*-r*)
Lastwagen *m* lastbil
Latein *n* latin *n*; **²isch** latinsk
Laterne *f* lygte (*-r*)
Laternenpfahl *m* lygtepæl (*-e*)
Latte *f* lægte (*-r*)
Latzhose *f* overalls *pl*
lau lunken (*a fig*); *Wetter* lun
Laub *n* løv *n*; **~baum** *m* løvtræ *n*
Laube *f* lysthus *n* (*-e*)
lauern lure (***auf*** på)
Lauf *m* løb *n* (=); ***im Laufe*** (*G*) i løbet af; **~bahn** *f Karriere* løbebane
laufen løbe; *gehen* gå; ***~ lassen*** lade gå
laufend løbende
Läufer(in) *m(f)* løber (*-e*)
Lauf|gitter *n* kravlegård (*-e*); **~training** *n* løbetræning
Laune *f* humør *n*; ***gute** od **schlechte ~ haben*** være i godt *od* dårligt humør
Laus *f* lus (=)
lauschen lytte
laut *adj* høj; *präp* ifølge
lauten lyde
läuten ringe
lautlos lydløs
Laut|sprecher *m* højttaler (*-e*); **~stärke** *f* lydstyrke
lauwarm lunken

Lawine *f* lavine (*-r*)
leben leve; ♀ *n* liv *n* (=)
lebendig levende
Lebens|anschauung *f* ideologi; **~gefahr** *f* livsfare (**außer** uden for)
lebensgefährlich livsfarlig
Lebenshaltungskosten *pl* leveomkostninger *pl*
lebenslänglich livsvarig
Lebenslauf *m* liv *n*; *Unterlage* cv *n*
Lebensmittel *pl* madvarer *pl*; **~geschäft** *n* fødevarebutik (*-ker*); **~vergiftung** *f* madforgiftning
Lebens|standard *m* levestandard; **~versicherung** *f* livsforsikring
Leber *f* lever (*-e*); **~pastete** *f* leverpostej; **~wurst** *f* leverpølse
Lebewesen *n* levende væsen *n* (*væsner*)
lebhaft *chaotisch* livlig; *vital* levende
Lebkuchen *m* honningkage (*-r*)
leblos livløs
leck: **~ sein** være læk
lecken slikke
lecker lækker
Leckerbissen *m* lækkerbisken (*-biskner*)
Leder *n* læder *n*; *weich* skind *n*; **~handschuh** *m* skindhandske (*-r*); **~hose** *f* læderbukser *pl*; **~jacke** *f* læderjakke (*-r*); **~sofa** *n* lædersofa; **~waren** *pl* lædervarer *pl*
ledig *single* ugift
lediglich udelukkende
leer tom
leeren tømme
Leer|gut *n* tom emballage; **~lauf** *m* tomgang; **~taste** *f* *EDV etc* mellemrumstast
Leerung *f* tømning
Legastheniker(in) *m(f)* ordblind
legen lægge (**sich** sig)
Lehm *m* ler *n*
Lehne *f* ryglæn *n*
lehnen: **~ an** være lænet op ad; (**sich**) **~** læne (sig) (**an** op ad)
Lehnstuhl *m* lænestol (*-e*)
Lehrbuch *n* lærebog (*-bøger*)
Lehre *f* lære; ***eine ~ machen*** stå i lære (**bei** hos)
lehren *v/i* undervise; *v/t* undervise i
Lehr|er(in) *m(f)* lærer (*-e*); **~gang** *m* kursus *n* (**für** i); **~ling** *m* lærling (*-e*); **~stuhl** *m* professorat *n*
Leibesvisitation *f* kropsvisitation
Leibgericht *n* livret (*-ter*)
leiblich fysisk; *verwandt* biologisk
Leib|schmerzen *pl* ondt i maven; **~wächter** *m* livvagt
Leiche *f* lig *n* (=)
Leichen|bestatter *m* bedemand (*-mænd*); **~halle** *f* kapel *n* (*-ler*); **~wagen** *m* rustvogn (*-e*)
leicht let (*a fig*); ♀**athletik** *f* atletik; **~fertig** letsindig; **~gläubig** godtroende

Leichtigkeit *f* lethed
Leichtmetall *n* letmetal *n*
Leicht|sinn *m* letsindighed; **♀sinnig** letsindig
leid: ***es tut mir ~*** det er jeg ked af; ***er tut mir ~*** jeg har ondt af ham
leiden lide (***an*** af); ***nicht ~ können*** ikke kunne lide
Leiden *n* lidelse (*-r*)
leidend lidende
Leidenschaft *f* lidenskab; **♀lich** lidenskabelig
leider desværre
leidlich rimelig
Leidtragende *m/f* taber (*-e*)
Leierkasten *m* lirekasse (*-r*)
Leihbücherei *f* bibliotek *n*
leihen (*j-m*) låne; ***sich etw von j-m ~*** låne ngt af ngn
Leih|gebühr *f* leje; **~karte** *f* lånerkort *n* (=)
Leihwagen *m* udlejningsbil
Leim *m* lim
Leine *f* snor (*-e*); ***an der ~ haben*** (***halten***) have (holde) i snor
Leinsamen *pl* hørfrø *pl*
Leinwand *f* lærred *n*
leise stille; ***leiser stellen*** skrue ned for
Leiste *f* liste (*-r*)
leisten klare; *zahlen* bidrage med; ***sich ~*** tillade sig; ***sich ~ können*** have råd til
Leistung *f* ydelse (*-r*); *Schule* præstation
Leistungs|druck *m* præstationsræs *n*; **~fähigkeit** *f* ydeevne; **~sport** *m* konkurrencesport; **~zulage** *f* bonus
Leitartikel *m* leder (*-e*)
leiten lede
Leiter¹ *m*, **~in** *f* leder (*-e*)
Leiter² *f* stige (*-r*)
Leitfaden *m* ledetråd; **~planke** *f* autoværn *n*
Leitung *f Führung* ledelse (*-r*); *El* ledning
Leitungswasser *n* postevand *n*
Lektion *f* lektion
Lektor(in) *m(f) Verlag* forlagsredaktør; *Universität etwa* undervisningsassistent
Lektüre *f Lesen* læsning; *Stoff* noget at læse i
Lenkrad *n* rat *n*; **~schloss** *n* ratlås
Lenk|stange *f* styr *n*; **~ung** *f* styring
Lerche *f* lærke (*-r*)
lernen lære
lesbar til at læse (*nachgestellt*)
Lesb|e, **~ierin** *f*, **~isch** lesbisk
Lese|brille *f* læsebriller *pl*; **~lampe** *f* læselampe (*-r*)
lesen læse
Lesezeichen *n* bogmærke *n* (*-r*); *EDV* bookmark *n* (*-s*)
letzte(r, -s) sidst-
Leuchte *f* lygte (*-r*)
leuchten lyse
leuchtend lysende
Leucht|er *m* lysestage (*-r*); **~reklame** *f* lysreklame (*-r*); **~turm** *m* fyrtårn *n* (*-e*)
leugnen benægte
Leukämie *f* leukæmi
Leute *pl* folk *pl*

Leutnant *m* løjtnant
Lexikon *n* leksik|on *n* (*-a*)
Licht *n* lys *n* (=); ***bei ~*** med lyset tændt; ***~ machen*** tænde lyset; **~bild** *n* lysbillede *n* (*-r*)
lichten *Anker* lette; ***sich ~*** lysne
Licht|geschwindigkeit *f* lysets hastighed; **~hupe** *f* blinklys *n*
Lichtung *f* lysning
Lid *n* øjenlåg *n* (=); **~schatten** *m* øjenskygge
lieb sød; ***am liebsten*** helst; ***Lieber Hans!*** *Brief* Kære Hans!; ***sei so ~ und*** vær så venlig at; ***meine ℒen*** mine kære
Liebe *f* kærlighed
lieben elske
liebenswürdig venlig
lieber *adv* hellere
Liebes|beziehung *f* kærlighedsforhold *n* (=); **~brief** *m* kærestebrev *n* (*-e*); **~film** *m* kærlighedsfilm (=); **~kummer** *m* kærestesorg; **~paar** *n* kærestepar *n* (=)
liebevoll kærlig
Liebhaber(in) *m(f)* elsker (-inde)
Liebling *m* elskede; *Günstling* yndling
lieblos ukærlig
Liebste *m/f* kæreste (*-r*)
Lied *n* sang (*-e*); **~erbuch** *n* sangbog (*-bøger*)
liederlich sjusket
Lieferant(in) *m(f)* leverandør
lieferbar til at levere (*nachgestellt*)
Lieferfrist *f* leveringstid
liefern levere
Lieferschein *m* følgeseddel (*-sedler*)
Lieferung *f* levering
Lieferwagen *m* varevogn (*-e*)
Liege *f* briks (*-e*)
liegen ligge; ***~ an*** skyldes; ***~ lassen*** lade ligge
Liege|stuhl *m* liggestol (*-e*); **~stütz** *m* armbøjning; **~wagen** *m* liggevogn; **~wiese** *f* plæne til at sole sig på
Lift *m* elevator (***benutzen*** køre med); **~en**, **~ing** *n* ansigtsløftning
Likör *m* likør
lila lilla
Lilie *f* lilje (*-r*)
Limonade *f* sodavand *n*
Linde *f* lindetræ *n*
linder|n lindre; **ℒung** *f* lindring
Lineal *n* lineal
Linie *f* linje (*-r*)
Linien|bus *m* rutebil; **~richter** *m* linjedommer (*-e*)
linke venstre; ***die Linke*** *Pol* venstrefløjen
links: ***nach ~*** til venstre; ***~ stehen*** *Pol* være venstreorienteret; ***von ~*** fra venstre
Linksabbieger *pl* venstredrejende trafik
Linkshänder(in) *m(f)* venstrehåndet
Linksverkehr *m* venstrekørsel
Linse *f* linse (*-r*)

Linsensuppe *f* linsesuppe
Lippe *f* læbe (*-r*)
Lippenstift *m* læbestift
lispeln læspe
List *f* list
List|e *f* liste (*-r*); **≈ig** listig
Liter *m* liter
literarisch litterær
Literatur *f* litteratur
Litfaßsäule *f* plakatsøjle (*-r*)
Lizenz *f* licens
Lkw *m* (*Lastkraftwagen*) lastbil
Lob *n* ros
lob|en rose; **≈enswert** prisværdig
Loch *n* hul *n* (*-ler*)
lochen hulle
Locher *m* hullemaskine (*-r*)
Locke *f* krølle (*-r*)
locken *j-n* lokke; *Haar* krølle
Lockenwickler *m* curler (*-s*)
locker løs; **~ *lassen*** give slip
lockern løsne; ***sich* ~** løsne sig
lockig krøllet
Löffel *m* ske
Loge *f* loge (*-r*)
Logik *f* logik
logisch logisk
Lohn *m* løn; **~büro** *n* lønkontor *n*
Lohnempfänger(in) *m(f)* lønmodtager (*-e*)
lohnen: ***es lohnt sich*** det kan betale sig
lohnend som kan betale sig (*nachgestellt*)
Lohnerhöhung *f* lønforhøjelse (*-r*)
Lohnsteuer *f* indkomstskat
Lohnsteuerkarte *f* skattekort *n* (=)
Loipe *f* løjpe
Lokal *n* bar; *Zimmer* lokale *n*
Lokomotive *f* lokomotiv *n*
Lorbeerblatt *n Gastr* laurbærblad *n* (*-e*)
los løs; *adv* af med; **~!** af sted!; ***was ist* ~?** hvad er der galt?
Los *n* lodseddel (*-sedler*); *Schicksal* skæbne
lösbar til at løse (*nachgestellt*)
losbinden binde op
löschen slukke; *Daten etc* slette
lose løs; *unverpackt* i løs vægt (*nachgestellt*)
losen trække lod
lösen løse (*a fig*); (*Vertrag etc*) opsige; ***sich* ~** løsne sig (***von*** fra)
los|lassen slippe; **~lösen**, **~machen** løsne; **~reißen** rive løs (***sich*** sig)
Lösung *f Chemie* opløsning; *Problem* løsning
loswerden blive af med
Lot *n* lod *n* (*-der*)
löt|en lodde; **≈kolben** *m* loddekolbe (*-r*)
Lotse *m* lods
Lotterie *f* lotteri *n*
Lotto *n* lotto *n*; **~gewinn** *m* lottogevinst; **~schein** *m* lottoseddel; **~zahlen** *pl* lottotal *pl*
Löwe *m* løve (*-r*)
Lücke *f* hul *n* (*-ler*); *fig* mang|el (*-ler*)
lückenlos uden huller (*nach-*

gestellt); *fig* fuldstændig
Luft *f* luft; **~blase** *f* luftboble (*-r*); **2dicht** lufttæt; **~druck** *m* lufttryk *n*
lüften lufte ud
Luftfahrt *f* luftfart
Luftfracht *f* luftfragt
luftgetrocknet lufttørret
Luftgewehr *n* luftgevær *n*
Luftkissenfahrzeug *n* luftpudebåd (*-e*)
Luftkrankheit *f* luftsyge
Luftkühlung *f* luftafkøling
Luftmatratze *f* luftmadras (*-ser*)
Luftpost *f* luftpost
Luftpumpe *f* pumpe (*-r*)
Lüftung *f System* ventilation; *Lüften* udluftning
Luft|veränderung *f* luftforandring; **~verschmutzung** *f* luftforurening *n*; **~waffe** *f* luftvåben *n*
Lüge *f* løgn (*-e*)
lügen lyve
Lügner(in) *m(f)* løgner (*-e*)
Luke *f* luge (*-r*)
Lumpen *pl* gamle klude *pl*
Lunge *f* lunge (*-r*)
Lungentzündung *f* lungebetændelse
Lupe *f* lup (*-per*); ***unter die ~ nehmen*** tage under lup (*a fig*)
lupenrein fejlfri; *fig* vaskeægte
Lust *f* lyst; ***~ haben zu*** have lyst til; ***ich habe keine ~ dazu*** det har jeg ikke lyst til
lustig sjov; ***sich ~ machen über*** gøre grin med
lustlos uinteresseret
lutsche|n sutte (***an*** på); **2r** *m* slikkepind (*-e*)
Luxus|hotel *n* luksushotel *n* (*-ler*); **~wohnung** *f* luksuslejlighed
Lymphdrüse *f* lymfekirtel (*-kirtler*)
lyrisch lyrisk

M

M.A. *etwa* cand.mag.
machbar mulig
machen gøre; *erledigen*, *herstellen* lave; ***das Bett ~*** rede sengen; ***wie viel macht das?*** hvor meget bliver det?; (***das***) ***macht nichts!*** det gør ikke noget!
Macht *f* magt; **~haber** *m* magthaver (*-e*)
mächtig magtfuld; *enorm* kæmpe
machtlos magtesløs
Mädchen *n* pige (*-r*); **~name** *m* pigenavn *n* (*-e*)
Made *f* mide (*-r*)
madig fuld af mider (*nachgestellt*)
Magazin *n* magasin *n* (*a Medien*)
Magen *m* mave (*-r*); ***mein ~ knurrt*** min mave knurrer

Magen|bitter *m* bitter (*-e*); **~geschwür** *n* mavesår *n*; **~säure** *f* mavesyre
Magenschmerzen *pl* ondt i maven
mager mager; **milch** *f* skummetmælk
Magnet *m* magnet
Mähdrescher *m* mejetærsker (*-e*)
mähen meje; *Rasen* slå
Mahl *n* måltid *n*
mahlen *Getreide* male
Mahlzeit *f* måltid *n*; **~!** velbekomme!
Mähne *f* manke (*-r*)
mahnen advare; *Hdl* rykke
Mahngebühr *f* rykkergebyr *n*
Mahnung *f Brief* rykkerbrev *n* (*-e*)
Mai *m* maj; ***im ~*** i maj
Maiglöckchen *n* liljekonval (*-ler*)
Mail *f EDV* mail (*-s*); **~box** *f* mailboks (*-e*)
mailen maile (***j-m*** til ngn)
Mais *m* majs
Majonäse *f* mayonnaise
makellos fejlfri
Make-up *n* makeup
Makkaroni *pl* makaroni
Makler(in) *m(f)* mægler (*-e*); **~gebühr** *f* mæglergebyr
Makrele *f* makrel (=)
Makrone *f* makron
mal *einmal* engang; *Aufforderung* lige; ***zwei ~ zwei*** to gange to
Mal *n Zeichen* mærke *n* (*-r*); ***das nächste ~*** næste gang
malen male
Maler(in) *m(f)* maler (*-e*)
Malzbier *n* maltøl *n*
Malzkaffee *m* erstatningskaffe
man: ***~ sagt*** det siges; ***kann ~ ...?*** må jeg ...?
manch(e) en del
manchmal sommetider
Mandarine *f* mandarin
Mandel *f* mand|el (*-ler*)
Manege *f* manege (*-r*)
Mangel *m* mang|el (*-ler*)
mangelhaft mangelfuld
Manieren *pl* opførsel
Maniküre *f* manicure
Mann *m* mand (*mænd*)
Männ|chen *n Zo* han (*-ner*); **~er-** mande-
männlich mandlig, (*nachgestellt*) hankøn
Mannschaft *f* mandskab *n*; *Sport* hold *n* (=)
Manöver *n* manøvre (*-r*); *Mil* øvelse (*-r*)
Mansarde(nzimmer) *f(n)* tagværelse *n* (*-r*)
Manschette *f* manchet (*-ter*);
Manschettenknopf *m* manchetknap (*-per*)
Mantel *m* frakke (*-r*); *Reifen* dæk *n* (=)
Mappe *f* mappe (*-r*)
Marathonlauf *m* maratonløb *n* (=)
Märchen *n* eventyr *n* (=); **~buch** *n* eventyrbog (*-bøger*)
märchenhaft eventyrlig
Marder *m* mår

Margarine *f* margarine
Marienkäfer *m* mariehøne (-*r*)
Marinade *f* marinade (-*r*)
Marine *f* marine (-*r*)
marineblau marineblå
mariniert marineret
Mark¹ *f Geld* mark (=)
Mark² *n* marv
Marke *f Fabrikat* mærke *n* (-*r*)
Markenartikel *m* mærkevare (-*r*)
Marketingabteilung *f* marketingafdeling
markier|t *Weg* afmærket; **⁀ung** *f* markering
Markise *f* markise (-*r*)
Markt *m* marked *n*; *Platz* torv *n* (-*e*); **~halle** *f* markedshal (-*ler*); **~platz** *m* torv *n* (-*e*)
Marmelade *f* marmelade
Marmor *m* marmor *n*
Marsch *m* march
marschieren marchere
Martinshorn *n* udrykningshorn
Märtyrer(in) *m(f)* martyr
Marxismus *m* marxisme
März *m* marts; ***im ~*** i marts
Marzipan *n* marcipan
Masche *f* maske (-*r*)
Maschendraht *m* ståltrådsnet *n*
Maschine *f* maskine (-*r*); ***~ schreiben*** skrive på maskine
Maschinen|bau *m* maskinkonstruktion; **~gewehr** *n* maskingevær *n*
maschinenlesbar maskinlæsbar
Maschinen|öl *n* maskinolie; **~pistole** *f* maskinpistol; **~raum** *m* maskinrum *n*; **~schaden** *m* maskinskade (-*r*)
Masern *pl* mæslinger *pl*
Mask|e *f* maske (-*r*); **~enbildner(in)** *m(f)* sminkør; **⁀ieren** maskere
Maß *n* mål *n* (=); ***nach ~*** efter mål; ***in hohem ~*** i høj grad; ***~ halten*** holde måde
Massage *f* massage
Maßanzug *m* skræddersyet habit
Maßband *n* målebånd *n*
Masse *f* masse (-*r*)
Maßeinheit *f* måleenhed
massenhaft i massevis (*nachgestellt*)
Massentourismus *m* masseturisme
maßgeblich afgørende
Masseur(in) *m(f)* massør
massieren massere
mäßig mådeholden; *Preis* rimelig
mäßigen moderere; ***sich ~*** holde sig tilbage; *Ding* blive mindre voldsom
maßlos urimelig
Maßnahme *f* forholdsregel (***treffen*** tage; ***gegen*** mod)
Maßstab *m* målestok
maßvoll behersket
Mast *m* mast; **~darm** *m* endetarm
masturbieren onanere
Material *n* materiale *n* (-*r*)

materiell materiel
Mathe|arbeit *f* matematikopgave (*-r*); **~matik** *f* matematik
Matinee *f* matiné (*matineer*)
Matratze *f* madras (*-ser*)
Matrose *m* matros
Matsch *m* mudder *n*
matt mat (*a fig*)
Matte *f* måtte (*-r*)
Matura *f* studentereksamen
Mauer *f* mur (*-e*)
Maul *n Zo* mule (*-r*); *neg!* kæft; ***halt's ~!*** hold kæft!; **~korb** *m* mundkurv
Maulwurf *m* muldvarp (*-e*)
Maurer *m* murer (*-e*)
Maus *f* mus (=); **~efalle** *f* musefælde (*-r*); **~klick**: ***per ~*** *EDV* med et klik på musen; **~pad** *n* musemåtte (*-r*)
Mayonnaise *f* mayonnaise
Mechani|k *f* mekanik; **~ker** *m* mekaniker (*-e*); **~smus** *m* mekanisme (*-r*)
meckern bræge; *fig* gøre vrøvl
Medaille *f* medalje (*-r*)
Medaillengewinner(in) *m*(*f*) medaljevinder (*-e*)
Medien *pl* medier *pl*
Medikament *n* medikament *n*
Medizin *f* medicin; **2isch** medicinsk
Meer *n* hav *n* (*-e*); **~blick** *m* havudsigt; **~busen** *m* bugt; **~enge** *f* stræde (*-r*)
Meer|esfrüchte *pl* alt godt fra havet *n*; **~jungfrau** *f* havfrue (*-r*); **~rettich** *m* peberrod; **~salz** *n* havsalt
Meerschweinchen *n* marsvin *n* (=)
Meerwasser *n* havvand *n*
Mehl *n* mel *n*
mehr mere; ***immer ~*** mere og mere; ***nichts ~*** ikke mere; ***noch ~*** endnu mere; ***umso ~*** så meget desto mere; **~ere** adskillige
mehr|fach indtil flere gange (*nachgestellt*); **2heit** *f* flertal *n* (***in der*** i); **2kosten** *pl* merudgifter *pl*; **~mals** flere gange; **~sprachig** flersproget; **~tägig** flere dages
Mehrwegflasche *f* pantflaske (*-r*)
Mehrwertsteuer *f etwa* moms
Mehrzahl *f* flertal *n*
Mehrzweckraum *m* alrum *n*
meiden undgå
Meile *f* mil (=)
mein, meine min; mit *n*; mine *pl*
Meineid *m* mened (***leisten*** begå)
meinen mene
meinetwegen for min skyld; **~!** for min skyld ingen alarm!
Meinung *f* mening; ***meiner ~ nach*** efter min mening
Meinungs|forschung *f* meningsmålinger *pl*; **~verschiedenheit** *f* holdningsforskel
Meise *f* mejse (*-r*)
Meißel *m* mejs|el (*-ler*)
meist mest; *pl* flest; ***am ~en*** mest
meistens for det meste

Meister(in) *m(f)* mest|er (*-re*); **ℒhaft** suveræn; **~schaft** *f* mesterskab *n*; **~werk** *n* mesterværk *n*
Melancholie *f* melankoli
melden melde (***sich*** sig)
Meldepflicht *f* meldepligt
Meldung *f* melding
melken malke
Melodie *f* melodi
Melone *f* melon; F *Hut* bowlerhat (*-te*)
Memory® *n* huskespil *n*
Menge *f* mængde (*-r*)
Mensa *f* universitetskantine (for studerende)
Mensch *m* menneske *n* (*-r*)
menschen|leer menneske-tom; **ℒmenge** *f* menneskemængde; **~scheu** sky; **~unwürdig** uværdig
Mensch|heit *f* menneskehed; **ℒlich** menneskelig; **~lichkeit** *f* menneskelighed
Menstruation *f* menstruation
Menthol *n* mentol *n*
Menü *n* menu; **~(balken** *m*) *n* *EDV* menu
Merkblatt *n* vejledning
merken mærke (***sich*** sig)
merklich som kan mærkes (*nachgestellt*)
Merkmal *n* kendetegn *n* (=)
merkwürdig mærkelig
Mess|band *n* målebånd *n* (=); **ℒbar** målelig
Messe *f* messe (*-r*); **~gelände** *n* messeareal *n*
messen måle
Messer *n* kniv (*-e*)
Messestand *m* messestand (*-e*)
Messing *n* messing *n*
Metall *n* metal *n* (*-ler*)
Metapher *f* metafor
Meteorolog|e *m*, **~in** *f* meteorolog; **ℒisch** meteorologisk
Meter *m* meter (=); **~maß** *n* metermål *n*
Methode *f* metode (*-r*)
Metzger(in) *m(f)* slagter (*-e*)
mich mig; ***für ~*** til (*betreffend* for) mig; ***ohne ~*** uden mig
Miene *f* mine (*-r*)
mies elendig
Miete *f* leje (*-r*); *Wohnung* husleje
mieten leje
Miet|er(in) *m(f)* lejer (*-e*); **~erhöhung** *f* huslejestigning; **~vertrag** *m* lejekontrakt
Mietwagen *m* udlejningsbil
Migräne *f* migræne
Mikro|fon *n* mikrofon; **~skop** *n* mikroskop *n*
Mikrowellenherd *m* mikrobølgeovn (*-e*)
Milch *f* mælk; **~kaffee** *m* café au lait; **~reis** *m* risengrød; *Dessert etwa* risalamande; **~zahn** *m* mælketand (*-tænder*)
mild mild
mildern mildne
Militär *n* militær *n*; **ℒisch** militær-
Milliarde *f* milliard
Millimeter *m* millimeter (=)
Million *f* million
Milz *f* milt

Minderheit *f* mindretal *n* (***in der*** i)
minderjährig mindreårig
minderwertig mindreværdig
mindeste(r, -s) mindste
mindestens mindst; *zumindest* i det mindste
Mindest|haltbarkeitsdatum *n* mindst holdbar til; **~lohn** *m* mindsteløn
Mine *f* mine (*-r*); *zum Schreiben* patron
Mineral *n* mineral *n*; **~öl** *n* mineralolie
Mineralwasser *n* danskvand *n*
Minigolf *n* minigolf
minimal minimal
Minislip *m* tangatrusse (*-r*)
Minister(in) *m(f)* minist|er (*-re*)
Ministerium *n* ministeri|um *n* (*-er*)
minus minus; **~ *5 Grad*** minus 5 grader
Minute *f* minut *n* (*-ter*)
mir mig; *häufig* til, for mig; ***mit ~*** med mig
misch|en blande; **&ung** *f* blanding
miserabel miserabel
miss|achten ikke respektere; **&bildung** *f* misdannelse; **~billigen** misbillige
Missbrauch *m* misbrug *n*
missbrauchen misbruge
Misserfolg *m* fiasko
Missernte *f* fejlslagen høst
Missgeschick *n* svipser
Misshandlung *f* mishandling
Mission *f* mission
miss|lingen mislykkes (***mir*** for mig); **~mutig** sur; **~trauen** ikke stole på
Misstrauen *n* mistro (***gegen*** til)
misstrauisch mistroisk (***gegen*** over for)
Missverhältnis *n* misforhold *n* (***zwischen*** mellem)
Missverständnis *n* misforståelse (*-r*)
missverstehen misforstå
Mist *m* møg *n*; (***so ein***) **~!** F sådan noget lort!; **~haufen** *m* mødding
mit med
Mit|arbeiter(in) *m(f)* medarbejder (*-e*); **~bewohner(in)** *m(f)* sambo
mitbringen medbringe
Mitbürger(in) *m(f)* medborger (*-e*)
miteinander med hinanden
Mitesser *m Med* hudorm (*-e*)
mit|fahren køre med; **~geben** give med
Mitgefühl *n* medfølelse
mitgehen gå med
Mitglied *n* medlem *n* (*-mer*)
Mitgliedsbeitrag *m* kontingent *n*
Mit|hilfe *f* hjælp; **&kommen** komme med
Mitleid *n* medlidenhed (***mit*** med)
mitleidig medfølende
mit|machen være med (***bei*** i); **~nehmen** tage med; *fig* tage hårdt på

Mitreisende *m/f* medrejsende (=)
mitschuldig medskyldig (*an* i)
Mitschüler(in) *m(f)* skolekammerat
Mitspieler(in) *m(f)* medspiller (*-e*)
Mittag *m* middag (*-e*) (*am* til); ***zu ~ essen*** spise frokost; *warm* spise middag; **~essen** *n* frokost; *warm* middagsmad
mittags om middagen
Mittags|pause *f* frokostspause (*-r*); **~zeit** *f* middagstid (***um die*** ved)
Mitte *f* midte; ***~ 30*** i midten af 30'erne
mitteil|en meddele; **²ung** *f* meddelelse (*-r*)
Mittel *n* mid|del *n* (*-ler*); **~alter** *n* middelalder; **~finger** *m* langfinger; **~linie** *f* midterlinje
mittellos fattig
mittelmäßig middelmådig
Mittelohrentzündung *f* mellemørebetændelse
Mittelpunkt *m* centrum *n*
mitten: ***~ in*** midt i; *Zeitpunkt* midt om
Mitternacht *f* midnat (***um*** ved)
mittlere midterste; *Reihenfolge* mellemste
Mittsommer *m* midsommer
Mittwoch *m* onsdag
mitunter sommetider
mitverantwort|lich medansvarlig (***für*** for); **²ung** *f* medansvar *n* (***tragen*** have)
mitwirken medvirke
Mitwirkung *f* medvirken
Mixbecher *m* shaker (*-e*)
mixen blande
Mixer *m* blender
Möbel *n*, **~stück** *n* møb|el *n* (*-ler*)
Möbelwagen *m* flyttebil
möbliert møbleret
Mode *f* mode (*-r*)
Modell *n* model (*-ler*)
Modelleisenbahn *f* modeltog *n*
Mode(n)schau *f* modeshow *n*
modern *adj* moderne; **~isieren** modernisere
modisch moderne
modrig muggen
mogeln F snyde
mögen kunne lide; ***ich möchte*** jeg vil gerne (have); ***ich mag nicht*** jeg kan ikke lide
möglich mulig; **~erweise** muligvis
Möglichkeit *f* mulighed
möglichst så vidt muligt
Mohn *m* valmue (*-r*); *Samen* birkes *n* (=)
Möhre *f* gule|rod (*-rødder*)
Mohrenkopf *m* flødebolle (*-r*)
Molkerei *f* mejeri *n*
mollig buttet; *warm* lun
Moment *m* øjeblik *n* (*-ke*); ***~ (mal)!*** vent lige!
Monarchie *f* monarki *n*
Monat *m* måned
monatelang i månedsv

(*nachgestellt*)
monatlich månedlig
Monats|binde *f* hygiejnebind *n* (=); **~blutung** *f* menstruation; **~karte** *f* månedskort *n* (=)
Mönch *m* munk (*-e*)
Mond *m* måne (*-r*); **~finsternis** *f* måneformørkelse (*-r*); **~schein** *m* måneskin *n*
Monitor *m* monitor
Monopoly® *n* matador
Montag *m* mandag
Monteur *m* montør
montieren montere
Moor *n* mose (*-r*)
Moos *n* mos *n* (*-ser*)
Moped *n* knallert
Moral *f* moral
Morast *m* mudder *n*
Mord *m* mord *n* (=)
Mörder(in) *m(f)* morder (*-e*)
morgen i morgen; **~ *Abend*** i morgen aften
Morgen *m* morgen; ***guten ~!*** godmorgen!
Morgenrock *m* morgenkåbe (*-r*)
morgens om morgenen
Morphium *n* morfin
morsch mør
Mörtel *m* mørtel
Mosaik *n* mosaik (*-ker*)
Moschee *f* moske (*-er*)
Moskau *n* Moskva *n*
Moskitonetz *n* moskitonet *n* (=)
Moslem *m* muslim
Motel *n* motel *n* (*-ler*)
Motor *m* motor; **~boot** *n* motorbåd (*-e*); **~haube** *f* motorhjelm (*-e*); **~öl** *n* motorolie; **~rad** *n* motorcyk|el (*-ler*); **~roller** *m* scooter (*-e*)
Motte *f* møl *n* (=)
Möwe *f* måge (*-r*)
Mücke *f* myg (=)
Mückenstich *m* myggestik *n* (=)
müd|e træt; **~ *werden*** blive træt; **⁓igkeit** *f* træthed
Mühe *f* besvær *n*; ***sich ~ geben*** gøre sig umage
mühelos uden besvær
Mühle *f* mølle (*-r*)
mühsam møjsommelig
Müll *m* affald *n*; **~abfuhr** *f* renovation; **~auto** *n* skraldebil
Mullbinde *f* gazebind *n*
Müll|eimer *m* skraldespand (*-e*); **~kippe** *f* losseplads; **~tonne** *f* skraldebøtte (*-r*)
Multimedia- multimedie-
multiplizieren gange (***mit*** med)
Mumps *m* fåresyge
Mund *m* mund (*-e*); **~art** *f* dialekt
münden udmunde (***in*** i)
Mundgeruch *m* dårlig ånde
Mundharmonika *f* mundharmonika
mündig myndig
mündlich mundtlig
Mündung *f* munding
Munition *f* ammunition
munter glad; *wach* vågen
Münze *f* mønt
mürbe mør

Mürbeteig *m* mørdej
murmeln mumle
murren brumme
mürrisch gnaven
Mus *m* mos
Muschel *f* musling
Museum *n* muse|um *n* (*-er*)
Musical *n* musical (*-s*)
Musik *f* musik; **≈alisch** musikalsk; **~box** *f* jukeboks (*-e*); **~er(in)** *m(f)* musiker (*-e*); **~hochschule** *f* konservatori|um *n* (*-er*); **~instrument** *n* musikinstrument *n*
Muskatnuss *f* muskatnød (*-der*)
Muskel *m* musk|el (*-ler*); **~kater** *m*: **~ *haben*** være øm i kroppen; **~zerrung** *f* forvridning
muskulös muskuløs
Muslimin *f* muslim
Muss *n*: ***ein* ~** et must
müssen være nødt til; *schwächer* skulle; *moralisch* burde
Muster *n* mønst|er *n* (*-re*); *Hdl* vareprøve; **≈gültig** forbilledlig
mustern undersøge; *Muster geben* mønstre
Mut *m* mod *n*
mutig modig
Mutter *f* mor (*mødre*); *Tech* møtrik (*-ker*)
mütterlich moderlig
Muttermal *n* modermærke *n* (*-r*)
Muttersprache *f* modersmål *n*
mutwillig med vilje (*nachgestellt*); ***~e Zerstörung*** hærværk
Mütze *f* hue (*-r*); *mit Schirm* kasket
mysteriös mystisk
Mythologie *f* mytologi
Mythos *m* myte

N

Nabel *m* navle; **~schnur** *f* navlestreng
nach efter; **~ *Kopenhagen*** til København; **~ *dem Essen*** efter maden; **~ *und* ~** lidt efter lidt; **~ *wie vor*** som altid
nachahm|en efterligne; **≈ung** *f* efterligning
Nachbar|(in) *m(f)* nabo; **~schaft** *f* nabolag *n*
nachbestellen efterbestille
Nachbildung *f* efterligning
nachdem efter at; ***je* ~, *ob*** alt efter om
nachdenken tænke (***über*** over)
nachdenklich eftertænksom
nacheifern efterligne
nacheinander efter hinanden
Nacherzählung *f* genfortælling
Nachfahr|e *m*, **~in** *f* efterkommer (*-e*)
Nachfolger(in) *m(f)* efterføl-

ger (*-e*)
nachforschen efterforske
Nachforschung *f* efterforskning
Nachfrage *f Hdl* efterspørgsel (***nach*** efter)
nachfüllen fylde efter
nachgeben give efter
Nachgebühr *f* strafporto
nachgehen følge efter; *Beruf* beskæftige sig med; *Uhr* gå for langsomt
Nachgeschmack *m* eftersmag (***von*** af)
nachgiebig eftergivende
nachhaltig vedvarende
nachher bagefter
Nachhilfeunterricht *m* lektiehjælp
nachholen indhente
nachkommen følge efter
Nachkommenschaft *f* efterkommere *pl*
Nachkriegszeit *f* efterkrigstid
Nachlass *m Hdl* rabat (*-ter*); *Erbe* arv; *Lit etc* efterladte papirer *pl*
nachlassen *Wetter* tage af; *Schmerz* blive mindre
nachlässig sjusket
nach|laufen løbe efter; **~liefern** eftersende; **~lösen** *Fahrkarte* købe i toget, bussen *etc*
nachmachen efterligne
Nachmittag *m* eftermiddag; ***am ~***, **⁀s** om eftermiddagen
Nachmittagskaffee *m* eftermiddagskaffe
Nachnahme *f* efterkrav *n*; ***gegen ~*** pr. efterkrav
Nach|name *m* efternavn *n* (*-e*); **~porto** *n* strafporto; **⁀prüfen** kontrollere; **~prüfung** *f* kontrol (*-ler*); **⁀rechnen** regne efter
Nachricht *f* oplysning
Nachrichten *pl* nyheder *pl*; **~agentur** *f* nyhedsbureau *n*; **~dienst** *m* efterretningstjeneste; **~sendung** *f* nyhedsudsendelse (*-r*)
nachsagen gentage
Nachsaison *f* eftersæson
Nach|schlagewerk *n* opslagsværk *n*; **~schub** *m Materialien* nye forsyninger *pl*; *Menschen* forstærkninger *pl*; **~sehen** *n* se efter
nachsenden eftersende
Nachsicht *f* overbærenhed (***mit*** med)
nachsichtig overbærende
nächste den, *unpersönlich* det *n*; de *pl* nærmeste; *nachfolgend* næste; ***~ Woche*** i næste uge; ***in den nächsten Tagen*** inden for de næste par dage; ***am nächsten*** nærmest
nachstellen *Uhr* stille tilbage
Nächstenliebe *f* næstekærlighed
nächstens snart
Nacht *f* nat (*nætter*); ***gute ~!*** godnat!; ***in der ~*** om natten
Nachtarbeit *f* natarbejde *n*
Nachtdienst *m* nattevagt
Nachteil *m* ulempe (*-r*); *Schaden* skade (*-r*); ***im ~*** forfor-

delt
nachteilig ufordelagtig
Nacht|falter *m* natsværmer (*-e*); **~frost** *m* nattefrost; **~hemd** *n Dame* natkjole
Nachtigall *f* nattergal (*-e*)
Nachtisch *m* dessert
Nacht|leben *n* natteliv *n*; **~lokal** *n* natklub (*-ber*); **~portier** *m* natportier
Nach|trag *m* tilføjelse (*-r*)
nachtragend: **~ *sein*** bære nag
nachträglich senere
Nachtruhe *f* nattero
nachts om natten
Nachtschicht *f* nattevagt *n*
Nachttarif *m* nattakst
Nachttisch *m* natbord *n* (*-e*)
Nachtwächter *m* nattevagt
Nachtzuschlag *m* nattillæg *n* (=)
nachvollzieh|bar forståelig; **~en** forstå
Nach|weis *m* påvisning; **≗weisen** vise; **~wirkung** *f* eftervirkning
Nachwuchs *m Kinder* børn *pl*; *fachlich* nye kræfter *pl*
nachzahlen efterbetale
nachzählen tælle efter
Nachzahlung *f* efterbetaling
Nachzügler(in) *m(f)* efternøler (*-e*)
Nacken *m* nakke; **~stütze** *f* nakkestøtte (*-r*)
nackt nøgen; *kahl* bar
Nacktbadestrand *m* nudiststrand (*-e*)
Nadel *f* nål (*-e*); **~baum** *m* nåletræ *n*; **~öhr** *n* nåleøje *n*; **~wald** *m* nåleskov (*-e*)
Nagel *m* søm *n* (=); *Anat* negl (*-e*); **~bürste** *f* neglebørste (*-r*); **~feile** *f* neglefil (*-e*)
Nagellack *m* neglelak; **~entferner** *m* neglelakfjerner
Nagelschere *f* neglesaks (*-e*)
Nagetier *n* gnaver (*-e*)
nahe nær; **~ *bei*** tæt ved; **~ *liegend*** nærliggende
Nähe *f* nærhed (*a fig*); ***in der ~ (von)*** i nærheden (af)
nähen sy
näher nærmere
nähern: ***sich ~*** nærme sig
nahezu nærmest
Näh|garn *n* sytråd; **~maschine** *f* symaskine (*-r*); **~nadel** *f* synål (*-e*)
nahrhaft nærende
Nahrung *f* næring
Nahrungsmittel *pl* næringsmidler *pl*
Nährwert *m* næringsindhold *n*
Naht *f* søm (*-me*)
nahtlos sømløs; *fig* umiddelbar
Nahverkehr *m* nærtrafik
Name *m* navn *n* (*-e*); ***mein ~ ist ...*** mit navn er ...
namens ved navn
namentlich ved navn; *besonders* især
namhaft væsentlig
nämlich nemlig
Napf *m* skål (*-e*)
Narb|e *f* ar *n* (=); **≗ig** arret
Narkose *f* narkose
Narr *m*, **Närrin** *f* nar (*-re*)

närrisch fjollet
Narzisse *f* påskelilje (*-r*)
naschen slikke
Nase *f* næse (*-r*)
Nasen|bluten *n* næseblod *n*; **~loch** *n* næsebor *n* (=); **~schleim** *m* F snot
Nasentropfen *pl* næsedråber *pl*
Nashorn *n* næsehorn *n* (=)
nass våd; **~ machen** gøre våd; **~ werden** blive våd
Nässe *f* fugtighed
nasskalt råkold
Nassschnee *m* sjap
Nation *f* nation
national national
National|elf *f* fodboldlandshold *n* (=); **~hymne** *f* nationalsang (*-e*)
National|ismus *m* nationalisme; **~ität** *f* nationalitet; **~mannschaft** *f* landshold *n* (=); **~park** *m* nationalpark; **~tracht** *f* nationaldragt
Natter *f* snog (*-e*)
Natur *f* natur; **ꕸgetreu** naturtro; **~katastrophe** *f* naturkatastrofe (*-r*)
natürlich naturlig; *adv* naturligvis
Naturschutzgebiet *n* fredet område *n*
n.Chr. (*nach Christus*) e.Kr. (*efter Kristus*)
Nebel *m* tåge
Nebelscheinwerfer *m* tågelys
neben, **~an** ved siden af
nebenbei herudover
Nebenbeschäftigung *f* bijob *n*
nebeneinander ved siden af hinanden
Nebeneinkünfte *pl* ekstraindtægt
Nebenfach *n* sidefag *n* (=)
Neben|fluss *m* biflod; **~kosten** *pl* ekstraudgifter *pl*; **~raum** *m* værelse *n* ved siden af; **~sache** *f* (en) biting
Neben|straße *f* sidegade (*-r*); **~verdienst** *m* biindtægt; **~wirkung** *f* bivirkning
neblig tåget
necken drille
Neffe *m* nevø
negativ *n* negativ
Negativ *n* negativ *n*
Negerkuss *m* flødebolle (*-r*)
nehmen tage; ***Platz*** **~** tage plads; ***sich Zeit*** **~** tage sig tid
Neid *m* misundelse
neidisch misundelig (***auf*** på)
neigen bøje; **~ *zu*** være tilbøjelig til; ***sich*** **~** bukke sig; *senken* hælde
Neigung *f* hældning; *fig* tilbøjelighed
nein nej; **~ *danke!*** nej tak!
Nelke *f* nellike (*-r*)
nennen kalde; *erwähnen* nævne
nennenswert nævneværdig
Nenn|er *m* nævner; **~form** *f* navnemåde (***in der*** i)
Neonröhre *f* lysstofrør *n* (=)
Nerv *m* nerve (*-r*)
Nervenzusammenbruch *m* nervesammenbrud *n*

nervös nervøs
Nervosität *f* nervøsitet
Nerz *m* mink (=)
Nest *n* rede (*-r*)
nett sød; *Dinge etc* dejlig
Netz *n* net *n* (*a EDV*); **~anschluss** *m* strømtilslutning; **~karte** *f* netkort *n* (=)
neu ny; ***von ~em, ≗em*** forfra
Neuankömmling *m* nytilkommen (*-komne*)
Neubau *m* nybygning
Neuerung *f* fornyelse (*-r*)
Neugier *f* nysgerrighed
neugierig nysgerrig (***auf*** efter)
Neu|heit, **~igkeit** *f* nyhed
Neujahr *n* nytår *n*; ***prosit ~!*** godt nytår!
neulich for nylig
Neumond *m* nymåne
neun ni; **≗** *f* nital *n* (*-ler*)
neutral neutral
Neuwagen *m* ny bil
Newsletter *m* nyhedsbrev (*-e*)
nicht ikke; ***~ mehr*** ikke mere; ***~ wahr?*** ikke (sandt)?
Nichte *f* niece (*-r*)
nichtig ugyldig
Nichtraucher(in) *m(f)* ikkeryger (*-e*)
nichts ikke noget
nicken nikke
Nickerchen *n* lur (***machen*** tage)
nie aldrig; ***noch ~*** aldrig; ***~ wieder*** aldrig mere
nieder ned; **~brennen** brænde ned; **~geschlagen** nedslået; **~knien** knæle
Niederlage *f* nederlag *n* (=) (***erleiden*** lide)
Niederlande: ***die~*** *pl* Holland *n*
niederlassen: ***sich ~*** slå sig ned
Niederschlag *m* *Wetter* nedbør
niedlich yndig
niedrig lav
Niedriglohn *m* lav løn; **~-** lavtlønns-
niemals aldrig
niemand ingen
Niere *f* nyre (*-r*)
Nierenstein *m* nyresten (=)
nieseln støvregne
niesen nyse
Niete *f* nitte (*-r*) (*a Tech*)
nikotinarm nikotinfattig
Nilpferd *n* flodhest (*-e*)
nippen nippe til
Nipp|es, **~sachen** *pl* nips *pl*
nirgends ingen steder
Nische *f* niche (*-r*)
noch endnu; ***~ immer*** stadig; ***~ etwas?*** ellers noget?
nochmals endnu en gang
Nonne *f* nonne (*-r*)
Norden *m* nord; ***der~*** *Skandinavien* Norden *n*
nördlich nordlig; ***~ von*** nord for
Nordlicht *n* nordlys *n*
nordöstlich nordøstlig; ***~ von*** nordøst for
Nordpol *m* nordpol
Nordsee *f*: ***die~*** Nordsøen
Nordseite *f* nordside
nordwestlich nordvestlig; **~**

von nordvest for
Nordwind *m* nordenvind
Norm *f* norm
normal normal
Normalbenzin *n* almindelig benzin
normalisieren normalisere
Norweg|en Norge; **~er(in)** *m(f)* nordmand (*-mænd*); **2isch** norsk
Not *f* nød; ***zur*** **~** til nød; **~** ***leidend*** nødlidende
Not|arzt *m*, **~ärztin** *f* vagtlæge; *Einsatz* ambulance
Not|ausgang *m* nødudgang (*-e*); **~beleuchtung** *f* nødbelysning; **~bremse** *f* nødbremse (*-r*) (***ziehen*** trække i)
notdürftig nødtørftig
Note *f Mus* node (*-r*); *Schule* karakter
Notfall *m* nødstilfælde *n*
notfalls i nødstilfælde
notieren notere
nötig nødvendig; ***es ist*** (***nicht***) **~** det er (ikke) nødvendigt; ***falls*** **~** om nødvendigt
nötigen nøde
Notiz *f* notits; *pl* **~en** notater (***machen*** tage); **~buch** *n* notesbog (*-bøger*)
Not|landung *f* nødlanding; **~ruf** *m Tel* nødopkald *n*; **~rufsäule** *f* nødtelefon; **~signal** *n* nødsignal *n*; **~wehr** *f* nødværge *n* (***aus*** i)
notwendig nødvendig
Nougat *m* nougat
Novelle *f* novelle (*-r*)
November *m* november; ***im*** **~** i november
nüchtern *ernst* nøgtern; *nicht betrunken* ædru; ***auf*** **~*****en Magen*** på tom mave
Nuckel *m* sut (*-ter*)
nuckeln sutte (***an*** på)
Nudeln *pl* nudler *pl*
Nugat *m* nougat
null nul; ***eins zu*** **~** et-nul
Null *f* nul *n* (*-ler*); ***unter*** **~** under nul
Nummer *f* num|mer *n* (*-re*)
nummer|ieren nummerere; **2ierung** *f* nummerering
Nummernschild *n* nummerplade (*-r*)
nun nu; ***von*** **~** ***an*** fra nu af; ***was*** **~*****?*** hvad nu?
nur kun; ***nicht*** **~** ikke bare
Nuss *f* nød (*-der*)
Nussknacker *m* nøddeknækker (*-e*)
Nutte *f* F luder (*-e*)
Nutzen *m* nytte
nützen *v/t* bruge; *v/i* hjælpe
nützlich nyttig
nutzlos unyttig
Nylonstrümpfe *pl* nylonstrømper *pl*

O

o.ä. (*oder ähnlich*) e.l. (*eller lignende*)
ob om; **~ ..., ~ ...** det være sig ... eller ...; ***und~!*** det kan du tro!
Obdachlose *m/f* hjemløs (*-e*)
Oberfläche *f* overflade
oberflächlich overfladisk
oberste(r, -s) øverste
Oberteil *n* overdel (*-e*)
obgleich selv om
objektiv objektiv
Objektiv *n* objektiv *n*
Obst *n* frugt; **~baum** *m* frugttræ *n*; **~händler(in)** *m(f)* frugthandler (*-e*); **~messer** *n* frugtkniv (*-e*); **~saft** *m* frugtsaft; **~salat** *m* frugtsalat; **~schale** *f* frugtskål (*-e*)
obwohl selv om; skønt
Ochse *m* okse (*-r*)
Ochsenschwanzsuppe *f* oksehalesuppe
öde øde; *fig* kedelig
oder eller; **~?** ikke?
Ofen *m* ovn (*-e*); **~heizung** *f* ovnfyring
offen åben; ***offene See*** åbent hav (***auf*** på); **~ *lassen*** lade stå åben; **~ *stehen*** stå åben
offen|bar åbenbar; **&heit** *f* åbenhed
offenkundig åbenlys
offensichtlich *adv* tydeligvis
offensiv offensiv
öffentlich offentlig; ***~-rechtlich*** statslig
Öffentlichkeit *f* offentlighed
offiziell officiel
Offizier(in) *m(f)* officer
offline *EDV* off-line
öffnen åbne
Öffner *m* åbner (*-e*)
Öffnung *f* åbning
Öffnungszeiten *pl* åbningstider *pl*
oft tit; ***zu~*** for tit
öfter(s) jævnligt
ohne uden; **~ *weiteres*** uden videre
Ohnmacht *f* afmagt; *Med* besvimelse (*-r*)
ohnmächtig *Med* besvimet
Ohr *n* øre *n* (*-r*)
ohrenbetäubend øredøvende
Ohrenschmerzen *pl* ørepine
Ohrensessel *m* øreklapstol (*-e*)
Ohrfeige *f* lussing
Ohrring *m* ørering (*-e*)
Ökolabel *n* økomærke *n* (*-r*)
Oktober *m* oktober; ***im~*** i oktober
Öl *n* olie
Ölbild *n* oliemaleri *n*
ölen smøre
Öl|farbe *f* oliemaling; **~fass** *n* olietønde (*-r*); **~heizung** *f* oliefyring
Olive *f* oliven (=)
Olivenbaum *m* oliventræ *n*

Olivenöl *n* olivenolie
Öl|kanne *f* smørekande *(-r)*; **~sardinen** *pl* sardiner *pl* i olie; **~stand** *m* oliestand; **~wechsel** *m* olieskift *n*
olympisch: ***die* 2*en Spiele*** *pl* de Olympiske Lege
Oma *f* bedstemor *(-mødre)*
Omelett *n* omelet *(-ter)*
Omnibus *m* bus *(-ser)*; **~bahnhof** *m* busholdeplads
Onkel *m* onk|el *(-ler)*
online *EDV* on-line
Oper *f* opera
Operation *f* operation
Operette *f* operette *(-r)*
operieren operere; ***sich ~ lassen*** blive opereret
Opernhaus *n* operahus *n (-e)*
Opernsänger(in) *m(f)* operasanger *(-e)*
Opfer *n* of|fer *n (-re)*
opfern ofre
Opposition *f* opposition
Optiker(in) *m(f)* optiker *(-e)*
Optimist(in) *m(f)* optimist
orange orange
Orange *f* appelsin
Orangen|saft *m* appelsinjuice; **~schale** *f* appelsinskal *(-ler)*
Orchester *n* orkest|er *n (-re)*
Orchidee *f* orkidé *(orkideer)*
Orden *m* orden; **2tlich** ordentlig
ordnen ordne
Ordner *m Mappe* ringbind *n* (=)
Ordnung *f* orden; *Ordnen* ordning
Organ *n* organ *n*
Organisation *f* organisation
organisieren organisere
Organspender(in) *m(f)* organdonor
Orgasmus *m* orgasme
Orgel *f* org|el *(-ler)*
orientalisch orientalsk
orientieren: ***sich ~*** orientere sig (***an*** efter)
Orientierung *f* orientering
Original *n* original
originell original
Ort *m* sted *n*; ***vor ~*** på stedet
orten opfange
örtlich lokal
Orts- lokal-
Ortschaft *f* lille by
Ortsgespräch *n* indenbys samtale *(-r)*
ostdeutsch østtysk; **2land** *n* Østtyskland *n*
Osten *m* øst; ***der Nahe ~*** Mellemøsten; ***nach ~*** mod øst; ***von ~*** østfra
Osterei *n* påskeæg *n* (=)
Osterglocke *f Bot* påskelilje *(-r)*
Osterhase *m* påskehare *(-r)*
Ostern *n* påske (***zu*** til)
Österreich *n* Østrig *n*
Österreicher(in) *m(f)* østriger *(-e)*
östlich østlig; ***~ von*** øst for
Ostsee *f*: ***die ~*** Østersøen
Ostwind *m* østenvind
Otter *m* odder *(-e)*
outen: ***sich ~*** komme ud af skabet
oval oval

Overall *m* overall (*-s*)
Ozean *m* ocean *n*
Ozon *n* ozon; **~loch** *n* hul *n* i ozonlaget; **~schicht** *f* ozonlag *n*

P

paar: ***ein*** **~** ... et par ...; ***ein*** **~** ***Mal*** et par gange
Paar *n* par *n* (=)
Päckchen *n* småpakke
pack|en pakke; **&papier** *n* indpakningspapir *n*
Packung *f* pakke (*-r*)
Pad *n* svamp (*-e*)
Pädagog|e *m*, **~in** *f* pædagog
Paddel *n einblättrig* pad|del (*-ler*); *zweiblättrig* pagaj; **~boot** *n* kajak (*-ker*) (***fahren*** sejle i)
paddeln padle
Paket *n* pakke (*-r*)
Paketannahme *f* pakkeindlevering
Paketausgabe *f* pakkeudlevering
Paketkarte *f* adressekort *n* (=)
Palast *m* palads *n*
Palme *f* palme (*-r*)
Palmsonntag *m* palmesøndag (***am*** -)
Panflöte *f* panfløjte (*-r*)
Paniermehl *n* rasp
paniert paneret
Panik *f* panik; ***in*** **~** ***ausbrechen*** gå i panik
Panne *f* uheld *n* (=); *Kfz* motorstop *n* (=)
Pannenhilfe *f* autohjælp
Panoramablick *m* panoramaudsigt
Pantoffel *m* tøf|fel (*-ler*)
Panzer *m* panser *n*; *Wagen* kampvogn (*-e*); **~glas** *n* panserglas *n*; **~schrank** *m* pengeskab *n* (*-e*)
Papa *m* F far
Papagei *m* papegøje (*-r*)
Papi *m* F far
Papier *n* papir *n*
Papiere *pl* papirer *pl*
Papierkorb *m* papirkurv (*-e*)
Papiertüte *f* papirspose (*-r*)
Papierwaren *pl* kontorartikler *pl*
Pappbecher *m* papbæger (*-e*)
Pappe *f* pap *n*
Pappel *f* pop|pel (*-ler*)
Pappkarton *m* papæske (*-r*)
Pappteller *m* paptallerk|en (*-ner*)
Paprika *m Pulver* paprika; *Frucht* peberfrugt; **~schote** *f* peberfrugt
Papst *m* pave (*-r*)
Parabolantenne *f* parabolantenne (*-r*)
Paradeiser *m österr* tomat
Paradies *n* paradis *n*
paradox paradoksal
Paragraph *m* paragraf (*-fer*)
Parallele *f* parallel (*-ler*)
Parallelstraße *f* parallelvej

(*-e*)
Pärchen *n* (ungt) par *n*
Parfüm *n* parfume (*-r*)
Parfümerie *f* parfumeforretning
Park *m* park
parken parkere
Parkett *n* parket *n*
Park|gebühr *f* parkeringsafgift; **~haus** *n* parkeringshus *n* (*-e*); **~lücke** *f*, **~platz** *m* (ledig) parkeringsplads; **~scheibe** *f* p-skive (*-r*); **~uhr** *f* parkomet|er *n* (*-re*); **~verbot** *n* parkeringsforbud *n*
Parlament *n* parlament *n*; ***das dänische ~*** Folketinget
Parodie *f* parodi (***auf*** på)
Partei *f* parti *n*; *Jur* part; **~führer(in)** *m*(*f*) partifor|mand (*-mænd*); **~genosse** *m* partifælle (*-r*); **2los** partiløs; **~tag** *m* landsmøde *n*; *Diktatur* partikongres
Parterre *n* stueetage
Partie *f* parti *n*
Partizip *n* participium; tillægsform
Partner(in) *m*(*f*) partner (*-e*)
Party *f* fest; ***~ machen*** holde (en) fest
Pass *m* pas *n* (=) (*a Berg-*)
Passage *f* passage (*-r*)
Passagier *m* passager
Passant *m* forbipasserende (=)
Passbild *n* pasbillede *n* (*-r*)
passen passe (***zu*** til); **~d** passende
passieren passere; *geschehen* ske
Passionszeit *f* påske
Passiv *n* passiv; **~rauchen** *n* passiv rygning
Passkontrolle *f* paskontrol
Passwort *n EDV* password *n* (*-s*)
Pastete *f* postej
pasteurisiert pasteuriseret
Pastor(in) *m*(*f*) pastor
Pate *m* fadder (*-e*); ***~ stehen bei*** stå bag
Patenkind *n* gud|barn *n* (*-børn*)
Patent *n* patent *n*
Patient(in) *m*(*f*) patient
Patin *f* gud|mor (*-mødre*)
Patrone *f* patron
patzig fræk
Pauke *f* pauke (*-r*)
pauschal *adj* generel; *adv* alt medregnet
Pauschale *f* engangsbeløb *n* (=)
Pauschalpreis *m* totalpris
Pauschalreise *f* charterrejse (*-r*)
Pause *f* pause (*-r*)
Pausenbrot *n* madpakke
pausenlos uden ophør
Pavillon *m* pavillon
Pay-TV *n* betalingsfjernsyn, pay-tv *n*
Pazifik *m*: ***der ~*** Stillehavet
PC *m EDV* pc (*-'er*)
Pech: ***~ haben*** være uheldig
Pechvogel *m* ulykkesfugl
Pedal *n* pedal
Pediküre *f* pedicure

Pegel *m* vandmåler
peinlich pinlig; **~ *genau*** pinligt nøjagtig
Peitsche *f* pisk
Pelle *f* skræl; *Wurst* skind *n*
Pellkartoffeln *pl* pillekartofler *pl*
Pelz *m* pels (*-e*); **2gefüttert** pelsforet; **~jacke** *f* pelsjakke (*-r*); **~mantel** *m* pels (*-e*); **~mütze** *f* pelshue (*-r*)
Pendelverkehr *m* pendulfart
Penis *m* penis
Pension *f* pension; **~är(in)** *m(f)* pensionist
pensioniert pensioneret
perfekt perfekt
Periode *f* periode (*-r*); *Med* menstruation
Perl|e *f* perle (*-r*); **~enkette** *f* perlekæde (*-r*)
Perl|huhn *n* perlehøn|e (*-s*); **~mutt** *n* perlemor *n*; **~wein** *m* mousserende vin
Person *f* person; ***in ~*** selv (*nachgestellt*); ***für zwei ~en*** for to
Personal *n* personale *n* (*-r*); **~abteilung** *f* personaleafdeling; **~ausweis** *m* i.d. *n*; **~ien** *pl* personoplysninger *pl*; **~leiter(in)** *m(f)* personalechef; **~pronomen** *n* personligt pronomen; personligt stedord *n*; **~rat** *m*, **~rätin** *f* tillidsrepræsentant
Personenfähre *f* passagerfærge (*-r*)
persönlich personlig; **2keit** *f* personlighed
Perücke *f* paryk (*-ker*) (***tragen*** gå med)
pervers pervers; **2ion** *f* perversion
Petersilie *f* persille
Petroleum *n* petroleum; **~lampe** *f* petroleumslampe (*-r*)
Pfad *m* sti; **~finder(in)** *m(f)* spejder (*-e*)
Pfahl *m* pæl (*-e*)
Pfand *n* *Flaschen- etc* pant
Pfandbrief *m* pantebrev *n* (*-e*)
Pfandflasche *f* pantflaske (*-r*)
pfandfrei uden pant
Pfanne *f* pande (*-r*)
Pfannkuchen *m* pandekage (*-r*)
Pfarramt *n* præsteembede *n*
Pfarrer(in) *m(f)* præst
Pfau *m* påfugl (*-e*)
Pfeffer *m* peber; **~kuchen** *m* peberkage (*-r*)
Pfefferminz *f* pebermynte; **~tee** *m* pebermyntete
Pfeffermühle *f* peberkværn (*-e*)
pfeffern strø peber på
Pfeife *f* pibe (*-r*); *Sport etc* fløjte (*-r*)
pfeifen fløjte; *Wind* hyle; **~ *auf*** blæse på
Pfeifentabak *m* pibetobak
Pfeil *m* pil (*-e*)
Pfeiler *m* pille (*-r*)
Pfennig *m* *hist* pfennig (=)
Pferd *n* hest (*-e*)
Pferde|fleisch *n* hestekød *n*; **~rennen** *n* hestevæddeløb

n (=); **~schwanz** *m* hestehale (*a Frisur*); **~stall** *m* hestestald (-*e*); **~stärke** *f* hestekræfter *pl*
Pfiff *m* fløjt *n* (=)
Pfifferling *m* kantarel (-*ler*)
pfiffig kvik
Pfingsten *n* pinse (***zu*** til)
Pfirsich *m* fersk|en (-*ner*)
Pflanze *f* plante (-*r*)
pflanzen plante
Pflanzenöl *n* planteolie
Pflanzenschutzmittel *n* plantebeskyttelsesmiddel *n*
Pflaster *n* brosten *pl*; *Med* plast|er *n* (-*re*)
Pflaume *f* blomme (-*r*)
Pflege *f* pleje; **≈bedürftig** plejekrævende; **~eltern** *pl* plejeforældre *pl*
pflegeleicht *Sache* robust; *Mensch* nem
pflegen pleje
Pfleger(in) *m*(*f*) plejer (-*e*)
Pflicht *f* pligt (***tun*** gøre); **≈bewusst** pligtopfyldende; **~versicherung** *f* obligatorisk forsikring
Pflock *m* pløk (-*ke*)
pflücken plukke
Pflug *m* plov (-*e*)
pflügen pløje
Pförtner(in) *m*(*f*) portner (-*e*)
Pfosten *m* stolpe (-*r*)
Pfote *f* pote (-*r*)
Pfropfen *m* prop (-*per*)
pfui: ***~!*** *zu Kind* fy!; *Missfallen* buh!; *Ekel* føj!
Pfund *n* pund *n* (=); ***ein halbes ~*** et halvt pund
pfusch|en sjuske; **≈er(in)** *m*(*f*) klamphugger (-*e*)
Pfütze *f* pyt (-*ter*)
Phantasie *f* fantasi
phantastisch fantastisk
Photo *n* foto *n* (-*s*)
Physik *f* fysik
Pickel *m Med* bums
Picknick *n* picnic
Piep(s)ton *m Tel* klartone
piercen pierce
Pik *n* spar
pikant pikant
Pille *f* pille (-*r*); *Verhütung* p-pille
Pilot(in) *m*(*f*) pilot
Pils *n Bier* pilsner (-*e*)
Pilz *m* svamp (-*e*) (*a Med*); **~suppe** *f* svampesuppe; **~vergiftung** *f* svampeforgiftning
Pimmel *m* tisse|mand (-*mænd*); V pik (-*ke*)
PIN-Code *m* pinkode (-*r*)
pinkeln tisse
Pinsel *m* pens|el (-*ler*)
Pinzette *f* pincet (-*ter*)
Pistazie *f Geschmack* pistacie; *Nuss* pistacienød (-*der*)
Piste *f Flugw* startbane (-*r*); *Sport* løjpe (-*r*)
Pistole *f* pistol
Pkw *m* (*Personenkraftwagen*) personbil
Plage *f* bøvl *n*
plagen plage; ***sich ~ mit*** kæmpe med
Plakat *n* plakat
Plakette *f* klistermærke *n* (-*r*)
Plan *m* plan; *Übersicht* kort *n*

(=); ***es läuft nach ~*** det går efter planen
Plane *f* presenning
planen planlægge
Planet *m* planet
Planke *f* planke (*-r*)
plan|los tilfældig; **~mäßig** planmæssig
Planschbecken *n* soppebassin *n*
planschen pjaske
Planung *f* planlægning
plärren *lärmen* skråle; *heulen* tude
Plastiktüte *f* plastikpose (*-r*)
platt flad; *fig* plat; ***einen ꝏen haben*** være punkteret
Platte *f* plade (*-r*) (*a Mus*); *Gastr* platte
Plattenspieler *m* pladespiller (*-e*)
Plattform *f* platform (*-e*)
Platz *m* plads; **~angst** *f* klaustrofobi; **~anweiser(in)** *m(f)* kontrollør
platzen springe
Platzkarte *f* pladsbillet (*-ter*)
plaudern sludre (***mit*** med), snakke (***über*** om)
Pleite *f Hdl* fallit (*-ter*); *Misserfolg* fiasko
Plomb|e *f* plombe (*-r*); **ꝏieren** plombere
plötzlich pludselig; *sofort* lige nu
plump klodset
plünder|n plyndre; **ꝏung** *f* plyndring
Plural *m* pluralis; flertal
Plüsch *m* plyds
Plus|punkt *m Spiel* pluspoint *n*; *Positives* plus *n*; **~zeichen** *n* plus *n* (*-ser*)
Po *m* numse (*-r*)
pochen: ***~ auf*** kræve
Pokal *m* pokal; **~endspiel** *n* pokalfinale (*-r*); **~spiel** *n* pokalkamp (*-e*)
Pökelfleisch *n* saltet kød
Polarkreis *m* polarcirkel
Pol|e *m*, **~in** *f* polak (*-ker*)
Police *f Versicherung* police (*-r*)
polier|en polere; **ꝏtuch** *n* pudseklud (*-e*)
Politik *f* politik; **~er(in)** *m(f)* politiker (*-e*)
politisch politisk
Polizei *f* politi *n*; **ꝏlich** politi-; **~präsidium** *n* politigård; **~streife** *f* politipatrulje (*-r*); **~stunde** *f* lukketid
Polizist(in) *m(f)* politibetjent (*-e*)
Polohemd *n* poloskjorte (*-r*)
Polster *n* polstring
poltern buldre; *schimpfen* skælde ud
Pommes frites *pl* pomfritter *pl*
Pony[1] *n* pony
Pony[2] *m* pandehår *n*
Popel *m Nase* busse|mand (*-mænd*); *fig* nar
Popo *m* numse (*-r*)
populär populær
Porno|heft *n* pornoblad *n* (*-e*); **~laden** *m* pornobutik (*-ker*)
porös porøs
Porree *m* porre (*-r*)

Portemonnaie *n* pung (*-e*)
Portier *m* portier
Portion *f* portion
Portmonee *n* pung (*-e*)
Porto *n* porto; **⁓frei** portofri
Porträt *n* portræt *n* (*-ter*)
Porzellan *n* porcelæn *n*
Position *f* position
positiv positiv (***gegenüber*** over for)
Post® *f* post; *Behörde etc* postvæsen *n*; ***per*** **⁓** med posten
Post|amt *n* posthus *n* (*-e*); **⁓anweisung** *f* postanvisning; **⁓beamte(r)** *m*, **⁓beamtin** *f* postassistent; **⁓bote** *m*, **⁓botin** *f* postbud *n* (*-e*); **⁓en** *m* post; **⁓fach** *n* postboks (*-e*); **⁓girokonto** *n* postgirokont|o (*-i*)
Post|karte *f* brevkort *n* (=); *Tourismus* postkort *n* (=); **⁓lagernd** poste restante; **⁓leitzahl** *f* postnum|mer *n* (*-re*); **⁓stempel** *m* poststemp|el *n* (*-ler*)
prägen præge
prahlen prale (***mit*** med)
Praktik|ant(in) *m(f)* praktikant
Praktikum *n* praktik (***machen*** være i)
praktisch praktisk; ***⁓er Arzt*** praktiserende læge
praktizieren praktisere
Praline *f* fyldt slik
prall fast; *Licht* direkte
prallen: **⁓ *gegen, auf*** banke ind i
Prämie *f* præmie (*-r*)
Präsens *n* præsens; nutid
Präservativ *n* kondom *n*
Präsident(in) *m(f)* præsident
Praxis *f* praksis (***in der*** i)
predig|en prædike; **⁓er** *m* præst; **⁓t** *f* prædiken (***halten*** holde)
Preis *m*, **⁓angabe** *f* pris; **⁓ausschreiben** *n* konkurrence (*-r*)
Preiselbeere *f* tyttebær *n* (=)
Preis|empfehlung *f* vejledende pris; **⁓erhöhung** *f* prisstigning; **⁓gekrönt** prisbelønnet; **⁓liste** *f* prisliste (*-r*); **⁓senkung** *f* prisfald *n*; **⁓steigerung** *f* prisstigning; **⁓wert** billig
Presse *f* presse; **⁓konferenz** *f* pressemøde *n* (*-r*)
pressen presse
Pressesprecher(in) *m(f)* tals|mand (*-mænd*)
Pressluft *f* trykluft; **⁓bohrer** *m* trykluftbor *n* (=)
prickeln *Gefühl* kilde; *Wein etc* perle
Priester(in) *m(f)* præst
prima udmærket; **⁓!** fint!
primitiv primitiv
Prinz *m* prins; **⁓essin** *f* prinsesse (*-r*)
Prinzip *n* princip *n* (*-per*); **⁓iell** principiel
Prise *f* *Gastr* knivspids
privat privat
Privat|besitz *m* privateje *n*;

~leben *n* privatliv *n*; **~unterkunft** *f* privat indkvartering
pro pro; *je* pr.
Probe *f* prøve (*-r*) (**auf** på); **~fahrt** *f* prøvetur
proben prøve
probeweise på prøve (*nachgestellt*)
Probezeit *f* prøvetid
probieren prøve; *Gastr* smage
Problem *n* problem *n*; **kein ~!** det er i orden!
Produkt *n* produkt *n*
Produktion *f* produktion
produzieren producere
Professor(in) *m(f)* professor
Profi *m* professionel (*-le*) *adj*
Profil *n* profil
Programm, ~heft *n* program *n* (*-mer*)
programmieren programmere
Programm|ierer(in) *m(f)* programmør; **~zeitschrift** *f* tv-blad *n* (*-e*)
Projekt *n* projekt *n*
Promenade *f* promenade (*-r*)
Promenadenmischung *f* gadekryds *n*
Promille *n* promille
Promillegrenze *f* promillegrænse
prominent prominent
Prominente *m/f* kendt (*-e*)
prompt omgående
prophezeien forudsige
prosit: **~!** skål!
Prospekt *m* folder (*-e*)
prost: **~!** skål!
Prostituierte *f* prostituere|t (*-de*)
Protest *m* protest
Protestant(in) *m(f)* protestant
protestieren protestere (**gegen** mod)
Prothese *f* protese (*-r*)
Protokoll *n* protokol (*-ler*) (**führen** tage)
Proviant *m* proviant
Provinz *f* provins
Provision *f* provision
provisorisch provisorisk
provozieren provokere
Prozent *n* procent
Prozess *m* proces (*-ser*)
prüde snerpet
prüf|en kontrollere; *Schule* eksaminere; **≗ung** *f* kontrol; *Schule* eksamen
Prügel *pl* bank *pl*
prügeln: **sich ~** slås
PS *pl* (*Pferdestärken*) hk *pl* (*hestekræfter*)
Psychiater(in) *m(f)* psykiater (*-e*)
psychisch psykisk
Psych|ologe *m*, **~ologin** *f* psykolog; **≗ologisch** psykologisk
Pubertät *f* pubertet
Publikum *n* publikum *n*
Pudding *m Dessert* budding
Pudel *m* pud|del (*-ler*)
Puder *m* pudder *n*
pudern pudre
Pulli, Pullover *m* pullover (*-e*)
Puls *m* puls
Pulver *n* pulver *n*; *Waffen*

krudt *n*
Pulverschnee *m* puddersne
Pump: ***auf ~*** på kredit
Pumpe *f* pumpe (*-r*)
pumpen pumpe
Punkt *m* punkt *n*; *Gr* punktum (*-mer*); ***auf den ~ bringen*** formulere præcist
pünktlich præcis
Punsch *m* punch
Pupille *f* pupil (*-ler*)
Puppe *f* dukke (*-r*)
pur ren (*vorangestellt*)
Püree *n* puré; *gröber* mos
Purzelbaum *m* kolbøtte (*-r*)
pusten puste
Pute *f* kalkun
putzen pudse; *Zähne* børste
Putz|frau *f* rengøringassistent; **~lappen** *m* rengøringsklud (*-e*); **~mittel** *m* rengøringsmid|del *n* (*-ler*)
Puzzle *n* puslespil *n* (=)
Pyjama *m* pyjamas (*-ser*)
Pyramide *f* pyramide (*-r*)

Q

Quadrat *n* kvadrat *n*; **~meter** *m* kvadratmeter (=); **~wurzel** *f* kvadratrod (***aus*** af)
quaken kvække
Qual *f* plage (*-r*)
quälen pine; ***sich ~ mit*** plage sig selv med
Qualifikationsspiel *n* kvalifikationskamp (*-e*)
Qualität *f* kvalitet
Qualle *f* vand|mand (*-mænd*)
Qualm *m* os; **2en** ose
Quarantäne *f* karantæne (*-r*)
Quark *m* kvark
Quartal *n* kvartal *n*
Quartett *n* kvartet (*-ter*)
Quartier *n* kvarter *n*
Quarz *m* kvarts
quasi nærmest
Quatsch *m* vrøvl *n*
Quecksilber *n* kviksølv *n*
Quelle *f* kilde (*-r*) (*a fig*)
quellen *Wasser* løbe; *schwellen* svulme op
Quellwasser *n* kildevand *n*
quer tværs; ***~ zu*** på tværs af
Quer|flöte *f* tværfløjte (*-r*); **~schnitt** *m* tværsnit *n* (=); **~straße** *f* tværvej (*-e*)
quetsch|en mase; **2ung** *f* kvæstelse (*-r*)
Queue *m/n* billardkø
quieken pibe
quietschen knirke; *Reifen* hvine
Quirl *m* piskeris *n* (=)
quirlen piske
quitt: ***~ sein*** være kvit
Quittung *f* kvittering
Quiz *n* quiz; **~sendung** *f* fjernsynsquiz (*-zer*)

R

Rabatt *m* rabat (*-ter*)
Rabe *m* ravn (*-e*)
Rache *f* hævn (***für*** for); **~ *nehmen an*** hævne sig på
Rachen *m Anat* svælg *n*; *Zo etc* gab *n*
rächen hævne (***sich*** sig; ***an*** på)
Rad *n* hjul *n* (=); *Fahrrad* cykel (*cykler*); **~ *fahren*** cykle; **~fahrer(in)** *m(f)* cyklist
radieren viske ud; *Kunst* radere
Radiergummi *m* viskelæder *n* (*-e*)
Radieschen *n* radise (*-r*)
Radio *n* radio; **~rekorder** *m* kassetteradio; **~sender** *m* radiosender (*-e*); **~sprecher(in)** *m(f)* radiospeaker (*-e*)
Radius *m* radi|us (*-ser*)
Rad|kappe *f* hjulkaps|el (*-ler*); **~lerhose** *f* cykelbukser *pl*; **~rennen** *n* cykelløb *n* (=); **~tour** *f* cykeltur (*-e*); **~weg** *m* cykelsti
Ragout *n* ragout
Rahm *m* fløde
rahmen indramme
Rahmen *m* ramme (*-r*); *Fahrrad* stel *n*; ***im* ~ *des Projekts*** inden for rammerne af projektet; **~programm** *n* ekstraprogram *n*
Rahmkäse *m* flødeost
Rakete *f* raket (*-ter*)
Rampe *f* rampe (*-r*)
Ramsch *m* bras *n*
Rand *m* kant; *Gefäß* rand; ***am Rande*** *fig* i parentes
randalieren lave ballade
Randbemerkung *f* randbemærkning
Randgebiet *n* periferi
randvoll fyldt til randen (*nachgestellt*)
Rang *m* rang; *Thea* balkon
Ranzen *m* skoletaske (*-r*)
ranzig harsk
rappen rappe
Rapper(in) *m(f)* rapper (*-e*)
rar sjælden
Rarität *f* sjældenhed
rasch hurtig
rascheln rasle (***mit*** med)
rasen *Auto usw* suse; *wütend sein* være ude af sig selv
Rasen *m* græsplæne (*-r*)
Rasen|fläche *f* græsplæne (*-r*); **~mäher** *m* græsslåmaskine (*-r*)
Rasier|apparat *m* barbermaskine (*-r*); **~creme** *f* barbercreme
rasieren barbere (***sich*** sig)
Rasier|klinge *f* barberblad *n* (*-e*); **~messer** *n* barberkniv (*-e*); **~pinsel** *m* barberkost (*-e*); **~schaum** *m* barberskum *n*; **~wasser** *n* barbervand *n*

Raspel *f* rasp
Rasse *f* race (*-r*)
Rassendiskriminierung *f* racediskrimination
rassig temperamentsfuld
Rassist|(in) *m(f)* racist; **~isch** racistisk
Rast *f* pause; ***~ machen, ~en*** holde hvil; **~platz** *m*, **~stätte** *f* rasteplads
Rat *m* råd *n* (=) (*a Gremium*); ***um ~ fragen*** spørge til råds
Rate *f* rate (*-r*); ***in Raten*** på afbetaling
raten *helfen* råde (***zu*** til); *versuchen* gætte
ratenweise i rater (*nachgestellt*)
Ratenzahlung *f* ratebetaling
Ratgeber *m* rådgiver (*-e*)
Rathaus *n* rådhus *n* (*-e*)
rat|los rådvild; **~sam** tilrådelig
Ratschlag *m* råd *n* (***erteilen*** give)
Rätsel *n* gåde (*-r*); **~haft** mystisk
Ratte *f* rotte (*-r*)
Ratten|gift *n* rottegift; **~schwänzchen** *n* rottehale (*-r*)
rau *uneben* ru; *Klima* rå; *Stimme* rusten
Raub *m* røveri *n*; *Beute* rov *n*; **~en** røve
Räuber *m* røver (*-e*)
Raub|kopie *f* piratkopi; **~tier** *n* rovdyr *n* (=); **~vogel** *m* rovfugl (*-e*)
Rauch *m* røg; **~abzug** *m* emhætte (*-r*)
rauchen ryge; ***~ verboten!*** rygning forbudt!
Raucher(in) *m(f)* ryger (*-e*)
Räucheraal *m* røget ål
Raucherabteil *n* rygekupé
Räucher|ei *f* røgeri *n*; **~lachs** *m* røget laks
räuchern røge
Räucherspeck *m* bacon
rauchfrei røgfri
rauchig tilrøget
Rauchverbot *n* rygeforbud *n*
Rauchwolke *f* røgsky
raufen, *sich ~* slås
Rauferei *f* slagsmål *n* (=)
rauh → ***rau***
Raum *m* rum *n* (=)
räumen rydde; *verlassen* forlade
Raumgestalter(in) *m(f)* indendørsarkitekt
räumlich rummelig; rumlig; **~keiten** *pl* lokaler *pl*
Raumschiff *n* rumskib *n* (*-e*)
Räumung *f* rydning; *Verlassen* rømning
Raupe *f Zo* larve (*-r*); *Fahrzeug* bælte (*-r*)
Raupenfahrzeug *n* bæltekøretøj *n*
Raureif *m* rimfrost
Rausch *m* rus
rauschen bruse; *fließen* fosse
Rausch|gift *n* narkotika; **~giftsüchtige** *m/f* narkoman
räuspern: ***sich ~*** rømme sig
reagieren reagere (***auf*** på)
real reel (*-le*)

reali|stisch realistisk; **♀tät** *f* realitet
Rebe *f* vinranke (*-r*)
Rebhuhn *n* agerhøn|e (*-s*)
Rechen *m* rive (*-r*)
Rechenaufgabe *f* regnestykke *n* (*-r*)
Rechenfehler *m* regnefejl (=)
Rechenmaschine *f* regnemaskine (*-r*)
Rechenschaft *f* regnskab *n*; **~ ablegen über** gøre rede for; **zur ~ ziehen** gøre ansvarlig
rechnen regne (**mit** med)
Rechner *m EDV* computer (*-e*)
Rechnung *f* regning
Rechnungs|prüfer(in) *m(f)* revisior; **~prüfung** *f* revision
recht *richtig* rigtig; **zur ♀en** på højre side; **zur ~en Zeit** rettidigt
Recht *n* ret; *Privileg* rettighed; **~ behalten** få ret; **~ haben** have ret; **im ~ sein** have ret
Rechte *f* højrefløj
Rechteck *n* firkant; **♀ig** firkante|t (*-de*)
recht|fertigen retfærdiggøre; **♀fertigung** *f* retfærdiggørelse; **~haberisch** påståelig
rechtlich retslig
rechtmäßig retmæssig
rechts til højre
rechts- *Richtung* højre
Rechtsabbieger *m* en som drejer til højre
Rechtsan|walt *m*, **~wältin** *f* advokat
Rechtschreib|fehler *m* stavefejl (=); **~reform** *f* retskrivningsreform; **~ung** *f* retskrivning; **~wörterbuch** *n* retskrivningsord|bog (*-bøger*)
rechts|händig højrehånde|t (*-de*); **~herum** mod højre
Rechtshilfe *f* retshjælp
rechtskräftig retsgyldig
Rechts|kurve *f* højresving *n*; **~verkehr** *m* højrekørsel
rechtswidrig ulovlig
rechtwinklig retvinkle|t (*-de*)
rechtzeitig rettidig (*-e*)
recken strække (**sich** sig)
Recycling *n* genbrug
Redakteur(in) *m(f)* redaktør
Redaktion *f* redaktion
Rede *f* tale (*-r*) (**halten** holde)
reden tale
Rede|nsart *f* talemåde (*-r*); **~wendung** *f* talemåde (*-r*)
Redner(in) *m(f)* taler (*-e*)
redselig snakkesalig
reduzieren reducere (**um** med; **auf** til)
Reederei *f* rederi *n*
reell reel (*-le*)
Referat *n* oplæg *n* (**halten** holde)
reflektieren reflektere (**über** over)
Reform *f* reform; **~haus** *n* helsebutik (*-ker*); **~kost** *f* helsekost
Regal *n* reol
rege livlig
Regel *f* reg|el (*-ler*)
regelmäßig regelmæssig

regel|n ordne; *System etc* regulere; **~recht** regulær; **≗ung** *f* ordning
Regen *m* regn; **~bogen** *m* regnbue (*-r*)
regendicht regntæt
Regen|mantel *m* regnfrakke (*-r*); **~schauer** *m* regnbyge (*-r*); **~schirm** *m* paraply; **~wasser** *n* regnvand *n*; **~wetter** *n* regnvejr *n*; **~wurm** *m* regnorm (*-e*)
Regie *f Film etc* instruktion; **~ *führen*** instruere (***beim Film*** filmen)
regier|en regere; **≗ung** *f* regering
Region *f* region
regional regional
Regisseur(in) *m(f)* instruktør
registrieren registere (***als*** som)
regnen regne; ***es regnet*** det regner
regnerisch regnfuld
regungslos ubevægelig
Reh *n* rådyr *n* (=)
Reibeisen *n* rivejern *n* (=)
reiben *Gastr etc* rive; *Widerstand* gnide
Reibereien *pl* problemer *pl*
Reibung *f* gnidning
reibungslos gnidningsløs
reich rig (***an*** på); **≗** *n* rige *n* (*-r*)
reichen *geben* række; nå (***bis*** til); ***es reicht*** det er nok (***für*** til)
reichlich rigelig
Reichtum *m* rigdom (*-me*)
Reichweite *f* rækkevidde (***in*** inden for)
reif moden
Reife *f* modenhed
reifen modnes
Reifen *m Arm- etc* ring (*-e*); *Kfz* dæk *n* (=); **~druck** *m* dæktryk *n*; **~panne** *f* punktering; **~wechsel** *m* hjulskift *n*
Reifezeugnis *n* studentereksamensbevis *n*
Reihe *f* række (*-r*); ***der ~ nach*** i rækkefølge; ***du bist an der ~*** det er din tur
Reihenfolge *f* rækkefølge
Reihenhaus *n* rækkehus *n* (*-e*)
Reim *m* rim
reimen: ***sich ~*** rime
rein ren; **~emachen** gøre rent
Reinfall *m* fiasko (*-er*)
reinigen gøre ren; *systematisch* rense
Reinigung *f* rengøring; *Laden* renseri; ***chemische ~*** rensning
Reinigungscreme *f* rensecreme
reinlich renlig
Reis *m* ris
Reise *f* rejse (*-r*); ***gute ~!*** god rejse!; **~begleiter(in)** *m(f)* rejseledsager; **~büro** *n* rejsebureau *n*; **~führer** *m Buch* guidebog; **~gepäckversicherung** *f* bagageforsikring; **~kosten** *pl* rejseudgifter *pl*; **~leiter(in)** *m(f)* rejseleder (*-e*)

reisen rejse
Reisende *m/f* rejsende
Reise|pass *m* pas *n* (=); **~route** *f* rejserute; **~scheck** *m* rejsecheck (*-s*); **~tasche** *f* rejsetaske; **~veranstalter** *m* rejsearrangør; **~versicherung** *f* rejseforsikring; **~ziel** *n* rejsemål *n*
Reißbrett *n* tegnebræt *n*
reißen *v/t* rive; *v/i* gå i stykker
Reiß|verschluss *m* lynlås (*-e*); **~wolf** *m* makulator; **~zwecke** *f* tegnestift
reiten ride
Reit|er(in) *m(f)* rytter (*-e*); **~stiefel** *pl* ridestøvler *pl*; **~weg** *m* ridesti
Reiz *m Einfluss* påvirkning; *Anziehung* tiltrækning; *Schönheit* ynde
reizen *anregen* påvirke; *aufregen* ægge; *ärgern* irritere
reizend sød
Reiz|husten *m* tør hoste; **~wäsche** *f* frækt undertøj *n*
Reklam|ation *f* reklamation; **~ieren** reklamere
Rekord *m* rekord
Rekordzeit *f*: ***in ~*** på rekordtid
Rekrut(in) *m(f)* rekrut (*-ter*)
relativ relativ
Relief *n* relief *n* (*-fer*)
Religi|on *f* religion; **~ös** religiøs
Reling *f* ræling
Renn|bahn *f* væddeløbsbane; **~boot** *n* racerbåd
rennen løbe; **~en** *n* løb *n* (=)
Rennwagen *m* racerbil
renovieren renovere
Rente *f* pension; ***in ~ gehen*** gå på pension
Rentier *n* rensdyr *n* (=)
Rentner(in) *m(f)* pensionist
Reparatur *f* reparation; ***in ~ geben*** sende til reparation; **~werkstatt** *f* værksted *n*
reparieren reparere
Report|age *f* reportage (*-r*); **~er(in)** *m(f)* reporter (*-e*)
Reproduktion *f* reproduktion
Republik *f* republik (*-ker*)
Reserve *f* reserve (*-r*); **~rad** *n* reservehjul *n* (=); **~tank** *m* reservetank (*-e*)
reservieren reservere
reserviert reserveret
Reservierung *f* reservering
Respekt *m* respekt (***vor*** for)
respektieren respektere
Rest *m* rest
Restaurant *n* restaurant
Rest|betrag *m* restbeløb *n*; **~los** fuldstændig; **~müll** *m* ikke-genanvendeligt affald *n*
Retortenbaby *n* reagensglas|barn *n* (*-børn*)
retten redde
Retter(in) *m(f)* redningsmand
Rettung *f* redning
Rettungs|boot *n* redningsbåd (*-e*); **~dienst** *m* redningsvæsen *n*; **~mannschaft** *f* redningsmandskab *n*; **~ring** *m* redningsbælte *n*; **~station** *f* redningsstation; **~weste** *f* redningsvest
Reue *f* anger

revanchieren: ***sich ~*** tage revanche
Revolver *m* revolver (*-e*)
Rezension *f* anmeldelse (*-r*)
Rezept *n Med* recept; *Gastr* opskrift; **℞frei** receptfri; **℞pflichtig** receptpligtig
Rhabarber *m* rabarber (=)
Rhein *m*: ***der ~*** Rhinen
rheinisch rhinsk
Rheuma *n* gigt; **~tiker(in)** *m(f)* gigtpatient
Rhythmus *m* rytme (*-r*)
Ribisel *f österr* ribs *n* (=); ***Schwarze ~*** solbær *n* (=)
richten rette; ***sich ~ nach*** rette sig efter
Richter(in) *m(f)* dommer (*-e*)
richtig rigtig; ***~ stellen*** berigtige
Richtlinien *pl* retningslinjer *pl*
Richtung *f* retning
riechen lugte (***an*** til); ***gut ~*** lugte godt
Riegel *m* slå
Riemen *m* rem (*-me*)
Riese *m* kæmpe (*-r*)
rieseln risle
riesengroß kæmpestor
Riesenrad *n* pariserhjul *n*
riesig enorm
Riesin *f* kæmpe (*-r*)
Riff *n* rev *n* (=)
Rille *f* rille (*-r*)
Rind *n* kvæg; *Gastr* okse *n*
Rinde *f* bark; *Gastr* skorpe (*-r*)
Rinderbraten *m* oksesteg
Rindfleisch *n* oksekød *n*
Ring *m Schmuck* ring (*-e*); *Kreis* cirkel
Ringfinger *m* ringfinger
rings(her)um rundt omkring
rinnen løbe
Rinnstein *m* rendesten
Rippchen *n Gastr* revelsben *pl*
Rippe *f* ribben *n* (=)
Risiko *n* risiko; ***ohne ~***, **℞los** uden risiko
riskant risikabel
riskieren risikere
Riss *m* revne (*-r*); **℞ig** revnet
ritzen ridse
Rival|e *m*, **~in** *f* rival
Roastbeef *n* roastbeef
Robbe *f* sæl
Roboter *m* robot (*-ter*)
robust robust
röcheln ralle
Rock *m* nederdel (*-e*)
rodeln kælke
Roggen *m* rug; **~brot** *n* rugbrød *n*
roh rå (*a fig*)
Rohkost *f* råkost
Rohr *n* rør *n* (=); *Bot* siv *n* (=); **~bruch** *m* rørbrud *n*
Röhr|e *f* rør *n* (=); **~ling** *m* rørhat (*-te*)
Rohstoff *m* råstof *n* (*-fer*)
Rollbahn *f Flugw* startbane
Rolle *f* rulle (*-r*); *Thea etc* rolle (*-r*)
rollen rulle
Roll|er *m* løbehjul *n* (=); **~kragen** *m* rullekrave; **~laden** *m* rullegardin *n*; **~schuhe** *pl* rulleskøjter *pl*
Rollstuhl *m* rullestol

Rollstuhlfahrer(in) *m(f)* rullestolsbruger
Rolltreppe *f* rulletrappe
Roman *m* roman; **≗tisch** romantisk
römisch-katholisch romersk-katolsk
röntgen røntgenfotografere; **≗bild** *n* røntgenbillede *n*
rosa lyserød
Rose *f* rose (*-r*)
Rosenkohl *m* rosenkål
rosig rosenrød
Rosinen *pl* rosiner *pl*
Rosmarin *m* rosmarin
Rost[1] *m Eisen* rust
Rost[2] *m Grill* rist; **~braten** *m* roastbeef
rosten ruste
rösten riste
Röster *m für Brot* brødrister (*-e*)
rost|frei rustfri; **~ig** rusten
Rostschutzmittel *n* rustbeskytter
rot rød; **~ *werden*** *Gesicht* rødme; ***das ≗e Kreuz*** Røde Kors
Röteln *pl Med* røde hunde *pl*
rothaarig rødhåre|t (*-de*)
Rotkohl *m* rødkål
rötlich rødlig
Rotlicht *n* rødt lys; **~viertel** *n* luderkvarter *n*
Rotstift *m* rød kuglepen; *fig* sparekniv
Rotwein *m* rødvin
Rouladen *pl Gastr* benløse fugle *pl*
Route *f* rute (*-r*)
Routine *f* rutine
Rübe *f* roe (*-r*); ***rote~*** rødbede (*-r*)
Ruck *m* ryk *n* (=); **≗artig** stødvis
Rückblick *m* tilbageblik *n* (***auf*** på)
rücken rykke
Rücken *m* ryg (*-ge*); **~lehne** *f* ryglæn *n* (=); **~mark** *n* rygmarv; **~schmerzen** *pl* ondt i ryggen; **~schwimmen** *n* rygsvømning; **~wind** *m* rygvind
Rück|erstattung *f* tilbagebetaling (***von*** af); **~fahrkarte** *f* returbillet; **~fahrt** *f* hjemtur
rückfällig: **~ *werden*** få et tilbagefald
Rück|flug *m* hjemtur; **~gabe** *f* tilbagelevering; **~gang** *m* nedgang
rückgängig tilbagegående; **~ *machen*** annullere
Rück|grat *n* rygrad; **~licht** *n* baglygter *pl*; **~reise** *f* hjemrejse
Rucksack *m* rygsæk
Rück|schlag *m* tilbageslag *n*; **~schritt** *m* tilbageskridt; **~seite** *f* bagside
Rücksendung *f* tilbagesendelse
Rücksicht *f* hensyn *n* (=); **~ *nehmen auf*** tage hensyn til
rücksichts|los hensynsløs; **≗voll** hensynsfuld
Rück|sitz *m* bagsæde *n*; **~spiegel** *m* bakspejl *n*; **~spiel** *n* returkamp

Rückstand *m* rest
rückständig tilbagestående
Rück|strahler *m* katteøje *n* (*-r*); **~transport** *m* hjemtransport; **~tritt** *m* tilbagetræden; **~trittbremse** *f* frihjulsbremse (*-r*)
rückwärts baglæns
Rückwärtsgang *m* bakgear *n*
Rückweg: ***auf dem ~*** på tilbagevejen
rückwirkend tilbagevirkende; *adv* med tilbagevirkende kraft
Rückzahlung *f* tilbagebetaling
Rückzug *m* tilbagetog *n*
Rudel *n* flok (*-ke*)
Ruder *n* åre (*-r*); *Steuer* ror *n* (=); **~boot** *n* robåd (*-e*)
rudern ro
Ruf *m* råb *n* (=); *fig* omdømme *n*
rufen råbe; (***nach***) kalde (*på*); *Polizei etc* ringe efter
Ruf|name *m* fornavn *n*; **~nummer** *f* telefonnummer *n*
Ruhe *f* ro; ***in ~ lassen*** lade være i fred
ruhelos rastløs
ruhen hvile sig
Ruhe|pause *f* hvil *n* (=); **~stand** *m* pension; ***in den ~ treten*** gå på pension; **~störung** *f* forstyrrelse (*-r*); **~tag** *m* fridag
ruhig rolig
Ruhm *m* berømmelse
rühmen skamrose
Rührei *pl* røræg
rühren røre (*a fig*)
rührend rørende
Rühr|maschine *f* røremaskine (*-r*); **~ung** *f* rørelse
Ruine *f* ruin
rülpse|n bøvse; **2r** *m Geräusch* bøvs
Rum *m* rom
Rummel *m* virak
Rumpelkammer *f* pulterkammer *n*
Rumpf *m* torso; *Mar, Zo* skrog *n* (=)
Rumpsteak *n* engelsk bøf (*pl -e bøffer*)
rund rund; ***~ um*** rundt om
Rundblick *m* panorama *n*
Runde *f* kreds (*-e*); *Tour* runde (*-r*); ***e-e ~ ausgeben*** give en omgang
Rund|fahrt *f* rundtur (*-e*); **~flug** *m* rundflyvning
Rundfunk *m* radio; **~gebühr** *f* radiolicens
Rundgang *m* rundgang
rundlich rund; *dick* buttet
Rund|reise *f* rundrejse; **~schreiben** *n* rundskrivelse
rundum rundt omkring
runzeln: ***die Stirn ~*** rynke panden
rupfen trække op
Ruß *m* sod
Russe *m* russer (*-e*)
Rüssel *m Elefant* snab|el (*-ler*); *Schwein* tryne (*-r*)
Russin *f* russer (*-e*)
russisch russisk
rüsten udruste (***für*** til)

rüstig frisk
Rüstung *f* udrustning
Rute *f Zweig* ris *n* (=); *Stab* stang *stænger*
Rutschbahn *f* rutsjebane
rutsch|en rutsje; *ausrutschen* glide; **~fest** skridsikker
rütteln ruske (***an*** i)

S

Saal *m* sal (*-e*)
Sachbearbeiter(in) *m(f)* sagsbehandler (*-e*)
Sachbeschädigung *f* hærværk *n*
Sachbuch *n* fagb|og (*-øger*)
Sache *f* sag; ***in Sachen*** med hensyn til; ***zur ~ kommen*** komme til sagen; ***Sachen*** *pl* ting *pl*
Sach|kenntnis *f* sagkundskab; **2kundig** sagkyndig; **2lich** saglig
sächlich intetkøn
Sachregister *n* sagregister *n*
Sachschaden *m* materiel skade
Sachverständige *m/f* ekspert
Sack *m* sæk (*-ke*); **~gasse** *f* blindgyde
säen så
Safe *m* pengeskab *n* (*-e*); *Bank* bankboks (*-e*)
Saft *m* saft
saftig saftig
Sage *f* sagn *n* (=)
Säge *f* sav (*-e*); **~blatt** *n* savblad *n*; **~mehl** *n* savsmuld *n*
sagen sige
sägen save
Säge|späne *pl* savssmuld; **~werk** *n* savværk *n*
Sahne *f* fløde; **~eis** *n* flødeis; **~torte** *f* lagkage (*-r*)
Saison *f* sæson; **~beginn** *m* sæsonstart; **~ende** *n* sæsonslut
Saite *f* streng (*-e*)
Saiteninstrument *n* strengeinstrument *n*
Sakko *m* smokingjakke (*-r*)
Salami *f* salami
Salat *m* salat; ***grüner ~*** grøn salat
Salatbüffet *n* salatbuffet
Salbe *f* salve (*-r*)
Salbei *m* salvie
Salesmanager(in) *m(f)* salgschef
Salmonellen *pl* salmonella
Salz *n* salt *n*; **2arm** letsaltet
salz|en salte; **2ig** salt
Salzkartoffeln *pl* kogte kartofler *pl*
Salzsäure *f* saltsyre
Salz|stange *f* saltst|ang (*-ænger*); **~streuer** *m* saltbøsse (*-r*); **~wasser** *n* saltvand *n*
Samen *m Mann* sæd; *Bot* frø *n* (=)
Sammelfahrschein *m* klippekort *n* (=)
sammeln samle

Sammel|punkt *m*, **~stelle** *f* samlingspunkt *n*
Sammlung *f* samling
Samstag *m* lørdag (***am*** på)
Samt *m* fløjl *n*; **≈en** fløjls-
sämtlich samtlig
Sand *m* sand *n*
Sandale *f* sandal
Sand|bank *f* sandbanke (*-r*); **~burg** *f* sandslot *n* (*-te*); **≈ig** sandet; **~kasten** *m* sandkasse (*-r*); **~papier** *n* sandpapir *n*; **~stein** *m* sandsten; **~strand** *m* sandstrand (*-e*)
Sandwich *n* sandwich (*-er*)
sanft blid
Sänger(in) *m(f)* sanger (*-e*); *Frau* sangerinde (*-r*)
Sanitärinstallateur *m* vvs--mand (*-mænd*)
Sanität|er(in) *m(f)* samarit (*-ter*); **~swagen** *m* ambulance (*-r*)
Sardelle *f* ansjos
Sarg *m* kiste (*-r*)
Satellit *m* satellit (*-ter*); **~enanlage** *f* parabolanlæg *n* (=); **~enfernsehen** *n* satellit-tv *n*
Satire *f* satire (*-r*)
satt mæt; ***es~ haben*** have fået nok af det
Sattel *m* sad|el (*-ler*); **≈n** sadle
sättigend mættende
Satz *m Gr* sætning; *Sport* sæt *n* (=); *Kaffee* grums *n*; **~ball** *m* sætbold (*-e*); **~glied** *n* sætningsled (=)
Satzung *f* statut (*-ter*)
Satzzeichen *n* interpunktionstegn *n* (=)
Sau *f* so (*søer*); *neg!* svin *n*
sauber ren; ***~ machen*** gøre rent; **≈keit** *f* renlighed
säubern rense
Sauce *f*: ***~ béarnaise*** *Gastr* bearnaisesovs
sauer sur (*a fig*); ***~ werden*** blive sur
Sauer|kraut *n* surkål; **~milch** *f* tykmælk; **~stoff** *m* ilt
saufen *neg!* bælle; *Alkohol* drikke
Säufer *m* dranker (*-e*)
saugen suge
säugen *Mensch* amme; *Tier* give die
Sauger *m* sut (*-ter*)
Säugetier *n* pattedyr *n* (=)
Saugflasche *f* sutteflaske (*-r*)
Säugling *m* spædb|arn *n* (*-ørn*)
Säule *f* søjle (*-r*)
Saum *m* søm (*-me*)
Sauna *f* sauna
Säure *f* syre; **≈arm** *Wein* med lavt garvesyreindhold (*nachgestellt*)
Sauwetter *n* møgvejr *n*
S-Bahn *f* S-tog *n* (=)
scanne|n scanne; **≈r** scanner (*-e*)
schaben skrabe
schäbig *Tex* slidt; *armselig* ussel; *gemein* led
Schablone *f* skabelon
Schach *n*: ***~ spielen*** spille skak; **~brett** *n* skakbræt *n*; **~figur** *f* skakbrik (*-ker*); **≈matt** skakmat; **~spiel** *n*

skakspil *n*; **~spieler(in)** *m(f)* skakspiller (*-e*)
Schacht *m* skakt
Schachtel *f* æske (*-r*)
schade: (***wie***) **~**! hvor er det ærgerligt!; **~**, ***dass ...*** det er ærgerligt, at ...
Schädel *m* kranie|um *n* (*-er*)
Schädelbruch *m* kraniebrud *n*
schaden skade
Schaden *m* skade (*-r*); **~ersatz** *m* erstatning
schadenfroh skadefro
Schadensanzeige *f* skadesanmeldelse (*-r*)
schadhaft defekt
schäd|igen beskadige; **~lich** skadelig (***für*** for); **≈ling** *m* skadedyr *n* (=)
Schaf *n* får *n* (=); **~bock** *m* vædder (*-e*)
Schäferhund *m* schæferhund (*-e*)
schaffen skaffe; *bewältigen* klare; *zeitl.* nå; *gestalten* skabe
Schaffner(in) *m(f)* kontrollør
Schafskäse *m* fetaost
Schaft *m* skaft *n*
Schal *m* halstørklæde *n* (*-r*)
Schale *f Pelle* skræl (*-ler*); *Gefäß* skål (*-e*)
schälen skrælle
Schalentier *n* skaldyr *n* (=)
Schall *m* lyd (*-e*); **~dämpfer** *m* lyddæmper; **≈dicht** lydtæt (*-te*); **~geschwindigkeit** *f* lydens hastighed; **~mauer** *f* lydmur
Schallplatte *f* (grammofon-) plade (*-r*)
Schalotte *f* skalotteløg *n* (=)
schalten *Kfz etc* skifte gear
Schalter *m* kontakt; *Bank etc* skranke (*-r*)
Schalthebel *m Kfz* gearstang
Schaltjahr *n* skudår *n*
Scham *f* skam (***aus, vor*** af)
schämen: ***sich* ~** skamme sig
scham|haft genert; **~los** skamløs
Schande *f* skændsel
Schar *f* samling
scharf skarp; *Speise* stærk; *streng* hård
Schärfe *f* skarphed
schärfen hvæsse; *fig* skærpe
Scharfsinn *m* skarpsindighed
Scharnier *n* hængs|el *n* (*-ler*)
scharren skrabe
Schatten *m* skygge (*-r*)
schattig skyggefuld
Schatz *m* skat (*-te*) (*a fig*)
schätzen vurdere; *achten* sætte pris på
Schau: ***zur* ~ *stellen*** vise frem; *angebend* prale med
schauen se; **~ *nach*** holde udkig efter
Schauer *m Wetter etc* byge (*-r*)
schauerlich skrækkelig
Schaufel *f* skovl (*-e*)
schaufeln skovle
Schaufenster *n* udstillingsvindue *n* (*-r*); **~puppe** *f* voksmannequin
Schaukel *f* gynge (*-r*)
schaukeln gynge

Schaukelstuhl *m* gyngestol
schaulustig nysgerrig
Schaum *m* skum *n*
schäumen skumme
Schaum|gummi *m* skumgummi *n*; **~löschgerät** *n* skumslukker (-*e*); **~stoff** *m* skumplast; **~wein** *m* mousserende vin
Schauspiel *n* skuespil *n* (=); **~er(in)** *m(f)* skuespiller (-*e*); **~haus** *n* teat|er (-*re*)
Scheck *m* check (-*s*); **~karte** *f* id-kort *n* (=)
Scheibe *f* skive (-*r*); *Glas* rude (-*r*); **e-e ~ Brot** en skive brød; **in Scheiben** i skiver
Scheibenwischer *m* vinduesvisker (-*e*)
Scheide *f* skede (-*r*) *a Anat*
scheiden: **sich ~ lassen** blive skilt
Scheidung *f* skilsmisse (-*r*)
Schein *m Licht, Anschein* skær *n*; *Dokument* attest; *Geld* sed|del (-*ler*)
scheinbar tilsyneladende
scheinen skinne; *fig* se ud (**zu** til at)
Scheinwerfer *m* projektør; *Kfz* lygte (-*r*)
Scheiße *f* V lort
Scheitel *m* isse (-*r*); *Frisur* skilning; **vom ~ bis zur Sohle** 100 procent (*vorgestellt*)
scheitern mislykkes
Schema *n* skema *n*
Schemel *m* skam|mel (-*ler*)
Schenkel *m* lår *n* (=)
schenken forære
Scherbe *f* skår *n* (=)
Schere *f* saks (-*e*)
Scherz *m* spøg; **zum ~** for sjov
scherz|en lave sjov; **~haft** vittig
scheu sky
Scheuerlappen *m* gulvklud (-*e*)
scheuern skure
Scheune *f* lade (-*r*)
scheußlich hæslig; *unangenehm* modbydelig
Schi → ***Ski***
Schicht *f* lag *n* (=); *Arbeit* hold *n* (=)
Schichtarbeit *f* skifteholdsarbejde *n*
schick smart
schicken sende (***j-m*** til ngn)
Schicksal *n* skæbne
Schiebe|dach *n* soltag *n*; **~fenster** *n* skydevindue *n* (-*r*)
schieben skubbe; *Fahrrad* trække
Schiebetür *f* skydedør (-*e*)
Schiedsrichter(in) *m(f)* *Sport* dommer (-*e*)
schief skæv; **~ gehen** gå galt
schielen skele
Schienbein *n* skinneben *n*
Schiene *f* skinne (-*r*)
Schienenersatzverkehr *n* erstatningsbuskørsel
schieß|en skyde; **2erei** *f* skyderi *n*; **2scheibe** *f* skydeskive
Schiff *n* skib *n* (-*e*); **~bruch** *m* forlis *n* (=); **~fahrt** *f* skibsfart
Schiffs|reise *f* sejltur (-*e*);

~verkehr *m* skibsfart; **~werft** *f* skibsværft
Schikan|e *f* chikane (*-rier*); **&ieren** chikanere
Schild¹ *n* skilt *n* (*-e*)
Schild² *m* skjold *n* (*-e*); **~drüse** *f* skjoldbruskkirtel
schildern skildre
Schilderung *f* skildring
Schildkröte *f* skildpadde (*-r*)
Schilf *n* siv *n* (=)
Schilling *m* *hist* schilling
Schimmel *m* *Bot* mug; **&ig** muggen; **&n** mugne
schimpfen skælde ud (***auf*** på)
Schimpfwort *n* skældsord *n* (=)
Schinken *m* skinke (*-r*)
Schirm *m* skærm (*-e*) *a EDV*; *Regen-* paraply; **~mütze** *f* kasket (*-ter*)
Schlacht *f* slag *n* (=)
schlachten slagte
Schlachthof *m* slagteri *n*
Schlaf *m* søvn; **~anzug** *m* pyjamas; **~couch** *f* sovesofa
Schläfe *f* tinding
schlafen sove; ***~ gehen*** gå i seng
schlaff slap
schlaflos søvnløs; **&igkeit** *f* søvnløshed (***leiden an*** lide af)
Schlafmittel *n* sovemiddel *n*
schläfrig træt
Schlaf|sack *m* sovepose (*-r*); **~tablette** *f* sovepille (*-r*); **~wagen** *m* sovevogn (*-e*)
schlafwandeln gå i søvne
Schlafzimmer *n* soveværelse *n* (*-r*)
Schlag *m* slag *n* (=); *El* stød *n* (=); **~ader** *f* pulsåre; **~anfall** *m* slagtilfælde *n*
schlagartig pludselig
Schlagbaum *m* bom (*-me*)
schlagen slå
Schlager *m* slager (*-e*)
Schläger *m* *Sport* ketsjer (*-e*); *Golf* kølle; *Mann* slagsbror
Schlägerei *f* slagsmål *n* (=)
Schlagerfestival *n* melodigrandprix *n*
schlagfertig slagfærdig
Schlagloch *n* hul (*-ler*) i vejen *n*
Schlagsahne *f* piskefløde; *geschlagen* flødeskum *n*
Schlagzeile *f* overskrift
Schlagzeug *n* *Mus* slagtøj *n*
Schlamm *m* mudder *n*; **&ig** mudret
Schlampe *f* sjuske (*-r*)
Schlamperei *f* sjusk *n*
schlampig sjusket
Schlange *f* slange (*-r*); ***~ stehen*** stå i kø
schlank slank; **&heitskur** *f* slankekur
schlapp *erschöpft* mat; *nicht straff* slap
Schlappe *f* nederlag *n*
schlau smart
Schlauch *m* slange (*-r*)
Schlauchboot *n* gummibåd (*-e*)
schlecht dårlig; ***mir wird ~*** jeg er dårlig
schleichen snige sig

schleichend snigende
Schleier *m* slør *n* (=); **2haft** gådefuld
Schleife *f* sløjfe (*-r*)
schleifen *Messer etc* slibe; *tragen* slæbe;
Schleifmaschine *f* slibemaskine
Schleim *m* slim; **~haut** *f* slimhinde
schlemmen frådse
schlendern slendre
schlenkern vippe
Schleppe *f* slæb *n* (=)
schleppen slæbe
Schleuder *f Wäsche* centrifuge
schleudern slynge; *Kfz* skride ud
schleunigst så hurtigt som muligt
Schleuse *f* sluse (*-r*)
schlicht enkel
schließen *enden* slutte; *zumachen* lukke
Schließfach *n* boks (*-e*)
schließlich *zum Schluss* til sidst; *immerhin* trods alt
Schließung *f* lukning
schlimm slem; **~er** værre
schlimmstenfalls i værste fald
Schlinge *f* løkke (*-r*)
schlingern slingre
Schlingpflanze *f* slyngplante (*-r*)
Schlips *m* slips
Schlitten *m* slæde (*-r*); *zum Rodeln* kælk (*-e*)
Schlittenfahrt *f* slædetur
Schlittschuh *m* skøjte (*-r*); **~ *laufen*** løbe på skøjter; **~läufer(in)** *m*(*f*) skøjteløber (*-e*)
Schlitz *m Tex* slids; *Öffnung* sprække (*-r*)
Schloss *n Tür* lås (*-e*); *Arch* slot *n* (*-te*)
Schlosser *m* smed (*-e*)
schlottern slaske
schluchzen hulke
Schluck *m* slurk (*-e*); **~auf** *m* hikke; **~beschwerden** *pl* synkebesvær *n*
schlucken synke
schlummern slumre
schlüpfen smutte
Schlüpfer *m* trusser *pl*
schlüpfrig fedtet; *fig* sjofel
Schlupfwinkel *m* smuthul *n* (*-ler*)
schlürfen slubre
Schluss *m* slutning; ***zum* ~** til sidst
Schlüssel *m* nøgle (*-r*); **~bein** *n* nøgleben *n* (=); **~bund** *m* nøglebundt *n*; **~loch** *n* nøglehul *n* (*-ler*); **~übergabe** *f* overdragelse af nøgle
Schlussfolgerung *f* konklusion
Schlusslicht *n* baglygte *n*
Schlussverkauf *m* udsalg *n*
schmächtig spinkel
schmackhaft velsmagende
schmal smal
schmälern indskrænke
Schmalz *n* fedt *n*
Schmarotzer(in) *m*(*f*) snylter (*-e*)
schmecken smage (***nach*** af);

es schmeckt gut det smager godt
schmeichelhaft smigrende
schmeicheln smigre
schmeißen smide
Schmeißfliege *f* spyflue (*-r*)
schmelz|en smelte; **〜käse** *m* smelteost
Schmerz *m* smerte (*-r*)
schmerzen gøre ondt
Schmerzensgeld *n* erstatning for svie og smerte
schmerz|frei smertefri; **~haft** smertefuld; **~los** smerteløs; **~stillend** smertestillende
Schmerztablette *f* smertestillende tablet (*-ter*)
Schmetterball *m* smash
Schmetterling *m* sommerfugl (*-e*)
schmettern slynge; *Sport* smashe
Schmied(in) *m(f)* smed (*-e*)
Schmiede *f* smedje (*-r*)
schmiedeeisern smedejerns-
schmieden smede
schmiegsam blød
schmier|en smøre; **~ig** fedtet; *unanständig* fræk; *widerlich* klam; **〜öl** *n* smøreolie
Schminke *f* sminke
schminken sminke (***sich*** sig)
schmökern F lystlæse
schmollen surmule
schmoren grydestege; *fig Person* stege
Schmuck *m Ringe etc* smykker *pl*; *Dekoration* pynt
schmücken pynte
schmuggeln smugle
schmunzeln trække på smilebåndet
Schmutz *m* skidt *n*
schmutzig beskidt
Schnabel *m* næb *n*
Schnalle *f* spænde (*-r*)
Schnäppchen *n* røverkøb *n* (=)
schnapp|en snappe (***nach Luft*** efter luft); **〜schuss** *m* snapshot *n* (*-s*)
Schnaps *m* snaps (*-e*)
schnarchen snorke
schnauben, **schnaufen** pruste
Schnauze *f* snude (*-r*); *neg!* kæft; ***ich habe die ~ voll von*** jeg er dødtræt af; (***halt die***) **~!** F hold kæft!
schnäuzen: ***sich ~*** pudse næse
Schnecke *f* snegl (*-e*)
Schneckenhaus *n* sneglehus *n* (*-e*)
Schnee *m* sne; **~ball** *m* snebold (*-e*)
Schneebesen *m* piskeris
Schnee|fall *m* snefald *n*; **~flocke** *f* snefnug *n* (=); **〜frei** snefri; **~gestöber** *n* snefog *n*; **~glöckchen** *n* vintergæk (*-ker*); **~kette** *f Kfz* snekæde (*-r*); **~matsch** *m* sjap *n*; **~pflug** *m* sneplov (*-e*); **~regen** *m* slud; **~sturm** *m* snestorm; **~wehe** *f* snedrive (*-r*)
Schneide *f* æg (*-ge*)
schneiden skære (***sich*** sig); *Nägel* klippe

Schneider(in) *m(f)* skrædder (*-e*)
Schneidersitz *m* skrædderstilling
Schneidezahn *m* fort|and (*-ænder*)
schneien: ***es schneit*** det sner
schnell hurtig; ***etwas ~er*** lidt hurtigere
Schnell|hefter *m* brevordner (*-e*); **2igkeit** *f* hurtighed; **2imbiss** *m* grill
Schnellstraße *f* motorvej
schneuzen → ***schnäuzen***
Schnitt *m Kleid, Messer-* snit *n* (=); *Film etc* klipning
Schnittblumen *pl* afskårne blomster *pl*
Schnitte *f* skive (*-r*); *belegt* snitte (*-r*)
Schnittlauch *m* purløg *n*
Schnittwunde *f* snitsår *n* (=)
Schnitzel *n*: ***Wiener ~*** wienersnits|el (*-ler*)
schnitz|en snitte; **2erei** *f* træskæreri *n*
schnöde ussel
Schnorchel *m* snork|el (*-ler*)
schnorcheln snorkle
schnüffeln snuse
Schnuller *m* sut (*-ter*)
Schnupfen *m* forkølelse; ***sich einen ~ holen*** blive forkølet
schnuppern snuse (***an*** til)
Schnur *f* snor (*-e*); *El* ledning
schnüren snøre
schnurlos trådløs
Schnurr|bart *m* overskæg *n*; **~haare** *pl* knurhår *pl*
Schnürsenkel *m* snørebånd *n* (=)
Schock *m* chok *n* (=)
schockieren chokere
Schokolade *f* chokolade; *heiße* kakao
Schokoladen|pudding *m* chokoladebudding; **~torte** *f* chokoladekage (*-r*)
Schokoriegel *m* chokoladebar
Scholle *f Erde* jordklump; *Eis* isflage (*-r*); *Zo* rødspætte (*-r*)
schon allerede
schön smuk; *Wetter* godt; **~!** fint!; ***am schönsten*** smukkest; ***wie ~, dass…*** hvor er det godt, at…;
schonen skåne (***sich*** sig selv)
Schongang *m Wäsche* skåneprogram *n*
Schönheit *f* skønhed
schöpfen øse; *Kraft* samle; *Verdacht* fatte; *Luft* trække;
Schöpfer *m* skaber (*-e*)
Schöpf|kelle *f*, **~löffel** *m* grydeske
Schornstein *m* skorsten (*-e*); **~feger** *m* skorstensfejer (*-e*)
Schoß *m* skød *n*; ***auf dem ~*** på skødet
Schote *f* bælg *n* (*-e*)
schräg skrå
Schrägschrift *f* kursiv
Schramme *f* skramme (*-r*)
Schrank *m* skab *n* (*-e*)
Schranke *f fig* grænse (*-r*)
Schraubdeckel *m* skruelåg *n* (=)
Schraube *f* skrue (*-r*)

schrauben skrue
Schrauben|mutter *f* møtrik (*-ker*); **~schlüssel** *m* skruenøgle (*-r*); **~zieher** *m* skruetrækker (*-e*)
Schraubstock *m* skruetvinge (*-r*)
Schrebergarten *m* kolonihave (*-r*)
Schreck *m* skræk
schrecklich skrækkelig
Schrei *m* skrig *n* (=) (***ausstoßen*** udstøde)
schreiben skrive
Schreiben *n* skrivelse (*-r*)
Schreibfehler *m* skrivefejl (=)
Schreibmaschine *f* skrivemaskine
Schreibpapier *n* skrivepapir *n*
Schreibprogramm *n* tekstbehandlingsprogram *n* (*-mer*)
Schreibtisch *m* skrivebord *n* (***am*** ved)
Schreibtischlampe *f* skrivebordslampe
Schreibwaren *pl* kontorartikler *pl*
schreien skrige (***nach*** på)
Schreiner(in) *m(f)* snedker (*-e*)
Schrift *f* skrift; **≈lich** skriftlig; **~steller(in)** *m(f)* forfatter (*-e*); **~stück** *n* dokument *n*; **~wechsel** *m* korrespondance
schrill skinger; *fig* outreret
Schritt *m* skridt *n* (=); **~macher** *m Med* pacemaker (*-e*);
schrittweise skridt for skridt
schroff *steil* stejl; *plötzlich* brat; *unhöflich* hård
Schrot *n* hagl *n* (=); **~flinte** *f* haglgevær *n*
Schrott *m* skrot *n*
schrubbe|n skrubbe; **≈r** *m* gulvskrubbe (*-r*)
schrumpfen skrumpe
Schub|fach *n*, **~lade** *f* skuffe (*-r*)
Schubkarre *f* trillebør (*-e*)
schüchtern genert; **≈heit** *f* generthed
Schuh *m* sko (=); **~absatz** *m* hæl (*-e*); **~band** *n* snørebånd *n* (=); **~bürste** *f* skobørste; **~creme** *f* skosværte; **~geschäft** *n* skobutik (*-ker*); **~größe** *f* skonum|mer *n* (*-re*); **~löffel** *m* skohorn *n*; **~sohle** *f* sål
Schul|abschluss *m* eksamen; **~arbeit** *f* opgave; **~buch** *n* skoleb|og (*-øger*)
schuld: **~ *sein an*** være skyld i
Schuld *f* skyld; **~en** *pl* gæld
schulden skylde
Schuldgefühl *n* skyldfølelse
schuld|ig skyldig (***an*** i); **≈los** uskyldig
Schuldner(in) *m(f)* skyldner (*-e*)
Schule *f* skole (*-r*); ***zur ~ gehen*** gå i skole
schulen skole
Schüler(in) *m(f)* elev
Schul|ferien *pl* skoleferie; **≈frei** skolefri

Schul|freund(in) *m(f)* skolekammerat; **~leiter(in)** *m(f)* skoleinspektør
Schulter *f* skuld|er (*-re*); ***mit den Schultern zucken*** trække på skuldrene
Schulweg *m* vej til skole
schummeln F snyde
Schund *m* bras *n*
schunkeln gynge
Schuppen[1] *pl Haar, Fisch* skæl
Schuppen[2] *m im Garten* skur *n* (*-e*)
schüren rode op i
Schurke *m* skurk (*-e*)
Schürze *f* forklæde *n* (*-r*)
Schuss *m* skud *n* (=); *Wein etc* stænk
Schüssel *f* skål (*-e*); *TV* parabol; *flach* fad *n* (*-e*)
Schusswaffe *f* skydevåben *n* (=)
Schuster *m* skomager (*-e*)
Schutt *m* murbrokker *pl*; ***in ~ und Asche*** i ruiner
Schüttelfrost *m* kuldegysninger *pl*
schütteln ryste
schütten hælde
Schutz *m* beskyttelse; **~blech** *n* skærm (*-e*); **~brille** *f* beskyttelsesbriller *pl*
Schütze *m* skytte
schützen beskytte; ***sich ~ vor*** forsvare sig mod
Schutz|helm *m* beskyttelseshjelm; **~impfung** *f* vaccination (***gegen*** mod); **~los** forsvarsløs; **~umschlag** *m* smudsomslag *n*
schwach svag
Schwäche *f* svaghed
schwächen svække
schwächlich svagelig
schwachsinnig *neg!* åndssvag
Schwachstrom svagstrøm
Schwager *m* svog|er (*-re*)
Schwägerin *f* svigerinde (*-r*)
Schwalbe *f* svale (*-r*)
Schwamm *m* svamp (*-e*)
schwammig svampet; *fig* vag
Schwan *m* svane (*-r*)
schwanger gravid
Schwangerschaft *f* graviditet
Schwangerschafts|abbruch *m*, **~unterbrechung** *f* abort
schwanken svaje; *Temperatur* vakle
Schwanz *m* hale (*-r*); F pik
schwänzen: ***die Schule ~*** pjække fra skole
Schwarm *m* sværm (*-e*)
schwärmen sværme (***für*** for)
Schwarte *f* svær (=)
schwarz sort; ***~ werden*** blive sort
Schwarzarbeit *f* sort arbejde *n*
schwarzarbeiten arbejde sort
Schwarzbrot *n* rugbrød *n* (=)
schwarzfahren køre uden billet; F køre på røven; *Kfz* køre uden kørekort
Schwarzweißfilm *m* sort--hvid-film (=)

schwatzen sludre
Schwebebahn *f* svævebane
schweben svæve
Schwed|e *m* svensker (*-e*); **~en** *n* Sverige *n*; **~in** *f* svensker (*-e*); **≗isch** svensk
Schwefel *m* svovl *n*
schweig|en tie stille; **≗en** *n* tavshed; **≗epflicht** *f* tavshedspligt; **~sam** tavs
Schwein *n* svin *n* (=); *Ferkel* gris (*-e*); ***~ haben*** være heldig
Schweine|braten *m* flæskesteg; **~fleisch** *n* svinekød *n*; **~rei** *f* svineri *n*; **~stall** *m* svinesti
Schweiß *m* sved; **≗bedeckt** svedig
schweißen *Tech* svejse
Schweißer *m* svejser (*-e*)
Schweiz *f* Svejts *n*
Schweizerdeutsch *n* svejtsertysk *n*
schwelgen frådse; *fig* svælge (***in*** i)
Schwelle *f* tærsk|el (*-ler*); *Esb* svelle
schwellen svulme; *Med* hæve
Schwellung *f Med* hævelse (*-r*)
schwenken svinge
schwer tung; *schwierig* svær; *ernst* alvorlig; ***~ fallen*** have svært ved; ***~ verdaulich*** svært fordøjelig; ***~ verständlich*** svær at forstå; **≗arbeit** *f* hårdt arbejde
Schwerbeschädigte *m/f* invalid
schwer|fällig tung (*a fig*); **~hörig** tunghør
Schwerkranke *m/f* alvorligt syg
Schwerpunkt *m fig* hovedtema *n*
Schwert *n* sværd *n* (=)
schwerwiegend tungtvejende
Schwester *f* søst|er (*-re*)
Schwieger|eltern *pl* svigerforældre *pl*; **~mutter** *f* svigermor; **~sohn** *m* svigersøn; **~tochter** *f* svigerdatter; **~vater** *m* svigerfar
Schwielen *pl* hård hud
schwierig svær; **≗keit** *f* vanskelighed
Schwimm|bad *n* svømmehal; **~becken** *m* svømmebassin *n*
schwimmen svømme
Schwimm|er(in) *m(f)* svømmer (*-e*); **~flosse** *f* svømme|fod (*-fødder*); **~flügel** *pl* svømmevinger *pl*; **~reifen** *m* svømmebælte *n*; **~weste** *f* redningsvest
Schwindel *m Med* svimmelhed; *Betrug* svindel
schwindeln svindle
Schwindler(in) *m(f)* svindler (*-e*)
schwindlig svimmel; ***mir wird ~*** jeg er svimmel
schwing|en svinge; **≗ung** *f* svingning
schwitzen svede
schwören sværge; *fig* (***auf*** til)
schwul bøsse
schwül lummer
Schwüle *f* lummerhede

Schwung *m* sving *n* (=); *fig* energi
Schwur *m* ed
sechs seks; **2** *f* sekstal *n* (*-ler*)
Sechserpack *m* seksstyks (=)
sechs|te sjette; **2tel** *n* sjettedel (*-e*)
sechzig tres
Sechzigerjahre *pl* tressere *pl*
Secondhand- genbrugs-
See[1] *m* sø
See[2] *f* hav (*-e*); ***an der ~*** ved havet; **~bad** *n* badested *n*; **~gang** *m* søgang; **2krank** søsyg; **~krankheit** *f* søsyge
Seel|e *f* sjæl; **2isch** psykisk
See|luft *f* havluft; **~mann** *m* sø|mand (*-mænd*); **~meile** *f* sømil (=); **~not** *f* havsnød; **~stern** *m* søstjerne (*-r*); **~ufer** *n* søbred; **~zunge** *f* søtunge (*-r*)
Segel *n* sejl *n* (=); **~boot** *n* sejlbåd (*-e*); **~flugzeug** *n* svæveflyver (*-e*)
segeln sejle
Segelschiff *n* sejlskib *n* (*-e*)
Segen *m* velsignelse (*-r*)
segnen velsigne
sehen se; ***vom 2 kennen*** kende af udseende
sehenswert seværdig
Sehenswürdigkeit *f* seværdighed
Sehne *f* sene (*-r*)
Sehnenzerrung *f* forstrakt sene
Sehn|sucht *f* længsel; **2süchtig** længselsfuld
sehr meget; **~ *gern*** meget gerne
Sehvermögen *n* syn *n*
seicht lav
Seide *f* silke; **seiden**, **aus Seide** silke-
Seife *f* sæbe (*-r*)
Seil *n* tov *n* (*-e*); **~bahn** *f* tovbane; **2springen** sjippe
sein[1] være; ***ich bin*** jeg er; ***wir sind*** vi er
sein[2], **seine** hans; *Ding, Tier* dens, dets *n*; *auf Subjekt weisend* sin, sit *n*, sine *pl*
seinerseits fra hans side
seinerzeit i sin tid
seit siden; ***ich wohne ~ 5 Jahren hier*** jeg har boet her i 5 år (*Perfekt*); ***~ wann?*** hvor længe?
seitdem siden da
Seite *f* side (*-r*)
Seiten|ausgang *m* sideudgang (*-e*); **~sprung** *m* sidespring *n*; **~stechen** *n* sidestik *n*; **~straße** *f* sidevej (*-e*); **~wind** *m* sidevind
seither hidtil
seitlich side-; *adv* til siden
Sekretär(in) *m*(*f*) sekretær
Sekt *m* (tysk) champagne
Sekunde *f* sekund *n*
Sekundenzeiger *m* sekundviser
selbst selv; ***von ~*** af sig selv
Selbstauslöser *m* selvudløser
Selbstbedienung *f* selvbetjening
selbstbewusst selvsikker
Selbstmord *m* selvmord *n*

(***begehen*** begå); **~attentäter** *m* selvmordsbomber (*-e*)
selbstständig selvstændig
selbstverständlich selvfølgelig
Selbstvertrauen *n* selvtillid
Selbstverwaltung *f* selvstyre *n*
Sellerie *m* selleri
selten sjælden; **ˆheit** *f* sjældenhed
Selters(wasser) *n* danskvand *n*
seltsam mærkelig
Semester *n* semest|er *n* (*-re*)
Seminar *n* *Kurs* kurs|us *n* (*-er*); *Ort* institut *n*
Semmel *f* rundstykke *n* (*-r*)
senden sende
Sender *m* sender (*-e*)
Sendung *f TV etc* udsendelse (*-r*)
Senf *m* sennep; **~gurke** *f* asie (*-r*)
sengen brænde
senken sænke; ***sich ~*** dale
senkrecht lodret
Sensation *f* sensation
Sense *f* le
sensibel sensibel
September *m* september; ***im ~*** i september
Serb|e *m*, **~in** *f* serber (*-e*)
Serie *f* serie (*-r*)
seriös seriøs
Serpentine *f Kurve* hårnålesving *n* (=)
Service *m* service *n*
servieren servere (***j-m*** for ngn)
Serviererin *f* servitrice (*-r*)
Serviette *f* serviet (*-ter*)
Servolenkung *f* servostyring
Sessel *m* lænestol (*-e*)
setzen sætte (***sich*** sig)
Seuche *f* epidemi
seufz|en sukke; **ˆer** *m* suk *n* (=)
Sexualkunde *f* seksualoplysning
sexuell seksuel
Shorts *pl* shorts *pl*
Show *f* show *n* (*-s*)
sich sig; ***von ~*** (***aus***) af sig selv
sicher sikker; *geborgen* tryg; ***~ sein*** være i sikkerhed (***vor*** for)
Sicherheit *f* sikkerhed; *Geborgenheit* tryghed
Sicherheits|gurt *m* sikkerhedsbælte *n* (*-r*); **ˆhalber** for en sikkerheds skyld; **~nadel** *f* sikkerhedsnål (*-e*); **~schloss** *n* sikkerhedslås (*-e*)
sicherlich sikkert
sicher|n sikre; **~stellen** sikre
Sicherung *f* sikring (*a El*)
Sicht *f* sigte *n*; **ˆbar** synlig; *adv* tydeligvis; **~weite** *f* synsvidde
sickern sive
sie *3. Pers sg weibl.* hun; *Ding, Tier* den; *n* det; *3. Pers pl* de, *akk, dat* dem
Sie *sg* du; *akk, dat* dig; *pl* I; *akk, dat* jer
Sieb *n* si
sieben syv; **ˆ** *f* syvtal *n* (*-ler*)
siebte syvende

siebzig halvfjerds
Siebzigerjahre *pl* halvfjerdsere *pl*
sieden koge
Siedlung *f* bebyggelse (*-r*)
Sieg *m* sejr (*-e*) (***über*** over)
siegen vinde (***über*** over); *Mil* sejre
Sieger(in) *m(f)* vinder (*-e*); *Mil* sejrherre (*-e*)
Signal *n* signal *n* (***zu*** til)
Silbe *f* stavelse (*-r*)
Silbentrennung *f* orddeling
Silber *n* sølv *n*; **~hochzeit** *f* sølvbryllup *n*
silbern sølv-
Silvester *n* nytår *n*
Sinfonie *f* symfoni
singen synge
Singular *m* singularis; ental
sinken synke
Sinn *m Geruchs-* sans; *Bedeutung* mening
sinngemäß ud fra meningen
sinnlich sanselig
sinnlos meningsløs
sinnvoll meningsfuld; *zweckmäßig* fornuftig
Sirup *m* sirup
Sitte *f* skik (*-ke*)
Sitz *m Platz* plads; *Fläche, Ort* sæde *n* (*-r*)
sitzen sidde; ~ ***bleiben*** bilve siddende; *Schule* gå om
Sitzplatz *m* siddeplads
Sitzung *f* møde *n* (*-r*)
Skandal *m* skandale (*-r*)
skateboarden, skaten stå på skateboard
Skelett *n* skelet *n* (*-ter*)
skeptisch skeptisk
Ski *m* ski; ~ ***fahren*** stå på ski
Ski|anzug *m* skidragt; **~hütte** *f* skihytte; **~langlauf** *m* langrend; **~läufer(in)** *m(f)* skiløber (*-e*); **~springen** *n* skihop *n*; **~stiefel** *m* skistøvle (*-r*); **~verleih** *m* skiudlejning
Skizze *f* skitse (*-r*)
skizzenhaft skitserende
Skulptur *f* skulptur
Slalom *m* slalom
Slip *m* trusser *pl*
Smoking *m* smoking
so *Art, demonstr.* sådan; *derart* så; *laut* ifølge; ~ ***oder*** ~ på den ene eller anden måde; ~ ***genannt*** såkaldt
Socke *f* sok (*-ker*)
Sockel *m* sok|kel (*-ler*)
Soda(wasser) *n* danskvand *n*
sodass så
Sodbrennen *n* halsbrand
soeben netop
sofort straks
Soforthilfe *f* omgående hjælp
sogar endda
Sohle *f* sål
Sohn *m* søn (*-ner*)
Sojaöl *n* sojaolie
solange så længe
solch sådan
Soldat(in) *m(f)* soldat
solide solid
Solist(in) *m(f)* solist
Soll *n Hdl* debet
sollen skulle; *moralisch* burde
Sommer *m* som|mer (*-re*); ***im*** ~ om sommeren; **~fahrplan**

m sommerkøreplan; **~ferien** *pl* sommerferie; **~flugplan** *m* sommerflyveplan
sommerlich sommerlig
Sommer|loch *n* agurketid; **~schlussverkauf** *m* sommerudsalg *n*; **~sprossen** *pl* fregner *pl*; **2sprossig** fregnet; **~zeit** *f* sommertid
Sonder|angebot *n* særtilbud *n* (=); **~ausgabe** *f* særudgave
sonderbar mærkelig
Sonder|fahrt *f* særkørsel; **~fall** *m* særtilfælde *n* (=); **~genehmigung** *f* særtilladelse; **~ling** *m* særling (*-e*); **~müll** *m* giftigt affald *n*
sondern men; ***nicht nur ..., ~ auch*** ikke bare ..., men også
Sonder|tarif *m* særtakst; **~zug** *m* særtog *n* (=)
Sonnabend *m* lørdag (***am*** på)
Sonne *f* sol; ***in der ~*** i solen; ***gegen die ~*** mod lyset
sonnen: ***sich ~*** sole sig
Sonnen|aufgang *m* solopgang (***bei*** ved); **~bad** *n* solbad *n*; **~blume** *f* solsikke (*-r*)
Sonnen|brand: ***e-n ~ haben*** være solskoldet; **~brille** *f* solbriller *pl*; **~deck** *n* soldæk *n*; **~energie** *f* solenergi
sonnengebräunt solbrændt
Sonnen|kollektor *m* solfanger (*-e*); **~öl** *n* sololie; **~schein** *m* solskin *n* (***bei*** i); **~schirm** *m* parasol (*-ler*); **~schutzcreme** *f* solcreme; **~stich** *m* solstik *n*; **~studio** *n* solcenter *n*; **~untergang** *m* solnedgang (***bei*** ved)
sonnig solrig
Sonntag *m* søndag; ***an Sonn- und Feiertagen*** på søn- og helligdage
sonst ellers; ***~ jemand?*** ellers nogen?; ***~ nichts*** ellers ikke noget; ***~ niemand*** ellers ingen; ***~ noch etwas?*** ellers noget?
sooft så tit
Sorge *f* bekymring; ***sich Sorgen machen*** være bekymret (***um*** for)
sorgen sørge (***für*** for)
Sorgerecht *n* forældremyndighed (***für*** over)
sorg|fältig omhyggelig; **~los** ubekymret
Sorte *f* slags (=)
sortieren sortere (***nach*** efter)
Soße *f* sovs (*-e*)
Soundkarte *f EDV* lydkort *n* (=)
Souvenir *n* souvenir (*-s*); **~laden** *m* souvenirbutik (*-ker*)
so|viel så meget; **~weit** så vidt
sowie *sobald* så snart; *und auch* og også
sowieso jo alligevel
sowohl: ***~ ... als auch*** både ... og
sozial social
Sozialamt *n* socialforvaltning
sozialdemokratisch socialdemokratisk
Sozialhilfe *f* bistandshjælp; **~empfänger(in)** *m*(*f*) bi-

standsmodtager (*-e*)
sozialistisch socialistisk
Sozialversicherung *f* socialforsikring
sozusagen så at sige
Spachtel *f* spat|el (*-ler*)
Spalte *f* spalte (*-r*)
spalten spalte
Späne *pl* spåner *pl*
Spange *f* spænde *n* (*-r*)
Spann *m* vrist
Spanne *f* tidsrum *n*
spannen spænde
spannend spændende
Spannlaken *m* stræklagen *n*
Spannung *f* spænding (*a El*)
Sparbuch *n* bank|bog (*-bøger*)
Spar|büchse, **~dose** *f* sparebøsse
sparen spare; ***~ auf (für)*** spare op (til); ***es sich ~ können*** kunne spare sig det
Spargel *m* asparges (=)
Sparkasse *f* sparekasse
Sparmaßnahme *f* nedskæring
sparsam sparsommelig
Sparschwein *n* sparegris
Spaß *m* sjov; ***aus, zum ~*** for sjov; ***es macht ~*** det er sjovt; ***viel ~!*** mor dig *od* jer godt!
spät sen; *adv* sent; ***wie ~ ist es?*** hvad er klokken?; ***zu ~*** for sent
Spaten *m* spade (*-r*)
später senere
spätestens senest
Spätvorstellung *f* sen forestilling
Spatz *m* spurv (*-e*)
spazieren: ***~ gehen*** gå en tur
Spaziergang *m* spadseretur; ***einen ~ machen*** gå en tur
Specht *m* spætte (*-r*)
Speck *m* bacon
Spedit|eur *m* speditør; **~ion** *f* spedition
Speer *m* spyd *n* (=)
Speiche *f* ege (*-r*)
Speichel *f* spyt *n*
Speicher *m EDV* disk (*-e*); *Hdl* lager *n*; **~kapazität** *f EDV* hukommelse
speichern *EDV* gemme; *Hdl etc* oplagre
Speicher|platz *m EDV* hukommelse; **~laufwerk** *n* drev *n* (=)
Speise *f* spise (*-r*); **~karte** *f* spisekort *n* (=); **~röhre** *f* spiserør *n*; **~saal** *m* spisesal; **~wagen** *m* spisevogn (*-e*)
Spende *f* bidrag *n* (=) (***für*** til)
spenden forære; ***Blut ~*** give blod
Spender(in) *m(f)* donor
spendieren give
sperrangelweit pivåben
Sperre *f* afspærring
sperren spærre
Sperr|gut *n* fragtgods; **2holz** *n* krydsfinér
sperrig stor
Sperrkonto *n* spærret konto
Sperrmüll *m* storskrald *n*
Sperrstunde *f* lukketid
Spesen *pl* udgifter *pl*
Spezial|gebiet *n* speciale *n*; **~ität** *f* specialitet

speziell speciel
Spiegel *m* spejl *n* (*-e*); **~bild** *n* spejlbillede *n*
Spiegelei *n* spejlæg *n* (=)
spiegel|n spejle (***sich*** sig); **~verkehrt** spejlvendt
Spiel *n* spil *n* (=); *Kinder* leg (*-e*); **~automat** *m* spilleautomat; **~dauer** *f* spilletid
spielen spille; *Kinder* lege
spielend legende let
Spiel|er(in) *m(f)* spiller (*-e*); **~feld** *n* bane (*-r*); **~kamerad(in** *f*) legekammerat; **~karte** *f* spillekort *n* (=); **~kasino** *n* spillekasino *n*; **~marke** *f* jeton; **~plan** *m* spilleplan; **~platz** *m* legeplads; **~regel** *f* spilleregel; **~sachen** *pl*, **~zeug** *n* legetøj *n*
Spieß *m* spyd *n* (=); ***am ~*** på spid
Spinat *m* spinat
Spinne *f* edderkop (*-per*)
spinnen spinde; *fig* være vanvittig
Spinnweben *pl* spindelvæv *n*
Spion|(in) *m(f)* spion; **~age** *f* spionage
Spirale *f* spiral (*a Med*)
Spiritus *m* sprit; **~kocher** *m* spritapparat *n*
spitz spids
Spitze *f* spids; *Stoff* blonde (*-r*)
Spitzel *m* stikker (*-e*)
spitzen spidse
Spitzendeckchen *n* lysedug (*-e*)
Spitzenleistung *f* topprræstation
spitzfindig spidsfindig
Spitzname *m* øgenavn *n* (*-e*)
Splitter *m* splint
splittern splintre
sponsern sponsorere
Sport *m* sport (***treiben*** dyrke); **~angler(in)** *m(f)* lystfisker (*-e*); **~artikel** *pl* sportsudstyr *n*; **~flugzeug** *n* sportsflyver (*-e*); **~halle** *f* sportshal (*-ler*); **~kleidung** *f* sportstøj *n*; **~lehrer(in)** *m(f)* gymnastiklærer (*-e*)
Sport|ler *m* sports|mand (*-folk*); **~lerin** *f* sportskvinde (*-r*); **2lich** sportslig; **~platz** *m* sportsplads; **~reportage** *f* sportsreportage; **~veranstaltung** *f* sportsbegivenhed; **~verein** *m* sportsklub (*-ber*); **~wagen** *m* sportsvogn (*-e*)
Spott *m* spot
spottbillig rørende billig
spotten spotte
spöttisch spottende
Sprach|e *f* sprog *n* (=); **~führer** *m* parlør; **~gefühl** *n* sprogfornemmelse; **~kenntnisse** *pl* sprogkundskaber *pl*; **2lich** sproglig; **2los** målløs; **~schule** *f* sprogskole
Spray *n* spray; **~dose** *f* spraydåse (*-r*)
Sprayer *m* graffitimaler (*-e*)
sprechen tale
Sprecher(in) *m(f)* taler; *Verein* talsmand; *Pol* ordfører; *Rdf* speaker (*-e*)

Sprechstunde *f* træffetid
Sprechzimmer *n* konsultation
spreizen sprede
sprengen sprænge; *Wasser* vande
Spreng|stoff *m* sprængstof *n*; **~ung** *f* sprængning
Sprichwort *n* ordsprog *n* (=)
Springbrunnen *m* springvand *n* (=)
springen springe
Springerstiefel *pl* militærstøvler *pl*
Spritze *f* sprøjte (-*r*); ***e-e ~ bekommen*** få en indsprøjtning
spritzen sprøjte; *Med* give en indsprøjtning
spröde *Haar* tør; *Person* afvisende
Sprosse *f* trin *n* (=); *Fenster* sprosse (-*r*)
Spruch *m* vers *n* (=); *Jur* kendelse (-*r*)
Sprudel *m* danskvand
sprudeln sprudle
Sprühdose *f* spraydåse (-*r*)
sprühen sprøjte
Sprung *m* spring *n* (=); *Riss* revne (-*r*); **~brett** *n* vippe (-*r*); **≗haft** voldsom; **~schanze** *f* skihopbakke; **~turm** *m* udspringstårn *n*
Spucke *f* spyt *n*
spucken spytte
spuken: ***es spukt*** det spøger
Spülbecken *n*, **Spüle** *f* vask
Spule *f* spole (-*r*)
spülen vaske op; *WC* trække ud
Spülgang *m* skylleprogram *n*
Spülmaschine *f* opvaskemaskine
spülmaschinenfest til opvaskemaskine (*nachgestellt*)
Spülmittel *n* opvaskemiddel *n*
Spülung *f* skylning
Spur *f* spor *n* (=)
spürbar mærkbar
spüren mærke
spurlos sporløs
Staat *m* stat; **≗enlos** statsløs; **≗lich** statslig
Staats|angehörigkeit *f* nationalitet; **~anwalt** *m*, **~anwältin** *f* statsadvokat; **~bürger(in)** *m(f)* statsborger (-*r*); **~mann** *m* stats|mand (-*mænd*)
Stab *m* stav (-*e*); **~hochsprung** *m* stangspring *n*
stabil stabil
Stabilität *f* stabilitet
Stachel *m* pig (-*ge*); *Zo* brod; *Bot* torn (-*e*); **~beere** *f* stikkelsbær *n* (=); **~draht** *m* pigtråd; **~drahtzaun** *m* pigtrådshegn *n*
stachelig pigget
Stadion *n* stadion *n*
Stadt *f* by; **~bezirk** *m* bydistrikt; **~bummel** *m* bytur
städtisch kommunal
Stadt|plan *m* bykort *n* (=); **~planung** *f* byplanlægning; **~rundfahrt** *f* sightseeing; **~teil** *m*, **~viertel** *n* bydel (-*e*)
Stahl *m* stål *n*
Stall *m* stald (-*e*)
Stamm *m* stamme (-*r*) (*a fig*,

Gr)
stammen stamme (***von, aus*** fra)
Stamm|gast *m* stamgæst; **~tisch** *m* stambord *n*
stampfen stampe
Stand *m* stand; *Verkaufs-*bod; **~bild** *n* statue; *Fot* stillbillede *n* (*-r*)
Ständer *m* stativ *n*; V stådreng
Standesamt *n* *Tod, Geburt* folkeregister *n*; *Heirat* vielseskontor *n*
standhaft standhaftig
ständig hele tiden
Stand|licht *n* parkeringslys *n*; **~ort** *m* base (*-r*); **~punkt** *m* standpunkt *n*
Stange *f* stang (*stænger*); *Zigaretten* karton *n*
Stängel *m* stilk (*-e*)
Stapel *m* stab|el (*-ler*)
stapeln stable
Star *m* *Med, Zo* stær (*-e*); *Promi* stjerne (*-r*)
stark stærk
Stärke *f* styrke; intensitet; *für Wäsche* stivelse
stärken styrke (***sich*** sig); **2r** stærkere
Starkstrom *m* stærkstrøm
Stärkung *f* styrkelse
starr stiv; **~en** stirre (***auf*** på)
Start *m* start; **~bahn** *f* startbane; **2bereit** startklar
starten starte
Startzeichen *n* startsignal *n*
Station *f* station; *Hospital* afdeling
Stations|arzt *m*, **~ärztin** *f* afdelingslæge (*-r*); **~schwester** *f* afdelingssygeplejerske (*-r*)
statt, **~dessen** i stedet for
stattfinden foregå
Statue *f* statue (*-r*)
Stau *m* *Kfz* trafikprop, kødannelse
Staub *m* støv *n*; **2ig** støvet; **2saugen** støvsuge; **~sauger** *m* støvsuger (*-e*); **~tuch** *n* støveklud (*-e*)
stauen: ***sich ~*** hobe sig op
staunen blive forbavset (***über*** over)
Steakhaus *n* bøfhus *n* (*-e*)
stechen stikke; **~d** stikkende
Steckbrief *m* efterlysning
Steckdose *f* stikkontakt
stecken *v/t* stikke; *v/i* gemme sig; ***~ bleiben*** blive siddende; ***dahinter ~*** ligge bag; ***~ lassen*** lade sidde
Steckenpferd *n* kæphest (*a fig*)
Stecker *m* stikkontakt
Stecknadel *f* knappenål (*-e*)
Steg *m* *Brücke* gangbro; *Weg* gangsti
stehen stå; ***~ bleiben*** blive stående; ***~ lassen*** lade stå
Stehlampe *f* standerlampe (*-r*)
stehlen stjæle
Stehplatz *m* ståplads
steif stiv
Steigbügel *m* stigbøjle (*-r*)
steigen stige (***auf*** op på)
steigern forøge; *Gr* gradbøje
Steigerung *f* forøgelse (*-r*);

Gr gradbøjning
Steigung *f Straße* stigning
steil stejl
Steilküste *f* klint
Stein *m* sten (=); **&hart** stenhård; **&ig** stenet
Stein|pilz *m* rørhat (*-te*); **~schlag** *m* stenskred *n*; **~zeit** *f* stenalder
Stelle *f Ort* sted *n*; *Platz* plads; *Job* stilling; ***auf der ~*** på stedet
stellen stille
Stellen|angebot *n* jobtilbud *n*; **~gesuch** *n* ansøgning
stellenweise stedvis
Stellenwert *m* prioritet
Stellung *f* stilling; **~swechsel** *m* jobskifte *n*
Stellvertreter(in) *m(f)* stedfortræder (*-e*)
stemmen *Gewichte* stemme; ***sich ~ gegen*** modsætte sig
Stempel *m* stemp|el *n* (*-ler*); **~kissen** *n* stempelpude
stempeln stemple
Stengel *m* stilk
Steppdecke *f* vattæppe
sterben dø (***an*** af)
Stereo|anlage *f* stereoanlæg *n*; **~fernsehen** *n* stereofjernsyn *n*
steril steril
Stern *m* stjerne (*-r*); **~bild** *n* stjernebillede *n* (*-r*); **~schnuppe** *f* stjerneskud *n* (=); **~zeichen** *n* stjernetegn *n* (=)
stetig stadig
stets altid
Steuer[1] *n Kfz* styr *n* (=); *Mar* ror *n* (=)
Steuer[2] *f Zahlung* skat (*-ter*); **~behörde** *f* skattevæsen *n*
Steuerbord *n* styrbord *n*
Steuer|erklärung *f* selvangivelse; **&frei** skattefri; **~hinterziehung** *f* skattesvig; **~knüppel** *m* styrepind; **~mann** *m* styrmand
steuern styre
Steuerung *f* styring
Steuerzahler(in) *m(f)* skatteyder (*-e*)
Stich *m* stik *n* (=); *Nähen* sting *n* (=); ***im ~ lassen*** lade i stikken; **&haltig** holdbar; **~probe** *f* stikprøve (***machen*** lave); **~tag** *m* termin; **~wort** *n* stikord *n* (=)
Sticker *m* klistermærke *n* (*-r*)
Stickerei *f* broderi *n*
stickig kvælende
Stickstoff *m* kvælstof *n*
Stiefel *m* støvle (*-r*)
Stief|mutter *f* stedmor; **~mütterchen** *n* stedmoderblomst; **~sohn** *m* stedsøn; **~tochter** *f* steddatter; **~vater** *m* stedfar
Stiel *m* skaft *n*; *Bot* stilk (*-e*)
Stier *m* tyr (*-e*); **~kampf** *m* tyrefægtning
Stift *m* stift; *Schreiben* skriver
Stil *m* stil
still stille
Stille *f* stilhed
stillen *Kind* amme; *Schmerz* lindre
Stillstand *m* standsning; *fig*

stilstand
Stimm|bänder *pl* stemmebånd *pl*; **~bruch** *m*: ***er ist im ~*** hans stemme er i overgang
Stimme *f* stemme (*-r*) (*a Pol*)
stimmen stemme (***für*** for, ***gegen*** imod); ***das stimmt*** (***nicht***) det er (ikke) rigtigt
Stimmrecht *n* stemmeret
Stimmung *f* stemning; **2svoll** stemningsfuld
stinken stinke (***nach*** af)
Stirn *f* pande; **~höhle** *f* pandehule; **~runzeln** *n* panderynken
stöbern rode
stochern rode
Stock *m* stok (*-ke*); *Haus* etage (***im*** på)
Stöckelschuhe *pl* højhælede sko
stock|en gå i stå; **2ung** *f* standsning
Stockwerk *n* etage (*-r*) (***im*** på)
Stoff *m* stof *n* (*-fer*); **~tier** *n* bamse (*-r*)
Stoffwechsel *m* stofskifte *n*
stöhnen stønne; *sich beschweren* klage
stolpern snuble (***über*** over)
stolz stolt (***auf*** af); **2** *m* stolthed
stopfen stoppe
Stoppelbart *m* skægstubbe *pl*
Stoppeln *pl* stubbe *pl*
stoppen stoppe
Stöpsel *m* prop (*-per*)
Stör *m* stør (=)
Storch *m* stork (*-e*)
stören forstyrre; ***darf ich Sie ~?*** må jeg have lov at forstyrre?
Störung *f* forstyrrelse; ***entschuldigen Sie die ~!*** undskyld jeg forstyrrer!
Stoß *m Schlag* stød *n* (=); *Stapel* bunke (*-r*); **~dämpfer** *m* støddæmper (*-e*)
stoßen støde (***an, gegen*** imod)
Stoß|stange *f* kofanger (*-e*); **~verkehr** *m* myldretidstrafik
stottern stamme
Straf|anstalt *f* fængsel *n*; **~anzeige** *f* politianmeldelse
strafbar strafbar
Strafe *f* straf (*-fe*); *Geld* bøde (*-r*)
strafen straffe
straff stram
straffrei straffri
Straf|gesetzbuch *n* straffelov; **~porto** *n* strafporto; **~punkt** *m* minuspoint, strafpoint *n*; **~raum** *m Sport* straffesparksfelt *n*; **~recht** *n* strafferet; **~stoß** *m Sport* straffespark *n*; **~tat** *f* forbrydelse (*-r*); **~verfahren** *n* straffesag
Strahl *m* stråle (*-r*)
strahlen stråle
strahlend strålende
Strähne *f* tjavs
stramm stram
strampeln sparke
Strand *m* strand (*-e*)

stranden strande
Strandhotel *n* strandhotel
Strang *m* snor (*-e*)
Strapaz|en *f* strabadser; **⁓ierfähig** slidstærk
Straße *f* vej (*-e*); *Stadt* gade (*-r*)
Straßen|arbeiten *pl* vejarbejde *n*; **⁓bahn** *f* sporvogn (*-e*); **⁓beleuchtung** *f* vejbelysning; **⁓ecke** *f* gadehjørne *n* (*-r*); **⁓glätte** *f* glatte veje *pl*; **⁓graben** *m* grøft; **⁓karte** *f* vejkort *n*; **⁓laterne** *f* gadelygte (*-r*); **⁓schild** *n* vejskilt *n* (*-e*); **⁓verkehrsordnung** *f* færdselslov; **⁓zustandsbericht** *m* vejmelding
sträuben rejse; ***sich*** **⁓** gøre modstand (***gegen*** mod)
Strauch *m* busk (*-e*)
Strauß *m Zo* struds (*-e*); *Bot* buket (*-ter*)
streben stræbe (***nach*** efter)
strebsam stræbsom
Strecke *f* strækning
strecken strække (***sich*** sig)
Streich *m* nummer *n*
streicheln ae
streichen stryge
Streichholz *n* tændstik (*-ker*)
Streichkäse *m* smøreost
Streife *f* patrulje (*-r*)
streifen *berühren* strejfe
Streifen *m* stribe (*-r*); **⁓wagen** *m Polizei* patruljevogn (*-e*)
Streik *m* strejke (*-r*)
streiken strejke
Streit *m* skænderi *n*
streiten skændes
Streitkräfte *pl* militær *n*
streitsüchtig provokerende
streng streng
Stress *m* stress
stressen stresse
stressig stresset
streuen strø
Strich *m* streg
Strichcode *f* stregkode (*-r*)
Strick *m* reb *n* (=); **⁓arbeit** *f* strikketøj *n*
stricken strikke
Strickjacke *f* strikketrøje
Strickleiter *f* rebstige
Stricknadel *f* strikkepind (*-e*)
Strickwaren *pl* strikvarer *pl*
strikt nøjagtig
strittig omstridt
Stroh *n* halm
Strohhalm *m* strå *n*; *Trinkhalm* sugerør *n* (=)
Strohhut *m* stråhat (*-te*)
Strom *m El* strøm; *Wasser* flod; **⁓ausfall** *m* strømsvigt *n*
strömen strømme
Stromschlag *m* stød *n*
Strömung *f* strømning
Strom|verbrauch *m* strømforbrug *n*; **⁓zähler** *m* elmåler (*-e*)
Strophe *f* vers *n* (=); *literarisch* strofe (*-r*)
Strumpf *m* strømpe (*-r*); **⁓hose** *f* strømpebukser *pl*
struppig pjusket
Stube *f* stue (*-r*)
Stubenmädchen *n* stuepige (*-r*)

Stück *n* stykke *n* (*-r*)
stückweise stykvis
Student|(in) *m(f)* studerende (=); **~en-** studenter-; **~enrevolte** *f* studenteroprør *n*; **~enwohnheim** *n* kollegi|um *n* (*-er*)
Studie *f* studie (*-r*)
Studienreise *f* studierejse
studieren studere
Studio *n* atelier *n*; *TV etc* studie *n* (*-r*)
Studium *n* studi|um *n* (*-er*)
Stufe *f* trin *n* (=)
stufenlos trinløs
stufenweise gradvis
Stuhl *m* stol (*-e*)
Stuhlgang *m* afføring
stumm stum
Stummel *m* stump; *Zigarette* skod *n* (=)
stumpf sløv
Stumpf *m* stump
Stunde *f* time (*-r*)
Stunden|kilometer *pl* kilometer *pl* i timen; **2lang** *adv* i timevis (*nachgestellt*); **~lohn** *m* timeløn; **~plan** *m* skema *n*; **~zeiger** *m* lille viser
stur stædig
Sturm *m* storm (*-e*)
stürmen storme
Stürmer *m Sport* angrebsspiller (*-e*)
stürmisch stormfuld
Sturmwarnung *f* stormvarsel *n*
Sturz *m* styrt *n* (=)
stürzen styrte; ***sich ~ auf*** kaste sig over
Sturzhelm *m* styrthjelm (*-e*)
Stute *f* hoppe (*-r*)
Stütze *f* støtte (*-r*)
stutzen studse (*a schneiden*)
stützen støtte; ***sich ~ auf*** støtte sig til
Subvention *f Hdl* subvention (*-er*)
Suchanfrage *f Internet* søgning
Suche *f* eftersøgning; ***auf der ~ nach*** på udkig efter
suchen søge, lede efter
Suchmaschine *f EDV* søgemaskine (*-r*)
Sucht *f* afhængighed; *Manie* trang (***nach*** til)
süchtig afhængig (***von*** af)
Süden *m* syd
südlich syd (***von*** for)
Südosten *m* sydøst
südöstlich sydøstlig (***von*** for)
Südpol *m* sydpol
Südwesten *m* sydvest
südwestlich sydvestlig (***von*** for)
Südwind *m* søndenvind
Sülze *f* sylte (*-r*)
Summe *f* sum (*-mer*)
summen summe; *Lied* nynne
Sünde *f* synd
Supermarkt *m* supermarked *n*
Suppe *f* suppe (*-r*)
Suppenfleisch *n* suppekød *n*
Suppengrün *n* suppevisk
Suppenteller *m* suppetallerken
Suppenwürfel *m* bouillonter-

ning
Surfbrett *n* surfbrædt *n*
süß sød (*a reizend*)
süßen søde
Süßigkeiten *pl* slik *n*
süßsauer sursød
Süßstoff *m* sødemiddel *n*
Süßwasser *n* ferskvand *n*; **~fisch** *m* ferskvandsfisk (=)
symbolisch symbolsk
sympathisch sympatisk
Symptom *n* symptom *n*
synchronisiert synkroniseret
synthetisch syntetisk
System *n* system *n*; **~absturz** *m EDV* systemnedbrud *n*
systematisch systematisk
Szene *f* scene; *Bereich* miljø *n*

T

Tabak *m* tobak; **~laden** *m* tobaksforretning; **~pfeife** *f* pibe (*-r*); **~rauch** *m* tobaksrøg; **~waren** *pl* tobak
Tabelle *f* tabel (*-ler*)
Tabellenführer *m* nr. 1 i puljen
Tablett *n* bakke (*-r*)
Tablette *f Med* tablet (*-ter*)
Tachometer *m/n* kilometertæller
Tachostand *m* kilometertællerens udvisende *n*
Tadel *m* kritik
tadellos ulastelig
tadeln kritisere (***wegen*** for)
Tafel *f* tavle (*-r*); *Schokoplade* (*-r*); **~wasser** *n* kildevand *n*; **~wein** *m* bordvin; *Restaurant* husets vin
Tag *m* dag (*-e*); ***guten ~!*** goddag!; ***am ~, pro ~*** om dagen
Tagebuch *n* dagbog (***führen*** skrive)
tagelang i dagevis
tagen *Versammlung* holde møde
Tages|anbruch *m* daggry *n* (***bei*** ved); **~ausflug** *m* heldagstur; **~creme** *f* dagcreme; **~decke** *f* sengetæppe *n* (*-r*); **~gericht** *n* dagens ret (*-ter*); **~karte** *f* menukort *n* med dagens retter; *Verkehr* heldagsbillet (*-ter*); **~kurs** *m* dagskurs; **~licht** *n* dagslys *n* (***bei*** i)
Tagesmutter *f* dagplejemor
Tagesordnung *f* dagsorden
täglich daglig
tagsüber om dagen
tagtäglich daglig
Tagung *f* møde *n* (*-r*); *fachlich* konference (*-r*)
Taille *f* talje (*-r*)
Taillenweite *f* taljevidde
Takt *m* takt (*a Benehmen*)
taktlos taktløs
taktvoll taktfuld
Tal *n* dal
Talent *n* talent
talentiert talentfuld
Talfahrt *f* nedtur; *fig* nedgang
Talkshow *f Sendung* talkshow

n (*-s*); *Talken* tv-samtale
Tampon *m* tampon
Tang *m* tang
Tanga, **Tangaslip** *m* tangatrusser *pl*
Tank *m* tank (*-e*); *Mil* kampvogn (*-e*); **~anzeige** *f* benzinmåler (*-e*)
tanken tanke
Tank|säule *f* benzinstander (*-e*); **~stelle** *f* benzintank (*-e*); **~uhr** *f* benzinmåler (*-e*); **~wart** *m*, **~wartin** *f* tankpasser (*-e*)
Tanne *f* gran
Tannenbaum *m* juletræ *n*
Tante *f* tante (*-r*); *mütterlicherseits* moster; *väterlicherseits* faster
Tanz *m* dans (*-e*)
tanzen danse (***mit*** med)
Tänzer(in) *m(f)* danser (*-e*)
Tanz|fläche *f* dansegulv *n*; **~lokal** *n* dansested *n*; **~schule** *f* danseskole
Tapete *f* tapet *n*
tapfer tapper; **2keit** *f* tapperhed
Tarif *m Preis* pris; *Lohn* overenskomstløn; **~vertrag** *m* overenskomst
tarn|en camouflere; **2ung** *f* camouflage
Tasche *f an der Hose* lomme (*-r*); *zum Tragen* taske (*-r*)
Taschen|buch *n* paperback (*-s*); **~dieb** *m* lommetyv (*-e*); **~geld** *n* lommepenge *pl*; **~lampe** *f* lommelygte (*-r*); **~messer** *n* lommekniv (*-e*); **~rechner** *m* lommeregner (*-e*); **~tuch** *n* lommetørklæde *n* (*-r*)
Tasse *f* kop (*-per*)
Taste *f EDV etc* tast; *Mus* tangent
Tat *f* handling; *Leistung* præstation; *Verbrechen* forbrydelse
Tatar *m* tatar
tatenlos passiv
Täter(in) *m(f)* gernings|mand (*-mænd*)
tätig aktiv; **~** ***sein als*** *od* ***bei*** arbejde som *od* i
Tätigkeit *f* arbejde; *Tech* funktion
tätlich fysisk
Tatort *m* gerningssted *n*
tätowieren tatovere
Tätowierung *f* tatovering
Tatsache *f* fakt|um *n* (*-a*)
tatsächlich faktisk
tatütata: **~!** babu-babu!
Tatze *f* pote (*-r*)
Tau[1] *n* tov *n* (*-e*)
Tau[2] *m* dug
taub døv
Taube *f* due (*-r*)
Taubenkot *m* duemøg *n*
taubstumm døvstum
tauchen *Meer* dykke; *nass machen* dyppe
Taucher|(in) *m(f)* dykker (*-e*); **~ausrüstung** *f* dykkerudstyr *n*; **~brille** *f* dykkermaske (*-r*)
tauen tø; ***es taut*** det tør
Taufe *f* dåb
taufen døbe; ***auf den Namen***

Lea ~ døbe Lea
Taufpate *m* fadder (*-e*)
Taufpatin *f* gudmor
Taufschein *m* dåbsattest
Taufstein *m* døbefont (*-e*)
taugen du (***zu*** til); ***taugt nichts*** dur ikke
tauglich brugbar
taumeln vakle
Tausch *m* bytte *n*; *das Tauschen* bytning
tauschen bytte (***gegen*** til)
täuschen snyde; ***sich ~*** tage fejl
Tauschgeschäft *n* byttehandel
Täuschung *f Betrug* svindel; *optisch etc* illusion
tausend tusind
Tausendstel *n* tusindedel (*-e*)
Tauwetter *n* tøvejr *n*
Taxe *f Gebühr* takst; *Wagen* taxa
Taxi *n* taxa
Taxifahrer(in) *m(f)* taxachauffør
Taxistand *m* taxaholdeplads
Technik *f* teknik (*-ker*)
Techniker(in) *m(f)* tekniker (*-e*)
technisch teknisk
Tee *m* te
Teegebäck *n* småkager *pl*
Teekanne *f* tekande (*-r*)
Teelicht *n* fyrfadslys *n* (=)
Teelöffel *m* teske
Teenager(in) *m(f)* teenager (*-e*)
Teer *m* tjære
Teesieb *n* tesi
Teetasse *f* tekop
Teich *m* dam (*-me*)
Teig *m* dej
Teil *n/m* del (*-e*); ***zum ~*** delvist
teilen dele
Teilhaber(in) *m(f)* kompagnon
teilmöbliert delvist møbleret
Teilnahme *f* deltagelse (***an*** i)
teilnehmen deltage (***an*** i)
Teilnehmer(in) *m(f)* deltager (*-e*)
Teilnehmerliste *f* deltagerliste (*-r*)
Teilnehmerzahl *f* deltagerantal *n*
teils dels; ***~ … ~*** dels … dels
Teilung *f* deling
teilweise delvis
Teilzeit: ***~ arbeiten*** arbejde på deltid; **≗arbeit** *f* deltidsarbejde *n*
Telefax *n* telefax *n*
Telefon *n* telefon
Telefongespräch *n* telefonsamtale (*-r*)
telefonieren tale i telefon (***mit*** med)
Telefonnummer *f* telefonnum|mer *n* (*-re*)
Telefonzelle *f* telefonboks (*-e*)
Telekarte *f* telekort *n* (=)
Teleobjektiv *n* teleobjektiv *n*
Teletext *m* tekst-tv *n*
Teller *m* tallerk|en (*-ner*)
temperamentvoll temperamentsfuld
Temperatur *f* temperatur (***messen*** tage)
Tempo *n* hastighed; **~limit** *n*

hastighedsbegrænsning; **~sünder** *m* fartbilist
Tendenz *f* tendens (***zu*** til)
tendenziös tendentiøs
Tennis *n* tennis; **~ball** *m* tennisbold (*-e*); **~platz** *m* tennisbane; *Anlage* tennisanlæg *n*; **~schläger** *m* tennisketsjer (*-e*)
Teppich *m* tæppe *n* (*-r*)
Termin *m* tidspunkt *n*
termingerecht rettidig
Terminplan *m* kalender (*-e*)
Terrasse *f* terrasse (*-r*)
Terrorismus *m* terrorisme
Tesafilm® *m* tape
Test *m* test (***durchführen*** lave)
Testament *n* testamente *n*
testen teste (***auf*** med henblik på)
teuer dyr; ***zu ~*** for dyr
Teufel *m* djæv|el (*-le*)
Text *m* tekst
Textilien *pl* tekstil
Theater *n* teat|er *n* (*-re*)
Theaterkasse *f* billetluge
Theatervorstellung *f* teaterstykke *n* (*-r*)
Theke *f* disk; *Kneipe* bar (***an*** i)
Thema *n* emne *n* (*-r*); ***das ~ wechseln*** skifte emne
Theorie *f* teori
Therapeut(in) *m(f)* terapeut
Therapie *f* terapi
Thermometer *n* termomet|er *n* (*-re*)
Thermosflasche® *f* termoflaske (*-r*)
Thermostat *n* termostat
Thunfisch *m* tun
Thymian *m* timian
ticken tikke
Ticket *n* billet (*-ter*)
tief lav
Tief *n* lavtryk *n*
Tiefe *f* dybde (*-r*); *Abgrund* dyb *n*
Tiefgarage *f* parkeringskælder (*-e*)
tiefgekühlt dybfrossen
Tiefkühl|fach *n* fryseboks (*-e*); **~kost** *f* dybfrostmad; **~truhe** *f* fryser (*-e*)
Tiefstand *m* lavpunkt *n*
Tier *n* dyr *n* (=); **~arzt** *m*, **~ärztin** *f* dyrlæge (*-r*); **~quälerei** *f* dyrplageri *n*; **~schutz** *m* dyrebeskyttelse; **~versuch** *m* dyreforsøg *n* (=)
tilgen *Schulden* afvikle
Tinte *f* blæk *n*
Tintenfisch *m* blæksprutte (*-r*)
Tintenstrahldrucker *m EDV* blækprinter (*-e*)
Tipp *m Hinweis* tip *n*
tippen skrive på maskine; *Toto* tippe
Tippfehler *m* slåfejl (=)
Tisch *m* bord *n* (*-e*); ***bei ~*** ved bordet; **~decke** *f* dug (*-e*)
Tischler(in) *m(f)* snedker (*-e*)
Tischtennis *n* bordtennis
Tischtuch *n* dug (*-e*)
Titel *m* tit|el (*-ler*)
Titelheld(in) *m(f)* hovedperson
Toast *m Brot* toastbrød *n*; *Trinkspruch* skål
toben rase; *lärmen* støje

Tochter *f* datter (*døtre*)
Tod *m* død
Todes|anzeige *f* dødsannonce (*-r*); **~fall** *m* dødsfald *n* (=); **~opfer** *n* dødsof|fer *n* (*-re*); **~strafe** *f* dødsstraf
tödlich dødelig
Toilette *f* toilet *n* (*-ter*)
Toiletten|artikel *pl* toiletartikler *pl*; **~becken** *m* toiletkumme; **~häuschen** *n* mobiltoilet *n* (*-ter*); **~papier** *n* toiletpapir *n*
toll F *herrlich* fed; (**wie**) **~!** fedt!
Tomate *f* tomat
Tomaten|ketchup *m/n* tomatketchup; **~soße** *f* tomatsovs
Ton[1] *m Lehm* ler *n*
Ton[2] *m Mus* tone (*-r*); **~abnehmer** *m* pick-up; **~band** *n* bånd *n* (=)
tönen tone (*a Haar*)
Tonne *f Gewicht* ton (*-s*); *Fass* tønde (*-r*)
Tönung *f* toning
Topf *m Gastr* gryde (*-r*); *Blumen* potte (*-r*)
Töpfchen *n Kind* potte (*-r*)
Töpferwaren *pl* keramik
Topfpflanze *f* potteplante (*-r*)
Tor[1] *m* tåbe (*-r*)
Tor[2] *n* port (*-e*); *Sport* mål *n* (=); **~einfahrt** *f* indkørs|el (*-ler*)
Torhüter(in) *m(f)* mål|mand (*-mænd*)
töricht tåbelig
Tor|schütze *m*, **~schützin** *f* målscorer (*-e*)
Torte *f* tærte (*-r*); *Sahne-* lagkage (*-r*)
Torwart(in) *m(f)* mål|mand (*-mænd*)
tosen larme
tot død; **2e** *m/f* død (*-e*)
töten dræbe
totlachen: ***sich* ~** være ved at dø af grin
Toto *m* tips; **~schein** *m* tipskupon
Totschlag *m* drab *n* (=)
Toupet *n* toupet
toupieren toupere
Tour *f* tur (*-e*); *Tech*, *Kfz* omdrejning
Tourist(in) *m(f)* turist
Touristenattraktion *f* turistattraktion
Touristenführer(in) *m(f)* guide
Touristenklasse *f* turistklasse
Touristik *f* turisme
Trabrennen *n* travløb *n* (=)
Tracht *f* dragt
Tradition *f* tradition
traditionell traditionel
tragbar bærbar
träge sløv
tragen bære (***bei sich*** på sig)
Tragetasche *f* bærepose (*-r*); *aus Stoff* indkøbspose (*-r*)
Tragflächenboot *n* flyvebåd (*-e*)
Tragödie *f* tragedie (*-r*)
Tragweite *f* rækkevidde; *fig* betydning (**von** af)
Trainer(in) *m(f)* træner (*-e*)
trainieren træne
Training *n* træning (***beim*** til)

Trainings|anzug *m* trænings-dragt; **~hose** *f* træningsbukser *pl*; **~jacke** *f* træningstrøje (*-r*)
trampeln trampe
Trampelpfad *m* sti
trampen blaffe
Träne *f* tåre (*-r*)
Tränengas *n* tåregas
Transit|verkehr *m* transittrafik; **~visum** *n* transitvisum *n*
Transport *m* transport
transportieren transportere
Transportunternehmen *n* vognmandsforretning
Traube *f* drue (*-r*)
Trauben|saft *m* druesaft; **~zucker** *m* druesukker *n*
trauen *v/i wagen* stole på; ***sich nicht ~*** ikke turde; *v/t Brautpaar* vie; ***sich ~ lassen*** blive gift
Trauer *f* sorg
Trauerfeier *f* mindehøjtidelighed
trauern sørge (***um*** over)
Trauerspiel *n* tragedie
träufeln dryppe
Traum *m* drøm (*-me*)
träumen drømme
Traumfrau *f* drømmekvinde
traurig ked af det
Traurigkeit *f* tristhed
Trau|ring *m* vielsesring (*-e*); **~schein** *m* vielsesattest; **~ung** *f* vielse (*-r*); **~zeuge** *m*, **~zeugin** *f* vidne (*-r*)
treffen *Ziel* ramme; *Person* møde
treffend rammende
Treffer *m* træffer (*-e*)
Treffpunkt *m* mødested *n*
treiben *v/t zwingen* drive; *Beschäftigung* lave; ***Sport ~*** dyrke sport
Treibhaus *n* drivhus *n* (*-e*)
Treibstoff *m* benzin; diesel
trennen skille; ***sich ~*** skilles; *Beziehung* gå fra hinanden
Trennung *f* adskillelse; *Ehe* separation
Trennwand *f* skillevæg (*-ge*)
Treppe *f* trappe (*-r*)
Treppen|beleuchtung *f* trappelys *n*; **~haus** *n* opgang (*-e*)
Tresor *m* pengeskab *n* (*-e*)
Tretboot *n* vandcyk|el (*-ler*)
treten *v/t* sparke; *v/i* træde (***auf*** på)
treu trofast (***j-m*** mod ngn)
Treue *f* trofasthed
treulos utro
Tribüne *f* tribune (*-r*)
Trichter *m* tragt (*-e*)
Trick *m* trick *n* (*-s*)
Trickfilm *m* tegnefilm (=)
Trieb *m Bot* skud *n* (=); *Natur* drift
trinken drikke
Trinkgeld *n* drikkepenge *pl*
Trinkhalm *m* sugerør *n* (=)
Trinkwasser *n* drikkevand *n*
Tritt *m* skridt *n* (=); *Stufe* trin *n* (=); *Kick* spark *n*; **~brett** *n* trin *n*
trocken tør
Trockenhaube *f* tørrehjelm
Trockenheit *f* tørhed; *Dürre* tørke
trockenlegen tørlægge; *Kind*

skifte
Trockenmilch *f* tørmælk
Trockenrasierer *m* barbermaskine (*-r*)
Trockenschleuder *f* tørretumbler
trockenschleudern tørretumble
trocknen tørre
Trockner *m* tørretumbler
Trödelmarkt *m* loppemarked *n*
Trommel *f* tromme (*-r*)
Trommelfell *n Anat* trommehinde
trommeln tromme
Trompete *f* trompet (***blasen*** spille)
tropfen dryppe
Tropfen *m* dråbe (*-r*)
Trost *m* trøst
trösten trøste (***sich*** sig)
trostlos trøstesløs
Trostpreis *m* trøstepræmie (*-r*)
trotz (*G*) trods; ~ ***allem*** trods alt
Trotz *m* trods
trotzdem alligevel
trotzig trodsig
trübe grumset; *Wetter* overskyet
Trüffel *m* trøf|fel (*-ler*)
trügerisch illusorisk; *tückisch* lumsk
Trümmer *pl* ruiner *pl*; **~haufen** *m* ruinhob
Trumpf *m* trumf
Trunk|enheit *f* fuldskab; ~ ***am Steuer*** spirituskørsel; **~sucht** *f* alkoholisme
Trupp *m* flok
Truppe *f* trop (*-per*)
Truthahn *m* kalkun
Tschechien *n* Tjekkiet *n*
tschüs(s): **~!** hej, hej!
Tube *f* tube (*-r*)
Tuch *n* klud; *Tex* lærred *n*; *Kopf-* tørklæde *n*
tüchtig dygtig
tückisch ondskabsfuld; *fig* lumsk
tüfteln: ~ ***an*** rode med
Tugend *f* dyd
Tulpe *f* tulipan
Tümpel *m* pyt (*-ter*)
tun gøre; ***ich habe zu*** **~** jeg har noget, jeg skal; ***das hat damit zu*** **~**, ***dass*** det skyldes, at
Tunfisch *m* tun
Tunke *f* sovs (*-e*)
Tunnel *m* tunnel (*-ler*)
Tür *f* dør (*-e*)
Türgriff *m* dørhåndtag *n* (=)
Türke *m* tyrk
Türkei: ***die*** ~ Tyrkiet
Türkin tyrk
Türklingel *f* ringeklokke (*-r*)
Türklinke *f* dørhåndtag *n* (=)
Turm *m* tårn *n* (*-e*)
Turnanzug *m* gymnastikdragt
turnen gøre gymnastik
Turner(in) *m(f)* gymnast
Turnhalle *f* gymnastiksal (*-e*)
Turnier *n* turnering
Turnschuhe *pl* gymnastiksko *pl*
Türsteher *m* dør|mand (*-mænd*)
Tusche *f* tusch

Tüte *f* pose (-*r*)
TÜV® *m etwa* syning

Typ *m* type (-*r*); *Mann* fyr
typisch typisk (***für*** for)

U

U-Bahn *f* metro; **~hof** *m* metrostation
übel dårlig; ***mir ist* ~** jeg er dårlig; ***es j-m ~ nehmen*** tage ngn det ilde op
Übelkeit *f* kvalme
üben øve (***sich*** sig; ***an*** på)
über over; *Inhalt* om
überall overalt
überanstrengen: ***sich* ~** overanstrenge sig
überbieten overbyde; *Eigenschaft* overgå; *Rekord* slå
Überblick *m* overblik *n* (***über*** over)
überbuchen overbooke
überdurchschnittlich over gennemsnittet (*nachgestellt*)
übereinander over hinanden
übereinstimmen passe
Übereinstimmung *f* overensstemmelse (-*r*)
überempfindlich overfølsom (***gegen*** over for)
überfahren køre over
Überfahrt *f* overfart
Überfall *m* overfald *n* (***auf*** på)
überfällig ikke kommet (*nachgestellt*); *Hdl* forfalden
überfliegen flyve over; *lesend* løbe igennem
Überfluss *m* overflod (***an*** af)
überflüssig overflødig
überfluten oversvømme (*a fig*)
überfordern overbelaste
überfragt: ***da bin ich ~*** det kan jeg ikke svare på
überführen overføre (***nach*** til)
Überführung *f* overførsel; *Verkehr* viadukt
überfüllt overfyldt
Übergabe *f* udlevering; *Mil* overgivelse
Übergang *m* overgang (***auf A***, ***zu*** til)
Übergangszeit *f* overgangstid
übergeben udlevere (***an*** til); ***sich ~*** kaste op
übergehen *übersehen* ignorere
Übergewicht *n* overvægt
übergießen overhælde
Übergriff *m* overgreb *n* (=)
Übergröße *f* overstørrelse (-*r*)
überhaupt i det hele taget; ***~ nicht*** overhovedet ikke
überheblich overlegen
überholen overhale; *ausbessern* ordne
Überholmanöver *n* overhalingsmanøvre (-*r*)
Überholspur *f* overhalingsspor *n*
überholt *veraltet* forældet
Überholverbot *n* overha-

lingsforbud *n*
überladen overlæsse
überlassen overlade (***j-m*** til ngn)
überlasten overbelaste
überlaufen *v/i* løbe over; *adj* overrendt
überleben overleve
Überlebende *m/f* overlevende (=)
überlegen[1] *nachdenken* overveje
überlegen[2] *adj* overlegen
Überlegenheit *f* overlegenhed
Überlegung *f* overvejelse (*-r*)
übermäßig *adj* ekstrem; *adv* meget
übermitteln give
übermorgen i overmorgen
übermüdet udmattet
übernachten overnatte (***bei*** hos)
Übernachtung *f* overnatning
Übernahme *f* overtagelse
übernatürlich overnaturlig
übernehmen overtage
überprüfen kontrollere
überqueren gå over
überragen rage op over; *fig* overgå (***an*** i)
überraschen overraske
überraschend overraskende
Überraschung *f* overraskelse (*-r*); ***das ist aber eine ~!*** sikke en overraskelse!
überreden overtale (***zu*** til)
überreichen overrække (***j-m*** til ngn)
überreif overmoden
Überschallgeschwindigkeit *f* overlydshastighed
überschätzen overvurdere
überschaubar overskuelig
überschlafen *fig* sove på
überschlagen *Kosten* lave et overslag på; *Seite* springe over; ***sich ~*** lave en kolbøtte
überschneiden: ***sich ~*** skære hinanden
überschreiten overskride
Überschrift *f* overskrift
Überschuss *m* overskud *n* (***an*** af)
überschütten overøse (***mit*** med)
überschwänglich overstrømmende
Überschwemmung *f* oversvømmelse (*-r*)
übersehen *überschauen* overskue; *nicht bemerken* overse
übersetzen *Text* oversætte (***aus dem Dänischen ins Deutsche*** fra dansk til tysk)
Übersetzer(in) *m(f)* oversætter (*-e*)
Übersetzung *f* oversættelse (*-r*)
Übersicht *f* oversigt (***über*** over)
übersichtlich overskuelig
Übersichtskarte *f* oversigtskort *n* (=)
übersiedeln flytte (***nach*** til)
überspringen springe over
überstehen *durchhalten* overstå
Überstunden *pl* overarbejde *n*

überstürzt forhastet
übertragbar som kan overføres (*nachgestellt*)
übertragen overføre (***auf*** til); *Rechte, Amt etc* overdrage; *TV etc* sende
Übertragung *f* overførsel; overdragelse; udsendelse (*-r*)
übertreffen overgå
übertreiben overdrive
übertrieben overdreven
überwachen overvåge
Überwachung *f* overvågning
überwältigen overvælde
überweisen overføre (***auf*** til); *Med* henvise (***an*** til)
Überweisung *f* overførsel; henvisning
über|wiegend overvejende; **~winden** overvinde
überzeugen overbevise (***sich*** sig selv)
Überzeugung *f* overbevisning
überziehen *Kleidung* tage på; *Tech* dække
Überzug *m* betræk *n*
üblich sædvanlig
üblicherweise normalt
U-Boot *n* u-båd (*-e*)
übrig øvrig; *adv* tilovers; ***~ bleiben*** være tilovers; ***~ lassen*** levne
übrigens for øvrigt
Übung *f* øvelse (*-r*); ***aus der ~*** ude af træning; ***zur ~*** for øvelsens skyld
ü.d.M. (*über dem Meeresspiegel*) o.h. (*over havets overflade*)
Ufer *n* bred (*-der*)
Uhr *f* ur *n* (*-e*); ***rund um die ~*** døgnet rundt; ***um fünf ~*** klokken fem; ***wie viel ~ ist es?*** hvad er klokken?
Uhrzeigersinn *m*: ***im*** (***entgegen dem***) ***~*** med (mod) uret
Uhrzeit *f* tidspunkt *n*
Ultraschall *m* ultralyd
um *präp* omkring; *Uhrzeit* klokken; ***~ ... herum*** omkring ...; ***~ zwei Uhr*** klokken to; ***~ jeden Preis*** for enhver pris; ***~ zu*** *Ziel* for at; *als dass* til at; ***~ sein*** være forbi; ***~ die ...*** ca. ...
umarmen omfavne
Umarmung *f* knus *n* (=)
um|bauen ombygge; **~bilden** omdanne; **~blättern** bladre; **~bringen** dræbe; **~buchen** *Reise* ombooke
umdrehen vende om (***sich*** sig)
Umdrehung *f* omdrejning
umfallen falde
Umfang *m* omfang *n*
um|fangreich omfattende; **~fassen** omfatte
Umfrage *f* meningsmåling
Umgang *m* omgang
Umgangs|formen *pl* opførsel; **~sprache** *f* talesprog *n*
umgeben *adj* omgivet (***von*** af)
Umgebung *f Verhältnisse* omgivelser *pl*; *Gegend* omegn
umgehen *v/t* undgå; *Gesetz* omgå; *v/i* omgås (***mit*** med)

Umgehungsstraße *f* ringvej
umgekehrt omvendt
Umhängetasche *f* skuldertaske (*-r*)
umher rundt om
um|kehren vende om; **~kippen** vælte; **~klappen** klappe tilbage
Umkleide|kabine *f* omklædningskabine (*-r*); **~raum** *m* omklædningsrum *n* (=)
umkommen omkomme
Umkreis *m* omkreds; *Nähe* omegn; ***im ~ von*** inden for en radius af
Umland *n* opland *n*
umleiten lede udenom
Umleitung *f* omkørsel
umliegend omkringliggende
um|packen pakke om; **~quartieren** flytte; **~rahmen** indramme; **~räumen** flytte hen
umrechnen omregne
Umrechungstabelle *f* omregningstabel
Umriss *m* omrids *n*
umrühren (*v/t*) røre rundt (i)
Umsatz *m Hdl* omsætning
umschalten stille om (***auf*** til)
Umschlag *m Buch* omslag *n*; *Brief* kuvert
Umschwung *m* omsving *n*
umsehen: ***sich ~*** se sig om
umseitig omstående
umsichtig opmærksom
umso så meget desto; ***~ besser*** så meget desto bedre
umsonst gratis; *vergebens* forgæves
Umstände *pl*: ***unter diesen Umständen*** under de omstændigheder; ***keine ~*** ingen omstændigheder
umständlich besværlig
Umstandskleidung *f* ventetøj *n*
umsteigen skifte (***in*** til); *fig* gå over (***auf*** til)
umstellen flytte rundt på; ***sich ~*** omstille sig
umstoßen vælte; *fig* omstøde
umstritten omstridt
Umtausch *m* bytning
umtauschen bytte
Umtauschrecht *n* byttegaranti
umwandeln ændre (***in*** til)
umwechseln skifte; *Geld* veksle
Umweg *m* omvej; ***e-n ~ machen*** tage en omvej
Umwelt *f* miljø *n*
umweltfreundlich miljøvenlig
umweltgefährdend miljøfarlig
Umweltpapier *n* genbrugspapir *n*
Umweltpolitik *f* miljøpolitik
umweltschonend miljøvenlig
Umweltschutz *m* miljøbeskyttelse
Umweltschützer(in) *m(f)* miljøaktivist
Umweltverschmutzung *f* forurening
umweltverträglich bæredygtig
Umweltzeichen *n* miljø-

mærke *n* (-*r*)
umwerfen vælte
umziehen flytte; ***sich*** **~** skifte tøj
Umzug *m* flytning; *Festzug* optog *n* (=)
unabhängig uafhængig (***von*** af)
unan|gebracht upassende; **~genehm** ubehagelig; **~nehmbar** uacceptabel; **~sehnlich** uanselig
unanständig uanstændig
unappetitlich ulækker
unauf|fällig diskret; **~findbar** ikke til at finde (*nachgestellt*); **~merksam** uopmærksom
unaufschiebbar uopsættelig
unausstehlich uudholdelig
unbe|absichtigt ikke med vilje (*nachgestellt*); **~denklich** *adj* uskadelig; *adv* uden videre; **~deutend** ubetydelig
unbedingt ubetinget
unbe|fahrbar ufremkommelig; **~fangen** frejdig; *vorurteilsfrei* fordomsfri
unbefriedigend utilfredsstillende
unbefugt ulovlig
Unbefugte *pl* uvedkommende *pl*
unbe|gabt ubegavet; **~greiflich** ufattelig; **~grenzt** ubegrænset; **~gründet** ubegrundet; **~holfen** ubehjælpsom
unbekannt ukendt
Unbekannte *f Math*: ***eine*** **~** en ubekendt
unbeliebt upopulær
unbe|mannt ubemandet; **~merkt**, **~obachtet** ubemærket
unbequem ubekvem
unberechenbar uforudsigelig; *Mensch* utilregnelig
unbe|schränkt uindskrænket; **~schreiblich** ubeskrivelig; **~setzt** ledig; **~sorgt** ubekymret; **~ständig** vægelsindet; *Wetter* ustadig; **~stechlich** ubestikkelig; **~stimmt** ubestemt; **~teiligt** passiv; *unschuldig* uskyldig; **~weglich** ubevægelig; **~wohnt** ubeboet
unbewusst ubevidst
unbezahlbar ikke til at betale (*nachgestellt*); *fig* ubetalelig
unbezahlt ubetalt
unbrauchbar ubrugelig
und og; **~**, **~**, **~** F og så videre, og så videre; ***na*** **~*?*** og hvad så?; **~ *so weiter*** (*usw.*) og så videre (*osv.*); **~ *zwar*** nemlig
un|dankbar utaknemmelig; **~denkbar** utænkelig; **~deutlich** utydelig; **~dicht** utæt
undurchlässig tæt
undurchschaubar uigennemskuelig
undurchsichtig ugennemsigtig
uneben ujævn
unecht uægte
uneigennützig uegennyttig

uneingeschränkt uindskrænket
uneinig uenig (***mit*** med)
unempfindlich immun (***gegen*** over for) (*a fig*)
unendlich uendelig
unent|behrlich uundværlig; **~geltlich** gratis; **~schieden** uafklaret; *Sport* uafgjort; **~schlossen** ubeslutsom
uner|fahren uerfaren; **~freulich** trist; **~giebig** ufrugtbar; *Hdl* urentabel; **~heblich** ubetydelig; **~klärlich** uforklarlig; **~laubt** uden tilladelse (*nachgestellt*); **~reichbar** ikke til at få fat på (*nachgestellt*); *nicht zu bekommen* uopnåelig; **~schwinglich** ikke til at betale (*nachgestellt*); **~setzlich** uerstattelig; **~träglich** uudholdelig; **~wartet** uventet; **~wünscht** uønsket
unfähig: **~ *zu*** ude af stand til at
unfair unfair
Unfall *m* ulykke
Unfallstation *f* skadestue
Unfallversicherung *f* ulykkesforsikring
unfassbar ufattelig
unfertig ufærdig
unförmig uformelig
unfreundlich uvenlig (***zu*** over for)
ungebildet uvidende
Ungeduld *f* utålmodighed
ungeduldig utålmodig
ungeeignet uegnet (***für, zu*** til)
ungefähr cirka
ungefährlich ufarlig
ungeheizt uopvarmet
ungeheuer fantastisk; *adv* uhyre
Ungeheuer *n* uhyre *n* (*-r*)
ungelegen ubelejlig
ungelernt ufaglært
ungemütlich ubehagelig
ungenau unøjagtig
unge|nießbar uspiselig; **~nügend** utilstrækkelig; **~pflegt** uplejet
ungerade ulige
ungerecht uretfærdig
ungern ikke så gerne
ungesalzen usaltet
ungeschickt klodset
ungeschützt ubeskyttet
ungestört uforstyrret
ungesund usund
Ungetüm *n* monstrum *n* (*-mer*)
ungewiss usikker; *unentschlossen* uafklaret
ungewöhnlich usædvanlig
ungewohnt uvant
Ungeziefer *n* utøj *n*
ungezogen uopdragen
ungezwungen afslappet
ungiftig ugiftig
unglaublich utrolig
unglaubwürdig utroværdig
ungleichmäßig uregelmæssig
Unglück *n* ulykke (*-r*); *Pech* uheld *n* (=)
unglücklich ulykkelig; *Pech* uheldig

unglücklicherweise uheldigvis
ungültig ugyldig
ungünstig ubelejlig
unhaltbar uholdbar
unhandlich uhandy
unheilbar uhelbredelig
unheimlich uhyggelig
unhöflich uhøflig (***zu*** over for)
uni ensfarvet
Uni *f* universitet *n*
Union *f* union; ***die Europäische*** ~ den Europæiske Union
Universität *f* universitet *n*
unklar uklar
Unkosten *pl* omkostninger *pl*
Unkraut *n* ukrudt *n*
un|lesbar, **~leserlich** ulæselig
unlösbar uløselig
Unmenge *f* stor mængde (***von*** af)
unmittelbar umiddelbar
unmodern umoderne
unmöglich umulig
unnatürlich unaturlig
unnötig unødvendig
unnütz formålsløs
UNO *f*: ***die*** ~ (*United Nations Organization*) FN (*Forenede Nationer*)
unordentlich rodet
Unordnung *f* uorden
unpassend upassende
unpässlich utilpas
unpersönlich upersonlig
unpünktlich: ~ ***sein*** ikke komme til tiden
unrasiert ubarberet
Unrecht *n* uret; ~ ***haben*** ikke have ret
un|regelmäßig uregelmæssig; **~reif** umoden; **~richtig** forkert
Unruhe *f* uro
unruhig urolig
uns os; ***bei*** ~ hos os
un|sauber uren; **~schädlich** uskadelig; **~scharf** uskarp; **~schlagbar** uovervindelig
unschlüssig ubeslutsom
Unschuld *f* uskyld
unschuldig uskyldig
unselbstständig uselvstændig
unser(e, -s) vores; **unsere** *pl* vores
unsicher usikker
Unsicherheit *f* usikkerhed
unsichtbar usynlig
Unsinn *m* vrøvl *n*
unsinnig meningsløs
unsympathisch usympatisk
untätig passiv
unten *allein* nedenunder; *kombiniert* nede; ***nach*** ~ nedad; ***von*** ~ nedefra
unter under; ~- nederste
unter(e, -s) den (*n* det) nederste
Unterarm *m* underarm (*-e*)
unterbelichtet undereksponeret
Unterbewusstsein *n* underbevidsthed
unterbrechen afbryde
Unterbrechung *f* afbrydelse (*-r*)

unterbringen indlogere (***bei*** hos)
Unterdeck *n* underdæk *n*
unterdrücken undertrykke
untereinander under hinanden; *fig* indbyrdes
unterentwickelt underudviklet
Unterfangen *n* projekt *n*
Unterführung *f* tunnel
Untergebene *m*/*f* underordnet
untergehen *Sonne* gå ned
Untergrundbahn *f* undergrundsbane
unterhalb *präp* neden for; *adv* nedenfor
Unterhalt *m Geld* underholdsbidrag *n*; *Pflege* vedligeholdelse
unterhalten *pflegen* vedligeholde; *amüsieren* underholde; ***sich ~*** *sprechen* snakke sammen; *amüsieren* have det sjovt
unterhaltsam underholdende
Unterhaltung *f Gespräch* samtale (*-r*); *Vergnügen* underholdning
Unter|hemd *n* undertrøje (*-r*); **~hose** *f* underbukser *pl*
unterirdisch underjordisk
Unterkunft *f* logi *n*
Unterlage *f* underlag *n* (=); *Büro* bilag *n* (=)
unterlassen undlade
Unterleib *m* underliv *n*
unterliegen *j-m* tabe til ngn; *Bestimmung* være forbundet med
Untermiete *f* fremleje; ***zur ~ wohnen*** bo til fremleje
Untermieter(in) *m*(*f*) lejer (*-e*)
unternehmen lave
Unternehmen *n* projekt *n*; *Firma* virksomhed
Unternehmer(in) *m*(*f*) virksomhedsejer (*-e*)
unternehmungslustig initiativrig
Unterricht *m* undervisning; ***~ erteilen in*** undervise i
unterrichten undervise (***Dänisch*** i dansk); *informieren* underrette
unterschätzen undervurdere
unterscheiden skelne (***zwischen*** mellem); ***sich ~*** være forskellige
Unterschied *m* forskel (*-le*)
Unterschlagung *f* underslæb *n*
unterschreiben underskrive
Unterschrift *f* underskrift
Unterste *m*/*f* nederst
unterstellen: ***j-m etw ~*** beskylde ngn for ngt
unterstreichen understrege
unterstützen hjælpe
Unterstützung *f* hjælp
untersuchen undersøge; ***sich ~ lassen*** blive undersøgt
Untersuchung *f* undersøgelse (*-r*)
Untersuchungshaft *f* varetægtsarrest
Untertasse *f* underkop (*-per*)

untertauchen *v/i* dykke
Unterteil *m/n* underdel (*-e*)
Untertitel *pl Film* undertekster *pl*
untervermieten fremleje (***an*** til)
Unterwäsche *f* undertøj *n*
unterwegs på vej (***nach, zu*** til)
untragbar utålelig; *Hdl* uoverkommelig
untrennbar uadskillelig
untreu utro
Untreue *f* utroskab
unüberlegt ubetænksom
unüberschaubar uovervejet
unübersichtlich uoverskuelig
ununterbrochen uafbrudt
unver|änderlich uforanderlig
unverändert uforandret
unverantwortlich uansvarlig
unverbindlich uforpligtende
unvergesslich uforglemmelig
unverheiratet ugift
unverkäuflich usælgelig
unverletzt i god behold (*nachgestellt*)
unvermeidlich uundgåelig
unvernünftig ufornuftig
unverschämt uforskammet
Unverschämtheit *f* frækhed
unverständlich uforståelig
unverzeihlich utilgivelig
unverzollt ufortoldet
unverzüglich omgående
unvollständig ufuldstændig
unvorbereitet uforberedt (***auf*** på)
unvorhergesehen uforudset
unvor|sichtig uforsigtig; **~stellbar** ufattelig
unwahr usand
unwahrscheinlich usandsynlig
un|weit *präp* (*G*) ikke langt fra; **~wesentlich** uvæsentlig
Unwetter *n* uvejr *n*
un|wichtig uvigtig; **~widerstehlich** uimodståelig; **~willkürlich** uvilkårlig; **~wirksam** ubrugelig
unwissend uvidende
unwohl utilpas (***mir ist*** jeg er)
unzertrennlich uadskillelig
unzufrieden utilfreds (***mit*** med)
unzugänglich utilgængelig
unzu|länglich utilstrækkelig; **~lässig** ulovlig; **~mutbar** urimelig
unzuverlässig upålidelig
üppig yppig; *Gastr* overdådig
Uraufführung *f* uropførelse
Ur|enkel *m* oldebarn *n* (*-børn*); **~großmutter** *f* oldemor; **~großvater** *m* oldefar
Urheber(in) *m(f)* rettighedshaver (*-e*) (***des Werks*** til værket); *Initiator* bagmand (***der Idee*** bag ideen)
Urheberrecht *n* kunstneriske rettigheder *pl*
Urin *m* urin
urinieren tisse
Urinprobe *f* urinprøve (*-r*)
urkomisch virkelig sjov
Urkunde *f* dokument *n*
Urkundenfälschung *f* doku-

mentfalsk *n*
Urlaub *m* ferie (*-r*) (***machen*** holde)
Urlauber(in) *m(f)* feriegæst
Urlaubsgeld *n* feriepenge *pl*
Urlaubsreise *f* ferierejse (*-r*)
Urne *f* urne (*-r*); *Wahl* stemmeboks (*-e*)
Ursache *f* årsag (***des Unfalls*** til ulykken); ***keine ~!*** det var så lidt!
Ursprung *m* oprindelse
ursprünglich oprindelig
Urteil *n* mening (***über*** om); *Jur* dom (*-me*)
urteilen dømme (***über*** om)
Urenkel *m* tipoldebarn (*-børn*)
Urwald *m* urskov
User(in) *m(f)* *EDV* bruger
usw. (*und so weiter*) osv. (*og så videre*)
Utensilien *pl* ting *pl*
u.v.a.(m.) (*und viele(s) andere (mehr)*) o.m.a. (*og meget andet/mange andre*)

V

vage vag
Vakuumverpackung *f* vakuumpakning
Valentinstag *m* sanktvalentinsdag
Vanille *f* vanilje
Vanilleeis *n* vaniljeis
Vanillesoße *f* vaniljesovs
Vase *f* vase (*-r*)
Vater *m* far (*fædre*)
Vaterland *n* fædreland *n*
väterlich faderlig
väterlicherseits på fædrene side
Vatertag *m* fars dag
Vaterunser *n* *Gebet* fadervor *n*
V-Auschnitt *m* V-udskæring
v.Chr. (*vor Christus od. vor Christi Geburt*) f.Kr. (*før Kristus*)
Veganer(in) *m(f)* veganer (*-e*)
Vegetarier(in) *m(f)* vegetar
vegetarisch *adj* vegetar-
Veilchen *n* viol
Vene *f* vene (*-r*)
Ventil *n* ventil
Ventilator *m* ventilator
verabreden aftale; ***sich ~*** aftale at mødes (***mit*** med)
Verabredung *f* aftale (*-r*)
verabschieden afskedige; *Gesetz* vedtage; ***sich ~*** sige farvel (***mit*** til)
verachten foragte
verächtlich foragtelig
Verachtung *f* foragt (***für*** for)
verallgemeinern generalisere
veraltet forældet
verändern forandre; ***sich ~*** forandre sig
Veränderung *f* forandring
veranlagt: ***praktisch ~*** praktisk anlagt
Veranlagung *f* anlæg *n* (=);

veranlassen foranledige
veranschaulichen anskueliggøre
veranstalten arrangere
Veranstalter(in) *m(f)* arrangør
Veranstaltung *f* arrangement *n*
Veranstaltungskalender *m* eventkalender (*-e*)
verantworten forsvare (***sich*** sig); *akzeptieren* tage ansvaret for
verantwortlich ansvarlig (***für*** for)
Verantwortung *f* ansvar *n*
verarbeiten forarbejde
Verarbeitung *f* forarbejdning
verärgern irritere
verarschen F tage pis på
Verb *n* verbum; udsagnsord *n* (=)
Verband *m* forening; *Med* forbinding; **~(s)kasten** *m* forbindskasse (*-r*)
verbauen spærre
verbergen skjule
verbessern forbedre; *Text* rette
Verbesserung *f* forbedring; *Text* rettelse (*-r*)
verbeugen: ***sich ~*** bukke
Verbeugung *f* buk *n* (=)
verbiegen bøje
verbieten forbyde
verbilligt nedsat
verbinden forbinde
verbindlich bindende; *freundlich* venlig
Verbindung *f* forbindelse (*-r*)
verbissen indædt
verblassen blegne
verblüfft forbløffet (***über*** over)
verborgen *versteckt* skjult
Verbot *n* forbud *n* (=)
verboten forbudt
Verbotsschild *n* forbudsskilt (*-e*)
verbrannt forbrændt
Verbrauch *m* forbrug *n*
verbrauchen bruge op
Verbraucher(in) *m(f)* forbruger (*-e*)
Verbrechen *n* forbrydelse (*-r*)
Verbrecher *m* forbryder (*-e*)
verbreiten udbrede
verbreitern udvide
Verbreitung *f* udbredelse
verbrennen brænde (*a Med*); *Chem* forbrænde
Verbrennung *f Med* forbrænding
verbringen *Zeit*, *Urlaub* tilbringe
verbrühen skolde
verbüßen *Strafe* afsone
Verdacht *m* mistanke; ***im ~ stehen*** være mistænkt
verdächtig mistænkelig; *konkret* mistænkt (*G* for)
verdächtigen mistænke
verdammt forbandet; ***~ noch mal!*** satans!
verdampfen *v/i* fordampe
verdanken (*j-m A*) have … at takke for
verdauen fordøje
verdaulich: ***leicht*** (***schwer***) **~** let (svært) fordøjelig

Verdauung *f* fordøjelse
Verdauungsbeschwerden *pl* fordøjelsesbesvær *n*
Verdeck *n Mar* dæk *n* (=); *Kfz* kaleche
verdecken dække til
verderben ødelægge; *Gastr* blive dårlig; ***sich den Magen ~*** få dårlig mave
verdienen tjene; *fig* fortjene
Verdienst *n/m* fortjeneste
verdoppeln fordoble
Verdopp(e)lung *f* fordobling
verdorben fordærvet; *Magen* dårlig
ver|drängen fortrænge; **~drehen** forvride; *Worte* fordreje; **~dreifachen** tredoble
verdrießlich sur
ver|dunkeln formørke; **~dünnen** fortynde; **~dunsten** fordampe; **~edeln** forædle
verehren tilbede
Verehrer(in) *m(f)* beundrer (-*e*)
Verehrung *f* beundring; *Rel* tilbedelse
Verein *m* forening
vereinbaren aftale
Vereinbarung *f* aftale (-*r*)
vereinfachen forenkle
vereinigen forene; ***Vereinigte Staaten*** *pl* Forenede Stater *pl*
Vereinigung *f* forening
Vereinshaus *n* klubhus *n* (-*e*)
vereiteln forhindre
vererben efterlade; *Biologie* give videre
verfahren: ***sich ~*** køre vild
Verfahren *n* fremgangsmåde (-*r*); *Jur* retssag
Verfall *m* forfald *n*
verfallen forfalde; *adj* forfalden
Verfallsdatum *n* holdbarhedsdato
verfassen skrive
Verfasser(in) *m(f)* forfatter (-*e*)
Verfassung *f* forfatning
verfaulen rådne
verfehlen *Ziel* ikke løse; *Zug etc* komme for sent til
verfilmen filmatisere
Verfilmung *f* filmatisering
verflucht forbandet
verfolgen forfølge; *Ereignisse* følge
Verfolger *m* forfølger (-*e*)
Verfolgung *f* forfølgelse (-*r*)
verfrüht for tidlig
verfügbar disponibel
verfügen disponere (***über*** over)
Verfügung: ***zur ~*** (***stehen*** være) til disposition
verführen forføre (***zu*** til)
verführerisch forførende
vergangen forløben; *vorig* sidst
Vergangenheit *f* fortid; *Gr* datid
vergase|n gasse; **⁀r** *m Kfz* karburator
vergeb|ens, **~lich** forgæves
vergehen *Zeit* gå; ***sich ~ an*** forgribe sig på
Vergehen *n* forseelse (-*r*)

vergelten gengælde
Vergeltung *f* gengæld; *Rache* hævn (***für*** for)
vergessen glemme
vergesslich glemsom
vergewaltigen voldtage
Vergewaltiger *m* voldtægts|mand (*-mænd*)
Vergewaltigung *f* voldtægt
vergewissern: ***sich~*** sikre sig
vergießen spilde; *Blut, Tränen* udgyde
vergiften forgifte
Vergiftung *f* forgiftning
Vergissmeinnicht *n* forglemmigej
Vergleich *m* sammenligning (***mit*** med); *Jur* forlig *n* (=)
vergleichbar sammenlignelig (***mit*** med)
vergleichen sammenligne (***mit*** med)
vergnügen: ***sich ~*** have det sjovt
Vergnügen *n* fornøjelse (*-r*); ***viel ~!*** god fornøjelse!
vergnügt glad
vergoldet forgyldt
vergriffen *Ware* udsolgt
vergrößern forstørre
Vergrößerung *f* forstørrelse (*-r*)
verhaften anholde
Verhaftung *f* anholdelse
verhalten: ***sich~*** forholde sig
Verhalten *n* opførsel; *unterdrückt* tilbageholdt
verhaltensgestört adfærdsvanskelig
Verhältnis *n* forhold *n* (=) (*a Liebe*) (***zu*** til); ***Verhältnisse*** *pl* forhold *pl*
verhältnismäßig forholdsvis
Verhältniswort *n* forholdsord *n* (=)
verhandeln forhandle (***über*** om)
Verhandlung *f* forhandling
verhängnisvoll skæbnesvanger
verheimlichen hemmeligholde
verheiraten: ***sich ~*** blive gift (***mit*** med)
verheiratet gift
verhindern forhindre; ***verhindert sein*** ikke kunne komme
verhöhnen håne
Verhör *n* forhør *n* (=)
verhören: ***sich ~*** høre forkert
verhüllen tilsløre; *fig* skjule
verhungern sulte ihjel
verhüten forhindre
Verhütung *f*, **Verhütungsmittel** *n* prævention
verirren: ***sich ~*** fare vild
Verjährung *f Jur* forældelse
verkalken *Gerät* kalke til; *Med* forkalke
Verkauf *m* salg *n* (***von*** af)
verkaufen sælge (***an*** til); ***zu ~*** til salg
Verkäufer(in) *m(f)* ekspedient; *Außendienst* sælger (*-e*)
verkäuflich til salg (*nachgestellt*)
Verkehr *m* trafik
verkehren færdes; (***mit*** med) omgås

Verkehrsampel *f* lyskurv (*-e*)
Verkehrs|amt *n*, **~büro** *n* turistbureau *n*; **~lärm** *m* trafikstøj; **~meldung** *f* trafikmelding; **~mittel** *n* transportmid|del *n* (*-ler*); **~ordnung** *f* færdselslov; **~polizist(in)** *m(f)* færdselsbetjent (*-e*); **~sicherheit** *f* færdselssikkerhed; **~stockung** *f* trafikprop (*-per*)
Verkehrsteilnehmer(in) *m(f)* trafikant
Verkehrsunfall *m* færdselsuheld *n* (=)
Verkehrszeichen *n* færdselsskilt *n* (*-e*)
verkehrt omvendt; *falsch* forkert
verklagen *Jur* sagsøge
verkleiden: ***sich ~*** (***als***) klæde sig ud (som)
verkleinern formindske
verknüpfen forbinde (***mit*** med)
verkörpern repræsentere
verkrachen: ***sich ~*** blive uvenner (***mit*** med)
verkraften klare
verkünden annoncere
verkürzen forkorte
verladen læsse
Verlag *m* forlag *n* (=)
verlangen kræve
verlängern forlænge
Verlängerung *f* forlængelse (*-r*)
Verlängerungsschnur *f* forlængerledning
verlassen forlade; ***sich ~ auf*** stole på
verlässlich pålidelig
Verlauf *m* forløb *n* (=)
verlaufen *geschehen* forløbe; *führen* løbe; ***sich ~*** fare vild
verlegen *bewegen* flytte; *nicht finden* forlægge; *adj* forlegen
Verlegenheit *f* forlegenhed; ***in ~ bringen*** gøre flov
Verleger(in) *m(f)* forlægger (*-e*)
Verleih *m* udlejning *n* (***von*** af)
verleihen leje … ud
verlernen glemme
verletzen såre; ***sich ~*** komme til skade
verletzlich sårbar
Verletzte *m/f* såret
Verletzung *f* kvæstelse
verleugnen fornægte
verleumd|en bagtale; **≈ung** *f* bagvaskelse
verlieben: ***sich ~*** blive forelsket (***in*** i)
verliebt forelsket
verlieren miste; *Spiel etc* tabe
verloben: ***sich ~*** blive forlovet
Verlobte *m/f* forlovede
Verlobung *f* forlovelse (*-r*)
verlockend fristende
verlogen løgnagtig; *unaufrichtig* forløjet
verloren tabt; ***~ gehen*** gå tabt
Verlosung *f* lodtrækning
Verlust *m* tab *n* (=)
Verlustanzeige *f* efterlysning
ver|machen testamentere; **~markten** markedsføre; **~mehren** forøge; *Biol* for-

mere (***sich*** sig)
vermeiden undgå
Vermerk *m* notits
vermieten udleje (***an*** til)
Vermieter(in) *m(f)* udlejer (*-e*)
Vermietung *f* udlejning (***von*** af)
ver|mindern formindske; **~mischen** blande (***mit*** med)
vermissen savne
vermitteln *v/t* formidle; *v/i* mægle (***zwischen*** mellem)
Vermittler(in) *m(f)* mægler (*-e*)
Vermittlung *f* formidling; *Streit* mægling; *Tel* telefon-central
Vermögen *n* evne (*-r*); *Besitz* formue (*-r*)
vermuten formode
vermutlich formodentlig
Vermutung *f* formodning
vernachlässigen forsømme
vernehmen *hören* høre; *polizeilich etc* forhøre
Vernehmung *f* forhør *n* (=)
verneinen nægte
vernichten tilintetgøre
Vernichtung *f* tilintetgørelse
Vernichtungslager *n* udryddelseslejr (*-e*)
Vernunft *f* fornuft
vernünftig fornuftig
veröffentlichen offentliggøre
verordnen *Med* ordinere
verpacken pakke … ind
Verpackung *f* emballage
verpassen *Verkehr* komme for sent til; *nicht erleben* gå glip af
verpflanzen plante … om; *Med* transplantere
verpflegen forpleje
Verpflegung *f* forplejning
verpflichten forpligte (***sich*** sig, ***zu*** til)
Verpflichtung *f* forpligtelse (*-r*)
verpissen: V ***verpiss dich!***, ***verpisst euch!*** skrid!
verprügeln banke
Verrat *m* forræderi *n* (***an*** mod)
verraten forråde
Verräter(in) *m(f)* forræder (*-e*)
verrechnen afregne; ***sich ~*** tage fejl
Verrechnung *f Hdl* afregning
Verrechnungsscheck *m* crosset check (*-s*)
ver|reisen tage ud at rejse; **~renken** forvride
Verrenkung *f Med* forvridning
ver|riegeln barrikadere; **~ringern** forringe
verrosten ruste op
verrückt vanvittig; ***~ werden*** blive vanvittig
Verrückte *m/f f* galning (*-e*)
ver|rufen *adj* berygtet; **~rutscht** forskubbet
Vers *m* vers *n* (=); *Zeile* linje (*-r*)
ver|sagen svigte; **~salzen** salte for meget
versammeln forsamle; ***sich ~*** samles
Versammlung *f* forsamling
Versand *m* forsendelse

Versandhaus *n* postordrefirma *n*
versäumen *unterlassen* forsømme; *Verkehr* komme for sent til
verschaffen skaffe
verschärfen skærpe
ver|schenken forære væk (***an*** til); **~scheuchen** skræmme væk; **~schicken** sende; **~schieben** forskyde; *zeitlich* udsætte (***auf*** til)
verschieden forskellig
verschimmeln mugne
verschlafen *v/i* sove over sig; *den Tag* sove væk; *adj* forsovet
verschlechter|n forværre; ***sich ~*** blive forværret; **≈ung** *f* forværring
ver|schleiern tilsløre; **~schleppen** *verzögern* sylte; *Menschen* deportere; **~schließen** lukke; *mit Schloss* låse; **~schlimmern** forværre; **~schlingen** *essen* sluge; **~schlossen** lukket; *mit Schloss* låset; *Mensch* indesluttet
verschlucken sluge; ***sich ~*** få noget i den gale hals; ***sich ~ an …*** få … i den gale hals
Verschluss *m* lukkemekanisme (*-r*); *Fot* lukker (*-e*); ***unter ~ halten*** have låst inde
verschlüsseln kode (*a TV*)
verschmelzen smelte sammen (***zu*** til)
verschmerzen overvinde
verschmieren tilsmøre; *neg!* svine til
Verschnaufpause *f* pusterum *n*
verschneit tilsneet
verschonen forskåne (***vor*** for)
verschönern forskønne
verschreiben *Med* ordinere; ***sich ~*** skrive forkert
verschreibungspflichtig receptpligtig
verschrotten ophugge
verschütten spilde
verschweigen fortie
verschwen|den bruge løs af; *Zeit* spilde; **~derisch** ødsel; **≈dung** *f* ødselhed
verschwiegen tavs
verschwinden forsvinde
verschwommen uklar
Verschwörung *f* sammensværgelse (*-r*)
versehen *Aufgabe* passe; *geben* forsyne (***mit*** med); ***sich ~*** tage fejl
Versehen *n Irrtum* fejltagelse (*-r*); ***aus ~*** ved en fejl
ver|senden sende; **~sengen** svide; **~senken** sænke; **~setzen** flytte; *Mensch* forflytte; *Schlag* give; (***in*** *A*) *verstehen* sætte sig ind i
verseucht forurenet
versichern forsikre (***gegen*** mod)
Versicherung *f* forsikring
Versicherungs|beitrag *m* præmie (*-r*); **~betrug** *m* forsikringssvindel; **~gesellschaft** *f* forsikringsselskab

n; **~karte** *f* forsikringspapir; **~police** *f* police (*-r*)
ver|sickern sive ud; **~siegeln** forsegle; **~sinken** synke ned
versöhnen forsone (***sich*** sig)
versorgen forsørge; (***mit***) forsyne (med)
Versorgung *f* forsørgelse; forsyning
verspäten: ***sich ~*** komme for sent
Verspätung *f* forsinkelse (*-r*); ***~ haben*** være forsinket
versperren spærre
verspielen spille væk
verspotten håne
versprech|en love; ***sich ~*** tale forkert
Versprechen *n* løfte *n* (*-r*)
Versprecher *m* talefejl (=)
versprühen sprøjte
verspüren mærke
Verstand *m* forstand
verständigen informere; ***sich ~*** gøre sig forståelig
Verständigung *f* informering; *Verstehen* forståelse
verständlich forståelig
Verständnis *n* forståelse (***für*** for)
verständnisvoll forstående
verstärken forstærke
Verstärk|er *m* forstærker (*-e*); **~ung** *f* forstærkning
verstauben blive støvet
verstauch|en: ***sich den Fuß ~*** forstuve foden
Verstauchung *f* *Med* forstuvning
verstauen stuve sammen; *weg* pakke væk
Versteck *n* skjul *n* (=)
verstecken skjule (***sich*** sig; ***vor*** for)
verstehen forstå; ***sich gut ~*** komme godt ud af det med hinanden
versteigern sælge på auktion
Versteigerung *f* auktion
verstellbar indstillelig
verstellen indstille; ***sich ~*** forstille sig
versteuern betale skat af
verstimmt i dårligt humør; *Mus* falsk
verstopfen tilstoppe; ***verstopft sein*** *Med* have forstoppelse
Verstopfung *f* forstoppelse; *Verkehr* trafikprop
verstorben død
Verstorbene *m/f* afdød
Verstoß *m* forseelse (*-r*); ***~ gegen*** brud på
verstoßen: ***~ gegen*** overtræde
ver|streichen *Frist* udløbe; *v/t* udjævne; **~streuen** sprede; **~stümmeln** lemlæste; **~stummen** forstumme
Versuch *m* forsøg *n* (=)
versuchen forsøge
vertagen udsætte
vertauschen forbytte
verteidigen forsvare
Verteidiger *m* forsvarer (*-e*); *Sport* forsvarsspiller (*-e*)
Verteidigung *f* forsvar *n* (=)
ver|teilen fordele; dele ud; **~tiefen** uddybe

Vertiefung *f* fordybning
ver|tilgen udrydde; *essen* sluge; **~tonen** sætte musik til
Vertrag *m Pol* traktat; *Hdl* kontrakt
vertragen tåle; ***nicht*** **~** ikke kunne tåle; ***sich*** **~** enes
vertrauen stole på
Vertrauen *n* tillid (***in*** til)
Vertrauens|frau *f*, **~mann** *m* tillids|mand (*-mænd*)
vertraulich fortrolig
vertraut intim; *bekannt* kendt
vertreiben fordrive; ***sich die Zeit*** **~** fordrive tiden (***mit*** med)
vertreten vikariere for; *amtlich* repræsentere
Vertreter(in) *m(f)* stedfortræder (*-e*); *Hdl etc* repræsentant (***der Firma*** for firmaet)
Vertretung *f* vikariat *n*; *Person* vikar; repræsentation
Vertrieb *m* afsætning; *Abteilung* salgsafdeling
vertrocknen tørre ind
verübeln tage ilde op
verüben begå
verunglücken forulykke
verursachen forårsage
verurteilen dømme
Verurteilung *f* dom (*-me*)
ver|vielfältigen kopiere; **~vollkommnen** perfektionere; **~vollständigen** fuldstændiggøre
verwackelt *Fot* rystet
verwahrlost forsømt
Verwahrung *f* forvaring
verwalten forvalte
Verwalter(in) *m(f)* forvalter (*-e*)
Verwaltung *f* forvaltning
Verwaltungsgebühr *f* administrationsgebyr *n*
verwandeln forvandle; ***sich*** **~** blive forvandlet (***in*** til)
Verwandlung *f* forvandling
verwandt i familie (***mit*** med)
Verwandte *m/f* slægtning
Verwandtschaft *f* familie
Verwarnung *f* advars|el (*-ler*)
verwechseln forveksle (***mit*** med)
Verwechslung *f* forveksling
verweigern nægte
Verweis *m* irettesættelse (*-r*); *Hinweis* henvisning
verwelkt vissen
verwendbar anvendelig
verwenden bruge (***zu*** til)
Verwendung *f* anvendelse
verwerfen forkaste
verwerflich forkastelig
verwerten udnytte
verwirklichen realisere
verwirren forvirre
verwirrt forvirret
Verwirrung *f* forvirring
verwischen udviske
verwitwet efterladt
verwöhnen forkæle
verworren indviklet; *konfus* forvirret
Verwunderung *f* forundring
verwundet såret
Verwundete *m/ f* såret
Verwundung *f* kvæstelse (*-r*)
verwüsten hærge
verzählen: ***sich*** **~** tælle forkert

Verzehr *m* spisning
Verzeichnis *n* fortegnelse (*-r*)
verzeihen tilgive; *~ Sie bitte, ... bei Frage* undskyld, ...
Verzeihung *f* tilgivelse; *~!* undskyld!
verzerrt forvrænget
Verzicht *m* afkald *n*
verzichten give afkald (***auf*** på)
Verzierung *f* udsmykning
verzögern forsinke; ***sich ~*** blive forsinket
Verzögerung *f* forsinkelse (*-r*)
verzollen fortolde
verzweifeln være fortvivlet (***über, an*** over)
verzweifelt fortvivlet
Verzweiflung *f* fortvivlelse
Vetter *m* fæt|ter (*-re*)
vgl. (*vergleiche*) jf. (*jævnfør*)
Video *n* videobånd *n* (=); **~aufnahme** *f* videooptagelse (*-r*)
Videorekorder *m* videobåndoptager (*-e*)
Videotext *m* tekst-tv *n*
Videothek *f* videotek *n*
Vieh *n* kvæg *n*; **~zucht** *f* kvægavl
viel meget; *pl* mange; ***sehr ~*** rigtig meget (*pl* mange); ***nicht ~*** ikke meget (*pl* mange); ***~ zu ...*** for meget (*pl* mange); ***~ besucht*** populær; ***~ sagend*** sigende
vielfach mangedobbelt
Vielfalt *m* mangfoldighed
vielfältig mangfoldig
vielleicht måske
vielmals mange gange
vielseitig mangesidet; *fig* alsidig
vier fire; ***zu viert*** fire personer
Vierbettkabine *f* firekøjerskahyt
Viereck *n* firkant
vier|eckig firkantet; **~fach** firedobbelt
Viertel *n* fjerdedel (*-e*); *Stadt* kvarter *n*; **~finale** *n* kvartfinale (*-r*); **~jahr** *n* kvartal *n*; **~stunde** *f* kvarter *n* (=)
viertens for det fjerde
vierzig fyrre; **vierzigste** fyrretyvende
Vill|a *f* villa; **~enviertel** *n* villakvarter *n*
violett violet
Violine *f* violin
Visitenkarte *f* visitkort *n* (=)
Visum *n* vis|um *n* (*-a*)
Vitamin *n* vitamin *n*
Vitamintablette *f* vitaminpille (*-r*)
Vize- vice-
Vogel *m* fugl (*-e*)
Vogelfutter *n* fuglefrø *pl*
vögeln V kneppe
Vogelnest *n* fuglerede (*-r*)
Vogelscheuche *f* fugleskræms|el *n* (*-ler*)
Vokabel *f* glose (*-r*)
Vokal *m* vokal
Volk *n* folk *n* (=)
Volksabstimmung *f* folkeafstemning
Volkshochschule *f* aftenskole
Volkslied *n* folkevise (*-r*)

Volksmusik *f* folkemusik
Volksschule *f* folkeskole
Volkstanz *m* folkedans
volkstümlich folkelig
Volkswirtschaft *f* nationaløkonomi
voll fuld; ***halb*** ~ halvt fuld; ~ ***tanken*** tanke helt op
vollautomatisch fuldautomatisk
Vollbart *m* fuldskæg *n*
vollenden fuldende
völlig fuldstændig
volljährig myndig
Vollkaskoversicherung *f* fuld kaskoforsikring
vollkommen fuldkommen
Vollkornbrot *n* fuldkornsbrød *n* (=)
Vollmacht *f* fuldmagt (***zu*** til)
Vollmilch *f* sødmælk
Vollmond *m* fuldmåne
Vollpension *f* helpension
vollschlank buttet
vollständig fuldstændig; *alle da* fuldtallig
Volltextsuche *f EDV* fuldtekstsøgning
vollwertig fuldgyldig
vollzählig fuldtallig
von *Ursprung* fra; *einer Menge* af; *über* om; ~ ***sich aus*** af sig selv
voneinander fra (*od.* af) hinanden
vor *Ort* foran; *Zeit* før; *Zeitabschnitt* for … siden
voran fremad
Voranmeldung *f* forhåndstilmelding
Vorarbeiter(in) *m(f)* arbejdsleder (*-e*)
voraus forud; ***im*** ♀ i forvejen
voraussagen forudsige
voraussehen forudse
Voraussetzung *f* forudsætning (***unter der*** under den)
voraussichtlich formentlig
Vorauszahlung *f* forudbetaling
Vorbehalt *m* forbehold *n*; ***ohne*** ~ uden forbehold
vorbei forbi; ***Mitternacht*** ~ over midnat; **~fahren** køre forbi; **~gehen** gå forbi
vorbeilassen lade komme forbi
vorbeischauen komme forbi
vorbereiten forberede
Vorbereitung *f* forberedelse (*-r*)
vorbestellen reservere
Vorbestellung *f* reservation
vorbestraft tidligere straffet
vorbeugen forebygge
Vorbild *n* forbillede *n* (*-r*); **♀lich** forbilledlig
vorbringen tage frem; *fig* fremføre
Vorder|- for-; *von allen* forrest; **~achse** *f* foraksel; **~bein** *n* forben *n* (=); **~grund** *m* forgrund; **~rad** *n* forhjul *n* (=); **~seite** *f* forside; **~sitz** *m* forsæde *n*; **~teil** *n* forende
Vordruck *m* formular
voreilig overilet
Vorfahren *pl* forfædre *pl*
Vor|fahrt *f* forkørselsret; **~fall** *m* hændelse (*-r*)

vorfinden forefinde
vorführ|en vise frem; **~ung** *f Film etc* forevisning; *Gerät etc* demonstration
Vorgang *m* forløb *n*; *Fall* hændelse (*-r*)
Vorgänger(in) *m(f)* forgænger (*-e*)
Vorgarten *m* forhave
vorgehen *geschehen* foregå; *Uhr* gå foran
Vorgeschichte *f* forhistorie (*a fig*)
Vorgesetzte *m/f* overordnet
vorgestern i forgårs
vorhaben have tænkt sig
Vorhaben *n* forehavende *n* (*-r*)
vorhanden: *~ **sein*** være der
Vorhang *m* gardin *n*; *Thea* tæppe *n* (*-r*)
Vorhängeschloss *n* hængelås (*-e*)
vorher før; **~gehend** forudgående
Vorhersage *f* forudsigelse; *Wetter* vejrmelding
vorhersehen forudse
vorhin før; *eben* lige før
vorig(e, -s) forrig-; ***voriges Jahr*** sidste år
Vor|jahr *n* forrige år; **~kämpfer(in)** *m(f)* forkæmper (*-e*) (***für*** for); **~kenntnisse** *pl* forkundskaber *pl*
vorkommen forekomme; ***das kommt mir bekannt vor*** det virker bekendt
Vorkommen *n* forekomst (***von Öl*** af olie)
Vorkriegszeit *f* førkrigstid
vorladen *Jur* stævne
Vorladung *f* stævning
Vorlage *f Muster* forlæg *n*
vorlassen lade komme foran
vorläufig foreløbig
vorlegen forelægge
vorlesen *Text* læse op
Vorlesung *f* forelæsning
vorletzte(r, -s) næstsidst
Vorliebe *f* forkærlighed (***für*** for)
vorliegen foreligge
vormerken skrive op (***für*** til)
Vormittag *m* formiddag; ***am ~***, **vormittags** om formiddagen
vorn foran; ***nach ~*** forover; ***von ~*** forfra
Vorname *m* fornavn *n* (*-e*)
vornehm fornem
vornehmen: ***sich ~*** sætte sig for (***zu*** at)
vornherein: ***von ~*** på forhånd
vornüber forover
Vorort *m* for|stad (*-stæder*)
Vorrang *m* førsteret
Vorrat *m* forråd *n* (***an*** af)
vorrätig på lager (*nachgestellt*)
Vorrecht *n* fortrinsret (***auf*** til)
Vorrichtung *f* anordning
vorrücken rykke frem
Vorruhestand *m* førtidspension
Vorrunde *f Sport* indledende runde (*-r*)
Vorsaison *f* forsæson
Vorsatz *m* forsæt *n* (=)
vorsätzlich *adv* med vilje

(*nachgestellt*)
Vorschau *f* oversigt (***auf*** over)
Vorschlag *m* forslag *n* (=)
vorschlagen foreslå
vorschreiben foreskrive
Vorschrift *f* forskrift
Vorschuss *m* forskud *n* (=)
vorsehen *planen* planlægge; ***sich*** ~ se sig for
Vorsicht *f* forsigtighed; **~!** pas på!
vorsichtig forsigtig
vorsichtshalber for en sikkerheds skyld
Vorsilbe *f* forstavelse (*-r*)
vorsingen synge for
Vorsitzende *m/f* for|mand (*-mænd*)
vorsorglich omhyggelig
Vorspeise *f* forret
Vorspiel *n* forspil *n*
Vorsprung *m* forspring *n* (=); *Wölbung* fremspring *n* (=)
Vorstadt *f* for|stad (*-stæder*)
Vorstand *m* bestyrelse (*-r*)
Vorstandsmitglied *n* bestyrelsesmedlem *n* (*-mer*)
Vorsteher(in) *m*(*f*) forstander (*-e*)
vorstellen præsentere; (***sich***) *denken* forestille sig
Vorstellung *f* præsentation; *Idee*, *Thea* forestilling
Vorstoß *m* fremstød *n* (=)
Vorteil *m* fordel (*-e*); **≗haft** fordelagtig
Vortrag *m* foredrag *n* (=) (***halten*** holde)
vortragen fremføre
vorüber forbi; **~gehen** gå forbi; *enden* gå over; **~gehend** forbigående
Vor|urteil *n* fordom (***gegen*** over for); **~verkauf** *m* forsalg *n*; **~wahl** *f Tel* områdenummer *n*; **~wand** *m* påskud *n* (=) (***für*** for)
vorwärts fremad; ~ ***kommen*** komme videre
Vorwäsche *f* forvask
vor|weisen vise; **~werfen** bebrejde
vorwiegend overvejende
Vorwort *n* forord *n*
Vorwurf *m* bebrejdelse (*-r*)
vorzeigen vise
vorzeitig for tidlig
vorziehen *bewegen* trække frem; *mögen* foretrække
Vorzimmer *n* forværelse *n*
Vorzug *m* fortrin *n* (=)
vorzüglich fremragende
vulgär vulgær
v.u.Z. (*vor unserer Zeitrechnung*) f.v.t. (*før vor tidsregning*)

W

Waage *f* vægt (*-e*); **⁓recht** vandret
wach vågen; *⁓ **werden*** vågne
Wache *f* vagt (***auf*** på)
wachen: *⁓ **über*** våge over
Wacholder *m* enebær
Wachs *n* voks
wachsam vågen; **⁓keit** *f* årvågenhed
wachsen vokse (*a fig*)
Wachsfigurenkabinett *n* vokskabinet *n*
Wachs|kerze *f*, **⁓licht** *n* vokslys *n* (=)
Wachstum *n* vækst (*a Hdl*)
Wächter *m* vægter (*-e*)
wack|eln vakle; **⁓lig** vaklende
Wade *f* læg (*-ge*)
Waffe *f* våben *n* (=)
Waffel, **Waffeltüte** *f* vaf|fel (*-ler*)
Waffenschein *m* våbentilladelse
wagemutig modig
wagen turde
Wagen *m* vogn (*-e*) (*a Esb*); *Auto* bil; **⁓heber** *m* donkraft; **⁓tür** *f* bildør (*-e*)
Waggon *m* togvogn (*-e*)
waghalsig letsindig
Wagnis *n* vovet foretagende *n*
Wahl *f* valg *n* (=); ***nach** ⁓* efter eget valg; ***keine andere** ⁓ **haben*** ikke have noget valg
wählen vælge; *Tel* taste; *Pol* stemme; *e-n Politiker* stemme på
Wähler(in) *m*(*f*) vælger (*-e*)
Wahlergebnis *n* valgresultat *n*
wählerisch kræsen
wahlfrei valgfri
Wahl|kampf *m* valgkamp; **⁓lokal** *n* valglokale *n* (*-r*)
wahllos på må og få (*nachgestellt*)
Wahlrecht *n* valgret
Wählton *m* klartone
Wahnsinn *m* vanvid *n*; ***⁓!*** F hvor vildt!
wahnsinnig vanvittig
wahr sand; ***das ist nicht** ⁓* det passer ikke; ***nicht** ⁓?* ikke også?
wahren varetage
während *konj* mens; *præp* (*G*) i løbet af; *längere Zeit* under; **⁓dessen** imens
Wahrheit *f* sandhed
wahr|nehmen lægge mærke til; *nutzen* benytte; **⁓sagen** spå
Wahr|sager *m* spåmand; **⁓sagerin** *f* spåkone
wahrscheinlich sandsynlig; *adv* sandsynligvis
Wahrscheinlichkeit *f* sandsynlighed
Währung *f* valuta
Währungskurs *m* valutakurs
Wahrzeichen *n* vartegn *n* (=)
Waise *m/f* forældreløs

Wal *m* hval
Wald *m* skov (*-e*); **~weg** *m* skovsti
Wall *m* vold (*-e*)
Wallfahrtsort *m* valfartssted *n*
Walnuss *f* valnød (*-der*)
wälzen vælte; ***sich*** **~** rulle rundt
Walzer *m* vals (*-e*)
Wand *f* væg (*-ge*) (***an*** på)
Wandel *m* forandring
Wanderausstellung *f* vandreudstilling
wandern vandre
Wanderschuhe *pl* vandresko *pl*
Wanderung *f* vandring
Wandlung *f* forandring
Wandteppich *m* vægtæppe *n* (*-r*)
Wange *f* kind
wanken svaje; *gehend* vakle
wann hvornår; ***seit ~?*** siden hvornår?
Wanne *f* kar *n* (=)
Wappen *n* våben *n*
Ware *f* vare (*-r*)
Waren|haus *n* varehus *n* (*-e*); **~zeichen** *n* varemærke *n* (*-r*)
warm varm; ***mir ist*** **~** jeg har det varmt; ***~ laufen lassen*** *Kfz* lade løbe varm
Wärme *f* varme
wärmen varme
Wärmflasche *f* varmedunk (*-e*)
Warmmiete *f* leje inklusive varme
Warnblinkanlage *f* advarselsblink *n*
Warndreieck *n* advarselstrekant
warnen advare (***vor*** mod)
Warnung *f* advars|el (*-ler*)
Warte|halle *f* ventesal; **~häuschen** *n* læskur *n* (*-e*); **~liste** *f* venteliste (***auf*** på)
warten *v/i* vente (***auf*** på); *v/t pflegen* passe
Wärter(in) *m(f)* opsyns|mand (*-mænd*)
Warte|saal *m* ventesal; **~zeit** *f* ventetid; **~zimmer** *n* ventværelse *n* (*-r*)
Wartung *f* eftersyn *n*
warum hvorfor
Warze *f* vorte (*-r*)
was hvad; **~ *für*** (***ein***) hvad for (en)
waschbar vaskbar
Wasch|becken *n* håndvask (*-e*); **~brettbauch** *m* vaskebrætmave (*-r*)
Wäsche *f* vask; *Kleidung* vasketøj *n*; **~geschäft** *n* lingeriforretning; *Bettzeug* sengetøjsforretning; **~klammer** *f* tøjklemme (*-r*); **~korb** *m* vaskekurv (*-e*)
waschen vaske (***sich*** sig)
Wäscherei *f* renseri *n*
Wäscheschleuder *f* centrifuge
Wäschetrockner *m* tørretumbler (*-e*)
Wasch|korb *m* vaskekurv (*-e*); **~küche** *f* vaskerum *n* (=); **~lappen** *m* vaskeklud (*-e*); **~maschine** *f* vaskemaskine (*-r*); **~mittel** *n* vaske-

middel *n*; **~pulver** *n* vaskepulver *n*
Wasser *n* vand *n*
wasserabweisend vandafvisende
Wasserball vandpolo
wasserdicht vandtæt
Wasser|fall *m* vandfald *n* (=); **~flasche** *f* vandflaske (*-r*); **~hahn** *m* vandhane (*-r*); **~kocher** *m* dyppekoger; **~leitung** *f* vandrør *n* (=); **~melone** *f* vandmelon
wässern vande; *weich machen* lægge i blød
Wasserschaden *m* vandskade (*-r*)
wasserscheu: **~ *sein*** have vandskræk
Wasserski *pl* vandski *pl* (***fahren*** stå på)
Wasserversorgung *f* vandforsyning
Wasserzähler *m* vandmåler (*-e*)
wässrig vandet; *Augen* våd
waten vade
Watte *f* vat *n*; **~bausch** *m* vattot (*-ter*)
Wattenmeer *n* vadehav *n*
wau: **~!** *Hund* vov!
weben væve
Webseite *f EDV* webside (*-r*)
Wechsel *m* skift *n*; **~geld** *n* byttepenge *pl*
wechselhaft skiftende
Wechsel|jahre *pl* overgangsalder; **~kurs** *m* vekselkurs
wechseln *Geld* veksle; *tauschen* bytte; *Wetter* skifte
Wechselstrom *m* vekselstrøm
Wechselstube *f* vekslebureau *n*
wechselweise skiftesvis
Weckdienst *m* telefonvækning
wecken vække
Wecker *m* vækkeur *n* (*-e*)
wedeln vifte; *Hund* logre (***mit*** med)
weder: **~ … *noch* …** hverken … eller
weg: **~ *damit!*** fjern det!; ***… ist* ~** … er væk; **~ *von*** væk fra; ***weit* ~** langt væk
Weg *m* vej (*-e*)
weg|bleiben blive væk; **~bringen** få væk
wegen (*G*) på grund af
weg|fahren køre bort; **~fallen** bortfalde; **~geben** give væk; **~jagen** jage væk; **~lassen** udelade; **~laufen** løbe væk (***vor*** fra); **~müssen** måtte af sted
wegnehmen fjerne; *j-m* tage fra
Wegrand *m* vejkant
weg|räumen rydde væk; **~schieben** skubbe væk; **~schmeißen** smide væk; **~tun** fjerne
Wegweiser *m* vejviser (*-e*)
Wegwerf- engangs-
wegwerfen kaste væk; *Abfall* smide ud
Wegwerffeuerzeug *n* engangslighter (*-e*)
wegziehen *umziehen* flytte

weh → ***wehtun***
wehen blæse
Wehen *pl* veer *pl*
Wehrdienst *m* militærtjeneste; *Pflicht* værnepligt (***ableisten*** aftjene); **~leistende** *m* værnepligtig (*-e*); **~verweigerer** *m* militærnægter (*-e*)
wehr|en: ***sich ~*** forsvare sig (***gegen*** mod); **~los** forsvarsløs
Wehrmacht: ***die ~*** *hist* Værnemagten
Wehrpflicht *f* værnepligt; ***allgemeine ~*** almindelig værnepligt
wehtun gøre ondt; ***mein Kopf tut weh*** jeg har ondt i hovedet
Weibchen *n Zo* hun (*-ner*)
weiblich kvindelig
Weiblichkeit *f* kvindelighed
weich blød; ***~ werden*** blive blød; ***~ gekocht*** blødkogt
Weiche *f Esb* vigespor *n*
weichen[1] vige (***vor*** for)
weichen[2] *in Wasser* lægge i blød
Weichspüler *m* skyllemiddel *n*
weigern: ***sich ~*** nægte
Weigerung *f* mangelnde vilje
Weihnachten *n* jul (***zu*** til); ***frohe ~!*** glædelig jul!
Weihnachts|abend *m*, ***am ~*** juleaften; **~baum** *m* juletræ *n*; **~geschenk** *n* julegave (*-r*); **~karte** *f* julekort *n* (=); **~lied** *n* julesang (*-e*); *Rel* julesalme (*-r*); **~mann** *m* jule|mand (*-mænd*)
Weihrauch *m* røgelse
weil fordi
Weile: ***eine ~*** et stykke tid
Wein *m* vin
Weinbergschnecke *f* vinbjergsnegl (*-e*)
Weinbrand *m* cognac
weinen græde
Wein|essig *m* vineddike; **~flasche** *f* vinflaske (*-r*); **~glas** *n* vinglas *n* (=); **~lokal** *n* vinbar; **~probe** *f* vinsmagning; **~traube** *f* vindrue (*-r*)
weise vis
Weise *f Art* måde (*-r*)
Weisheitszahn *m* visdoms|tand (*-tænder*)
weiß hvid
Weißbier *n* hvedeøl *n*; **~brot** *n* franskbrød *n* (=)
weißhaarig hvidhåret
Weiß|kohl *m* hvidkål; **~wein** *m* hvidvin
weit *fern* langt væk; *adv* langt; *groß* stor; *ausgedehnt* omfattende; ***bei ~em*** langtfra; ***~ verbreitet*** meget udbredt; ***von ~em*** på lang afstand; ***wie ~?*** hvor langt?
weitaus langt
weiter videre; ***und so ~*** og så videre
Weiterbildung *f* videreuddannelse
weiter|fahren køre videre; **~fliegen** flyve videre; **~gehen** gå videre; **~kommen** komme videre; **~machen**

fortsætte
Weiterreise *f* fortsat rejse
weitervermieten fremleje (**an** til)
weit|gehend vidtgående; *adv* så vidt muligt; **~her** langt fra; **~läufig** udførlig
weitsichtig langsynet; *fig* visionær
Weitwinkelobjektiv *n* vidvinkellinse
Weizen[1] *m* hvede
Weizen[2], **~bier** *n* hvedeøl *n*
welche(r, -s) hvilken; hvilket *n*; hvilke *pl*
welken visne
Wellblech *n* bølgeblik *n*
Welle *f* bølge (*-r*); *Mode etc* trend
Wellenbad *n* bølgebassin *n*
wellenförmig bølget
Wellen|gang *m* bølgegang; **~länge** *f* bølgelængde; **~reiten** *n* surfing
Wellensittich *m* undulat
Wellness *f etwa* sundhed og velvære
Wellpappe *f* bølgepap *m*
Welpe *m* hvalp (*-e*)
Welt *f* verden
Weltanschauung *f* ideologi
welt|bekannt, **~berühmt** verdensberømt
Weltkrieg *m* (**der zweite** anden) verdenskrig
weltlich verdslig
Weltmeister(in) *m(f)* verdensmest|er (*-re*)
Weltmeisterschaft *f* verdensmesterskab *n*
Weltraum *m* verdensrum *n*
Weltreise *f* jordomrejse
Weltrekord *m* verdensrekord
weltweit verdensomspændende
wem (til, for) hvem; **~ gehört das?** hvem ejer det?
Wemfall *m* hensynsfald *n*
wen hvem
Wende *f* vendepunkt *n*; **vor** (**nach**) **der ~** før (efter) Murens fald
wenden vende; **sich ~ an** henvende sig til
Wendung *f* vending
Wenfall *m* genstandsfald *n*
wenig lidt; **ein ~** en lille smule; **am ~sten** mindst; **wenige** *pl* få *pl*
weniger mindre
wenigstens i det mindste
wenn *zeitl.* når; *falls* hvis; **selbst ~** selv hvis
wer hvem
Werbefilm *m* reklamefilm (=)
werben reklamere (**für** for)
Werbung *f* reklame; **~ machen für** reklamere for
werden *entstehen* blive; **was willst du ~?** hvad vil du være?
Werfall *m* nævnefald *n*
werfen kaste
Werk *n* værk *n*; **~meister(in)** *m(f)* værkfører (*-e*); **~statt** *f* værksted *n*
Werktag *m* hverdag (*-e*)
werktags på hverdage
Werkzeug *n* værktøj *n*; **~kasten** *m* værktøjskasse

Wermut *m* vermouth; *Kraut* malurt
wert værd; ***nichts*** **~** ikke noget værd
Wert *m* værdi; **~angabe** *f* værdiangivelse; **~brief** *m* pengebrev *n* (*-e*); **~gegenstand** *m* værdigenstand (*-e*)
wert|los værdiløs; **~voll** værdifuld
Wesen *n* væsen *n*
wesentlich væsentlig
weshalb hvorfor
Wespe *f* hveps (*-e*)
wessen hvis
Westdeutschland *n* Vesttyskland *n*
Weste *f Tex* vest (*-e*)
Westen *m* vest
westlich vestlig; **~** ***von*** vest for
Wettbewerb *m* konkurrence (*-r*)
Wette *f* væddemål *n* (=)
wetteifern konkurrere (***mit*** med; ***um*** om)
wetten vædde (***um*** om); **~** ***dass?*** skal vi vædde?
Wetter *n* vejr *n*; **~bericht** *m* vejrmelding; **~dienst** *m* meteorologisk institut *n*; **~lage** *f* vejrforhold *pl*; **~vorhersage** *f* vejrudsigt
Wett|kampf *m* konkurrence; **~kämpfer(in)** *m(f)* konkurrencesportsudøver (*-e*); **~lauf** *m* kapløb *n*
WG *f* (*Wohngemeinschaft*) bofællesskab *n*
wichtig vigtig
Wichtigkeit *f* vigtighed
wickeln vikle; *Kind* skifte
Widder *m* vædder (*a astrol.*)
Wider|haken *m* modhage (*-r*); **~hall** *m* ekko *n*; **≗hallen** ekkoe
widerlegen modbevise
widerlich modbydelig
wider|rechtlich ulovlig; **~rufen** dementere
widersetzen: ***sich*** **~** modsætte sig
wider|sinnig absurd; **~spenstig** stædig; *Haar* stridt
widersprechen modsige
Widerspruch *m* selvmodsigelse (*-r*); *Kritik* protest
Wider|stand *m* modstand (***leisten gegen*** yde mod); **~standskämpfer(in)** *m(f)* frihedskæmper (*-e*)
widerstrebend modstræbende
widerwärtig modbydelig
widerwillig modvillig
widmen tilegne; ***sich*** **~** hellige sig
Widmung *f* tilegnelse (*-r*)
wie *Frage* hvordan; *Vergleich* som; **~** ***viel*** hvor meget
wieder igen; **~** ***erkennen*** genkende; **~** ***finden*** finde igen; **~** ***gutmachen*** gøre godt igen; *heimzahlen* gengælde
Wiederaufbau *m* genopbygning
wieder|bekommen få igen; **~bringen** komme tilbage med
Wieder|gabe *f* gengivelse;

ℒgeben gengive
Wiedergutmachung *f* erstatning
wieder|herstellen genoprette; **~holen** gentage
Wiederholung *f* gentagelse (*-r*); *TV* genudsendelse
wieder|kommen komme igen; **~sehen** se igen; ***auf ℒ!*** farvel!; *tschüs* hej, hej!
Wiege *f* vugge (*-r*)
wiegen[1] *Kind* vugge; ***sich ~*** gynge
wiegen[2] *Gewicht* veje
Wiese *f* eng (*-e*)
wieso hvorfor
Wikinger(in) *m(f)* viking
wild vild
Wild *n* vildt *n*; **~leder** *n* ruskind *n*; **~schwein** *n* vildsvin *n* (=)
Wille *m* vilje
willkommen velkommen (***herzlich*** hjertelig)
Willkür *f* vilkårlighed; **ℒlich** vilkårlig
wimmeln myldre; ***~ von, vor*** vrimle med
wimmern klynke
Wimper *f* øjenvippe (*-r*)
Wimperntusche *f* mascara
Wind *m* vind
Windbeutel *m Gastr* vandbakkelse (*-r*)
Windel *f* ble
winden binde; ***sich ~*** sno sig
Windenergie *f* vindkraft
windgeschützt i læ (*nachgestellt*)
windig blæsende
Wind|jacke *f* vindjakke (*-r*); **~mühle** *f* vindmølle (*-r*)
Windpocken *pl* skoldkopper *pl*
Wind|schatten *m* læ *n*; **~schutzscheibe** *f* forrude; **~stärke** *f* vindstyrke; **~stille** *f* vindstille *n*; **~stoß** *m* vindstød *n* (=)
Wink *m* vink *n* (=); ***ein ~ mit dem Zaunpfahl*** et vink med en vognstang
Winkel *m* vink|el (*-ler*); *Ecke* krog (*-e*)
winken vinke (***j-m*** til ngn)
winseln klynke; *Hund* pibe
Winter *m* vint|er (*-re*); ***im ~*** om vinteren; **~fahrplan** *m* vinterkøreplan; **ℒlich** vinteragtig; **~mantel** *m* vinterfrakke (*-r*)
winzig lillebitte
Wipfel *m* trætop (*-pe*)
wir vi
Wirbel *m* hvirv|el (*-ler*)
wirbeln hvirvle
Wirbelsäule *f* hvirvelsøjle
wirken virke
wirklich virkelig; **ℒkeit** *f* virkelighed
wirksam effektiv
Wirkung *f* virkning
wirkungslos virkningsløs
wirr forvirret; *Haar* uredt
Wirt *m* vært; **~in** *f* værtinde (*-r*)
Wirtschaft *f* økonomi; *Handel, Produktion* erhvervsliv *n*; *Gasthaus* kro
wirtschaften økonomise*r*; *zu Hause* stå for hushold*n*

gen
wirtschaftlich økonomisk
Wirtschaftskrise *f* økonomisk krise
Wirtshaus *n* værtshus *n* (*-e*)
wischen tørre af
Wischlappen *m* klud (*-e*)
wissen vide; ***~ lassen*** fortælle
Wissen *n* viden
Wissenschaft *f* videnskab; **~ler(in)** *m(f)* videnskabs|mand (*-mænd*); **⁀lich** videnskabelig
wissentlich bevidst
wittern vejre
Witterung *f* vejr; *Jäger* sporsans
Witwe *f* enke (*-r*)
Witwer *m* enkemand
Witz *m* vittighed; **~blatt** *n* vittighedsblad (*-e*) *n*
wo hvor
woanders et andet sted
Woche *f* uge (*-r*); ***in zwei Wochen*** om to uger
Wochenbett *n* barsel(sseng)
Wochenendausflug *m* weekendudflugt
Wochenende *n* weekend (***am*** i)
Wochenendhaus *n* sommerhus *n* (*-e*)
wochenlang i ugevis (*nachgestellt*)
Wochenstunde *f* time om ugen
Wochentag *m* ugedag (*-e*)
wochentags på hverdage
wöchentlich ugentlig; *jede Woche* hver uge
wodurch hvorigennem; *Mittel* hvorved
wogegen hvorimod
woher hvorfra
wohin hvorhen
wohl *gesund* rask; *adv vermutlich* vel; *gut* godt; ***sich nicht ~ fühlen*** ikke føle sig rask
Wohl *n Gesundheit* sundhed *n*; *fig* bedste *n*; ***zum ~!*** skål!
Wohlbefinden *n* velbefindende *n*
wohlbehalten i god behold (*nachgestellt*)
wohlhabend velhavende
Wohlstand *m* velstand
Wohltätigkeit *f* velgørenhed
wohltuend behagelig
Wohlwollen *n* velvilje
Wohnblock *m* boligblok (*-ke*)
wohnen bo
Wohngebiet *n* beboelsesområde *n* (*-r*)
Wohngemeinschaft *f* bofællesskab *n*
wohnhaft: ***~ in*** med bopæl i
Wohnhaus *n* beboelseshus *n* (*-e*)
Wohnmobil *n* autocamper (*-e*)
Wohnort *m* bopæl
Wohnsitz *m* bopæl
Wohnung *f* lejlighed; ***freie ~*** fri bolig
Wohnungsschlüssel *m* nøgle til lejligheden
Wohnungssuche: ***auf ~ sein*** lede efter et sted at bo
Wohnwagen *m* campingvogn (*-e*)

Wohnzimmer *n* stue (*-r*)
Wolf *m* ulv (*-e*)
Wolke *f* sky
Wolkenbruch *m* skybrud *n*
Wolkenkratzer *m* skyskraber (*-e*)
wolkenlos skyfri
wolkig skyet
Wolldecke *f* uldtæppe *n*
Wolle *f* uld
wollen[1] *Stoff* uld-
wollen[2] ville
womit med hvad
wonach hvorefter
woran på hvad
worauf på hvad; *zeitlich* hvorefter
woraus af hvad; *Herkunft* hvorfra
worin hvori
Wort *n* ord *n* (=); **~ *für* ~** ord for ord
Wörterbuch *n* ord|bog (*-bøger*)
wortkarg ordknap
Wortlaut *m* ordlyd
wörtlich ordret; *sinngemäß* bogstavelig
wortlos tavs
Wortschatz *m* ordforråd *n*
Wortstellung *f* ordstilling
wor|über, **~um** *Thema* om hvad
wovon *Thema* hvoraf; *Mittel* af hvad
wovor for hvad
wozu *warum* hvorfor; *Zweck* til hvad
Wrack *n* vrag *n* (=)
wringen vride
Wucher *m* åger
wuchern *Bot* brede sig (*a fig, nachgestellt*)
Wuchs *m* vækst (***von*** af)
Wucht *f* kraft
wuchtig heftig
wühlen rode (***in*** i)
wund hudløs
Wunde *f* sår *n* (=)
Wunder *n* mirak|el *n* (*-ler*)
wunderbar vidunderlig
wundern: ***sich* ~** undre sig (***über*** over)
wunderschön fantastisk smuk; *angenehm* dejlig
Wundstarrkrampf *m* stivkrampe
Wunsch *m* ønske *n* (*-r*); ***auf* ~** hvis det ønskes
wünschen ønske
wünschenswert ønskelig
Wunschkind *n* ønske|barn *n* (*-børn*)
wurde, **würde** → ***werden***
Würde *f* værdighed
würdig (*G*) værdig (til)
würdigen værdige
Wurf *m* kast *n* (=); *Zo* kuld *n* (=)
Würfel *m* terning; **~becher** *m* raflebæger *n*
würfeln rafle (***um*** om)
Würfelzucker *m* hugget sukker
würgen *v/t* kvæle; *v/i* kæmpe for at få ned
Wurm *m* orm (*-e*); **~stichig** ormstukken
Wurst *f* pølse (*-r*)
Würstchen *n* pølse; **~bud**

~stand *m* pølsebod
Würze *f* krydderi *n*
Wurzel *f* rod (*rødder*)
würzen krydre
würzig krydret
wüst *leer* øde; *unordentlich* rodet
Wüste *f* ørken
Wut *f* vrede (***auf*** mod)
wüten rase
wütend rasende

Y, Z

Yacht *f* yacht
Zacke *f* tak (*-ker*)
zackig takket
zaghaft tøvende
zäh sej
Zahl *f* tal *n* (=)
zahlbar betales
zahlen betale
zählen *v/t* tælle; *gelten* regnes (***zu*** for)
Zähler *m Tech* måler (*-e*)
zahl|los talløs; **~reich** talrig
Zahltag *m* betalingsdato
Zahlung *f* betaling
Zählung *f* tælling
Zahlungs|frist *f* betalingsfrist; **~mittel** *n* betalingsmid|del *n* (*-ler*)
zahm tam
zähmen tæmme
Zahn *m* tand (*tænder*); **~arzt** *m*, **~ärztin** *f* tandlæge (*-r*); **~arzthelfer(in)** *m(f)* klinikassistent; **~bürste** *f* tandbørste (*-r*); **~ersatz** *m* gebis *n* (*-ser*); **~fleisch** *n* tandkød *n*; **~lücke** *f* mellemrum *n* mellem tænderne; **~pasta** *f* tandpasta; **~rad** *n* tandhjul *n*; **~schmerzen** *pl* tandpine; **~spange** *f* bøjle; **~stocher** *m* tandstikker (*-e*)
Zange *f* tang (*tænger*)
Zank *m* skænderi *n*
zanken, ***sich*** **~** skændes (***um*** om)
Zäpfchen *n Med* stikpille (*-r*); *Anat* drøbel
Zapfen *m Bot* kogle (*-r*)
Zapfsäule *f* benzinpumpe (*-r*)
zart sart; *angenehm* mild
zärtlich kærlig
Zärtlichkeit *f* ømhed; *Liebkosung* kærtegn *n*
Zauber *m* trylleri *n*; *Reiz* fortryllelse; **&haft** fortryllende; **~künstler(in)** *m(f)* tryllekunstner (*-e*)
zaubern trylle
zaudern nøle
Zaun *m* stakit *n* (*-ter*)
z.B. (*zum Beispiel*) f.eks. (*for eksempel*)
Zebrastreifen *m* fodgængerfelt *n*
Zehe *f* tå (*tæer*); *Gastr* fed *n* (=); ***große*** **~** storetå
zehn ti; **&** *f* tital *n* (*-ler*)
Zehnerkarte *f* titurskort *n* (=)
Zehntel *n* tiendedel (*-e*)

Zeichen *n* tegn *n* (=); **~block** *m* tegneblok (*-ke*); **~setzung** *f* tegnsætning; **~stift** *m* tus (*-ser*); **~trickfilm** *m* tegnefilm (=)
zeichnen tegne
Zeichung *f* tegning
Zeigefinger *m* pegefinger
zeigen vise
Zeiger *m* viser (*-e*)
Zeile *f* linje (*-r*)
Zeit *f* tid; ***keine ~ haben*** ikke have tid; **~abstand** *m* interval *n* (*-ler*)
zeitaufwendig tidskrævende
Zeitdruck *m* tidspres *n* (***in*** under)
zeitgemäß tidssvarende
Zeit|genosse *m*, **~genossin** *f* samtidig (*-e*)
zeitig *adj* tidlig; *adv recht-* i god tid
Zeit|karte *f* tidsbegrænset billet; **≈los** tidsløs; **~lupe** *f* slowmotion (***in*** i); **~punkt** *m* tidspunkt *n* (***in*** på); **~raum** *m* tidsrum *n*; **~schrift** *f* tidsskrift *n*
Zeitung *f* avis
Zeitungs|anzeige *f* avisannonce (*-r*); **~kiosk** *m*, **~stand** *m* aviskiosk
Zeit|unterschied *m* tidsforskel; **~vertreib** *m* tidsfordriv *n*; **~wort** *n* udsagnsord *n* (=)
Zelle *f* celle (*-r*) (*a Tech*)
Zelt *n* telt *n* (*-e*)
zelten ligge i telt
Zement *m* cement
Zensur *f* censur; *Note* karakter
Zentimeter *m/n* centimeter (=); **~maß** *n* centimetermål *n*
Zentner *m* 50 kilo
zentral central; ***~ gelegen*** centralt beliggende
Zentral|e *f* central; **~heizung** *f* centralvarme
Zentrum *n* centr|um *n* (*-e*)
zer|brechen *v/t* ødelægge; *v/i* gå i stykker; **~brechlich** skør; **~drücken** mase; **~fallen** falde fra hinanden; **~fetzen** flå; **~fließen** *schmelzen* smelte; **~kleinern** findele; **~knittern** krølle; **~kratzen** ridse; **~legbar** som kan skilles ad (*nachgestellt*); **~legen** skille ad; **~quetschen** knuse; *Gastr* mose; **~reißen** *v/t* rive i stykker; *v/i* gå i stykker
zerren ruske (***an*** i)
zerrissen i stykker (*nachgestellt*)
Zerrung *f Anat* forstrækning
zer|schlagen knuse (*a fig*); **~setzen** opløse; **~springen** sprænge; **~stören** ødelægge
Zerstörung *f* ødelæggelse (*-r*)
zerstreuen sprede; *amüsieren* adsprede (***sich*** sig)
zerstreut spredt
zer|stückeln, **~teilen** dele; **~trümmern** knuse
zerzaust pjusket
Zettel *m* sed|del (*-ler*)
Zeug *n* skidt *n*; ***dummes ~*** sludder *n*
Zeug|e *m*, **~in** *f* vidne *n* (*-r*)

Zeugnis *n* attest; *Schule* karakterblad *n*
Zeugung *f Zo* avl; *Kind* undfangelse
z. H. (*zu Händen*) att. (*attention*)
Zickzack: ***im ~*** i siksak
Ziege *f* ged
Ziegel *m* tegl (=); **~dach** *n* teglstenstag *n* (*-e*)
Ziegenkäse *m* gedeost (*-e*)
ziehen trække; *Zahn* trække ud; ***sich in die Länge ~*** trække i langdrag; ***es zieht*** det trækker
Ziehung *f* trækning
Ziel *n* mål *n* (=); *Zweck* formål *n* (=); ***am ~*** fremme; **2bewusst** målbevidst
zielen sigte (***auf*** på)
Ziel|linie *f Sport* målstreg; **~scheibe** *f* skydeskive (*-r*)
ziemlich temmelig
zieren: ***sich ~*** skabe sig
zierlich sirlig
Ziffer *f* cif|fer *n* (*-re*); **~nblatt** *n* urskive
Zigarette *f* cigaret (*-ter*)
Zigaretten|anzünder *m* cigarettænder; **~automat** *m* cigaretautomat; **~kippe** *f* cigaretskod *n* (=)
Zigarre *f* cigar
Zigarrenabschneider *m* cigarklipper (*-e*)
zigmal *fig* hundrede gange
Zimmer *n* værelse *n* (*-r*); ***~ frei*** værelse til leje; **~mädchen** *n* stuepige (*-r*); **~mann** *m* tømrer (*-e*); **~schlüssel** *m* nøgle til værelset; **~service** *m* roomservice
zimperlich sart; *prüde* snerpet
Zimt *m* kanel
Zinn *n* tin *n*
Zins *m* rente; **~fuß** *m* rentefod
zins|günstig lavt forrentet; **~los** rentefri
Zipfel *m* snip (*-per*); **~mütze** *f Weihnachten* nissehue; *sonst* tophue
zirka cirka
Zirkel *m Math* passer (*-e*)
Zirkus *m* cirkus *n*
zischen hvæse
Zisterne *f* cisterne (*-r*)
Zitat *n* citat *n*
zitieren citere
Zitrone *f* citron
Zitronen|limonade *f* citronvand; **~schale** *f* citronskal; **~scheibe** *f* citronskive (*-r*)
Zitrusfrucht *f* citrusfrugt
zittern sitre
zivil civil; ***in 2*** i civil
Zivildienst *m* nægtertjeneste (***leisten*** gøre)
zögern tøve (***zu*** med at)
Zoll[1] *m Maß* tomme (*-r*)
Zoll[2] *m* told; **~abfertigung** *f* toldkontrol; **~amt** *n* toldkontor *n*; **~beamte(r)** *m*, **~beamtin** *f* tolder (*-e*); **~bestimmungen** *pl* toldbestemmelser *pl*; **~erklärung** *f* tolddeklaration; **2frei** toldfri; **~kontrolle** *f* toldkontrol; **2pflichtig** toldpligtig
Zone *f* zone (*-r*)

Zoo *m* zoologisk have
zoomen zoome ind på
Zopf *m* fletning; *Gastr* fletbrød *n*
Zorn *m* vrede; **~esausbruch** *m* raserianfald *n*
zornig vred (***auf*** på)
zotig sjofel
z.T. (*zum Teil*) delvist
zu *präp* til; *adv* for; *Inf konj* at; ***~ Beginn*** i begyndelsen; ***~ groß*** for stor; ***~ Hause*** hjemme; ***~ Mittag*** til middag; ***ohne ~ verstehen*** uden at forstå; ***Tür ~!*** luk døren!; ***zur Tür*** hen til døren; ***~ viel*** for meget; ***~ wenig*** for lidt
Zubehör *n* tilbehør *n*
zubereiten tilberede
Zubereitung *f* tilberedelse (*-r*)
zubinden binde
Zubringer|bus *m* transitbus (*-ser*); **~straße** *f* tilkørselsvej (*-e*)
Zucchini *f* squash (=)
Zucht *f Zo* opdræt *n*
züchten opdrætte; *Bot* dyrke
zucken fare sammen; ***mit den Achseln ~*** trække på skuldrene
Zucker *m* sukker *n*; *Med* F sukkersyge; **~guss** *m* glasur
Zuckerkrankheit *f* sukkersyge
Zucker|rübe *f* sukkerroe (*-r*); **~watte** *f* candyfloss
Zuckungen *pl* trækninger *pl*
zudecken dække til
zudrehen dreje til
zudringlich påtrængende
zuerst først; *erstmals* for første gang
Zufahrtsstraße *f* tilkørselsvej (*-e*)
Zufall *m* tilfælde *n* (=); ***durch ~*** ved et tilfælde
zufällig tilfældig
Zuflucht *f* tilflugt (***suchen*** søge)
zufrieden tilfreds (***mit*** med); ***~stellen*** tilfredsstille; **2heit** *f* tilfredshed
zufrieren fryse til
zufügen tilføje
Zufuhr *f* tilførsel
Zug *m Esb* tog *n* (=); *Ziehen, Charakter* træk *n*
Zugabe *f* ekstra; *Mus etc* ekstranum|mer *n* (*-re*)
Zugang adgang *m*; *fig* tilgang
zugänglich tilgængelig
Zugbegleiter(in) *m(f)* konduktør; *Blatt* køreplan
zugeben *gestehen* indrømme
zugehen *Tür* gå i; ***~ auf*** gå hen til
zugehörig tilhørende
Zugehörigkeit *f* tilhørselsforhold *n*
Zügel *m* tøjle (*-r*); **2n** kontrollere
Zuge|ständnis *n* tilståelse (*-r*); **2stehen** tilstå
Zug|fahrt *f* togtur (*-e*); **~führer(in)** *m(f)* togfører
zugießen hælde i
zugig trækkende
zügig hurtig
zugleich samtidig

Zugluft *f* træk
zugreifen *bedienen* tage for sig
zugrunde: *~ gehen* gå til grunde; *~ richten* ødelægge
Zugschaffner(in) *m(f)* konduktør
zugunsten (*G*) til fordel for
Zug|verbindung *f* togforbindelse (*-r*); *~***verkehr** *m* togtrafik
zuhalten holde lukket
Zuhälter *m* alfons
zuhören lytte (til)
Zuhörer(in) *m(f)* tilhører (*-e*)
zu|knallen smække; *~***knöpfen** knappe
Zukunft *f* fremtid; *in ~* for fremtiden
zukünftig fremtidig
Zulage *f* tillæg *n* (=)
zu|lassen tillade; *einlassen* lukke ind; *Kfz* indregistrere; *~***lässig** tilladt; *≈***lassung** *f* tilladelse (*-r*); *Einlass* adgang; *Kfz* indregistrering
zulegen: *sich ~* anskaffe sig
zuletzt til sidst
zuliebe for … skyld (*z.B. ihm zuliebe*: for hans skyld);
zumachen lukke
zu|meist for det meste; *~***mindest** i det mindste
zumutbar rimelig
zumuten byde
Zumutung *f*: *eine ~* urimeligt *adj*
zunähen sy sammen
Zunahme *f* forøgelse
Zuname *m* efternavn *n* (*-e*)
zünden *Feuer* fænge; *Tech* tænde; *Kfz* starte
Zündholz *n* tændstik (*-ker*)
Zündkerze *f* tændrør *n* (=)
Zündschlüssel *m* tændingsnøgle
Zündung *f* tænding
zu|nehmen tiltage; *Gewicht* tage på; *≈***neigung** *f* hengivenhed
Zunge *f* tunge (*-r*)
Zungen|brecher *m* spiritusprøve (*-r*); *~***kuss** *m* tungekys *n* (=)
Zünglein: *das ~ an der Waage* tungen på vægtskålen
zunichte: *~ machen* tilintetgøre
zunutze: *sich ~ machen* udnytte
zupacken tage fat
zupfen rykke (*an* i); *ausziehen* trække ud
zurecht|finden: *sich ~* finde sig til rette; *~***legen** lægge til rette; *~***machen** ordne; *sich ~* gøre sig i stand; *~***weisen** irettesætte
zureden prøve at tale til rette
zurichten gøre i stand; (*j-n*) tilrede
zurück tilbage
zurückbekommen få tilbage
zurückbleiben blive tilbage; *fig* være bagud
zurückbringen komme tilbage med
zurückerstatten erstatte
zurückfahren køre tilbage
zurückfliegen flyve tilbage

zurückführen føre tilbage *fig* (***auf*** til)
zurückgeben give tilbage
zurückgehen gå tilbage (*a fig*)
zurückgezogen tilbagetrukken
zurückhalten holde tilbage (***sich*** sig)
zurückhaltend tilbageholdende
Zurückhaltung *f* tilbageholdenhed
zurückholen hente tilbage
zurückkehren vende tilbage
zurückkommen komme tilbage
zurücklassen lade blive tilbage
zurücklegen *Ware* lægge til side; *Weg* tilbagelægge
zurücklehnen læne tilbage (***sich*** sig)
zurücknehmen tage tilbage
zurückprallen springe tilbage
zurückrufen kalde tilbage; *Tel* ringe tilbage
zurückschicken sende tilbage
zurückschlagen slå tilbage; *als Antwort* slå igen
zurücksetzen *Auto* bakke tilbage; (*j-n*) tilsidesætte
zurückstellen *Uhr* stille tilbage; *aufschieben* udsætte
zurücktreten træde tilbage
zurückweisen vise tilbage
zurückzahlen betale tilbage
zurückziehen trække tilbage (***sich*** sig)
Zuruf *m* tilråb *n* (=)
Zusage *f* tilsagn *n* (***zu*** om at)
zusagen *v/t* love; *v/i gefallen* tiltale (***mir*** mig)
zusammen sammen
Zusammenarbeit *f* samarbejde *n*
zusammenbinden binde sammen
zusammenbrechen bryde sammen (*a fig*)
Zusammenbruch *m* sammenbrud *n* (*a fig*)
zusammenfallen falde sammen
zusammenfalten folde sammen
zusammenfassen sammenfatte
zusammenfügen sammenføje
zusammengehören høre sammen
Zusammenhang *m* sammenhæng
zusammenklappbar sammenklappelig
zusammen|klappen klappe sammen; **~knüllen** krølle sammen
zusammenkommen samles
Zusammenkunft *f* sammenkomst
Zusammenleben *n* samliv *n*
zusammenlegen lægge sammen
zusammenpacken pakke sammen
Zusammenprall *m* sammen-

stød *n* (=)
zusammenprallen støde sammen (***mit*** med)
zusammenrechnen regne sammen
zusammenrücken rykke sammen
zusammenrufen kalde sammen
zusammenschlagen slå sammen; (*j-n*) smadre
zusammenschließen slå sammen (***sich*** sig)
zusammensetzen sætte sammen; ***sich*** ~ diskutere; bestå (***aus*** af)
Zusammensetzung *f* sammensætning
zusammenstellen sætte sammen
Zusammenstellung *f* sammensætning
Zusammenstoß *m* sammenstød *n* (=)
zusammenstoßen støde sammen (***mit*** med)
zusammenstürzen styrte sammen
zusammentreffen mødes
zusammenwachsen vokse sammen
zusammenzählen lægge sammen
zusammenziehen trække sammen (***sich*** sig)
Zusatz *m* tilføjelse (*-r*); *Gastr* tilsætning
zusätzlich ekstra
Zusatzzahl *f* tillægstal *n* (=)
zuschauen se på
Zuschauer(in) *m(f)* tilskuer (*-e*)
Zuschauerraum *m* tilskuerpladser *pl*
zuschicken tilsende
Zuschlag *m* tillæg *n* (=)
zuschlagen *Tür* smække
Zuschlagskarte *f* tillægsbillet (*-ter*)
zu|schließen lukke i; **~schnappen** smække i; *Zo* snappe; **~schneiden** skære til
Zuschnitt *m* tilsnit *n*
zu|schnüren snøre sammen; **~schrauben** skrue i
Zuschrift *f* brev (*-e*)
Zuschuss *m* tilskud *n* (=)
zusehen se på
zusehends mærkbart
zusetzen tilsætte; *fig* presse
zusichern garantere
Zusicherung *f* garanti
zuspitzen spidse; ***sich*** ~ *fig* spidse til
Zustand *m* tilstand (*-e*)
zustande: ~ ***bringen*** nå til; ~ ***kommen*** komme i stand
zuständig ansvarlig (***für*** for)
Zuständigkeit *f* ansvar
zustehen tilkomme
zustellen tilsende
Zustellgebühr *f* udbringningsgebyr *n*
Zustellung *f* tilsendelse
zustimmen være enig (med)
Zustimmung *f* accept
zustopfen stoppe
zustoßen ske
Zutaten *pl Gastr* ingredienser

pl
zuteilen tildele
Zuteilung *f* tildeling
zutrauen tiltro
zutraulich tillidsfuld
zutreffen passe
zutreffend rigtig
zutrinken skåle med
Zutritt *m* adgang
zuunterst underst
zuver|lässig pålidelig; **ᘔlässigkeit** *f* pålidelighed
Zuversicht *f* tillid; **ᘔlich** optimistisk
zuviel → ***zu***
zuvor før; *erst einmal* først; **~kommen** komme i forkøbet; **~kommend** imødekommende
Zuwachs *m* tilvækst
Zu|wanderer *m*, **~wanderin** *m* tilflytter (*-e*); *Einwanderer* indvandrer (*-e*)
zuwenden *Gesicht, Rücken* vende ... mod; ***sich j-m ~*** tage sig af ngn
zuwenig → ***zu***
zuwiderhandeln ikke rette sig efter
zuwinken vinke til
zuzahlen betale ekstra
zuziehen *Vorhang* trække for; *hin-* trække til; ***sich ~*** pådrage sig
zuzüglich plus
Zwang *m* tvang (***unter*** under)
zwanglos afslappet
Zwangsjacke *f* spændetrøje (*a fig*)
Zwangslage *f* nødsituation
zwangsweise med tvang
zwanzig tyve
zwar ganske vist; ***und ~*** nemlig
Zweck *m* formål *n* (***zu*** til)
Zwecke *f* stift
zweck|entfremden misbruge; **~fremd** uretmæssig
zwecklos nytteløs; **~mäßig** hensigtsmæssig
zwecks med henblik på
zwei to
Zwei *f* total *n* (*-ler*)
zweibahnig tosporet
Zweibett|abteil *n* tosengskupé; **~kabine** *f* tokøjerskahyt; **~zimmer** *n* dobbeltværelse *n* (*-r*)
zweideutig tvetydig
zweieiig todelt
zweieinhalb to en halv
Zweierbeziehung *f* parforhold *n* (=)
zweierlei to slags
zweifach dobbelt
Zweifel *m* tvivl
zweifelhaft tvivlsom
zweifellos utvivlsomt
zweifeln tvivle (***an*** på)
Zweig *m* gren (*-e*)
Zweigstelle *f* filial
zweihändig tohændig
zweijährig toårig
Zweiliterflasche *f* tolitersflaske (*-r*)
zweimal to gange
zweimotorig tomotorers
zweiseitig tosidet
Zweisitzer *m* topersoners bil
zweisprachig tosproget

zweispurig dobbeltsporet
zweistellig tocifret
zweistöckig toetages
zweit: ***zu ~*** to personer
Zweitälteste *m/f* næstældst
zweitens for det andet
zweitrangig andenrangs
Zweitschlüssel *m* ekstranøgle
Zweizimmerwohnung *f* toværelses lejlighed
Zwerchfell *n* mellemgulv *n*
Zwerg(in) *m(f)* dværg (*-e*)
Zwetsche *f* sveske(blomme) (*-r*)
zwicken nive
Zwieback *m/n* tvebak (*-ker*)
Zwiebel *f* løg *n* (=)
Zwielicht *n* tusmørke *n*
zwielichtig skummel
Zwilling *m* tvilling
Zwillingsbruder *m* tvillinge|bror (*-brødre*)
zwingen tvinge (***zu*** til)
zwinkern blinke
Zwirn *m* sytråd
zwischen mellem
Zwischendeck *n* mellemdæk *n*
zwischendurch nu og da
Zwischenlandung *f* mellemlanding
Zwischenprüfung *f in Dänemark etwa* eksamen
Zwischenraum *m* mellemrum *n* (=)
Zwischenzeit *f*: ***in der ~*** i mellemtiden
Zwist *m* strid
zwitschern kvidre
zwölf tolv
Zylinder *m* cylind|er (*-re*)
zylinderförmig cylinderformet
zzt., **z. Zt.** (*zur Zeit, zurzeit*) for tiden

Anhang

Zahlwörter – Talord

Grundzahlen – Grundtal

0 nul *n null*
1 en, et *eins*
2 to *zwei*
3 tre *drei*
4 fire *vier*
5 fem *fünf*
6 seks *sechs*
7 syv *sieben*
8 otte *acht*
9 ni *neun*
10 ti *zehn*
11 el(le)ve *elf*
12 tolv *zwölf*
13 tretten *dreizehn*
14 fjorten *vierzehn*
15 femten *fünfzehn*
16 seksten *sechzehn*
17 sytten *siebzehn*
18 atten *achtzehn*
19 nitten *neunzehn*
20 tyve *zwanzig*
21 enogtyve *einundzwanzig*
22 toogtyve *zweiundzwanzig*
30 tred(i)ve *dreißig*
40 fyrre *vierzig*
50 halvtreds *fünfzig*
60 tres *sechzig*
70 halvfjerds *siebzig*
80 firs *achtzig*
90 halvfems *neunzig*
100 hundrede *hundert*
200 to hundrede *zweihundert*
572 fem hundrede tooghalvfjerds *fünfhundert-zweiundsiebzig*
1000 tusind, et tusind(e) *tausend*
1954 nitten hundrede fireoghalvtreds *neunzehnhundert-vierundfünfzig*
1 000 000 en million *eine Million*

Ordnungszahlen – Ordenstal

1. første *erste*
2. anden, andet *zweite*
3. tredje *dritte*
4. fjerde *vierte*
5. femte *fünfte*
6. sjette *sechste*
7. syvende *siebente*
8. ottende *achte*
9. niende *neunte*
10. tiende *zehnte*
11. el(le)vte *elfte*
12. tolvte *zwölfte*
13. trettende *dreizehnte*
14. fjortende *vierzehnte*
15. femtende *fünfzehnte*
16. sekstende *sechzehnte*
17. syttende *siebzehnte*
18. attende *achtzehnte*
19. nittende *neunzehnte*
20. tyvende *zwanzigste*
21. enogtyvende *einund-zwanzigste*

22. toogtyvende *zweiundzwanzigste*
30. tred(i)vte *dreißigste*
40. fyrre(tyve)nde *vierzigste*
50. halvtreds(indstyv)ende *fünfzigste*
60. tresindstyvende/ tressende *sechzigste*
70. halvfjerds(indstyv)ende *siebzigste*
80. firs(indstyv)ende *achtzigste*
90. halvfems(indstyv)ende *neunzigste*
100. hundrede *hundertste*
200. to hundrede *zweihundertste*
572. fem hundrede toog-halvfjerds(indstyv)ende *fünfhundertzweiund-siebzigste*
1000. tusinde *tausendste*
1954. nitten hundrede fire-oghalvtreds(indstyv) ende *tausendneunhundert-vierundfünfzigste*
1 000 000. millionte *millionste*

Brüche – Brøker

1/2 en halv, et halvt *ein Halb(es)*
1/3 en tredjedel *ein Drittel*
1/4 en fjerdedel, en kvart *ein Viertel*
1/20 en tyvendedel *ein Zwanzigstel*
3/4 tre fjerdedele, trekvart *drei Viertel*
1 1/2 halvanden *anderthalb*
2 1/2 to en halv *zweieinhalb*
3 1/2 tre en halv *etc* *dreieinhalb*
et pund (*od* et halvt kilo) *ein Pfund* (*ein halbes Kilo*)
et kvartal *ein Vierteljahr*

Einige Ausdrücke für den Einstieg

Hallo!
Hej!

Mein Name ist …
Mit navn er …

Was kostet das?
Hvad koster det?

Guten Tag!
Dav!
(*unter Freunden*) **Hej!**

Ich bin aus …
Jeg kommer fra …

(Entschuldigen Sie,) wo liegt …?
(Undskyld,) hvor ligger …?

Danke!
Tak!

Ich spreche kein Dänisch.
Jeg taler ikke dansk.

Ich hätte gern …
Jeg vil gerne be' om …

Tschüs!
Hej, hej!

Wie heißt das auf Dänisch?
Hvad hedder det på dansk?

Entschuldigung!
Undskyld!

Auf Wiedersehen!
Farvel!

Bitte wiederholen Sie!
Vær rar at gentage!

Bitte (*gern geschehen*)!
Det var så lidt!

Duzen und Danken auf Dänisch

Wer zum ersten Mal nach Dänemark kommt, wird sich vielleicht wundern, dass man sich allgemein duzt. Man kann mit dem „du" also jeden ansprechen.
Anders als im Deutschen heißt das nicht, dass man mit jedem, den man duzt, gut befreundet ist.
Nur Mitglieder der Königsfamilie, manchmal auch alte Menschen, werden betont respektvoll mit „De" gesiezt.

Eine andere dänische Eigenart ist, sich gezielt für etwas zu bedanken, z. B. wenn man mit jemandem einige Zeit verbracht hat: *tak for i dag!*, *tak for i aften!*; für das Mitnehmen im Auto:

tak for turen!; für die Mahlzeit: *tak for mad!*; für das Getränk: *tak for skænken!*, für die Hilfe: *tak for hjælpen!*; für einen guten Rat: *tak for tippet!*; oft auch, wenn man sich wieder trifft: *tak for sidst!*

Das Danken ist ein Ritual wie das Grüßen und wird erwartet. Es lohnt sich also, diese Wendungen parat zu haben.

Der kleine Unterschied

Interessanterweise haben deutsche weibliche Berufs- und Personenbezeichnungen (*Verkäufer**in***, *Tourist**in***, *Dän**in***) in der Regel keine direkte dänische Entsprechung.
Wo das Deutsche sehr genau auf den Unterschied zwischen männlicher und weiblicher Form bedacht ist, haben die Dänen den entgegengesetzten Weg eingeschlagen.

Verwirrend: *franskmand* heißt z. B. sowohl Franzose als auch Französin. Ausdrücklich feminine Bezeichnungen gelten entweder als altmodisch (*skuespiller**inde***: Schauspielerin; *lærer**inde***: Lehrerin) oder sind regelrecht falsch.

Umschreibungen wie *kvindelig minister* (*etwa* weiblicher Minister) sind zwar möglich, werden aber oft als übertrieben empfunden. Für Dänen ist es kein Kompliment, extra darauf hinzuweisen, dass es sich um eine Frau handelt.

Es gibt zwar ein paar gebräuchliche Femininformen wie etwa *sanger**inde*** (Sängerin), die Form *sanger* (Sänger) ist jedoch für Frauen genauso verwendbar. Die dänische weibliche Endung ***-inde*** ist also nicht so wichtig wie ihre deutschen Schwestern.